La saga des Hachémites
La tragédie du Moyen-Orient
1909-1999

DU MÊME AUTEUR

L'OAS, histoire d'une organisation secrète, Fayard, 1986
L'Arme de la désinformation, Grasset, 1999
André Malraux, 1901-1976 : le roman d'un flambeur, Hachette
    Littératures, 2001
OAS : histoire d'une guerre franco-française, Seuil, 2002
Le Réseau Bucéphale, Seuil, 2006

EN COLLABORATION AVEC ROGER FALIGOT

Service B, Fayard, 1985
Kang Sheng et les Services secrets chinois, Robert Laffont, 1987
Porno business, Fayard, 1987
Les Résistants, Fayard, 1989
Le Croissant et la croix gammée, Albin Michel, 1990
As-tu vu Cremet ?, Fayard, 1991
Éminences grises, Fayard, 1992
Histoire mondiale du renseignement au XXᵉ siècle, t. 1 et 2, Robert
    Laffont, 1993 et 1994
Le Marché du diable, Fayard, 1995
L'Hermine rouge de Shanghai, Les Portes du Large, 2005

Rémi Kauffer

La saga des Hachémites

La tragédie du Moyen-Orient
1909-1999

Stock

Ouvrage publié sous la direction de
Hervé Hamon

Cartes : © Anne Le Fur – AFDEC, 2009

ISBN 978-2-234-05978-8

REPÈRES

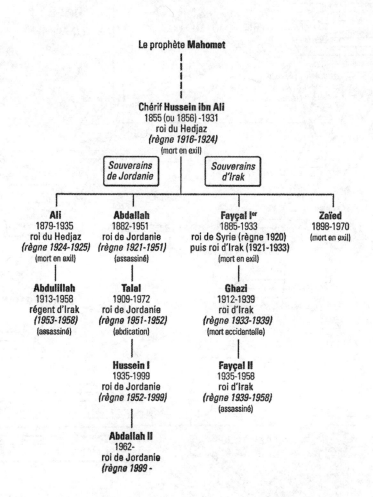

Le prophète **Mahomet**

Chérif **Hussein ibn Ali**
1855 (ou 1856) -1931
roi du Hedjaz
(règne 1916-1924)
(mort en exil)

| Souverains de Jordanie | Souverains d'Irak |

Ali
1879-1935
roi du Hedjaz
(règne 1924-1925)
(mort en exil)

Abdallah
1882-1951
roi de Jordanie
(règne 1921-1951)
(assassiné)

Fayçal Ier
1885-1933
roi de Syrie (règne 1920)
puis roi d'Irak (1921-1933)
(mort en exil)

Zaïed
1898-1970
(mort en exil)

Abdulillah
1913-1958
régent d'Irak
(1953-1958)
(assassiné)

Talal
1909-1972
roi de Jordanie
(règne 1951-1952)
(abdication)

Ghazi
1912-1939
roi d'Irak
(règne 1933-1939)
(mort accidentelle)

Hussein I
1935-1999
roi de Jordanie
(règne 1952-1999)

Fayçal II
1935-1958
roi d'Irak
(règne 1939-1958)
(assassiné)

Abdallah II
1962-
roi de Jordanie
(règne 1999 -

Le Moyen-Orient aujourd'hui

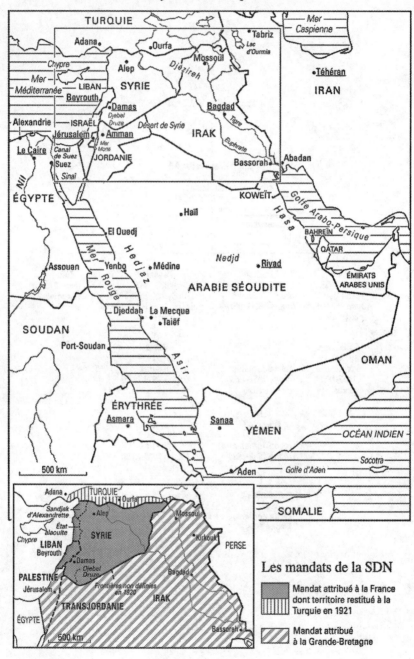

Les mandats de la SDN

▨ Mandat attribué à la France dont territoire restitué à la Turquie en 1921

▧ Mandat attribué à la Grande-Bretagne

Le chemin de fer du Hedjaz à l'époque de la thawra

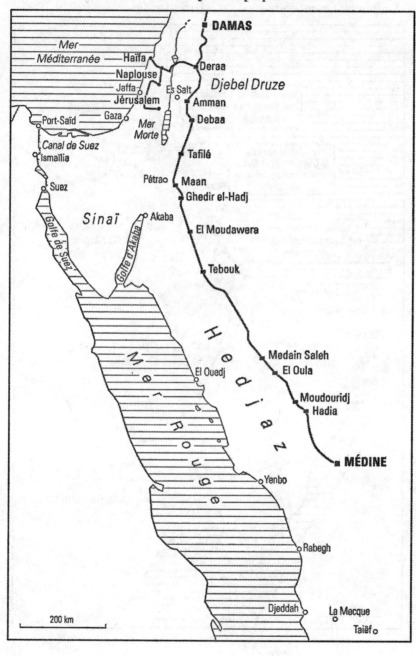

Le Proche-Orient entre les deux guerres israélo-arabes, 1949-1956

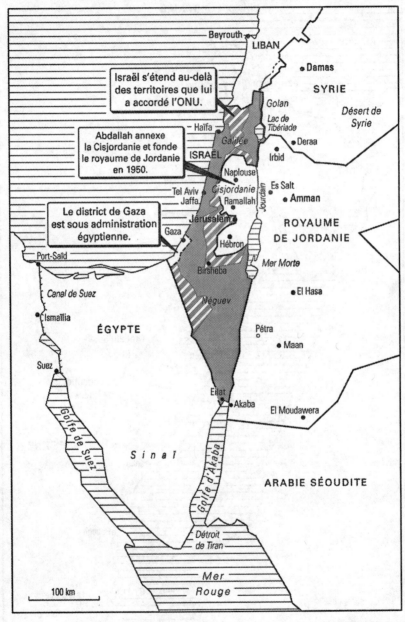

Beyrouth
LIBAN
Damas
SYRIE
Golan
Désert de Syrie
Lac de Tibériade
Haïfa
Deraa
Galilée
ISRAËL
Irbid
Naplouse
Es Salt
Cisjordanie
Amman
Tel Aviv
Jaffa
Ramallah
Jourdain
Jérusalem
ROYAUME DE JORDANIE
Gaza
Hébron
Port-Saïd
Mer Morte
Birsheba
El Hasa
Canal de Suez
Néguev
Ismaïlia
ÉGYPTE
Pétra
Maan
Suez
Eilat
Akaba
El Moudawera
Golfe de Suez
Sinaï
Golfe d'Akaba
ARABIE SÉOUDITE
Détroit de Tiran
Mer Rouge
100 km

Israël s'étend au-delà des territoires que lui a accordé l'ONU.

Abdallah annexe la Cisjordanie et fonde le royaume de Jordanie en 1950.

Le district de Gaza est sous administration égyptienne.

Avertissement

L'auteur a choisi d'utiliser de manière globale le terme
« Moyen-Orient », même dans les cas où il serait plus précis,
d'un point de vue géographique, de parler, par exemple, de
« Proche-Orient ». Ce choix n'implique aucune simplification
abusive de sa part. Il traduit simplement un souci de commodité
de lecture. Il en va de même de celui d'orthographier les noms
arabes de la manière la plus familière aux yeux du public français.

Une famille qui a façonné
le Moyen-Orient d'aujourd'hui

Un père et ses quatre fils, les Hachémites :
— Hussein, le père, chérif*[1] de La Mecque, né en 1855 ou 1856 ;
— Ali, né en 1879 ;
— Abdallah, né en 1882 ;
— Fayçal, né en 1885 ;
— Zaïed, né en 1898.
Ils rêvent d'un grand royaume arabe sous la houlette de leur clan.

1909 : L'Empire ottoman règne sur le Moyen-Orient : péninsule Arabique, Irak, Syrie, Palestine, Jordanie. À Istanbul, les Jeunes-Turcs*, modernistes, centralistes et répressifs, ont pris le pouvoir. À La Mecque, les Hachémites tentent de conquérir un peu d'autonomie.

Novembre 1914 : L'Empire ottoman entre en guerre aux côtés de l'Allemagne contre la Grande-Bretagne et la France. L'Égypte devient un protectorat anglais.

Mai-juin 1915 : De Syrie, par l'intermédiaire de Fayçal, les Hachémites se voient promettre le soutien des sociétés secrètes panarabes s'ils entrent en lutte contre les Ottomans.

---

1. Les mots suivis d'un astérisque sont répertoriés dans le glossaire en fin d'ouvrage. *(N.d.A.)*

15

Juillet 1915 : Le chérif Hussein entame une correspondance secrète avec McMahon, le haut-commissaire britannique en Égypte.

Mai 1916 : Français, Britanniques puis Russes signent les accords secrets Sykes-Picot de dépeçage de l'Empire ottoman et de partage du Moyen-Orient en cas de victoire.

> *La Grande-Bretagne veut protéger la route des*
> *Indes en s'assurant le contrôle*
> *de l'Irak (golfe Arabo-Persique) et de la*
> *Palestine (rive est du canal de Suez).*
> *La France veut la Syrie et le Liban.*
> *Les Hachémites veulent le soutien des Alliés dans*
> *l'optique d'un soulèvement arabe contre les*
> *Ottomans, mais ignorent l'existence des accords*
> *Sykes-Picot.*

Juin 1916 : Les Hachémites lancent la *thawra**, la révolte arabe, à La Mecque, Taïef et Médine.

Septembre 1916 : La Grande-Bretagne, qui aide au développement de la thawra par l'intermédiaire de la Royal Navy et du Bureau arabe du Caire, demande un appui à la France.

Octobre 1916 : Envoyé du Bureau arabe, le jeune lieutenant T. E. Lawrence commence à persuader ses chefs que l'Angleterre doit soutenir Fayçal aux dépens de son frère aîné Abdallah.

Décembre 1916 : La thawra est au bord de l'effondrement.

Janvier 1917 : Lawrence est désigné comme l'officier de liaison britannique auprès de Fayçal, dont l'armée prend El Ouedj, au nord, en remontant vers la Syrie, avec l'aide de la Royal Navy.

Février 1917 : Les combattants de la mission militaire française entrent en action pour soutenir la thawra, mais leur chef, le colonel Brémond, doit aussi empêcher les Hachémites de s'emparer de la Syrie.

Juillet 1917 : L'armée de Fayçal s'empare du port d'Akaba avec l'aide de Lawrence. Sa crédibilité aux yeux de l'état-major anglais en sort renforcée.

Novembre 1917 : La Grande-Bretagne adopte la déclaration Balfour, favorable à l'établissement d'un « Foyer national juif » en Palestine.

Décembre 1917 : L'armée britannique prend Jérusalem.

Juin 1918 : Fayçal rencontre Haïm Weizmann, représentant l'exécutif sioniste.

Octobre 1918 : L'armée britannique prend Damas mais, pour contrarier les projets français de mainmise sur la Syrie, elle laisse l'armée de Fayçal y pénétrer la première. L'Empire ottoman rend les armes, signant avec la Grande-Bretagne l'armistice de Moudros.

La Grande-Bretagne, qui a tout promis à tout le monde,
ne peut tenir ses engagements.
Elle adopte la « solution hachémite » : Hussein, roi à La Mecque,
Fayçal à Damas, Abdallah à Bagdad. Puis,
sous la pression française, elle accepte que Fayçal soit
expulsé de Syrie.
Sans attendre que Londres lui donne un royaume clé
en main, Abdallah se taille un petit fief en
Transjordanie.

Janvier-février 1919 : Fayçal vient défendre le point de vue arabe et hachémite à la conférence mondiale de la paix de Paris. Il retourne ensuite à Damas.

Mai 1919 : Soutenu par la France, le conseil administratif du Mont-Liban vote sa déclaration d'indépendance.
En Arabie, Ibn Séoud écrase l'armée hachémite d'Abdallah à Tourara. Le royaume d'Hussein n'est sauvé que par les pressions de Londres sur les Séoudiens.

Septembre 1919-janvier 1920 : Fayçal revient en Europe négocier, rencontre notamment Georges Clemenceau, mais rentre les mains presque vides.

Mars 1920 : Un Congrès national syrien proclame l'indépendance, avec Fayçal comme roi.

Avril 1920 : La conférence de San Remo donne à la Grande-Bretagne le mandat de la Société des nations*, la SDN, sur l'Irak et la Palestine, Transjordanie incluse, et à la France le mandat sur la Syrie, Liban inclus.

Juillet 1920 : L'armée française bat celle de Fayçal et expulse le roi de Syrie.

Septembre-décembre 1920 : Abdallah prend pied en Transjordanie sous prétexte d'aider Fayçal, et s'impose aux Anglais.

La Grande-Bretagne reformule la « solution hachémite » : Fayçal aura l'Irak et Abdallah, la Transjordanie seulement. En Arabie, Ibn Séoud chasse le roi Hussein de La Mecque et assiège son fils aîné Ali à Djeddah.

Mars 1921 : Présidée par Winston Churchill, ministre des Colonies, la conférence du Caire fixe les modalités de la nouvelle « solution hachémite ».

Août 1921 : Fayçal est couronné roi d'Irak.

Octobre 1922 : La Turquie de Mustapha Kemal est reconnue par les Occidentaux.

Mai 1923 : Abdallah, qui a obtenu des assurances de Londres quant à la reconnaissance de l'émirat de Transjordanie par la SDN, force encore une fois la main à la Grande-Bretagne en instituant une fête nationale.

Octobre 1924 : Devant la progression de l'armée d'Ibn Séoud, le roi Hussein abdique en faveur de son fils Ali. Il quitte à jamais l'Arabie.

Décembre 1925 : Ali abdique à son tour et s'exile en Irak, chez son frère Fayçal. Les Hachémites ont perdu toute la péninsule Arabique.

Juin 1926 : Le traité anglo-turco-irakien stabilise les relations entre les trois pays.

Octobre 1927 : Pour la première fois, le pétrole jaillit en Irak.

Le Moyen-Orient semble en voie de stabilisation. Les nouveaux États se consolident. Mais en Palestine, tout va mal entre Juifs, Arabes et puissance mandataire britannique.

Septembre 1932 : Ibn Séoud crée le royaume d'Arabie Séoudite.

Octobre 1932 : L'Irak est admis au sein de la SDN.

Mai 1933 : La Grande-Bretagne perd les pétroles d'Arabie Séoudite au profit des États-Unis.

Septembre 1933 : Fayçal meurt. Son fils Ghazi lui succède.

Mai 1935 : Mort accidentelle de Lawrence d'Arabie.

Avril 1936 : Naissance du Haut Comité arabe, qui veut coordonner la grève générale de Palestine contre les Juifs et les Anglais.

La Seconde Guerre mondiale met la « solution hachémite » en péril. L'Axe joue la carte du nationalisme arabe. L'Irak vacille mais Abdallah de Transjordanie, allié des jours difficiles, s'engage aux côtés de la Grande-Bretagne.

Avril 1939 : Le roi d'Irak, Ghazi, favorable au nationalisme arabe, meurt dans un accident d'auto. Trop jeune pour régner, son fils Fayçal II est placé sous la tutelle du régent Abdulillah, son oncle.

Septembre 1939 : La France et la Grande-Bretagne déclarent la guerre à l'Allemagne nazie.

Avril 1941 : Les colonels du « Carré d'or », nationalistes arabes plus ou moins favorables à l'Axe, renversent le gouvernement irakien avec l'aide du grand mufti* de Jérusalem, ennemi juré des Hachémites. L'Allemagne leur tend la main mais la Grande-Bretagne contre-attaque et remet Fayçal II sur le trône.

Mai 1941 : Hitler parle du Mouvement de libération arabe comme de son « allié naturel ».

Juin 1941 : La Légion arabe du roi de Transjordanie combat aux côtés des Britanniques puis des Français libres contre l'armée du Levant, fidèle à Pétain.

La Seconde Guerre mondiale finie, la France s'efface au Moyen-Orient. La Syrie et le Liban accèdent à l'indépendance. Le monde arabe tente de s'unifier pour empêcher l'émergence de l'État d'Israël. La

Grande-Bretagne fait ses bagages. Le terrorisme
ensanglante la Palestine. La guerre israélo-arabe
devient inévitable. Abdallah manœuvre pour annexer
la Cisjordanie à son royaume.

Mars 1945 : Sous influence anglaise, la Ligue arabe (Égypte, Arabie Séoudite, Irak, Syrie, Liban, Transjordanie et Yémen) voit le jour au Caire.

Mars 1946 : La Transjordanie devient indépendante.

Novembre 1947 : Abdallah de Transjordanie négocie secrètement avec Golda Meir, qui représente l'exécutif sioniste.
L'Assemblée générale de l'ONU se prononce en faveur du partage de la Palestine entre un État juif et un État arabe.

Décembre 1947 : Les guérillas palestiniennes entrent en action contre les Britanniques et les Juifs.

Mai-juin 1948 : Ben Gourion proclame la naissance d'Israël. Les armées arabes pénètrent en Palestine. Les militaires britanniques quittent le Moyen-Orient, laissant les adversaires face à face. L'armée du roi Abdallah sauve une partie de Jérusalem et s'en empare. La ville est divisée en deux.

Les Arabes ont perdu la guerre. De plus en plus
isolé à cause de sa modération envers Israël,
Abdallah court vers la mort mais le royaume de
Jordanie va surmonter l'épreuve. En Irak,
par contraste, le régime hachémite s'effondre
dans le sang.

Décembre 1948 : Abdallah annexe la Cisjordanie, soulevant l'indignation du monde arabe.

Avril 1949 : Israël et le nouveau royaume de Jordanie (Transjordanie plus Cisjordanie), officiellement fondé en 1950, signent un armistice.

Juillet 1951 : Abdallah est assassiné à Jérusalem par un Palestinien.

Septembre 1951 : Talal succède à son père Abdallah.

Juillet 1953 : Les deux cousins Hussein de Jordanie (petit-fils d'Abdallah) et Fayçal II d'Irak (petit-fils de Fayçal) montent simultanément sur le trône.

Juillet 1958 : Coup d'État militaire à Bagdad. La famille royale est assassinée. L'Irak devient une république. Du rêve hachémite de grand royaume arabe, il ne reste que la Jordanie.

Juin 1967 : Guerre des Six Jours. Hussein perd la Cisjordanie, occupée par les Israéliens.

Septembre 1970 : L'armée jordanienne écrase les mouvements armés palestiniens.

Octobre 1994 : Le traité de paix israélo-jordanien est signé.

Février 1999 : Hussein de Jordanie meurt à Amman.

Les lieux du drame

À la veille de la Grande Guerre, quand débute la saga des Hachémites, l'Empire ottoman, battu à plate couture par la coalition de la Ligue balkanique (Bulgares, Grecs, Monténégrins et Serbes), vient de perdre l'essentiel de ses possessions sur le Vieux Continent.

S'il n'est donc plus, et pour cause, « l'homme malade de l'Europe » que raillaient jadis les chancelleries occidentales, le voici désormais l'homme souffrant du Moyen-Orient.

Cette région du monde, les Turcs la contrôlent pourtant depuis le XVIe siècle quand, parvenus à leur extension maximale en Europe (les Balkans, le bassin de la mer Noire, le Caucase), ils se sont tournés vers le Moyen-Orient. Contre elle, plus précisément. Entre 1512 et 1520, sous le règne de « Yavouz le Terrible » (Sélim Ier), l'Empire ottoman va ainsi s'agrandir d'une partie de l'Irak, d'une partie de la Syrie, et de toute l'Égypte.

Plus au sud, à la même époque, la Sublime Porte s'empare de l'Arabie, terre natale du prophète Mahomet et berceau de la religion musulmane. À partir de 1517, des gouverneurs turcs vont se succéder sans interruption à la tête des villes saintes de La Mecque et de Médine.

À ces fonctionnaires plus ou moins bien inspirés, la tâche de gérer, dans l'intérêt de l'Empire, les rares conflits qui les opposent

23

aux chérifs de La Mecque, gardiens des lieux saints depuis les origines de l'islam.

La mainmise turque sur La Mecque a de sérieuses conséquences. Membres, la plupart du temps, du clan familial des Hachémites, prestigieux entre tous puisqu'il descend de Mahomet, les chérifs ne peuvent exercer leurs prérogatives traditionnelles que sous étroite surveillance.

Sans l'aval d'Istanbul, rien n'est possible. Chef de famille des Hachémites à la fin du XIXᵉ siècle, Hussein ibn Ali el-Hachemi le constate à ses dépens. Le sultan ottoman Abdulhamid II, dont le long règne (1876-1909) va coïncider avec le déclin final de la Sublime Porte, le juge en effet trop indépendant d'esprit et lui impose un long séjour en résidence surveillée à Istanbul à partir de 1893. Plus dociles, l'oncle, puis le cousin d'Hussein se sont succédé au chérifat jusqu'à son retour en grâce en 1908.

La domination ottomane sur le Moyen-Orient, dont un quart environ de la population est composée de non-musulmans, chrétiens ou juifs surtout, et où les communautés minoritaires se chevauchent dans un désordre inextricable, tient en partie à un facteur religieux. Les sultans turcs se sont en effet arrogé le titre et le rôle de calife*, chef et guide de la communauté des croyants, qu'ils cumulent avec leurs responsabilités impériales.

Sanglant à certaines périodes, débonnaire à d'autres, le règne ottoman en terre arabe repose, par ailleurs, sur un système administratif original qui laisse aux diverses communautés minoritaires un degré variable de liberté religieuse et d'autonomie politique.

La formule a l'avantage d'alléger le fardeau administratif et policier. Mais elle implique le déni forcené de toute revendication de type national – on appartient à telle ou telle communauté religieuse, on est de telle ou telle province de l'Empire, jamais d'un pays, et encore moins d'une nation. Un système d'organisation ingérable à l'heure où les nationalismes arabes, voire le nationalisme panarabe, commencent à travailler le Moyen-Orient.

L'effilochage de l'Empire a commencé en Égypte, sous l'égide de Méhémet Ali qui, expédié en 1798 par Istanbul pour repousser l'assaut de Bonaparte, a profité de la situation pour se retourner contre ses maîtres. En 1832, son armée victorieuse n'est plus qu'à six journées de marche d'Istanbul quand la pression des puissances occidentales, soucieuses de préserver le facteur d'équilibre ottoman, l'oblige à composer. Mais, une nouvelle fois vainqueur en 1839, Méhémet Ali arrache aux puissances le droit d'ériger l'Égypte en État quasi autonome. Il en devient Pacha à titre héréditaire l'année suivante.

Une marche vers l'émancipation que ses successeurs, les khédives du Caire, vont poursuivre par à-coups – un pas en avant, deux pas en arrière – jusqu'à ce que la politique étrangère aberrante d'Abdulhamid II finisse par pousser les Britanniques, qui n'y tenaient guère, à s'emparer manu militari de l'Égypte.

Déjà maîtres du Soudan, où ils ont failli en venir aux mains avec les Français, contraints de se retirer sous peine d'un affrontement militaire (c'est l'affaire de Fachoda, en 1898), les Anglais contrôlent à présent la rive occidentale de la mer Rouge. Mais sa côte orientale reste sous l'autorité des Ottomans. Djeddah, le port sur la mer Rouge qui dessert La Mecque, assure notamment à la Sublime Porte le monopole des voies maritimes de pèlerinage en Terre sainte.

Londres, dont le souci permanent est d'alléger les frais d'administration de son immense empire, aurait préféré une option moins radicale que la quasi-annexion de l'Égypte, coûteuse aux plans financier et politique. Hélas, les événements et les maladresses en cascade d'Abdulhamid II l'ont rendue inévitable.

Autant se faire une raison. L'essentiel n'est-il pas de sécuriser les communications entre la métropole et la perle de son empire, l'Inde ? Un objectif stratégique majeur qui passe par le contrôle du canal de Suez d'une part, celui du golfe Arabo-Persique de l'autre.

Ah, le canal de Suez... ! Dire qu'au début, les Britanniques voyaient du pire œil le projet de percement de cette voie d'eau artificielle conçue par Ferdinand de Lesseps ! Une manœuvre sournoise de plus de la part des Français, croyaient-ils. Mais, depuis que leurs cargos peuvent circuler librement entre Méditerranée et mer Rouge, s'épargnant d'interminables opérations de transbordement mer-terre-mer, le commerce anglais, avec son immense colonie indienne, a atteint un volume impressionnant. Assez pour lever toutes les réticences de la City.

Suez, du coup, s'est mué en véritable obsession britannique. La manière la plus efficace de défendre la rive orientale du canal serait de faire de la Palestine son glacis protecteur, en la soustrayant à l'influence ottomane. En temps de paix, l'affaire est impossible, mais si les armes parlaient ? Dans ce cas, on s'emparerait sans déplaisir de Jérusalem...

Aussi importante soit-elle, la Palestine ne représente pas le seul but de guerre anglais potentiel dans le monde arabe. À l'est de la péninsule Arabique, Londres a commencé de longue date à régenter en sous-main la partie occidentale du golfe Arabo-Persique, celle qui fait face à la côte iranienne. D'où une série d'accords tacites et de traités avec les sultans d'Oman, du Qatar, de Bahreïn, du Koweït. D'où, encore, le flirt plus récent avec Ibn Séoud qui, hostile aux Turcs et rival des Hachémites, s'est taillé un émirat dans la partie orientale de la péninsule Arabique.

Ce n'est pas tout. L'Irak aussi occupe un emplacement stratégique. Débouché du Golfe *via* Bassorah, c'est, avec ses deux grands fleuves, le Tigre et, surtout, l'Euphrate, le trait d'union entre l'océan Indien et la Syrie, donc la côte méditerranéenne. En vertu de quoi, le gouvernement anglais de l'Inde, le Raj*, et le vice-roi Hardingue, représentant personnel de la couronne britannique basé à Calcutta, ne cachent pas leurs visées sur cette région, souvent appelée la Mésopotamie.

Entre ces deux buts de guerre, Palestine et Mésopotamie, le cœur de Sa Majesté le roi George V balance. Auquel donner la priorité ? Un vif débat oppose le Raj et le gouvernorat anglo-égyptien du Soudan, tenants de deux stratégies rivales.

Par sa dimension même, l'impérialisme britannique triomphant implique en effet une multiplicité des centres de décision et une lutte d'influence permanente entre eux.

Quels centres ? Le War Office naturellement, qui a la haute main sur les questions militaires, et son éternel concurrent, le Foreign Office, souverain en matière diplomatique. Mais le ministère des Affaires coloniales, le Colonial Office, a aussi son mot à dire. De même que l'India Office de Londres et de

Bombay, et le secrétariat d'État à l'Inde, installé dans la capitale britannique.

L'importance du quartier général militaire britannique du Moyen-Orient, situé en Égypte, ne fera que croître au fil des années de guerre. Quant au Raj, il ne constitue peut-être pas un État dans l'État mais, à coup sûr, le pilier principal de l'Empire, réglant jour après jour le destin de millions d'hommes et de femmes.

Autant d'administrations rivales qui voient la même situation sous des angles chaque fois différents et poussent, de ce fait, à des politiques contradictoires.

Les Français, dont l'empire est moins étendu et l'administration plus rigide, souffrent sans doute des mêmes maux, mais dans une moindre mesure, esprit jacobin et centralisation obligent. Leur maladie congénitale à eux, c'est l'étroitesse des vues coloniales.

Au contraire de Londres qui préfère, si possible, tirer les ficelles en douce, Paris veut un pouvoir ostensible, visible, avec drapeaux tricolores flottant au vent, défilés militaires et *Marseillaise* à pleins poumons. « Nos ancêtres, les Gaulois… » Seul le Maroc, où le général Lyautey tente une expérience originale de colonisation indirecte, échappe un peu à ces manifestations d'orgueil national.

Le Maroc constitue justement l'unique pays du Maghreb indemne d'influence ottomane. Celle-ci s'est manifestée en Algérie avant que la France, puissance occupante depuis les années 1830-1850, se mette à y envoyer de nombreux Européens, puis divise le pays en trois départements. Et un peu moins en Tunisie, où Paris vient également d'imposer son protectorat.

À vrai dire, la France ne se contente pas de ses trois colonies maghrébines. Déjà, elle jette un regard avide sur la Syrie, qui comprend alors le Liban et son importante population chrétienne, surtout composée de fidèles de rite maronite, spécifique de cette région. Une France protectrice des chrétiens du Levant : ainsi la IIIe République, digne héritière du second Empire, voit-elle les choses. Régnant avec éclat à Damas, Paris imposerait, à son profit, l'indépendance libanaise chère à une partie de la population de ce pays ouvert sur l'Occident.

Appuyé par quelques intellectuels libanais et des prêtres maronites, un groupe métropolitain puissant d'intérêts économiques et politiques, le lobby « syrianiste », pousse avec force en ce sens. Assez pour faire de la colonisation directe de la Syrie et du Liban l'objectif de la France au Moyen-Orient en cas de conflit armé avec l'Empire ottoman.

Dans ce partage des dépouilles, comptons aussi avec les ambitions de l'allié russe tsariste, ennemi traditionnel de l'Empire ottoman qui veut, entre autres, une part du « gâteau » syrien.

Ces appétits divers, Istanbul les connaît. Longtemps, la Turquie, « alliée de revers » traditionnelle de la France contre la Russie, a pu les contenir. Mais Londres, Paris et Saint-Pétersbourg font cause commune au sein de la Triple Entente contre l'Allemagne, l'Autriche-Hongrie et l'Italie, qui forment, elles, la Triple Alliance (dont Rome, changeant de camp, sortira en 1915).

Le risque de dépeçage de l'Empire ottoman en cas de succès de l'Entente inquiète, à juste titre, les Jeunes-Turcs, nouveaux maîtres d'Istanbul. Ce groupe de fonctionnaires, et surtout d'officiers, modernistes a commencé par comploter contre Abdulhamid II au sein du comité clandestin Union et Progrès avant de s'emparer des leviers du pouvoir en 1908, puis de parachever son action en contraignant manu militari le vieux sultan à l'abdication en faveur de son frère Mehmet V, l'année suivante.

Le triumvirat dirigeant du comité Union et Progrès, Talaat Pacha, Djemal Pacha et Enver Pacha, conçoit la modernisation de la Turquie sous la forme du retour à la Constitution de 1876, suspendue par Abdulhamid II. Un texte auquel ces trois hommes attribuent des qualités magiques, tout en le vidant de son contenu. Les dirigeants jeunes-turcs mettent bien en place une assemblée nationale, mais ils n'y admettent que des béni-oui-oui et traquent toute forme d'opposition. Résultat : le régime devient plus policier encore que celui d'Abdulhamid.

Centralisateurs jusqu'à la moelle, les Jeunes-Turcs ne sont pas seulement des nationalistes, mais des ultranationalistes. Car, entraînant ses deux acolytes dans une dérive idéologique confuse, Enver Pacha, cerveau de leur groupe dirigeant, s'est entiché des idées « touranistes ».

En voici le principe essentiel : qu'ils habitent la Turquie ou pas, les turcophones appartiendraient en bloc à une nation mythique, le Touran. Le but à atteindre en découle : donner vie à cette construction de l'esprit. Une doctrine expansionniste et xénophobe qui ne laisse guère de place aux sujets arabes de l'Empire, et a pour don d'irriter les plus radicaux d'entre eux.

Jeunes officiers comme intellectuels, les nationalistes arabes n'ont, pour l'heure, guère le soutien des grandes masses de leurs compatriotes, qui supportent encore assez bien la domination ottomane. Groupés au sein de sociétés secrètes, leurs effectifs ne dépassent d'ailleurs pas quelques centaines. Ils nourrissent en revanche un rêve immense : le réveil de la « nation arabe », endormie par quatre siècles d'ottomanisme.

Un projet qui se traduit de manière différente selon que les contestataires sont syro-palestiniens ou irakiens. Pour les premiers, intellectuels souvent, l'unité doit s'opérer autour de la Grande Syrie, Palestine et Liban inclus. Leur arabité, c'est la nation arabe – capitale Damas.

Militaires dans leur grande majorité, les seconds introduisent une forte dose de petit nationalisme irakien au sein du grand nationalisme arabe. Eux voient plutôt l'arabité future sous la forme d'un univers multipolaire où Mossoul et Bagdad, leurs deux places fortes, contrebalanceraient la capitale syrienne.

Sans compter les nationalistes égyptiens, dressés contre la Grande-Bretagne mais qui, du haut de leurs pyramides, considèrent avec dédain les « petits frères » d'Irak, de Palestine ou de Syrie, pas assez raffinés à leurs yeux.

Les membres des sociétés secrètes ne prônent pas – pas encore du moins – l'éclatement de l'Empire ottoman. Mais, échaudés par ses défaites militaires retentissantes, en Libye contre les Italiens et surtout en Europe face aux pays de la Ligue balkanique, ils veulent que cet empire s'accepte comme bicéphale. Associée aux responsabilités du pouvoir en tant que partenaire à part entière, sa composante arabe jouirait dès lors d'une très large autonomie.

Malgré sa faiblesse numérique, la petite avant-garde des sociétés secrètes ne doute pas de son destin. C'est seulement quand la botte jeune-turque menacera de l'écraser qu'elle va se mettre en quête d'alliés. Elle les trouvera alors dans le chérif hachémite de La Mecque, Hussein, et ses quatre fils, travaillés par l'idée d'un grand royaume arabe unifié sous la houlette de leur clan de descendants du Prophète. Ou encore dans la Grande-Bretagne, l'œil toujours rivé soit sur « sa » Palestine (gouvernorat de l'Égypte et du Soudan), soit sur « son » Irak (Raj indien).

Empires anglais, français et russe contre Empire ottoman. Et ce cinquième protagoniste impérial : l'Allemagne. Sous Abdulhamid II, déjà, Berlin s'était mué en partenaire privilégié d'Istanbul. Témoin la construction d'une ligne de chemin de fer Istanbul-Bagdad, le Bagdadbahn. Des ingénieurs allemands ont mis sur pied cette entreprise technique et humaine gigantesque, qui prévoit l'exploitation par leur pays de tout gisement pétrolifère situé de part et d'autre de la voie ferrée. L'Angleterre a la haute main sur le pétrole d'Iran. Pourquoi pas l'Allemagne sur celui d'Irak, inexploité encore mais potentiellement très riche ?

Le travail de titan des ingénieurs allemands et de leur main-d'œuvre indigène n'est pas terminé, loin de là. Encore faut-il traverser le massif montagneux du Taurus, qui suppose l'édification d'ouvrages d'art de grande portée. Mais le Bagdadbahn a permis de tisser des liens solides entre les deux empires, l'un en pleine jeunesse, l'autre usé jusqu'à la corde.

À la Wilhelmstrasse, le ministère des Affaires étrangères, quelques orientalistes allemands caressent l'idée d'une insurrection contre les intérêts britanniques de l'Iran à l'Inde, de l'Afghanistan à l'Égypte, du Soudan à l'Éthiopie, et les intérêts français en Afrique du Nord. La foi musulmane pourrait servir de levier, mais l'alliance avec une Turquie toujours dotée du califat porte en elle-même sa propre faiblesse. Le monde arabe subit certes sans trop broncher le joug ottoman, mais il ne versera pas son sang pour les beaux yeux d'Istanbul. Et encore moins pour ceux de Berlin...

Une difficulté majeure dont beaucoup, dans la capitale allemande, se font l'écho. Mais, ivre de pouvoir depuis la révolution de 1913, qui a fait de lui le maître absolu de l'Empire, le triumvirat jeune-turc (sultan pour la forme, Mehmet V n'a pas voix au chapitre) n'en semble guère conscient. Insensibles aux états d'âme de leurs « sujets », Enver, Djemal et Talaat s'acheminent vers l'alliance ouverte avec l'Allemagne. Le processus de rapprochement entre les deux capitales va s'épanouir après août 1914 et l'éclatement de la Grande Guerre. Et, une fois encore, c'est Enver Pacha qui mènera la danse.

Nul, à Berlin, n'en voudrait à un Empire ottoman à bout de souffle s'il se tenait à l'écart du conflit. Une déclaration ottomane de neutralité suffirait au bonheur de la Wilhelmstrasse. De son côté, la Triple Entente, Grande-Bretagne-France-Russie, a proposé à la Sublime Porte un traité de défense aux termes assez flous. Mais Enver, ministre de la Guerre traumatisé par la défaite ottomane face à la Ligue balkanique, veut à toute force laver cet affront. Au nom du pantouranisme, la Turquie doit reprendre ses conquêtes dans le Caucase, donc affronter la Russie. Et comment le faire sans lier son sort à celui du puissant Empire allemand qu'on admire tant ici, à Istanbul ?

Djemal, le ministre de la Marine, et Talaat, son collègue de l'Intérieur, suivent sans broncher leur chef de file sur cette pente savonneuse. Non sans contorsions de politique étrangère dignes de celles d'Abdulhamid II. Le 2 août 1914, le grand vizir Saïd Halem, associé politique du triumvirat, paraphe un traité secret d'alliance avec l'Allemagne. Mais les jours suivants, il continue à prétendre devant les diplomates britanniques, français et russes qui le pressent de questions que la Turquie veut rester neutre...

Le jeu de cache-cache se poursuit jusqu'au 20 septembre 1914. Deux cuirassés allemands franchissent alors le détroit des Dardanelles* avec l'accord d'Istanbul. Ils pénètrent en mer de Marmara pour être intégrés quatre jours plus tard avec armes, bagages, amiral et équipages au sein de la flotte ottomane !

Le 27 septembre, la Royal Navy intercepte un destroyer turc et le force à faire demi-tour. En représailles, Istanbul ferme les Dardanelles à la Triple Entente.

Un mois plus tard, le 29 octobre, une flotte germano-turque attaque par surprise les ports russes de la mer Noire. Le

4 novembre, la Grande-Bretagne déclare la guerre à l'Empire ottoman.

Fin décembre, alors que sur le front, en France, la guerre de mouvement s'est transformée en conflit de tranchées, de boue et d'usure, Enver, des rêves de gloire plein la tête, lance son infanterie à l'assaut de la Russie. Mais la bataille de Sarikamish tourne au désastre pour les armes turques. Quatre-vingt mille combattants ottomans périssent au combat, pour rien, dans des conditions climatiques épouvantables.

Istanbul décrète un embargo officiel sur les nouvelles du front. Mais peut-on empêcher la rumeur d'enfler et la défaite d'être connue jusqu'aux confins arabes de l'Empire ?

Au fil des désastres militaires et diplomatiques qui se succèdent, du mécontentement qui grandit, de l'aspiration nationaliste qui croît, les conditions pour le déclenchement de la révolte arabe contre les Ottomans commencent à se réunir.

Cette fois, l'heure n'est plus au songe pantouranien, mais au rêve hachémite. Le chérif Hussein et ses fils vont frapper les trois coups.

LA SAGA DES HACHÉMITES

PROLOGUE

Avant de reposer la tasse en fine porcelaine sur un support de cuivre ciselé, Fayçal, roi de Syrie, savoure son café.

Trois gorgées, pas plus, ainsi le veut l'ancestrale coutume des enfants du désert. Une autre n'apporterait que malheur et chagrin. Or son trône est sous la menace de la colonne de l'armée française du Levant qui progresse en force vers Damas, fou qui jouerait à cache-cache avec sa destinée...

Trois gorgées, pas une de plus. Mais ses esclaves noirs l'ont déjà compris : aujourd'hui, le maître ne pourra se contenter de rasades aussi chiches. Alors, sans attendre, ils s'empressent de concocter une autre mouture de ce breuvage, amer au palais du néophyte, mais si doux à celui des véritables Bédouins*.

L'eau en ébullition détrempe la poudre de café ; écrasés entre les doigts, trois petits grains de cumin, tirés du sachet en cuir pendu au cou d'un des officiants, viennent en relever le goût. Le marc à peine tombé au fond d'un premier pot noirci par la fumée, on reverse le liquide brûlant dans la cafetière munie, en son bec, d'une petite boule de fibre de coco qui fait office de filtre.

Grand, mince, très droit, visage en lame de couteau avec ce port de tête majestueux qui sied à son rang, Fayçal surveille l'opération, qui s'effectue dans un silence recueilli.

À lui le privilège de goûter le premier. Saisissant une des tasses entre le pouce et l'index de la main droite, il empoigne la cafetière de la gauche et se sert. Le liquide rouge foncé jaillit de la boule enchâssée dans le bec de la cafetière. Soixante-quinze centimètres plus bas, les tasses de ses compagnons. Le roi les remplit une à une, sans verser une seule goutte à côté. Et l'arôme pénétrant d'emplir la pièce.

Vêtu d'une robe traditionnelle toute en soie, un poignard recourbé à la ceinture, Fayçal Ier étend ses longs doigts fins que parcourent, de temps à autre, quelques saccades nerveuses.

Le roi est un fumeur, un très gros fumeur, et, à l'aube de ce 24 juillet 1920 à Damas, un homme dévoré par l'angoisse ; lui, le descendant du prophète Mahomet, le fils du chérif Hussein, gardien des lieux saints de La Mecque.

Réputée dans le monde arabo-musulman tout entier, sa lignée, celle des Béni Hachem, les Hachémites, remonte à l'arrière-grand-père du Prophète. Car, avant même l'avènement de l'islam, quand la Kaaba, le sanctuaire mecquois sacré aux yeux des musulmans, n'abritait encore que des cultes païens, les Béni Hachem, administrateurs du puits de Zem-Zem, détenaient déjà le privilège de veiller sur l'approvisionnement en eau et en nourriture des pèlerins. De l'union du Prophète avec sa première épouse, Khadidja, n'ont survécu que des filles, dont Fatima, sa préférée. Mais du mariage de Fatima avec le propre cousin de Mahomet, Ali, un Hachémite, allaient naître deux héritiers mâles. L'aîné, Hassan, dont Fayçal Ier descend à la trente-huitième génération, et le cadet, Hussein, grand martyr de l'islam chiite*.

L'arbre généalogique des Hachémites constitue la plus prestigieuse des cartes de visite. Si Dieu l'a voulu tel, c'est qu'Il avait ses raisons. Mais quels sont les désirs de Dieu aujourd'hui ? Brûlant de détrôner Fayçal, monarque trop peu soumis, les Français marchent sur Damas. Hier soir, une division en ordre de bataille faisait ses réserves en eau potable à Aïn Djedeïdé. Et, tandis que pointe l'aube de ce 24 juillet 1920, la petite armée syrienne tente de stopper l'ennemi à Khan Meissaloun, clé permettant l'accès au long défilé qui conduit vers Damas.

Caressant sa barbe noire taillée court, le monarque contemple, à l'extérieur, les cyprès et les arbres fruitiers. Autant de silhouettes fantomatiques qui se détachent dans le petit matin.

Au contraire d'Ali et d'Abdallah, ses deux frères aînés, Fayçal, âgé de trente-cinq ans, n'a guère connu leur mère Abidiya, morte prématurément. Mais comme eux, il a été élevé par leur grand-mère paternelle, Saleha, une Yéménite. D'elle, Fayçal, le roi de Syrie, tient ses premiers mots d'arabe, comme il tient de son arrière-grand-mère sa finesse et sa beauté : c'était une Circassienne, fille de ce peuple du Caucase chassé de la Russie des tsars au siecle précédent pour cause de fidélité à sa foi musulmane.

Exilé dès ses six ans à Istanbul où le sultan ottoman, Abdulhamid II, assignait Hussein à résidence, le futur roi de Syrie a vécu dans une vaste demeure des quais de la rive européenne du Bosphore. C'est là que son père, le chérif Hussein, outre Ali, Abdallah, Fayçal, Fatima, Saleha puis Sara, allait lui donner un demi-frère, Zaïed, issu de son union avec une Turque.

C'était en 1898. Dix ans plus tard, le sultan Abdulhamid II se résignait à nommer Hussein chérif de La Mecque.

Un arrachement suivi d'une sorte de renaissance. Du jour au lendemain, il faut jeter aux buissons ses vêtements semi-occidentalisés pour revêtir la robe traditionnelle des Arabes.

Confiés par leur père à des Bédouins fidèles au clan depuis des lustres, privés de nourriture à leur convenance, interdits de lits confortables, de selles rembourrées, les jeunes émirs* hachémites vont patrouiller des mois entiers à travers le désert. Pour eux, il ne s'agit pas seulement de protéger les pèlerins en route vers la ville sainte, mais de s'endurcir, d'apprendre à connaître les gens, les armes, les styles de combat, les techniques d'équitation.

L'émir Fayçal couche à nouveau sous la tente en cuir de dromadaire des Bédouins ; il admire les incomparables cavaliers arabes, leurs magnifiques montures, leurs armes rutilantes. Son oreille se fait à nouveau aux cris de guerre, ses yeux suivent le lent déhanchement des méharis. Il s'étonne de tout, ne se fâche de rien.

Aujourd'hui encore, dans sa résidence de Damas, lui reviennent à fleur de peau la sensation brûlante du désert retrouvé, l'apprentissage du combat contre les Idrissi des confins du Yémen, rebelles à l'Empire ottoman et hostiles aux Hachémites pour des motifs religieux et tribaux à la fois ; la première fois que les balles ont sifflé à ses oreilles, ses premiers succès, ses premières victoires.

Les ennemis, qui étaient-ils ? Les Idrissi à titre annexe. Et à titre principal, les Turcs, maîtres de la majeure partie du monde arabe depuis le XVIe siècle. Des musulmans oui, mais trop novateurs au goût du chérif Hussein. Loyalistes, les Hachémites s'étaient accommodés vaille que vaille au sultan Abdulhamid II. C'est la révolution jeune-turque qui avait tout remis en question. Groupés au sein d'un comité dont le titre, Union et Progrès, indiquait bien les tendances modernistes et centralisatrices, les Jeunes-Turcs, officiers et fonctionnaires pour la plupart, imposaient en 1908 le retour au régime constitutionnel, suspendu par Abdulhamid II. L'année suivante, celui-ci abdiquait en faveur de son frère Mehmet V. Conduits par un triumvirat de fer, Enver Pacha, Talaat Pacha et Djemal Pacha, les Jeunes-Turcs se saisissaient alors des leviers du pouvoir, cherchant à façonner l'Empire ottoman selon leurs vues. Fascinés par l'essor spectaculaire de l'Empire allemand, ils brûlaient de régénérer la Turquie sur ce modèle.

Une prétention qui passait mal au Hedjaz*, berceau des Béni Hachem. Cette longue bande désolée de montagnes et de rochers séparant le pays côtier de la mer Rouge du haut pays désertique n'abritait pas seulement deux des trois grandes villes saintes de l'islam, La Mecque et Médine. Partagée entre trois clans ennemis, les Hachémites à l'ouest, les Rachidi* au centre et au nord, et à l'est, les Wahhabites* partisans du jeune Ibn Séoud, elle possédait une caractéristique essentielle : l'éloignement d'Istanbul.

Ici, au bout du bout de l'empire, la main jeune-turque se faisait moins pesante, moins présente. De quoi donner des idées d'indépendance aux élites des villes. De quoi renforcer l'attachement des tribus bédouines à la liberté, pour ne pas dire l'anarchie.

Indépendance ? De ce moment, le chérif Hussein et ses quatre fils se prennent à rêver d'un grand royaume arabe unifié sous la bannière hachémite de La Mecque à Damas, Beyrouth, Bagdad, Jérusalem et, pourquoi pas, Le Caire, alors sous influence anglaise. Un songe qui rencontre, beaucoup plus au nord, celui des sociétés secrètes nationalistes de Syrie et d'Irak, surtout composées de jeunes officiers portant l'uniforme ottoman.

Serait-il resté lettre morte sans l'alliance de novembre 1914, suprême folie jeune-turque jetant l'Empire dans la guerre mondiale aux côtés de l'Allemagne, contre la Grande-Bretagne et la France ? Sans l'irruption des armées britanniques venues d'Égypte ou des Indes ? Sans les déficiences inimaginables de la Sublime Porte, même « modernisée » par les Jeunes-Turcs ? Non, sans doute, mais, loin de rester passifs, les Arabes ont pris leur part dans le combat commun.

Par contraste avec une peau très claire, la nature a doté Fayçal de cheveux foncés, d'yeux noirs et d'un nez taillé à la serpe qui lui font un visage d'aigle. Un sourire de fierté parcourt ses traits délicats. C'est qu'il repense aux jours lumineux où les Hachémites levaient au Hedjaz le drapeau de la révolte contre les Ottomans. Et, plus tard, aux heures cruciales où l'armée turque s'effondrait, quand Damas se donna à lui...

Le rêve semblait à portée de main. Encore fallait-il compter avec l'appétit des puissances occidentales, qui n'avaient démantelé l'Empire ottoman que pour s'en disputer la domination. La sienne tout particulièrement, ici, en Syrie.

Le roi ferme les yeux. Le dernier acte du drame se joue maintenant entre sa petite armée et celle, plus puissante, plus aguerrie, mieux équipée, des Français, sur les hauteurs proches de Khan Meissaloun...

PREMIÈRE PARTIE

LE RÊVE NAÎT :
LA RÉVOLTE ARABE

1

Debout, Hachémites !

Quatre ans plus tôt...

Le lundi 5 juin 1916, à l'aube, Ali et Fayçal se retrouvent près du mont Ohod, à cinq kilomètres au nord de Médine.

Dans cette zone peu peuplée, les deux émirs ont rendez-vous avec mille cinq cents de leurs partisans des tribus bédouines. Objectif : Médine.

Leur père, Hussein, a fixé le déclenchement de la révolte contre les Turcs au 10 juin. Il se réserve le commandement des opérations à La Mecque. Abdallah, le cadet des frères, lui, aura à prendre Taïef. Mais les initiatives turques obligent à bousculer un calendrier déjà contraignant.

Un bref sourire illumine le visage maigre et austère d'Ali. Au contraire d'Abdallah et de Fayçal, qui ne s'imaginent d'avenir que royal, les seules ambitions personnelles de l'aîné des frères hachémites sont d'adorer Dieu, de servir fidèlement son père, de défendre sans faiblesse l'honneur du clan qui l'a vu naître en 1879.

Père de quatre enfants, Ali souffre de tuberculose. Cet homme au teint jaunâtre, courtois jusqu'à la timidité, digne dans le moindre de ses gestes, se lance parfois dans de terribles crises de colère à cause de sa nervosité. Mais, peu vindicatif, il les regrette aussitôt.

Aujourd'hui, la révolte contraint ce grand connaisseur des textes sacrés à endosser un costume de chef de guerre dans lequel il ne se sent guère à l'aise. Mais, en prenant d'inadmissibles libertés, sous prétexte de modernisme, avec la tradition islamique, la Sunna, les Jeunes-Turcs ont ouvert les hostilités. Le conflit qui les oppose à Ali prend, dès lors, les contours d'un combat pour la vraie foi – le djihad – là où les autres membres du clan, Hussein en tête, voient plutôt la thawra – le soulèvement, la révolte : un fleuve en crue qui emporte d'un coup toutes les digues...

La différence des deux visions engage le devenir des Hachémites. Religieux à en croire Ali, politique et religieux d'après Hussein, plus nettement politique encore selon Abdallah ou Fayçal. Clanique dans tous les cas, père et fils étant conscients que, hors la solidarité familiale, point de salut.

En sus des trois attaques déjà prévues, une autre visera Djeddah, débouché naturel de La Mecque sur la mer Rouge, à quatre-vingts kilomètres de la ville sainte. Cet assaut-là sera l'œuvre d'un fidèle, Mohsen Mansour, et de ses guerriers harbs*. Sa réussite conditionne l'acheminement de l'aide anglaise par la mer, capitale pour les Hachémites. Djeddah se trouvant à l'extérieur du périmètre sacré qui entoure les villes saintes, les Occidentaux peuvent en effet y poser le pied sans commettre un sacrilège. L'heure de l'action approche.

À peine un mois auparavant, Fayçal menait, pour le compte de son père, une mission de repérage particulièrement périlleuse par ce qu'elle impliquait de double jeu : rassurer les Ottomans tout en recherchant des alliés arabes contre eux. En mai 1916, le voilà bloqué, la peur au ventre, par les Turcs dans le domaine des Bekri à Qabun, au cœur de l'oasis de la Ghouta qui entoure la capitale syrienne, doutant que la thawra puisse voir le jour. En effet, on vient d'apprendre la pendaison de notables, à Damas comme à Beyrouth, dont Fayçal avait sollicité la grâce. Plusieurs étaient, comme lui, membres d'une société secrète.

À la nouvelle de ces exécutions capitales, les Bekri et leur entourage se mettent à prier avec ferveur. Fayçal ne souffle mot. Jusqu'au moment où il se dresse, livide. Il arrache son keffieh, le jette au sol et, le visage plein de larmes, scande :

« La mort est désormais douce, Arabes ! »

Une clameur de haine plus qu'un cri d'affliction. La lutte désormais, sera une lutte à mort. Encore faut-il s'en donner les moyens. Ce que craint Fayçal, c'est l'amateurisme de son chérif de père dont les messages codés, camouflés à l'intérieur de couffins, de gâteaux, glissés dans le fourreau d'un sabre ou cousus dans les semelles de leurs sandales, lui donnent quelques aperçus inquiétants. À La Mecque, on rêve d'une gloire facile, tandis qu'en Syrie, le proconsul ottoman, Djemal Pacha, dresse les potences.

Troisième homme du triumvirat jeune-turc, Djemal traite certes l'émir avec respect. Mais, renseigné par une police omniprésente, le gouverneur représente un danger permanent. Qu'un doute, un seul, l'effleure, et c'est la mort assurée.

On comprend donc le soulagement de Fayçal quand une nouvelle lettre de son père l'informe que le jour J approche : « Regagnez La Mecque dès que possible », dit le message.

Mais comment quitter Damas sans attirer l'attention ? L'émir demande audience à Djemal Pacha.

Sanglé dans l'uniforme qui le boudine, embarrassé d'un sabre trop long pour sa silhouette tordue et disgracieuse, le proconsul ottoman est de ces interlocuteurs qui mettent mal à l'aise. Presque excessive, son affabilité contraste de façon saisissante avec l'étonnante vigueur de sa poigne. Qu'il rie de son rire faussement jovial et ses dents blanches se détachent, comme son teint pâle, sur une barbe et une chevelure noir de jais. Mais la vivacité du regard ne trompe pas, signe d'une extraordinaire aptitude à tout embrasser d'une scène en une fraction de seconde.

À Damas, chacun sait la méfiance maladive du Jeune-Turc. Exécuteur des basses œuvres bien plus qu'homme de guerre, son incurie militaire crève les yeux. Au tout début de l'année 1915, il a gâché une attaque surprise prometteuse sur Suez. Repérées par des hydravions français dans la nuit du 2 au 3 février 1915, la 25ᵉ division turque, forte de douze mille hommes et d'autant de dromadaires, se heurtait au tir de barrage de la Royal Navy et de la marine française.

L'échec en aurait abattu beaucoup d'autres, pas lui. Parlant de reconnaissance réussie et de retrait en bon ordre, le gouverneur parvint en effet à transformer son revers militaire en succès politique.

Face à cet homme, le moindre faux pas peut mener à la potence.

« Au Hedjaz, explique hardiment Fayçal, mon père mobilise les hommes des tribus pour venir en aide à l'Empire. Il les a rassemblés près de Médine et s'apprête à monter vers Damas. J'envisage de me porter au-devant de lui, de façon à démontrer avec éclat le loyalisme des Béni Hachem. Qu'en pense Votre Excellence ? »

Se jugeant mieux rompu à la ruse qu'un de ces princes arabes sans cervelle, Djemal fait preuve, par suffisance, d'une inhabituelle naïveté :

« La fidélité des Hachémites me va droit au cœur, Fayçal Bey. Partez quand vous le jugerez nécessaire... »

C'est tout juste si le bourreau de Beyrouth et de Damas ne promet pas de livrer des armes à ces renforts providentiels qui doivent venir du Hedjaz et auxquels, persuadé d'en avoir fini pour l'instant avec les complots nationalistes arabes, il croit visiblement dur comme fer.

Le 16 mai, l'émir se met en route vers la terre de ses ancêtres flanqué de Nessib el-Bekri, le plus militant des membres syriens du clan ami. Muni de consignes paternelles, Ali, lui, quitte discrètement La Mecque le 24 mai pour aller à la rencontre de son frère...

Est-ce la perspective d'une bataille rangée à Médine, la deuxième ville sainte de l'islam, qui assombrit Ali, l'aîné des fils d'Hussein ? Connaissant la profondeur de ses sentiments religieux, on serait tenté de le croire. Rien de plus glaçant, en effet, pour un bon musulman, que le risque de causer des dégâts, aussi minimes soient-ils, au sépulcre de Mahomet, ce haut lieu de la foi.

Le manque d'entrain d'Ali tient pourtant à d'autres causes. Djemal Pacha a averti de lui-même le chérif Hussein : les Turcs sont sur le point de renforcer leurs effectifs dans la péninsule Arabique. Trois mille cinq cents soldats de la Yémen Mozafra, une unité placée sous le commandement du général Kheiry Bey, sont en route.

Le chérif Hussein voit dans toute cette affaire un piège ottoman. Loin de gagner le Yémen comme l'assure Djemal Pacha, Kheiry Bey resterait à Médine, de manière à faire peser une menace sur La Mecque. D'où la nécessité impérieuse de précipiter l'action. Cette fois, l'heure a bel et bien sonné...

Fidèles aux consignes paternelles, les deux émirs proclament la thawra sur-le-champ.

« À Médine ! »

L'enthousiasme des insurgés, Bédouins Ageyls* et Ateibas*, se heurte hélas aux soldats d'Hamid Fekri Pacha, le commandant turc de la ville sainte, réputé pour sa cruauté mais aussi pour son courage.

Soumis à une violente canonnade, les Béni Ali, habitants des faubourgs de Médine, craquent les premiers.

Effrayés par les batteries ottomanes, les Bédouins qui n'ont jamais connu le feu d'artillerie et qu'on aurait crus plus combatifs, se débandent à leur tour. Couchés derrière les moindres plis de terrain, terrifiés, apathiques, ils refusent d'avancer. Ali et Fayçal ont beau s'époumoner, criant que les obus font plus de peur que de mal, la panique menace de gagner leur petite armée.

Chevauchant leurs destriers arabes, on voit les deux émirs caracoler au milieu des projectiles. Un courage désespéré qui ne suffit malheureusement pas. Au comble de l'affolement, les Béni Ali tentent de négocier avec les Turcs. Qu'on épargne leurs habitations, leurs familles, et ils se soumettront sur-le-champ.

Fekri Pacha dit oui, dit non, dit peut-être puis, d'un coup, jette ses soldats sur le faubourg d'Haouali, au nord-est de Médine. Ses hommes ont participé au génocide des Arméniens, le plus abominable des crimes jeunes-turcs. Après cette expérience dantesque, quel scrupule pourrait retenir leur bras ? Carnage, viols, incendies, ils s'en donnent à cœur joie. Haouali n'est bientôt qu'un champ de ruines tandis que les Bédouins, honteux mais vaincus, se retirent.

Premier acte de la thawra, cet épisode tragique contraint les deux émirs hachémites à revoir d'urgence leurs plans. Pour contraindre Fekri Pacha à la reddition, ne vaudrait-il pas mieux associer le blocus de la ville sainte au sabotage des voies du chemin de fer du Hedjaz, avec ses treize cents kilomètres de Damas à Médine ? Pour lancer cette guérilla, Ali et Fayçal décident de se séparer. Mais auparavant, le 9 juin, ils adressent ce télégramme vengeur à Djemal Pacha :

« Les demandes modérées des Arabes ont été rejetées par l'Empire ottoman. Les soldats qui étaient prêts pour le djihad ne croient pas qu'ils doivent se sacrifier pour d'autres choses que pour la cause arabe et l'islam. Par conséquent, si les conditions posées par le chérif de La Mecque ne sont pas acceptées immédiatement, inutile de souligner que toutes les relations entre la nation arabe et la nation turque seront interrompues. vingt-quatre heures après réception du présent télégramme, l'état de guerre existera entre les deux nations. »

Le Rubicon a été franchi, et, c'est certain, on ne pourra faire l'économie de l'aide britannique...

2

Sur la plage, la révolte

Pour cette mission sur le rivage de la mer Rouge, Ronald Storrs, le secrétaire oriental de l'Agence britannique du Caire, poste de confiance qui lui vaut l'oreille du haut-commissaire anglais en Égypte, a choisi de se faire accompagner par deux compatriotes, Hogarth et Cornwallis.

Conservateur du prestigieux Ashmolean Museum of Art and Archeology dans le civil, le premier de ses compagnons d'équipée, David George Hogarth, préfigure James Bond en sa triple qualité d'ancien d'Oxford, de commandant réserviste de la Royal Navy et d'officier de renseignements. Tempérons quand même un peu. En cinquante-quatre ans d'existence, Hogarth a pris le temps de calmer ses pulsions de jeunesse. Reste un universitaire dans la grande tradition des cercles dirigeants britanniques, où tel « coup de main » donné aux services de renseignements n'a rien que de très honorable.

Honorable, Hogarth ne l'est pas seulement dans sa vie privée, son œuvre littéraire ou archéologique, mais aussi au sens d'« honorable correspondant » des services spéciaux. Avant la guerre, déjà, ses amis créditaient cet hyperpolyglotte, qui maîtrise sept langues dont l'arabe et en parle une douzaine d'autres, d'excellentes relations avec la division du renseignement naval de l'amiral Edmond Slake. Un service qui, comme tout ce qui

49

réfléchissait dans l'Empire, gardait un œil attentif sur le canal de Suez. Quoi de mieux, alors, qu'un « ami » orientaliste bien vu des autorités ottomanes ?

Aujourd'hui directeur du Bureau arabe, excroissance des services secrets du Caire, il supervise la liaison avec les Hachémites.

Son adjoint dans la petite famille du Bureau arabe, où l'on n'entre que par cooptation, Kinahan Cornwallis, fils d'un écrivain et journaliste connu, a d'abord étudié l'arabe avant d'être muté au Soudan. Ce grand gaillard aux oreilles décollées vient d'échouer en Égypte comme fonctionnaire du Civil Service, qui a la haute main sur toute l'administration impériale. Ses amis l'appellent « Ken », et apprécient son sens inépuisable de l'humour.

Et Storrs, donc ! Fou de lettres, de peinture, de tous les arts qui donnent son sel à la vie, notre secrétaire oriental porte en bandoulière sa fierté d'ancien élève de Cambridge. À lui seul, le fait de cohabiter avec deux oxfordiens endurcis témoigne d'ailleurs de l'importance de l'expédition qu'ils ont entreprise.

Le 24 mai, une semaine avant que le trio ne quitte la capitale égyptienne, un message du chérif Hussein est parvenu au Bureau arabe. Le patriarche mecquois annonçait à ses alliés anglais qu'il lui fallait d'urgence soixante mille souverains d'or pour mener la thawra à bien, prévue le 10 juin. Le même document fixait une date et un lieu sur les côtes du Hedjaz, où la mission britannique pourrait rencontrer l'émir Abdallah, son deuxième fils.

Soixante mille souverains, malgré tout, cela fait une belle somme pour une révolte qui n'est qu'en projet.

« Ils nous prennent pour Crésus ! s'est exclamé Storrs. Pour un début, dix mille livres devraient suffire. On fera le point après notre rencontre avec Abdallah... »

Le dimanche 3 juin, il embarque à Suez sur le vieux croiseur *Dufferin*. Dans ses bagages, deux caisses en bois contenant chacune cinq mille souverains, des cartons de cigarettes pour les émirs Abdallah et Fayçal et un sac de journaux de propagande rédigés d'avance par Cornwallis.

Surprise des émissaires de Sa Majesté : ce n'est pas Abdallah qui se présente tôt le matin au lieu de rendez-vous – une plage désolée à une dizaine de kilomètres au sud de Djeddah –, mais son jeune demi-frère Zaïed, à peine âgé de dix-huit ans :

50

« La thawra a commencé hier à Médine sous la conduite des émirs Ali et Fayçal. Le chérif Hussein va la proclamer officiellement à La Mecque dans quatre jours. Mon frère Abdallah conduira l'assaut sur Taïef. Je le remplace en tant que délégué de mon père, et voici mon cousin, le chérif Chaker ibn Zaïed... »

Chaker, un des chefs de la tribu des Béni Kelb, salue les visiteurs. Plus âgé que Zaïed, la trentaine dépassée, il arbore, vieille coutume bédouine, des cheveux noirs en longues tresses lustrées à l'urine de dromadaire. Un diplomate à l'ancienne s'en offusquerait. Et il aurait grand tort car Chaker, bientôt figure éminente de la thawra, s'apprête à en devenir un des responsables militaires les plus valeureux.

Storrs et ses deux compagnons répriment un léger sursaut. Le lancement immédiat de la révolte, ce n'était pas du tout prévu. Avant de croiser le fer avec un adversaire aussi coriace que le Turc, on devait coordonner les mouvements des forces alliées, équiper l'armée chérifienne, lui donner quelques rudiments de discipline...

Leur déception première s'atténue toutefois au fur et à mesure qu'ils découvrent en Zaïed un interlocuteur vif et habile. Sans se laisser impressionner, l'émir répète les revendications de son père : en plus des soixante mille souverains d'or, le chérif en exige vingt mille pour Ali et vingt mille autres pour Fayçal. Cent mille livres en tout, plus des sommes complémentaires pour les frais de fonctionnement de l'administration chérifienne, six mitrailleuses, six canons de montagne et leurs servants (musulmans uniquement, précise-t-il), dix mille fusils, des munitions, des tonnes de vivres et d'équipement.

Le chérif Hussein, qui n'attribuait jusque-là aucune importance aux questions logistiques, s'en préoccupe désormais de manière fébrile à l'approche de l'action.

Prévoir des dépôts d'armes, de munitions ? Des réserves de nourriture ? Le ravitaillement en eau, si capital dans le désert ? Trop absorbé par ses calculs politiques, Hussein n'avait cure de tout cela quelques jours auparavant. Et guère plus de coordonner le soulèvement avec les Britanniques. Pendant des mois, on a échangé lettre sur lettre avec le haut-commissaire McMahon, basé au Caire ; discuté avec un soin maniaque chaque terme, chaque adjectif ; pesé, pour la voir s'éloigner, l'hypothèse d'un débarquement franco-anglais ouvrant un second front sur la côte syro-turque à Alexandrette. Et voilà qu'en dépit de cette débauche de diplomatie clandestine, les Anglais sont les derniers informés du déclenchement de la thawra…

« Qu'en est-il du projet de débarquement britannique en Syrie ? Ne pourrait-on pas le relancer ? » insiste Zaïed.

On lui répond que la question fait l'objet d'études depuis de longs mois dans les sphères concernées. Ministre de la Guerre, lord Kitchener y pense toujours. La décision finale relève toutefois du conseil des Alliés.

La machine est lourde, plaide Storrs. Il faut tenir compte des exigences en hommes et en matériel du front Allié principal en Europe. Une controverse agite en effet les milieux dirigeants britanniques entre *Westerners*, qui veulent arracher la décision sur le Vieux Continent, et *Easterners*, qui croient aux vertus d'une stratégie indirecte passant par le Moyen-Orient.

La controverse Est-Ouest n'est pas la seule qui divise les administrations britanniques. Celles-ci se heurtent aussi les unes aux autres dans un chaos bureaucratique inimaginable. S'agit-il de protéger le canal de Suez ? L'India Office de Londres et de Bombay privilégie la voie maritime, c'est-à-dire le golfe Arabo-Persique. Il s'oppose de ce fait à l'état-major du Caire et au Bureau arabe qui optent, eux, pour la solution terrestre passant par la péninsule Arabique et l'alliance hachémite.

« À Djeddah, l'aide de la Royal Navy serait utile à l'armée arabe, concède Storrs pour finir. Ses canons l'aideront à écraser la résistance des Turcs. Ils pourraient être là-bas à peu près en même temps que vos hommes. Je vais faire tout mon possible. »

Chacun repart de son côté, Zaïed vers La Mecque, Storrs et ses deux compagnons vers Le Caire. Dans la poche du secrétaire oriental, la lettre du chérif que le jeune homme vient de lui remettre :

« Il est inévitable que, devant notre soulèvement, les Turcs envoient toutes leurs forces disponibles contre nous ; aussi, comme nous sommes insuffisamment approvisionnés, nous attirons votre attention sur quelque action qui atténuera la portée de leurs coups, à savoir des opérations qui couperont leur ligne de retraite, ainsi qu'il a été suggéré précédemment. C'est extrêmement urgent : nous faisons confiance à Dieu. »

3

Coups de feu à La Mecque

Le grand moment, c'est aujourd'hui, le 10 juin, juste après l'heure de la prière du matin.

Le teint aussi blanc que la barbe, le chérif Hussein sort de ses appartements. Vêtu d'un caftan d'étoffe, coiffé de son turban, un geste suffit pour qu'un des bishas*, les colosses noirs de sa garde, lui tende son fusil au long canon.

Le chérif paraît à la fenêtre. Ses partisans l'acclament. Quand ils le voient brandir l'arme, prononcer quelques paroles avant de tirer en direction des cantonnements ottomans les plus proches, leur enthousiasme vire à l'exaltation.

Dans les secondes qui suivent, La Mecque s'embrase. De toute part, on ouvre le feu sur les casernements turcs. Aux fusils des hommes du chérif Hussein, bishas et Bédouins, répondent bientôt les canons ottomans du fort de Djihad. De cette colline qui domine les quartiers sud, les artilleurs turcs visent les retranchements des insurgés, s'acharnant sur le palais du chérif.

Implantés pour la plupart dans les faubourgs ouest de la ville sainte, les postes de garde résistent, eux aussi, avec ardeur. Seul point de faiblesse ottoman, la surprise : les fantassins de l'armée turque ne comprennent rien à ce qui leur arrive.

L'affrontement cesse aux alentours de neuf heures du matin. Sur leur combiné téléphonique, les officiels ottomans composent le numéro 01, auquel Hussein répond en personne depuis l'installation de la ligne La Mecque-Djeddah.

« La ville est vouée à la gloire de Dieu. Entre musulmans, faisons tout pour éviter qu'elle pâtisse de notre querelle. Un fonctionnaire chérifien de haut rang ne pourrait-il pas venir nous expliquer les causes exactes du soulèvement ? »

D'accord. Mais, à peine rendu sur place, l'émissaire du chérif lance à ses interlocuteurs :

« Avec l'aide de Dieu, les Arabes viennent de proclamer leur indépendance. C'est la thawra. Le combat ne cessera que quand vous aurez rendu les bâtiments que vous occupez, et remis vos pièces d'artillerie au commandement arabe.

— Vous vous comportez en traîtres ! » bondissent les officiers turcs.

Du fort de Djihad, les obus recommencent à tomber. En ville, toutefois, la situation se révèle moins favorable aux mille quatre cents militaires ottomans. Plusieurs postes de garde tombent entre les mains des insurgés arabes, leurs râteliers d'armes et leurs réserves de munition sont pillés.

Les échanges de salves et d'obus cessent à la tombée de la nuit mais reprennent le lendemain. Vers onze heures du matin, les forces chérifiennes se ruent à l'assaut du poste de Bash-Karakol, à l'extérieur de la Grande Mosquée. La petite garnison se rend mais les services gouvernementaux de l'immeuble Hamidiya, eux, tiennent toujours.

Officier de carrière, l'adjoint du vali*, le gouverneur général ottoman, dirige la défense du bâtiment. Cet homme de caractère n'entend pas baisser pavillon.

Le 12 à l'aube, on se bat encore autour de l'immeuble Hamidiya, objectif numéro un des insurgés. Fusils et sabres courbes à la main, un groupe d'assaut chérifien parvient à se glisser dans le bâtiment. Tirs désespérés des soldats turcs, riposte des assaillants, cris, fumée, hurlements. Le sol est jonché de blessés et de morts.

« Nous nous rendons ! » s'exclame enfin une voix.

Les défenseurs vaincus sont en train de déposer les armes.

« Cessez le feu ! » hurle en arabe le chef du groupe d'assaut.

Et, miracle, dans cette cohue indescriptible, son ordre est suivi d'effet. Sensible au courage malheureux, l'officier chérifien laisse leurs sabres et leurs pistolets d'ordonnance à ses homologues ottomans vaincus.

« Conduisez l'adjoint du vali et son état-major au palais du chérif Hussein avec les honneurs dus à leur rang », commande-t-il.

Les combattants de la thawra s'exécutent, certains de mauvaise grâce. Et quel étonnement dans la rue, quand les passants voient un aréopage d'Ottomans aux uniformes chamarrés suivre docilement les insurgés...

Les chérifiens rappellent aux captifs leur fidélité aux sultans ottomans d'autrefois, qui mettaient leurs actes en concordance avec le livre d'Allah et la Sunna.

C'était avant l'avènement du comité Union et Progrès, expliquent-ils. Mais la révolution moderniste des Jeunes-Turcs est venue semer l'impiété, le trouble, l'injustice. Les classes moyennes aux abois se voient contraintes, pour survivre, de céder les portes de leurs maisons, leurs armoires et le bois de toiture de leurs logis. Sans compter la stratégie d'alliance avec l'Allemagne, catastrophique pour l'islam.

« Qu'avait-on à se mêler ainsi des querelles entre chrétiens ? lance un négociateur plein de fougue.

— Une décision politique que je n'ai pas à commenter en tant que soldat, commente sans éclat le gouverneur adjoint.

— Et en tant que musulman ? »

Le prisonnier baisse la tête, laissant ses interlocuteurs exploiter leur avantage.

« Vous savez que les Jeunes-Turcs ont laissé paraître dans un journal d'Istanbul cette biographie irrespectueuse du Prophète. En rendant l'homme et la femme égaux au point de vue de l'héritage, ne cherchent-ils pas à annuler la parole d'Allah ? Et que cherchent-ils en ordonnant aux soldats en garnison ici, à La Mecque, à Médine ou en Syrie de se dispenser du jeûne du ramadan ? À détruire une des cinq pierres angulaires de l'islam ?

— Le même règlement doit s'appliquer aux soldats en poste ici et à ceux qui combattent sur la frontière russe. Je ne fais qu'obéir aux ordres.

— Mais les vôtres ont pendu vingt et une personnalités arabes, que la poussière de leurs tombeaux soit bénie et que le Paradis soit leur résidence. »

L'Ottoman transpire. Rien ne l'a préparé à une pareille discussion. À l'issue d'une interminable jonglerie orale, il se laisse fléchir et griffonne une série de billets pour appeler les défenseurs des postes turcs à la reddition. Des estafettes filent porter les messages à leurs destinataires. Sans résultat puisque les unités turques de Djihad et des cantonnements de Djirwal refusent toujours de déposer les armes.

Plus grave, les artilleurs de Djihad tirent alors deux obus à proximité de la Grande Mosquée. Le premier projectile incendie la housse noire de la Kaaba, l'édifice de forme cubique qui abrite la pierre sacrée. Fous de colère, des centaines de fidèles viennent éteindre le feu.

Un éclat du deuxième obus arrache du mur le nom d'Othman, fils d'Affan, le troisième calife de l'islam, celui qui, avant de périr assassiné, eut l'immense privilège d'épouser deux filles du Prophète et porta pour cette raison le surnom de « Possesseur des deux lumières ».

Effarés par les conséquences de leurs erreurs de pointage, les Ottomans cessent le tir.

Au soir de ce dernier jour de combat, le chérif Hussein et ses conseillers peuvent établir un premier bilan. Largement positif pour La Mecque puisque, l'exception du fort de Djihad et des casernements de Djirwal, la révolte l'emporte partout dans la première ville sainte de l'islam. De quoi mettre du baume au cœur, après l'échec de Médine.

Comptons aussi avec le deuxième fils d'Hussein...

4

Bataille pour Taïef

Plus râblé que Fayçal, moins pieux qu'Ali, leur frère Abdallah respire la joie de vivre. Œil pétillant, peau claire et manières avenantes, l'émir dissimule sous des dehors joviaux une force de caractère inattendue et une puissance physique impressionnante.

Père de quatre enfants issus de deux mariages, c'est un poète, avide de ces soirées où l'on déclame à perte de vue en regardant le soleil se coucher. Et, côté jardin, un tireur d'élite qui manque rarement sa cible...

La vie a appris à ce trentenaire l'art de camoufler ses vastes ambitions. Nul parmi les Hachémites ne connaît mieux les détails des opérations de la Grande Guerre sur le front français ou belge. Mais l'émir se repère aussi bien dans le dédale des familles royales ou la géométrie ministérielle du Vieux Continent.

Le 2 juin, une semaine avant le lancement de la thawra, une division d'infanterie turque est stationnée à Taïef sous le commandement du gouverneur local, le général Ghalib Pacha. En face, Abdallah ne dispose que de soixante-dix chameliers en armes qu'encadrent une poignée de fidèles, dont le cheik* Abdallah Sarradj, mufti de La Mecque, et Chérif ibn Rabeh.

Malade des reins, le gouverneur ottoman de Taïef vit dans un domaine à l'extérieur de cette ville distante de cent quinze kilomètres de La Mecque et qui, grâce à son altitude de mille six cents mètres et à son climat privilégié, fait office de sanatorium et de lieu de villégiature estivale aux riches familles mecquoises.

C'est là qu'il reçoit une première fois l'émir. Abdallah lui expose ses « projets ». Il vient, assure-t-il, préparer un raid punitif contre une tribu rebelle pour le compte du chérif Hussein.

Ghalib Pacha a beau se satisfaire de cette explication, le général commandant la garnison de Taïef, Ahmed Bey, la trouve louche. Tellement que, les soirs suivants, il viendra rendre une visite de courtoisie à l'émir, histoire de vérifier sa présence.

Plus soupçonneux encore, Souleiman Bey, le major du génie militaire turc, qui connaît l'Arabie comme sa poche. Quelque chose d'anormal se mijote, il le sent. Et les nouvelles de Médine ne sont pas pour le démentir.

Le 9 juin, l'émir s'apprête pour le lendemain, jour J, quand le gouverneur le fait mander. Passant outre les supplications de ses fidèles qui l'incitent à la prudence, il chevauche jusqu'à la demeure du haut fonctionnaire.

« Demeurez à côté de nos chevaux, je vous prie », demande Abdallah à ses compagnons. D'autres montent la garde au sommet du grand escalier.

De cette manière, les deux hommes pourront filtrer tout nouvel arrivant. Une fois ses armes vérifiées, l'émir, prêt à vendre chèrement sa peau, s'engouffre dans la salle de réception.

« Une révolte serait sur le point d'éclater, lui confie le gouverneur. Il faut surseoir à votre expédition. »

Tout sourire, Abdallah dément. Décomposé, le gouverneur saisit alors un exemplaire du Coran.

« Reconnaissez-vous ce livre ? »

L'ouvrage est imprimé en coufique, un style de calligraphie arabe aux formes géométriques, d'origine irakienne.

« Une édition que mon père vous a offerte, répond Abdallah, interloqué.

— Doutez-vous de ma foi en l'islam ? renchérit l'Ottoman d'une voix blanche.

— Vous êtes un des meilleurs musulmans de cette ville... »

Ghalib Pacha étend la main sur l'exemplaire du Coran.

« Je jure sur ce livre que je suis avec vous et non contre vous... »

Et, penché vers l'émir :

« ... Dites-moi la vérité à propos de ces rumeurs de révolte.

— Soit elles sont fausses, répond Abdallah, soit ces révoltes sont fomentées contre vous et le chérif, soit elles sont fomentées contre vous par le chérif et ses gens. Si la dernière explication était la bonne, croyez-vous que je viendrais me placer à votre merci comme je le fais ? »

Après avoir assuré une fois encore le gouverneur de ses bons sentiments, l'émir prend congé. Dehors, sur la terrasse, Ahmed Bey et Souleiman Bey, en grande conversation avec le général Haïdar Bey, ancien gouverneur de la province d'Asir, le regardent passer. Atmosphère épaisse : ni mot ni salut.

Gagnant le palais de Subra, sa résidence en ville, l'émir rassemble ses partisans.

« Hussein el-Djoundi, ordonne-t-il, partez avec vos hommes couper les câbles du télégraphe. Assurez-vous également qu'aucun messager ne pourra quitter Taïef. Tuez les inconscients qui s'y risqueraient. »

À la tête de sa petite troupe, l'émir gagne alors les collines de la Sawouaka. À l'ouest de la route de La Mecque, elles vont devenir son quartier général insurrectionnel.

Dans la nuit, on lui porte un message angoissé du gouverneur. Le télégraphe a été coupé entre La Mecque et Taïef, et les hommes qu'on a envoyés le réparer auraient été kidnappés. Abdallah doit revenir d'urgence à Taïef.

« J'ai reçu votre note la nuit dernière, répond l'émir sans se démonter. Je ne détiens aucune information à propos des câbles télégraphiques. Après-demain, je serai auprès de vous. »

Sauf qu'à minuit, il lance l'attaque sur le secteur nord de Taïef, dont les Turcs ont fortifié les remparts. Au centre du dispositif hachémite, un raid de Bédouins permet de ramener quelques prisonniers et du butin.

À l'aube, l'artillerie ottomane ouvre le feu. Mais là où un assaut d'infanterie aurait obtenu des résultats décisifs, Ghalib Pacha se contente de ce pilonnage à distance.

Voyant qu'ils ne parviennent pas à atteindre leurs objectifs, les insurgés, démoralisés, se replient ; certains sur Subra, au palais d'Abdallah, d'autres désertent, s'égaient dans les habitations et retrouvent leurs familles. À la nuit, le moral a encore baissé d'un bon cran.

« Votre Altesse, les onze palais de Taïef sont illuminés », remarque alors un membre de l'entourage de l'émir.

Pour avoir combattu en son temps les Idrissi aux côtés des militaires turcs, Abdallah se sent de taille à détecter toutes leurs ruses :

« C'est un stratagème pour nous pousser à progresser dans la direction opposée. Une partie de nos hommes a été coupée du gros de la troupe et se retrouve sur les pentes du mont Charkouk. Qu'ils s'y retranchent. »

Ne laissant qu'un petit rideau défensif à Subra, il entraîne alors le gros de ses troupes.

Avec sa division sur le pied de guerre, Ghalib Pacha pourrait reprendre l'initiative, marcher sur La Mecque voisine, étouffer la thawra dans l'œuf. Comment l'en dissuader ? Un long palabre à la mode bédouine permet à Abdallah et aux hommes des tribus de trouver la solution. La nuit venue, ils investissent par petits groupes les collines qui entourent la ville, allument des feux de joie, et battent le tambour de telle sorte qu'on les imagine dix fois plus nombreux qu'ils ne sont en réalité.

Ce soir-là, aucun soldat turc ne quitte Taïef. La Mecque peut respirer.

Au matin, Abdallah rédige une série de lettres : « Rejoignez-moi pour recevoir des fusils et établir les rôles d'engagement », écrit-il aux cheiks des différentes tribus alentour.

De toute part, les recrues affluent. Dès le début de la semaine, des fusils à longue portée fournis par les Britanniques peuvent être distribués. Juste à temps pour repousser, à côté de Dakkak el-Loz, une première offensive destinée à s'emparer des récoltes.

Enhardis par ce succès, les hommes des tribus attaquent, le soir même, la petite garnison ottomane du mont Oum el-Sakara. On se bat au couteau et à la baïonnette. Balayés, les Turcs abandonnent la place.

Impressionné par ces succès, Ghalib Pacha craque et commet l'erreur de replier l'ensemble de ses forces sur Taïef.

Le siège de la ville commence. Sans vigueur excessive, toutefois. Sachant la faiblesse numérique des forces de la thawra, Abdallah entend réduire les pertes humaines. Chaque matin, la petite artillerie démodée des Hachémites tire quelques obus. Suivent les virevoltes des cavaliers bédouins qui brandissent leurs armes hors de portée des Turcs. Tout se calme alors jusqu'au lendemain. Disposant en abondance de fruits et de légumes des vergers et des jardins qui entourent l'opulente cité, les assiégeants ont le temps pour eux. Patience, et Taïef tombera comme un de ces raisins mûrs qu'ils dégustent à l'heure où le soleil commence à baisser.

De toute façon, les nouvelles sont bonnes...

Émir des Harbs, la plus puissante confédération tribale du Hedjaz avec ses cinq mille tentes, Mohsen Mansour conjugue allant et prestance. Allié de toujours des Hachémites, ce quinquagénaire de haute taille à la magnifique barbe rousse entend bien défendre le domaine des Harbs avec ses trois mille cinq cents guerriers armés de bric et de broc, mais toujours prêts à en découdre.

Un lourd contentieux ponctué de morts violentes oppose en effet les Harbs et la puissance ottomane : le chemin de fer du Hedjaz.

Alors même qu'elle ne conduit pas jusqu'à La Mecque, cette voie ferrée, construite sous la direction d'ingénieurs allemands, a provoqué dès son inauguration, en septembre 1906, l'ire de Mohsen, furieux de se voir ainsi privé des revenus substantiels qu'il tirait du pèlerinage dans les villes saintes : hébergement, transport ou protection, moyennant finances, des pèlerins contre les pillards.

S'ensuivent de sérieux accrochages comme en 1911, quand Kiazim Pacha, président de la Haute commission des chemins de fer turcs, tomba dans une embuscade dont il réchappa en laissant une centaine de morts derrière lui. Guet-apens qui eut pour conséquence l'abandon par les Turcs des travaux sur le tronçon Médine-La Mecque, ce qui donna à la thawra de meilleures chances de succès en empêchant les mouvements des troupes ottomanes d'une ville sainte à l'autre.

C'est dire l'ambiance en territoire harb. Le 14 juin, conformément au plan convenu avec les Hachémites, Mansour lançait ses hommes à l'assaut de Djeddah, essuyant un échec cinglant.

Deux facteurs ont pourtant de quoi le rasséréner. D'abord l'arrivée en face de Djeddah, le 16, d'un officier de marine britannique, le capitaine de vaisseau William « Ginger » Boyle, commandant une petite escadre composée d'un croiseur léger, le *Fox*, et d'un autre navire, le *Hardinge*. De quoi démultiplier la puissance de feu des assaillants.

Storrs qui, en bon Anglais, tient le plus grand compte de l'aspect naval des choses, a donc tenu la promesse faite à l'émir Zaïed d'envoyer la Navy à la rescousse. Opération payante puisqu'un tir bien ajusté des canons du *Fox* conduit aussitôt le commandant turc, son mur d'enceinte ébréché en plusieurs endroits, à remettre la place sans plus de façon. Triomphants, les Harbs exhibent leurs prisonniers. Le Turc n'est pas invincible ! Quelle fierté, aussi, d'exposer les vingt canons et les quinze mitrailleuses pris à l'ennemi. Dans les campements bédouins, récits et chansons se feront bientôt l'écho de cette victoire. Tous évoqueront Djeddah, ses venelles et ses marchés couverts, ses maisons à étages crépies de blanc, leurs façades garnies de moulures ou de sculptures. En regardant le sol, rien de plus que du sable de ville de bord de mer ; mais en levant les yeux vers le ciel, des splendeurs d'arabesques, des alignements de cubes de pierre revêtus de moucharabiehs, les clôtures de bois ajouré venu d'Insulinde qui permettent d'observer sans être vu.

Pour l'œil occidental, c'est plutôt une cité privée d'eau douce, envahie par la poussière, les mouches, les moustiques, noyée dans une humidité tropicale d'autant plus pénible qu'aucune végétation n'en absorbe la moindre partie.

Délégué du chérif Hussein sur place, Mansour parcourt la ville portuaire avec délectation.

La guerre s'étend, en effet, embrasant désormais tout le Hedjaz. Assez pour que les Hachémites proclament à la face du monde leur foi dans l'avenir.

Le 27 juin, à La Mecque, le chérif Hussein lit en public un texte qui fustige les Jeunes-Turcs du comité Union et Progrès pour leur impiété, leur insolence envers le Prophète et proclame l'indépendance du Hedjaz, accomplissement selon lui d'un devoir religieux et non d'une démarche de type nationaliste :

« Cette indépendance, précise-t-il, ne sera troublée ni par une immixtion étrangère ni par des influences extérieures. Le but envisagé est le triomphe de la religion islamique et le relèvement de la condition des musulmans. Tous nos actes seront fondés sur les principes de la loi auguste qui seule nous conseillera et sur laquelle nous nous appuierons toujours pour prendre des décisions et organiser la justice. La loi divine est d'ailleurs préparée à accueillir tout ce qui est relatif au progrès tout en restant conforme aux préceptes de la religion et à ses rites. »

L'aide britannique parvient plus massivement aux insurgés arabes. Deux jours après la proclamation de La Mecque, trois cargos chargés de fusils, de munitions, d'orge, de farine, de riz et de café jettent l'ancre à Djeddah. En débarquent également deux batteries, l'une de deux canons de montagne et l'autre de six mitrailleuses. Comme leurs servants et l'officier qui les commande, Sayed Ali, elles appartiennent à l'armée égyptienne sous contrôle anglais. Après discussion, on décide que les canons de montagne seront acheminés d'urgence à l'émir Abdallah et à ses troupes, qui assiègent toujours Taïef.

Un mois plus tard, le 27 juillet, la prise de Rabegh et de Yenbo, deux autres ports sur la mer Rouge, au nord de Djeddah, permet aux insurgés de marquer de nouveaux points avec, dans le second cas, l'aide de la Royal Navy. C'est comme s'ils disposaient à présent de trois poumons au lieu d'un seul.

Sans compter, nouvelle bouffée d'oxygène, l'allié qui débarque en août à Djeddah, à la tête des premiers renforts arabes venus de l'extérieur : Nouri es-Saïd, figure majeure de l'histoire du Moyen-Orient.

5

Les tribulations de Nouri l'Irakien

Sa jeunesse fut, dit-on, plutôt dissipée. Pas au point d'empêcher ce protagoniste clé de la thawra de devenir après la guerre le principal conseiller du roi Fayçal, l'homme fort de la monarchie hachémite d'Irak. Si fort qu'au fil des années, Nouri va cristalliser sur sa personne toutes les aversions, toutes les haines.

Rien ne prédisposait cet homme à un avenir aussi exceptionnel. Fils d'un fonctionnaire irakien de l'administration turque aux lointaines origines kurdes, Nouri naît en décembre 1888 à Bagdad.

Il a onze ans de moins que l'émir Ali, six ans de moins qu'Abdallah, trois ans de moins que Fayçal, et dix ans de plus que Zaïed. Ce rang intermédiaire va lui permettre de jouer, dès l'après-Grande Guerre, un rôle de trait d'union entre les frères hachémites qui le rendra indispensable au clan tout entier.

Seul garçon de sa fratrie, le Bagdadi n'a que huit ans quand cette formidable opportunité s'ouvre devant lui : l'école primaire militaire. C'est l'époque où l'Empire ottoman, conscient, mais un peu tard, des risques d'implosion, cherche à s'attacher les classes moyennes arabes par une politique de promotion sociale.

Les Irakiens manifestent un goût certain pour le métier des armes. Les parents de Nouri, Taha et son épouse Fatima, ne feront pas exception. Et ce, d'autant plus que leur fils est bon élève. Excellent même : lors de l'hiver 1903, le nom de Nouri Saïd, âgé de quatorze ans et demi à peine, figure dans la liste des sujets admis à poursuivre leurs études au collège militaire d'Istanbul.

Vingt-trois jours de caravane jusqu'à Alep ; quatre autres jusqu'au port ; une semaine d'attente puis douze jours de traversée à bord d'un cargo poussif. Mais le jeu en vaut la chandelle puisque, une fois sur place, les apprentis officiers pourront admirer les splendeurs de cette cité doublement impériale, la première fois sous les chrétiens, quand elle s'appelait encore Constantinople, et la seconde sous les musulmans.

Istanbul sera leur résidence pour les années à venir, marquées du sceau de l'insouciance, même si la mort de son père, à l'été 1904, est venue frapper Nouri de plein fouet. La métropole reste aussi animée, colorée, bruyante qu'au temps où les fils du chérif Hussein la découvraient. Et ses habitants, aussi divers.

De quoi donner la mesure d'un empire à cheval entre Europe, Asie Mineure et Orient arabe. Tout au plus Nouri note-t-il que les Juifs sont moins nombreux qu'à Bagdad, où la communauté israélite est l'une des plus importantes de la ville.

Les cadets du collège militaire mènent joyeuse vie. On gaspille sa solde chez le tailleur, on se détend au moins autant qu'on travaille. De quoi faire battre bien des cœurs féminins, intéresser les mères de famille, et nourrir la chronique des mondanités...

Svelte, élégant, voire un peu gandin, Nouri n'est pas le dernier à goûter cette existence dénuée d'arrière-pensées. Même si les Jeunes-Turcs n'ont pas encore pris le pouvoir, la tendance est déjà à la modernisation. Vêtu à l'occidentale sauf pour le tarbouche, le traditionnel couvre-chef cylindrique rouge à gland, notre Bagdadi, visage barré par une fine moustache, arbore pochette, col dur et nœud papillon. Il plaît aux jeunes femmes. Aux jeunes hommes aussi, prétend-on...

Frais émoulu du collège, le lieutenant Saïd est affecté en 1909 à un bataillon d'infanterie montée qui veille à la sécurité des communications le long de la route Bagdad-Alep. Patrouiller sur des mules, disperser les bandes de pillards qui détroussent les voyageurs : l'expérience n'a rien de très glorieux. Mais, pour un citadin qui n'a jamais connu que ces deux grandes cités, Bagdad et Istanbul, elle va constituer la plus précieuse des initiations aux réalités tribales.

Le lieutenant Saïd s'accoutume au mode de vie des nomades. Peu à peu, il devient maître dans l'art de décrypter leurs parentèles compliquées, leurs querelles, leurs rites, leurs codes. De quoi se sentir moins emprunté quand, sept ans plus tard, il rejoindra la guérilla hachémite du Hedjaz...

En 1910, Nouri Saïd, heureux époux de Naïma el-Askari, une fille de famille bagdadi d'origine kurde, entre au centre de formation des officiers d'état-major d'Istanbul. Le mariage de sa sœur Fekriya avec un autre élève officier, Djefar el-Askari, frère de Naïma, resserre les liens entre les deux familles.

Naïma donne naissance à Sabah, leur premier fils, en décembre 1911. Nouri, turcophone, parle quelques mots de français. Mais lui échappent les finesses de l'anglais, peu parlé au Moyen-Orient à cette époque. Officier d'artillerie puis de cavalerie, il combat les Bulgares lors de la première guerre balkanique. Défaite majeure pour Istanbul, le conflit des Balkans débouche sur la perte de toutes les colonies ottomanes d'Europe, ravivant, par ricochet, la revendication indépendantiste dans tout l'Orient arabe.

À l'instar de camarades irakiens ou syriens, Saïd commence à se pencher sur les questions politiques. En octobre 1913, le jeune homme sera de la petite phalange qui crée El Ahad*, la société du Pacte. Un groupuscule qui ne rassemble qu'une quarantaine de comploteurs et dont le nom fait référence à une sorte de pacte moral entre Dieu et les affiliés pour le service de la mère patrie arabe.

Conspirateurs, mais pas indépendantistes, à en croire leur chef de file. Né en 1879, Ali Chahlpe s'est inventé le pseudonyme d'Aziz Ali el-Misri (« Aziz Ali l'Égyptien »). Partisan des réformes, cet officier de carrière fait ses premières armes dans la clandestinité au sein du comité Union et Progrès, autrement dit des Jeunes-Turcs, dont il devient un membre éminent. Mais, en 1909, souffrant d'être tenu à l'écart en raison de ses origines

66

circassiennes, il change son fusil d'épaule et se convertit au panarabisme.

Avec son air jovial et son épaisse moustache, l'Égyptien veut-il l'éclatement de l'Empire ottoman ? Que nenni. Il ne rêve que d'un « État méditerranéen » où Arabes, Turcs, Albanais, Bulgares, Égyptiens, Libyens vivraient sur un pied d'égalité.

Si son idée d'autonomie interne au sein d'un ensemble fédéral ne fait pas l'unanimité, elle n'a rien d'incongru au sein d'une société secrète où personne ne revendique l'indépendance des possessions arabes de l'Empire ottoman.

Assez fumeux, le débat voit émerger deux autres figures : Yacine el-Hachemi et Nouri Saïd. Avec Ali l'Égyptien, ces deux Irakiens constituent désormais le triangle de direction du Pacte.

Problème délicat, l'attitude en cas de guerre. Doit-on rester dans l'armée ottomane ou au contraire s'en retirer ? Servir en attendant des jours meilleurs ou subvertir l'institution de l'intérieur ? Dans ce milieu à large dominante militaire, le loyalisme a meilleure presse. Fidèles à leur conception de l'honneur qui veut qu'on ne change pas d'allégeance en pleine bataille, la majorité des membres du Pacte continuera, quoi qu'il leur en coûte, à servir sous le drapeau ottoman jusqu'à la fin du conflit.

Moitié par conviction, moitié par opportunisme, Ali l'Égyptien, le numéro un du Pacte, s'engouffre dans la voie opposée. Accusé de complot, traduit en cour martiale, l'officier contestataire est condamné à mort.

La suite de son aventure paraît pour le moins rocambolesque. C'est d'abord Djemal Pacha, proconsul ottoman de Syrie, qui insiste pour que la peine soit commuée en quinze années de prison, sous prétexte que le fautif est égyptien. C'est ensuite l'ambassadeur anglais à Istanbul qui demande, et obtient, son élargissement. C'est enfin la providentielle fuite d'Aziz jusqu'au Caire. On peine à croire que cette série d'événements doive tout au hasard...

Parvenu à bon port, il commence par inciter, par correspondance dûment cryptée, ses camarades du Pacte encore libres à demeurer au sein de l'armée ottomane. On ignore, plaide-t-il, les intentions des Occidentaux au Moyen-Orient (rappelons

qu'à cette époque, les tractations entre Britanniques et Hachémites se résument aux conversations de février 1914, quand
l'émir Abdallah, de passage au Caire, sondait une première fois
lord Kitchener, le haut-commissaire anglais en Égypte, et
Ronald Storrs, le secrétaire oriental, au nom de son père, le
chérif Hussein). La conclusion coule de source : attendons d'y
voir plus clair.

La clarté tombe justement des étoiles en août 1914, avec le
déclenchement de la guerre en Europe. C'est décidé : Ali
l'Égyptien jouera la carte anglaise. Certain de son importance, il
expose à son officier traitant du renseignement militaire britannique, le capitaine Russell, un plan mirifique qui ferait de lui le
chef d'une insurrection générale en Irak. Proposition qu'il va
renouveler et embellir dès octobre quand, progressant de plusieurs crans dans la hiérarchie de ses interlocuteurs, il rencontre
le major Gilbert Falkingham Clayton, dit Bertie, chef suprême
du renseignement militaire et politique au Caire et bientôt père
fondateur du fameux Bureau arabe.

« Je suis prêt à vendre toutes mes propriétés ici, au Caire,
explique Misri, très grave. Avec cet argent, je louerai un bateau,
je débarquerai à Bassorah. Un mois me suffira à lever quinze
mille combattants... »

Bertie écoute avec un sérieux égal à celui de son interlocuteur.
Pour preuve, ce résumé qu'il transmet à ses supérieurs : « En
bref, la Grande-Bretagne fournirait le nerf de la guerre et les
Arabes, l'élément combattant. Ainsi se cimenterait une alliance
étroite entre la Grande-Bretagne et la puissance musulmane
nouveau-née, à l'avantage mutuel de chacune. »

Pour autant, Clayton ne donne aucune suite. Non pas qu'il
déteste les initiatives originales : prototype de l'Anglais anticonformiste, ce tout juste quadragénaire raffole au contraire des idées
neuves, à condition qu'elles soient crédibles. Or, ancien militaire
passé au service civil, il connaît par cœur la partie méridionale
de l'Irak. Clé du delta où Tigre et Euphrate confluent pour
mieux se jeter dans le golfe Arabo-Persique, Bassorah constitue,
c'est vrai, un verrou stratégique majeur. Mais tout projet
d'expansion anglaise dans cette région sous contrôle soit ottoman,
soit iranien, reste pour l'heure la chasse gardée du gouvernement

des Indes, le Raj, comme de l'India Office de Londres et de Bombay. Lesquels s'en tiennent à leur valse à trois temps traditionnelle. Un, entretenir de bons rapports avec les émirats du Golfe : Oman, Bahreïn, Qatar ou Koweït. Deux, accroître l'influence anglaise en Iran, si riche en pétrole. Trois, chercher enfin un terrain d'entente avec Ibn Séoud, maître de la partie orientale de l'île des Arabes.

Rien pour les Hachémites dans cette architecture compliquée. Et encore moins pour un Égyptien trop rêveur comme Aziz. D'ailleurs, un des hauts fonctionnaires du Raj, Percy Cox, s'oppose formellement à cette expédition en Irak.

« Pour Bassorah, nous avons d'autres projets qui excluent tout amateurisme », soutient ce spécialiste du monde musulman que nous retrouverons à maintes reprises dans le cours de ce récit.

Petit bémol quand même : pas mécontent de marcher sur les brisées du Raj, le Foreign Office de Londres ordonne de verser, à tout hasard, deux mille souverains au dirigeant du Pacte. Finance pour finance, les querelles entre administrations britanniques opposées valent bien celles des tribus arabes...

Tandis que les négociations secrètes avec les Hachémites commencent à prendre tournure, Ali l'Égyptien finit par acquérir un peu de crédibilité. Assez pour signaler à Bertie Clayton le rôle important de Nouri Saïd au sein du Pacte...

Nouri, que devient-il justement ? Menacé à son tour d'arrestation, on l'a vu gagner Bassorah à bord d'un vapeur français en juin 1914, deux mois avant que n'éclate la Grande Guerre. Le Bagdadi a ensuite trouvé refuge à Mascate, zone d'influence anglaise à l'est de la péninsule Arabique. C'est là qu'il apprendra l'assassinat de l'archiduc d'Autriche François-Ferdinand à Sarajevo, puis le déclenchement du grand conflit mondial.

Certain qu'en liant son destin à celui de l'Allemagne, l'Empire ottoman vient de perdre ses dernières chances de survie, le jeune officier sent sa foi nationaliste s'affermir. Mascate puis, à partir de juin 1914, l'hôpital américain de Bassorah, où on le soigne pour une maladie de poitrine, marquent deux étapes décisives dans sa mue.

En novembre 1914, un corps expéditionnaire de l'armée britannique, venu des Indes par la mer, débarque dans le delta. Dès le 6, cette troupe baptisée Force D prend ses quartiers dans le port de Fao. Affirmant la présence anglaise au fond du Golfe, elle doit occuper Bassorah, puis sécuriser l'île voisine d'Abadan et les précieuses raffineries de pétrole de l'Anglo-Persian Oil Company.

Autre mission politico-économique importante : s'assurer que le matériel lourd destiné au chemin de fer de Bagdad soit bien bloqué et ne puisse parvenir aux ingénieurs allemands chargés de l'achèvement de cette voie stratégique.

Nouri craint de plus en plus pour sa vie. Après avoir échappé in extremis à la police turque, il se décide à contacter les Britanniques. Il adresse alors une lettre à Percy Cox. Officier politique de la Force D, ce vieux routier des affaires musulmanes accorderait-il un entretien à un militaire turc entré en dissidence ?

C'est oui le 3 décembre, à Bassorah toujours.

Cox, on en parlait plus haut. Ce tout juste quinquagénaire au visage oblong, au nez très mince et légèrement de travers, va devenir un acteur européen d'importance dans la saga des Hachémites.

Ancien de Harrow puis du Royal Military College, excellent tireur, remarquable cavalier, bon géographe et passionné d'histoire, Percy Zachariah Cox possède, dirait-on, toutes les qualités.

Son heure sonne en mai 1895, lorsque le résident anglais en Somalie britannique, dont il est l'adjoint politique, le charge de mettre fin aux agissements d'un clan qui sème le trouble parmi les tribus locales. À la tête de cinquante chameliers anglais et somaliens et de quinze cents irréguliers, le capitaine Cox défait alors l'adversaire, et obtient sa reddition en six semaines.

Le fonctionnaire de la Couronne est ensuite nommé agent politique anglais à Mascate. Maître dans l'art de contrer la propagande française, active dans la région, il s'intègre à la poignée d'administrateurs et de soldats qui maintiennent la suprématie britannique dans le Golfe. Pas pour la beauté du geste : l'émirat joue en effet le rôle de sentinelle d'une des deux rives du détroit d'Ormuz.

Nouveau fait d'armes en 1909. Cox parvient à convaincre Cheik Khazal, seigneur du district autonome de Mohammera, dans le delta de l'Euphrate, de louer à l'Anglo-Persian Oil Company une bande de terrain. Située le long du fleuve, elle abritera un terminal pétrolier.

De quoi accélérer l'ascension hiérarchique de ce sujet si doué, polyglotte de surcroît. Au début de 1914, le voilà secrétaire pour la politique extérieure du gouvernement britannique des Indes, le Raj. Et dix mois plus tard, c'est toujours lui, Cox, qui revient hanter les lieux de ses exploits comme tête pensante de la Force D.

Bien embarrassée, cette tête, face au cas Saïd. Le Bagdadi fait forte impression sur l'officier politique. Pour preuve, ces notes qu'il jette à la volée le soir de leur rencontre : « Nouri Saïd, qui m'apparaît être avant tout un socialiste visionnaire, est un jeune Arabe délicat d'environ vingt-cinq ans. Il souffre d'une affection à la poitrine et est hautement européanisé. Son plan, à lui et à ses associés, semble principalement d'améliorer l'état de la nation arabe en général. Il se déclare enchanté que nous ayons occupé Bassorah, sous prétexte que les Arabes concrétiseront plus facilement leurs idéaux sous le gouvernement libéral britannique que sous tout autre. »

Quel usage faire de ce nationaliste bien disposé envers la Couronne ? Si sa maturité politique saute aux yeux, son utilité, elle, n'a rien d'immédiat. Tant que le Raj, l'India Office, le War Office, le Foreign Office, le gouvernorat anglo-égyptien du Soudan et l'état-major du Caire n'auront pas accordé leurs violons, le jeune Irakien devra faire preuve de patience.

Nouri Saïd, qui ne manque pas de subtilité, a parfaitement compris le message. Souffrant toujours de la poitrine, il sollicite son transfert médical.

« Au Caire ou à Bombay, comme vous voudrez... »

On n'est pas plus accommodant. Cox l'expédie à sa maison mère, à Bombay. Là-bas, le Bagdadi sera placé en résidence surveillée pendant dix jours avant d'hériter d'un bungalow et d'une pension mensuelle de deux cent cinquante roupies.

« Prenez le temps de lire, de vous informer, lui conseille-t-on. Et profitez de l'occasion pour apprendre l'anglais. Cela pourrait se révéler utile à l'avenir… »

Nouri commence son initiation à la langue de Shakespeare. Et s'il lit beaucoup, comme ses goûts personnels l'y incitent, il écrit tout autant. À sa famille, bien sûr, mais aussi à Ali l'Égyptien. Son vieux complice du Pacte pourrait-il intercéder en sa faveur auprès des Britanniques du Caire ?

En manque d'alliés politiques, Misri trouve l'idée excellente. Et le voilà parti pour faire la tournée des bureaux de la capitale égyptienne, plaidant la cause de Saïd avec tant d'éloquence qu'un accord de principe du Caire finit par voir le jour.

Encore faut-il convaincre les responsables à Bombay. Les administrations impériales étant ce qu'elles sont, lourdes et chatouilleuses, l'affaire s'annonce délicate. Pour preuve, la date du feu vert, qui ne sera donné qu'en novembre 1915, un an après la première rencontre avec Cox ! Mais c'est entendu : Nouri peut rallier Le Caire. On l'y attend avec toute la bienveillance voulue.

« On », c'est la fine équipe qui supervise les contacts épistolaires de sir Henry McMahon avec le chérif Hussein. Car nous n'avons pas perdu les Hachémites de vue. Autour de Ronald Storrs, chef de l'Agence britannique au Caire, côté administration civile, et de Bertie Clayton, côté politico-militaire, cette ébauche du Bureau arabe rassemble autour de David Hogarth et de Ken Cornwallis de nouveaux venus : Audrey Herbert, Stewart « Skinface » Newcombe, Thomas Edward Lawrence. Et bientôt l'étonnante Gertrude Bell, amie de longue date de Percy Cox dont elle sera plus tard l'adjointe à Bassorah.

Un petit cercle d'initiés qui nourrissent un respect tout relatif pour les hiérarchies en place, conspirent pour un Orient arabe façonné selon leurs vues et se surnomment les « indiscrets »…

Scrutons à la loupe l'entrelacs des grandes manœuvres britanniques. Comme la main gauche ignore ce que fait la main droite, Le Caire ne sait pas ce que trame Bombay et inversement. D'un côté, la correspondance secrète Hussein-McMahon, toujours aussi abondante, prélude à la révolte arabe. De l'autre, Percy

Cox paraphe, en cette fin 1915, le traité faisant d'Ibn Séoud, une bête noire des Hachémites, un allié du Raj.

Pas d'adversaire plus dangereux pour le chérif Hussein qu'Ibn Séoud, émir du Nedjd*, la partie centrale de la péninsule Arabique, et du Hasa*, la bande côtière aux oasis fertiles qui, à l'est, borde le Golfe. Né en 1880, Abdelaziz (le serviteur du Bien-Aimé, c'est-à-dire de Dieu) Ibn Abd-ur Rahman Ibn Séoud, a reconquis à la pointe du glaive le territoire de son père, spolié et chassé en son temps par deux hommes liges des Turcs.

En 1902, le jeune chef prend la tête d'un petit commando de fidèles. Son pari semble insensé ; il n'est qu'audacieux. Ibn Séoud arrache en effet sa future capitale, Riyad, aux partisans des Rachid, les Rachidi.

Après avoir encaissé un sérieux revers face aux Turcs en 1904, il sait tirer les leçons de la défaite. L'année suivante, il prend sa revanche par une victoire éclatante, puis trouve un arrangement provisoire avec l'Empire ottoman, lequel, mal avisé, lui abandonne pratiquement la région.

Les années 1914-1915 sonnent le temps de l'ouverture. Ainsi Ibn Séoud fait-il la connaissance, et bientôt la conquête, de l'agent politique anglais au Koweït, ancien officier des prestigieux lanciers du Bengale que son premier prénom, William, et son nom de famille, Shakespear, prédestinent à la tragédie (pour avoir poussé les Séoudiens à affronter une fois encore les Rachidi, l'infortuné périra d'ailleurs en février 1915, pendant les combats de Djarrab).

Ibn Séoud n'est l'ami de personne, mais la puissance britannique fait un beau contrepoids à la puissance ottomane. En décembre 1915, il signe donc avec Cox une convention garantissant qu'il n'attaquera en aucun cas les alliés de la Grande-Bretagne (traduisez les Hachémites, mais ce n'est pas dit), et qu'il n'aidera pas ses ennemis (traduisez les Turcs). De quoi attendre la fin de la guerre mondiale pour se jeter sur l'adversaire le plus faible, ottoman ou hachémite.

Officiellement, le chérif Hussein entretient des relations cordiales avec l'émir du Nedjd et du Hasa. Les deux hommes s'écrivent, échangent des politesses. Mais la méfiance prévaut, sinon la haine. Ibn Séoud a redonné vie au « pacte du Nedjd » qui, depuis un siècle et plus, lie sa famille au groupe fondamentaliste musulman des wahhabites. Assez pour choquer Hussein, musulman certes très conservateur, mais pas loin de considérer les wahhabites comme des mécréants bornés.

Au milieu de ces querelles de pouvoir et d'administrations rivales, Nouri Saïd vogue en passager anonyme, ignorant où on le conduit. C'est seulement à l'escale de Suez qu'il comprend que le vapeur de la P & O Line l'a bien transporté en Égypte. Reste à connaître le sort qui lui a été réservé. Transféré au Caire, le Bagdadi reçoit de Ken Cornwallis l'ordre exprès d'éviter toute manifestation politique :

« On croirait que vous comptez revenir dans votre pays natal... »

Sur ce, un autre sujet de préoccupation vient assaillir Nouri. Djefar el-Askari, le mari de sa sœur Fekriya et frère de sa propre épouse, Naïma, fait sa réapparition. Pas en très bon état. Détenu à la citadelle du Caire comme prisonnier de guerre resté fidèle aux Ottomans, Djefar a eu la mauvaise idée d'attacher bout à bout trois couvertures de l'armée britannique, d'enjamber la fenêtre de sa cellule et de tenter l'évasion en descendant la paroi en rappel. La dernière couverture ayant cédé sous son poids, l'Irakien est tombé d'une certaine hauteur dans les douves. Le lendemain matin, la garde l'y a découvert inanimé...

Transféré à l'hôpital où son état s'améliore assez vite, le candidat à l'évasion reçoit les visites répétées de son beau-frère Nouri et d'un autre militant nationaliste, le Dr Chabandar, ancien élève de l'université américaine de Beyrouth et directeur de la Santé à Damas.

« Les Turcs sont des assassins. Regardez le sort infamant qu'ils ont réservé à notre ami Djezaïri », disent-ils, mettant sous le nez du convalescent les journaux qui relatent les pendaisons toutes récentes ordonnées par Djemal Pacha.

C'est toucher Djefar au point sensible, l'honneur et la camaraderie. Membre fondateur du Pacte, Sélim el-Djezaïri faisait partie des nationalistes dont l'émir Fayçal avait, en vain, tenté d'arracher la grâce au proconsul ottoman de Damas. Écœuré par ces crimes qu'il découvre, lui qui combattait loin de là, à la frontière occidentale de l'Égypte, jusqu'à sa capture, Djefar change de camp et se déclare prêt à rallier la thawra.

Cette conversion soudaine, les Britanniques n'y croient pas. Saïd, Chabandar, Misri et un autre conspirateur du Pacte présent au Caire, le jeune lieutenant Mohammed el-Farouki, fils d'une grande famille de Mossoul, ont beau multiplier les arguments, ils ne parviennent pas à ébranler la défiance de granit des officiers anglais. Mesquine, l'intendance facture même à Djefar les trois couvertures qu'il vient de mettre hors service…

En juin 1916, après le coup de tonnerre de la thawra, le rôle de Nouri Saïd se précise enfin. Convaincu de devenir sous peu le chef de toutes les armées arabes grâce à l'appui britannique, Misri affiche beaucoup d'ambition. Farouki intrigue dans l'espoir de devenir le représentant personnel au Caire du chérif Hussein. Mais le Bagdadi, lui, ne demande rien. Or, au Hedjaz, les petites armées hachémites en cours de formation manquent cruellement de cadres militaires expérimentés. Quoi de mieux qu'un breveté de l'état-major ottoman, qualifié en outre dans les trois armes : infanterie montée, artillerie puis cavalerie ?

Nouri accepte. Il prendra volontiers la tête des volontaires irakiens recrutés par Farouki et les Britanniques parmi les prisonniers de guerre de l'armée ottomane.

Ces soldats malheureux ont été regroupés dans un camp à Suez. Mais, secret opérationnel et mainmise britannique obligent, Nouri Saïd n'a même pas le droit de les rencontrer. Tout au plus obtient-il, à distance, une amélioration de leur ordinaire. Et pour les officiers, la possibilité d'habiter à l'extérieur du camp.

Ken Cornwallis l'accompagne à Suez par le train de nuit…

C'est seulement le 1ᵉʳ août, à bord du navire qui les transporte vers Djeddah, que Nouri va faire la connaissance de ses futurs subordonnés. Les entreponts sont bourrés d'hommes – près de sept cents –, de chevaux et de caisses de matériel, mais lui, le chef nominal de l'expédition, n'a été tenu au courant de rien…

6

Combats au bout du monde

Mohsen Mansour accueille Nouri Saïd sur le sol hedjazi. En sait-il plus long que lui sur les projets arabo-britanniques ? Difficile de se faire une idée car l'émir des Harbs brille par la rareté de ses paroles.

À ses côtés, une forte personnalité, le lieutenant-colonel Cyril Wilson, représentant britannique sur place. Et quelques pas derrière eux, Hussein er-Rouhi, agent secret arabe de l'entourage personnel de Storrs, le secrétaire oriental.

Les ennuis commencent aussitôt. Les soldats de Nouri Saïd, prisonniers libérés, qui voyaient le Hedjaz comme un endroit paisible pour y attendre la fin de la guerre, comprennent qu'on veut les jeter dans la fournaise. Devant cette duperie monumentale, leur surprise vire à l'indignation.

Les voix protestataires s'additionnent pour créer un beau tumulte. Au Caire, à Alexandrie et à Suez déjà, soldats et officiers ont appris à connaître l'attitude des Britanniques, pleines de racisme condescendant envers leurs homologues égyptiens, traités comme les membres d'une armée d'opérette.

Dix jours à peine après leur arrivée à Djeddah, une centaine de recrues doivent déjà être renvoyées en Égypte. Seuls resteront Nouri Saïd, ses officiers ainsi qu'une poignée de soldats. L'échec est patent, mais l'armée régulière du chérif Hussein étant réduite pour l'essentiel aux guerriers bishas de sa garde personnelle, quelle autre solution ont-ils que d'en créer une avec des militaires de métier venus de l'extérieur du Hedjaz ? Le programme de recrutement parmi les prisonniers de guerre se poursuit donc.

En attendant qu'il porte ses fruits, un premier briefing permet à Nouri Saïd de comprendre la situation. À La Mecque, les derniers combattants turcs se sont rendus le 4 juillet, abandonnant aux forces chérifiennes cinq canons et huit mille fusils. Mais à Taïef, l'émir Abdallah piétine avec ses effectifs réduits face à la division ottomane de Ghalib Pacha. Menace diffuse sur le chemin de fer du Hedjaz, enfin, les deux colonnes mobiles d'Ali et de Fayçal harcèlent vaille que vaille l'ennemi autour de Médine.

Les lignes télégraphiques et téléphoniques entre Djeddah et La Mecque sont intactes. Des échanges de messages écrits et quelques conversations orales complètent l'information du nouveau venu.

« La priorité, c'est Médine, tranche le Bagdadi. La colonne de l'émir Ali n'a ni vivres, ni munitions. »

À condition d'avoir d'abord le feu vert de La Mecque. S'il négligeait de rendre visite au chérif, quelle colère !

Comptons aussi avec la désinvolture des services d'intendance anglais. Les caisses qui contiennent les canons destinés à l'expédition ouvertes, on n'y trouve ni systèmes de visée, ni documentation technique ! Les bureaux cairotes en charge du matériel semblent avoir oublié que l'artillerie ne souffre guère l'improvisation. Personne n'a pensé que d'ex-officiers de l'armée ottomane savent mettre des obusiers allemands en batterie, mais pas forcément des pièces britanniques…

Épaulé par l'efficace colonel Wilson, célèbre pour ses coups de gueule, Saïd parvient quand même à équiper sa petite troupe. Et la voilà qui se met en route, longue théorie de dromadaires chargés de riz, de café et de farine. Les canons sont tirés par des chevaux. Quant à l'infanterie, elle est munie de fusils de modèle ancien, de grenades, de quelques mitrailleuses.

Trois semaines plus tard, Nouri effectue enfin sa jonction avec Ali. Heureux de voir apparaître au Hedjaz au moins un membre de ces sociétés secrètes nationalistes dont tout le monde parlait et que seul Fayçal connaissait, l'aîné des Hachémites accueille le nouveau venu avec chaleur. Premier à se rallier à leur cause par des actes concrets sur le terrain, Saïd recueillera à l'avenir les fruits de cet engagement.

Une reconnaissance s'impose. Elle manque de coûter la vie au Bagdadi. Pris sous le feu des Ottomans, il se rend compte à quel point les forces d'Ali sont exposées.

Quinze jours à ronger son frein avant que la réponse arrive, favorable. Nouri gagne alors Rabegh. Dans cette petite oasis où une population d'Africains et d'Arabes métissés s'entasse dans de misérables bâtisses de brique séchée, son œil de militaire de carrière a tôt fait de déceler un carrefour stratégique de première importance. À trois kilomètres à l'ouest surgit en effet une baie d'origine volcanique, port naturel très profond où sept à huit navires de tonnage moyen peuvent mouiller sans encombre.

Les objectifs turcs n'ont rien de très mystérieux : dégager Médine, et de là, attaquer La Mecque, tuant ainsi la thawra dans l'œuf ; déposer le chérif Hussein ; mettre à sa place leur homme lige, Ali Haïdar. Pour les atteindre, ils doivent obligatoirement passer par Rabegh, seul point d'eau susceptible de ravitailler une troupe en campagne. Autre élément décisif, c'est à Rabegh, sur la côte, et là seulement, que la révolte arabe bénéficiera à plein de l'aide anglaise, coordonnée par le lieutenant-colonel Alfred Parker, représentant sur place de la couronne britannique et, par ailleurs, neveu de lord Kitchener.

Pour le deuxième convoi, les Britanniques et leurs alliés nationalistes arabes, instruits par l'expérience, ont mieux préparé leur affaire. Capturés en Irak et ralliés à la thawra, des officiers ottomans ont harangué les prisonniers arabes des camps anglais des Indes. L'insistance de ces propagandistes de choc sur les atrocités, tout à fait réelles, de Djemal Pacha a convaincu vingt-cinq officiers et deux cent vingt troupiers, qui embarquent le 16 septembre de Bombay. Quand ces volontaires parviennent à Rabegh, dix jours plus tard, Nouri Saïd, culotte de cavalier, pistolet à la ceinture, keffieh sur la tête et cigarette aux lèvres (jusqu'à la fin de ses jours, le futur Premier ministre irakien restera, comme ses amis Abdallah et surtout Fayçal, un fumeur compulsif) les accueille. Dans la poche de sa tunique de grosse toile kaki, une paire de gants blancs, et, sous sa tente, un sabre : l'officier rebelle a tellement foi en la victoire qu'il médite déjà le protocole des redditions futures de troupes ottomanes...

7

Tous au Hedjaz !

La Mecque à l'horizon : les voilà enfin, ces lieux saints de l'islam dont Chérif Cadi et ses compagnons rêvaient depuis l'enfance.

Vêtu de sa robe de soie blanche qu'orne le traditionnel poignard courbe, le commandant Chérif Cadi ben Larbi, taille moyenne, cheveu noir, moustache en guidon de vélo et tatouage en pointe bleue sur le front, conduit ses amis.

Pas d'existence plus inattendue que celle de cet officier supérieur français, premier autochtone algérien au sein de la prestigieuse École polytechnique. Son itinéraire semble issu d'un ouvrage à la gloire de l'école républicaine. Tout est vrai pourtant, et même si on parle de désert, cela n'a rien d'un mirage : cette France-là a bien existé...

Cadi naît le 22 octobre 1867 dans l'Est algérien. L'enfant appartient, il n'en est pas peu fier, à un rameau des Béni Hilal*, célèbres pour leur esprit guerrier. Leur indiscipline pareillement.

Originaires de l'île des Arabes, les Hilaliens l'ont quittée pour l'Égypte. Dès le XIᵉ siècle, ces combattants farouches envahissent le Maghreb. Avant de faire souche par le truchement de mariages mixtes, ils vont semer la désolation en Tunisie d'abord, puis en Algérie. Jamais les Turcs ne parviendront à soumettre tout à fait ces irréductibles.

C'est particulièrement vrai pour les Kbeltiyas, le clan d'origine de Chérif Cadi. Ses membres s'illustrent par leur résistance opiniâtre. Autant d'exploits qu'on magnifie à la veillée devant les tentes nomades.

C'est à Souk Ahras, où son aîné, Tahar, l'a recueilli après les morts successives de leurs parents, qu'on va déceler chez Chérif des dons intellectuels précoces. Élève de l'école coranique jusqu'à ses douze ans, Chérif bifurque vers l'école laïque. Un changement de cap qui n'ira pas sans longues palabres en famille : même dans son propre intérêt, peut-on envoyer un adolescent musulman apprendre « chez les Français » ?

En juillet 1884, le voilà reçu au baccalauréat ès sciences, succès qu'il partage avec une poignée de jeunes musulmans.

C'est sur les bancs de l'école qu'on va, croit-il dur comme fer, frayer le chemin à d'autres coreligionnaires. Et ainsi de suite jusqu'à ce qu'une forme de justice – son vœu le plus cher – s'établisse enfin en Algérie.

Le 4 octobre 1887, le jeune homme passe l'examen d'entrée à Polytechnique, rue Descartes à Paris.

Va-t-il servir à titre d'« indigène », solidaire des siens mais privé comme eux de beaucoup de droits essentiels ? Naturalisé français, le jeune homme renonce, c'est la condition sine qua non, à son statut personnel coranique. Une décision lourde de conséquences. Même si sa foi musulmane reste toujours aussi vivace, le choix de devenir pleinement français le place à l'extérieur de sa communauté d'origine. Il ajoute alors à son patronyme et à son prénom musulman le prénom chrétien d'Yves pour s'appeler désormais Chérif Yves ben Larbi Cadi.

Marié à Jeanne Dupré, le capitaine Cadi grimpe les échelons de la hiérarchie. Ainsi effectue-t-il une mission secrète de surveillance des manœuvres militaires allemandes : sous ce déguisement de marchand arabe ambulant qui circule à proximité des champs de tir, qui irait deviner un officier d'artillerie parfaitement qualifié pour apprécier les matériels nouveaux des hommes du Kaiser ? Ainsi adhère-t-il surtout au mouvement des Jeunes Algériens, séduit par le programme de cette poignée d'intellectuels francisés : « Progrès, développement de l'enseignement, droits politiques ».

La Grande Guerre approche. Cadi combattra sur le front de la Somme. Le 23 juillet 1916, victime d'une attaque de paludisme, il doit être évacué d'urgence sur un hôpital temporaire. En congé de convalescence, c'est chez des amis de Limoges que lui parvient l'ordre de reprendre le service sans attendre. L'officier est en effet désigné par la section Afrique du ministère de la Guerre. Un musulman s'imposait pour prendre la tête du pèlerinage officiel français à La Mecque...

Signé d'Aristide Briand, président du Conseil et ministre des Affaires étrangères, l'ordre n° 3.122 du 2 août 1916 le stipule en toutes lettres :

« Dès le début de l'insurrection arabe, j'ai estimé que nous avions intérêt à agir auprès du Grand Chérif en vue de nous concilier ses bonnes dispositions et de faciliter son émancipation par nos subsides. »

L'argent donc. Les services français évaluent à un million deux cent cinquante mille francs les sommes versées aux Hachémites par les alliés anglais. Peut-on décemment faire moins ?

Il existe aussi d'autres méthodes d'approche. Si Kaddour ben Ghabrit, un proche du colonel Hamelin, chef de la section Afrique, va prendre la tête d'un groupe de pèlerins dépêchés à La Mecque. À quarante-trois ans, ce fils de notables de Sidi Bel-Abbès, en Algérie, a reçu une éducation religieuse poussée, tant dans son pays natal qu'au Maroc, avant d'embrasser la carrière diplomatique en qualité d'interprète au consulat français de Tanger. C'est lui, dit-on, qui aurait arraché, en août 1912, l'abdication du sultan marocain Moulay Hafid, exigée par le résident français.

Chef du protocole à Rabat, Si Kaddour ben Ghabrit est reçu, à Paris, par Briand en personne. Le président du Conseil lui confie à cette occasion une lettre pour le chérif Hussein.

La composition du groupe politique a donné lieu à des négociations acharnées entre services. Embarqué à Marseille le 6 septembre sur le paquebot *Lotus*, celui-ci parvient sans encombre en Égypte. Il touche terre à Alexandrie le 13.

Là, Si Kaddour et ses compagnons rencontrent un autre groupe de personnes qui, parti de Marseille le 23 août sur le *Mossoul*, les a précédés de treize jours.

Disons plutôt un détachement, car en vertu des instructions écrites du président du Conseil, il se compose « de militaires français, de race arabe et de religion musulmane qui, d'accord avec les délégués anglo-égyptiens, chercheront les moyens de fournir aux troupes du chérif Hussein les méthodes de combat, les armes et les approvisionnements dont elles manquent, en même temps qu'ils pourraient préparer la venue de cadres indigènes capables de discipliner les contingents chérifiens ».

Les deux délégations embarquent le 15 septembre sur le *D'Estrées*. Dans les cabines du croiseur, les cadeaux destinés aux Hachémites. On a largement puisé dans les trois millions et demi de francs alloués à la mission par le ministère des Finances. La bague avec brillants destinée au chérif vaut par exemple quarante mille francs, la pendule en émail avec candélabres et le lustre, pas moins. Pour les nombreuses femmes de l'entourage d'Hussein, on a choisi des bagues serties de brillants et d'émeraudes, des soieries lyonnaises, des bijoux d'Algérie, des parfums. Des dragées aussi, délicate attention – vingt kilos achetés chez Boissier, à Lyon, par le préfet du Rhône.

Ajoutez à ces présents ceux du nouveau sultan du Maroc et du Bey de Tunis, financés bien entendu par Paris, et les cadeaux réservés à Ali, Abdallah, Fayçal et Zaïed : la caverne d'Ali Baba ou presque. Surtout si on compte le million deux cent cinquante mille francs-or correspondant à la manne qu'auraient déjà versée les Britanniques dans les caisses d'Hussein et qu'il faut doubler par une contribution française équivalente. Dans ces conditions, qui s'étonnera si la garde a été renforcée devant les cabines des pèlerins...

L'ordre n'entrait pas dans ces détails. Il n'en fixait pas moins le nombre de pèlerins, « 200 environ de chacune de nos grandes colonies » (ce sera six cent soixante).

Un officier de tirailleurs pilote l'ensemble de l'opération de charme. Avant même de devenir l'adversaire français de Lawrence d'Arabie, le lieutenant-colonel Édouard Brémond, bel homme de haute prestance à la barbe grisonnante, a derrière lui un long passé colonial.

Né en 1868 à Paris, saint-cyrien, breveté de l'École supérieure de guerre, sa carrière a commencé par dix-sept années algériennes. Les treize suivantes, Brémond les a passées à barouder contre les tribus dissidentes du Maroc, se liant d'amitié avec Si Kaddour ben Ghabrit. C'est cet officier blanchi sous le casque colonial qu'on est allé chercher pour prendre la tête de la mission militaire française au Hedjaz, baptisée pour l'instant mission militaire en Égypte.

Brémond parle arabe comme une mosquée. Pour autant, le chemin de La Mecque lui reste fermé en tant qu'infidèle.

Seuls des officiers musulmans peuvent accéder au centre spirituel de la révolte arabe. Et Brémond de donner à Djeddah ses premiers ordres à Chérif Cadi :

« Le pèlerinage dans la ville sainte devrait vous permettre de créer un service de renseignements efficace. Collectez aussi bien des renseignements sur les tribus arabes que sur les Turcs. Par la même occasion, a ajouté le chef de mission, rassemblez les éléments syriens de La Mecque, instruisez-les et apprenez-leur le français. »

Une consigne qui en dit long sur les visées de la section Afrique...

D'autres noms vont s'ajouter à la liste des « missionnaires » militaires et religieux français auprès des Hachémites. C'est d'abord le capitaine de cavalerie Saad Reguieg et son camarade du 2e spahis algériens Mohammed Ould Ali Raho. C'est ensuite le lieutenant Mohammed ben Ali Lahlouh, commandant le tabor d'infanterie de la garde noire du sultan du Maroc.

Trois officiers des troupes coloniales auxquels le ministère de la Guerre a pris soin de donner, via Lyautey, résident général à Rabat, des instructions précises. Ainsi devront-ils « emporter au Hedjaz leurs armes, équipements, selleries, effets militaires, et en outre des tenues arabes soignées pour revêtir à partir de Djeddah ».

Des tenues soignées, ils n'en manquent heureusement pas. Dans leurs malles, Saad Reguieg et Raho ont rangé des tuniques garance à boutons dorés, épaulettes or et galons or cousus au bas des manches. Ces pièces d'uniforme voisinent avec des pantalons bleu céleste à double bande garance, des djellabas à manches larges et naturellement des tenues kaki dont le port réglementaire remonte à l'année précédente, tout juste.

Kaki également, la tenue de travail du lieutenant Lahlou, avec, sur l'écusson bleu ciel du collet, l'emblème marocain, entrelacement de deux triangles brodés. Un motif analogue orne le bandeau de son képi. Mais, comme Saad Reguieg et Raho, l'officier de la garde noire emporte sa tenue de parade, celle des officiers de spahis, ornée dans son cas de l'étoile et du croissant.

Sur place, nul ne doute que la fière allure des représentants français impressionnera favorablement les Hedjazi. La guerre est affaire psychologique, après tout, et celle du Hedjaz ne fera pas exception. Même si elle ne se joue pas seulement à terre...

8

Aventures en mer Rouge

Quand on lui a annoncé que sa flotte devait assurer la maintenance et le ravitaillement de la thawra, le monocle du vice-amiral Wemyss n'a pas bougé d'un millimètre.

Presque quarante ans – il en avait treize à l'époque – que ce Londonien, arrière-petit-fils d'un roi d'Angleterre par sa mère, avait posé un pied timide sur le pont du HMS *Britannia*, en même temps que son cousin au troisième degré, le futur George V.

Tout naturellement, Rosslyn Erskine Wemyss entre à la Navy où il glane le diminutif de « Rosy ». On parlait de servitudes maritimes. Celles-ci sont bien réelles. Quoi de moins glorieux que de convoyer des protestants hollandais d'Afrique du Sud, les Boers, en guerre contre la Grande-Bretagne, vers Sainte-Hélène, à l'ouest des côtes d'Afrique ? Et une fois sur place, quoi de moins gratifiant que de devenir leur geôlier, dans cette île-prison déjà célèbre pour un autre de ses captifs, Napoléon Bonaparte ?

Promu au grade de contre-amiral, Rosy Wemyss protège en 1914, dans la Manche, les lignes de communication du corps expéditionnaire britannique sur le continent. L'année suivante, c'est lui qu'on choisit pour monter de toutes pièces, dans le port grec de Moudros, la base navale d'où sera lancé l'assaut franco-anglais sur les Dardanelles. Tâche que le loup de mer remplit avec tant d'efficacité que, en janvier 1916, il transfère sa marque sur le croiseur *Euryalus*, en tant que commandant en chef des opérations navales en Égypte et aux Indes occidentales.

Wemyss est de tous les coups, les plus dangereux surtout. En Irak, c'est lui, et personne d'autre, qui tente l'opération du désespoir : remonter le Tigre à bord d'une canonnière chargée de vivres pour le général Townshend, coincé par les Turcs dans la poche de Kut-el-Amara. Et s'il échoue, ce n'est pas faute d'avoir essayé. Tout ça pour se voir proposer un boulot de garde-côte au service d'un clan hedjazi dont il ignore presque tout. À lui de sécuriser la navigation alliée dans la mer Rouge.

Rosy s'est penché sur les cartes. Un littoral interminable mais quasi inhabité que borde le pays chaud de la côte, le Tihamma. Après, c'est le Hedjaz, la chaîne de montagnes qui sépare la zone côtière du haut pays désertique.

Ne nous écartons pas des côtes. Tout à fait au nord, le golfe d'Akaba, long de cent soixante kilomètres et large de vingt à vingt-sept autres. Sur sa rive hedjazi (l'autre est celle du Sinaï), le port d'Akaba barre l'accès à la Palestine et à la Syrie.

Stratégique, la zone est malaisée à attaquer. Or, selon les gens de l'armée de terre, les troupes turques stationnées sur place font planer une sérieuse menace sur le flanc droit de toute unité britannique progressant en direction de la Palestine. En sens inverse, des forces de Sa Majesté basées à Akaba pourraient couper le chemin de fer du Hedjaz, qui n'est jamais qu'à cent kilomètres de là.

Les terriens sont parfois empoisonnants, mais cette fois, ils ont raison. Le Comité de guerre a donné un accord de principe à l'opération et la Navy est priée, le cas échéant, d'y prêter son concours. N'empêche que prendre Akaba par la mer implique une véritable expédition navale, et qu'après la déculottée des Dardanelles face aux Turcs, il n'est pas question d'une pareille aventure. Où Archibald Murray, le général commandant les troupes d'Égypte, trouverait-il les trois divisions que, très réticent, il estime nécessaires à une telle opération ?

Il y a bien, paraît-il, un certain lieutenant Lawrence, arabophile passablement excité qui luttait autrefois bec et ongles pour un débarquement à Akaba. Mais ce chien fou a changé d'avis.

On le dit intarissable quand il énumère les mille et un écueils qui rendent l'affaire impossible.

Wemyss sourit. À part Bertie Clayton, un cerveau bien fait, la petite phalange anticonformiste du Bureau arabe n'est composée que d'intellos, de poètes et de rêveurs tout à leur obsession, la révolte arabe. Si ces obstinés disent non eux aussi, on peut les croire. Tant pis, refermons le dossier Akaba.

Quand même, tout ne va pas si mal. Au sud, on tient en Djeddah un emplacement portuaire d'excellente qualité, à proximité de La Mecque.

Djeddah où la mission militaire britannique reste commandée par ce bon vieux Wilson, toujours aussi carré, toujours aussi anglais. À la fin juillet, malgré l'opposition de certaines tribus hostiles aux Hachémites, les troupes chérifiennes et la Royal Navy ont pris Rabegh et Yenbo, le port de Médine, grâce aux canons du HMS *Fox* ainsi qu'à trois avions de l'aéronavale.

Avec leurs baies capables d'accueillir des bateaux de tonnage moyen, cela fait deux bases plus au nord. Moins stratégiques qu'Akaba peut-être, mais on peut et on va s'en servir comme points d'appui et de ravitaillement pour les armées arabes.

Rosy pense d'expérience. Le 22 septembre, c'est sur son HMS *Euryalus* que Storrs l'infatigable embarquait pour un nouveau voyage au Hedjaz, afin d'y accompagner les pèlerins musulmans originaires, cette fois, des colonies britanniques.

Quatre jours de traversée jusqu'à Djeddah, occasion d'innombrables parties d'échecs, toutes remportées par l'amiral sous les « À bas le Kaiser… À bas le Kaiser » stridents de son perroquet, moins dressé, de toute évidence, contre l'Empire ottoman que contre l'Allemagne !

Accueillis par Mohsen le victorieux, par Wilson et par Rouhi, l'agent arabe personnel du secrétaire oriental, les deux émissaires anglais ont effectué plusieurs haltes, accepté le café offert, les joutes verbales, les discussions fleuries. Ensuite, ils ont téléphoné au colonel Brémond :

« Nous aimerions vous recevoir au consulat britannique. »

Le colonel exhume son plus bel uniforme. Mais, comme ses camarades, il entretient une solide méfiance à l'égard de la perfide Albion. En poste en Algérie, Brémond a vu les auxiliaires indigènes de l'armée française rapporter les tracts et les exemplaires de la Bible que distribuaient des pasteurs anglicans. Plus tard, au Maroc, il a connu d'autres aspects de la rivalité coloniale franco-britannique.

Wemyss et Storrs ont prévu le coup. Ils lui font le meilleur accueil du monde. Dans un français parfait, le vice-amiral l'entretient d'une branche de sa famille originaire des bords de la Garonne. Storrs, lui, se défend d'arrière-pensées contre la France avec tant de vivacité que cela réveille la suspicion latente de Brémond.

Le colonel apprend que Londres est en train de mettre sur pied une mission militaire britannique pour « épauler » son homologue française. Autant dire que l'état-major du général Murray, inquiet de *Frenchies* trop libres de leurs mouvements au Hedjaz, préférerait les encadrer de façon plus étroite.

« Le colonel Wilson, notre responsable à Djeddah, ne croit plus à une poussée des Turcs vers La Mecque depuis Médine. Le débarquement d'une brigade anglaise ou française à Rabegh n'est plus à l'ordre du jour… »

Le chérif Hussein l'avait pourtant réclamée avec insistance et Brémond, tout à son obsession d'empêcher la révolte arabe de remonter sans contrôle jusqu'en Syrie, s'en montre toujours partisan.

Pour l'heure, il s'agit d'inspecter Rabegh et ses installations militaires, peut-être même d'y repérer un futur terrain d'aviation. Conformément aux plans de ses supérieurs, Wilson ne cesse en effet de promettre au chérif l'arrivée d'aéroplanes.

Invités, comme Brémond, à un dîner par Mohsen le victorieux, Rosy et Storrs choisissent de décliner l'offre.

Le secrétaire oriental, dont l'arabe est aussi remarquable que sa dialectique, demande tout de même à s'entretenir par téléphone avec le chérif Hussein.

La conversation s'engage, amicale. Jusqu'à ce que Storrs perçoive des voix en surimpression. Serait-on en train de les écouter ? Il s'en ouvre au chérif.

« Impossible, personne n'oserait », réplique Hussein d'un ton pincé.

Les voix, elles, persistent. Suffisamment pour que le chérif les remarque à son tour. Et de s'emporter, couvrant les inconnus d'insultes peu compatibles avec son statut de gardien des lieux saints. Les interférences cessent sur le champ, et le dialogue peut se poursuivre de façon claire et audible.

Avant de lever l'ancre pour Rabegh, Rosy se révèle, de son côté, maître dans l'art de l'action psychologique. Ayant remarqué à quel point les technologies modernes impressionnent les Bédouins, il convie Mohsen le victorieux à bord de l'*Euryalus* histoire de lui faire admirer la puissance de ses canons, le confort de ses cabines, la supériorité de la vieille Angleterre.

La guerre a quelquefois des aspects surprenants...

9

Intrigues à La Mecque

Chaque matin, le commandant Cadi rend visite au chérif Hussein en son palais de La Mecque.

L'artilleur traverse le vestibule, gravit les marches qui conduisent à la grande salle d'attente du premier étage.

Les quémandeurs s'y pressent sous l'œil des bishas, les colosses noirs de la garde chérifienne : des pauvres et des riches, des marchands de soieries, de bijoux, de livres saints, des guides pour les pèlerins, des loueurs de dromadaires, des maçons, des portefaix, des Bédouins venus du fin fond de leur désert, plus quelques militaires, anciens de l'armée ottomane ou officiers égyptiens.

La salle d'attente traversée, on introduit Cadi dans la pièce d'audience, avec ses tapis multicolores à même le sol. Rien dans sa carrière n'a préparé l'artilleur à de tels raffinements. De même pour l'étiquette, étouffante, tatillonne, surannée. Chaque rendez-vous doit respecter des règles strictes qui continuent à l'étonner, lui, le fils des Béni Hilal.

Encore ignore-t-il jusqu'à quel point les rapports entre Hussein et ses quatre fils, sans être aussi cérémonieux, obéissent à des principes rigides. Ali, Abdallah, Fayçal et Zaïed signent « Votre Esclave » beaucoup des lettres qu'ils adressent à leur géniteur.

Seule la fraternité du combat parvient à briser cette pesanteur hiérarchique. Avec des conséquences inattendues. Abdallah respecte Ali en tant que frère aîné, mais cache à peine son scepticisme quant à ses compétences militaires. Fayçal, de même, s'incline devant Abdallah tout en se jugeant plus apte que lui à se hisser sur le trône de Syrie. Zaïed, enfin, est apprécié de chacun pour sa loyauté, mais on fait un cas limité de son jugement : fils d'une Turque élevé par des femmes, le dernier des quatre frères semble bien jeune, bien tendre...

Assis dans son fauteuil de cuir, le chérif attend Cadi. Le polytechnicien s'avance jusqu'au milieu de la pièce, se courbe jusqu'au sol devant son hôte, lui baise les mains.

Mais la France est de ces grandes puissances qu'il vaut mieux ménager. Pour Cadi, le chérif a fait installer un fauteuil juste à côté du sien. De cette manière, leurs échanges peuvent se prolonger sans fatigue inutile.

Les bons rapports entre les deux hommes se sont noués en plein pèlerinage, dès le 29 septembre, jour de la cérémonie de la Pierre noire. Vêtu d'un long caftan d'étoffe immaculée et coiffé de son turban, le chérif conduisait le cortège vers la Kaaba, délivrant sa bénédiction à la foule. La délégation française occupait le premier rang. Et, parmi elle, le commandant Cadi, Si Kaddour, ainsi que leur ami tunisien, le Dr Dinguizli.

Hussein a reconnu sans difficulté les pèlerins du Maghreb. Cadi surtout : l'avant-veille, jour de leur première rencontre, le chérif s'était ému de rencontrer, en la personne du polytechnicien, un descendant du clan si renommé des Béni Hilal.

La réaction chérifienne s'expliquait par un mélange de calcul et de considérations de prestige. Prodigues en serments d'amitié, les Anglais se révèlent incapables d'affecter à La Mecque des officiers musulmans de leur armée. Des Égyptiens aux titres ronflants, certes, mais membres d'une troupe au statut colonial, dénuée de tout prestige, quelques gradés musulmans de l'armée des Indes. D'officiers de Sa Majesté au sens plein, point. L'organisation de l'armée britannique est conçue de telle sorte qu'aucun Anglais ne puisse s'y trouver sous les ordres d'un supérieur originaire d'une colonie de la Couronne. S'il avait existé, cas de figure fort improbable, un Chérif Cadi britannique, il aurait eu le plus grand mal à obtenir de subordonnés anglais les marques de respect dues à son grade.

Bien entendu, la proximité d'officiers musulmans de l'armée française avec leurs homologues chérifiens, voire avec le chérif lui-même, fait partie des calculs du Quai d'Orsay et de la section Afrique.

Cadi, dont la foi est toujours aussi ardente, n'est pas dupe de ces arrière-pensées. Elles ne lui plaisent guère, mais, officier français, il a une mission à remplir. Avec d'autant plus de plaisir que, installé à demeure avec ses compagnons à La Mecque dès les lendemains du pèlerinage, l'Algérien en est venu à éprouver une réelle sympathie envers le chérif.

Mince, sec mais svelte en dépit de ses soixante-deux ou soixante-trois ans (nul ne sait au juste), Hussein impressionne l'officier par sa sobriété et sa résistance physique peu commune. Le maître de la maison Hachem supporte à merveille la fatigue, la soif ou le soleil. Et quand il ouvre la bouche, on découvre un orateur puissant qui enflamme son auditoire. Et quel diplomate ! Le chérif excelle dans l'art de désamorcer les mauvaises querelles. Or, ici, elles sont légion et les Français, représentants d'un État colonial, s'en trouvent souvent les victimes. Les voici, par exemple, dans le collimateur des Égyptiens de La Mecque et du plus enflammé d'entre eux, Mohammed Rachid Reda.

Syrien d'origine, cet ancien membre d'une société secrète nationaliste a passé vingt ans de sa vie sur les bords du Nil. Directeur de la revue *El Manaar*, dont l'influence est profonde chez les intellectuels, Reda infléchirait, dit-on, les discours du chérif dans le sens des thèses nationalistes les plus radicales.

Partisan d'une alliance avec la Grande-Bretagne, qui gouverne des musulmans aux Indes mais pas d'Arabes, le Syrien voue par contraste une farouche inimitié à la France, coupable de dominer trois nations du Maghreb.

Cette détestation se matérialise par des rumeurs en rafales. La délégation française au Hedjaz, croit-il savoir, ne viserait qu'à mettre la main sur la Kaaba pour la rapporter à Paris, comme ce fut autrefois le cas de l'obélisque de Louxor...

Un jour, Reda se rend sous la tente qui abrite Cadi et ses compagnons, et leur intime l'ordre de faire rattacher la Syrie à l'Arabie. De sa poche, il sort un petit opuscule :

« Voici une brochure intéressante à lire. On y dit qu'une nation européenne désire s'emparer de la Pierre noire de la Kaaba pour l'exposer ensuite dans un musée connu en Europe sous le nom du Louvre ! »

Hors de lui, le Dr Dinguizli rétorque qu'il se trouvera assez de Tunisiens, d'Algériens et de Marocains pour démentir pareille sornette car, dans ces trois pays, la France respecte la religion, les mœurs et les coutumes locales.

« Si telle est l'intention de la France, ajoute Cadi, pourquoi notre nation s'est-elle imposée cette année un sacrifice énorme afin de faire parvenir sur les lieux saints cinq cents pèlerins, tous frais payés, et pour assurer le pèlerinage ? Pour quelles raisons sommes-nous venus ici apporter notre appui au chérif ? Précisément pour protéger la ville de La Mecque. »

Frustré, Reda se retire. La Mecque restant un petit monde, l'écho de sa passe d'armes avec les Français ne tarde pas à parvenir aux oreilles du chérif.

« Nous avons besoin d'eux », rappelle-t-il alors au directeur d'*El Manaar*. Et d'exiger de lui plus de retenue envers ses invités. Avertissement dont il tient compte puisque, dès les jours suivants, l'alacrité antifrançaise de Reda va baisser d'un cran.

Cadi poursuit sa difficile mission, bouleversée sous peu par l'arrivée d'un nouveau venu...

10

Lawrence d'Arabie entre en scène

On dirait Laurel et Hardy. Ce 16 octobre 1916, qui blâmerait les habitants de Djeddah s'ils ont tant de mal à garder leur sérieux ?

Prenez Ronald Storrs. Pendant le trajet de Suez à Djeddah à bord du *Lama*, un paquebot transformé en transport de troupes, le secrétaire oriental s'est prélassé de longues heures sur son fauteuil. Tellement que le cuir écarlate du siège a fini par déteindre sur ses vêtements. Sa veste et son pantalon de coton blanc sont striés de magnifiques bandes rougeâtres.

Nonobstant une dignité bien britannique, Storrs a l'air un peu ridicule derrière son épaisse moustache. Mais tout est dans le contraste, car le secrétaire oriental, grand et massif dans son costume à veston croisé, semble impressionnant en regard du frêle lieutenant Lawrence, dont la toile kaki d'uniforme s'orne, elle, de taches de transpiration brunâtres...

Rarement vit-on émissaires si peu en accord avec les circonstances. Or celles-ci sont à la fois grandioses et inquiétantes.

Taïef, qu'on assiégeait depuis les premiers jours de la thawra, a fini par rendre les armes. L'occasion pour Abdallah de faire assaut de courtoisie avec Ghalib Pacha et d'échanger des propos sur le devenir de la nation arabe devant une table couverte de raisins, de prunes, de pêches, de grenades. Après la bataille, les politesses.

Mais déjà, les Turcs se ressaisissent. Fekri Pacha, leur commandant en chef au Hedjaz, vient de lancer une vigoureuse contre-offensive depuis Médine. Rejetant Fayçal et Zaïed sur la côte, il tente de s'ouvrir la route de La Mecque. Des avions turcs pilonnent les campements fidèles aux Hachémites, démoralisent les Bédouins, étrangers aux armes de guerre modernes. Et pendant ce temps-là, l'émir Ali ne commande qu'un embryon d'armée régulière. Fatras de prisonniers libérés par les Anglais, cette troupe s'entraîne à Rabegh sous la direction de Nouri Saïd, mais ne compte pas le moindre combat à son actif.

Reste la politique. Pour marquer son rang de chef suprême de la révolte arabe, Hussein a distribué les portefeuilles gouvernementaux. Une affaire de famille : Ali sera son Premier ministre ; Abdallah, son ministre des Affaires étrangères et Fayçal, celui de l'Intérieur.

En tout, le ministère compte neuf portefeuilles, tous confiés à des proches de la maison Hachem. Il est flanqué d'un conseil de quatorze notables. Mais, contraints de marcher en tête de leurs colonnes respectives, comment les émirs pourraient-ils honorer des fonctions toutes théoriques ? Sans parler de Zaïed, confiné dans les seconds rôles en raison de sa jeunesse.

Arrivé au Hedjaz en septembre, adoubé presque aussitôt par le chérif Hussein, l'ancien numéro un de la société secrète nationaliste du Pacte, Aziz Ali el-Misri, occupe le poste de commandant en chef des armées, avec Nouri Saïd comme chef d'état-major. Mais, victime de ses conceptions militaires avant-gardistes et de relations personnelles contrastées avec le chérif Hussein, l'Égyptien semble déjà en voie de marginalisation.

Le plan d'Aziz – scinder les forces hachémites en deux éléments complémentaires – résulte de son expérience de conseiller militaire des Senoussis en Lybie. Formée d'anciens combattants de l'armée ottomane venus d'Irak ou de Syrie, la troupe régulière combattrait l'ennemi de manière classique. Fédérant les Bédouins accoutumés aux conditions de vie dans le désert, une autre branche, insaisissable colonne mobile, mènerait la guerre d'embuscades, de raids, de rezzous qui leur est familière.

Dans ce schéma révolutionnaire pour l'époque, qu'adviendra-t-il de la loyauté tribale ? Hussein n'est pas à une contradiction près. Ses rêves sont pleins de soldats hachémites en uniforme défilant au pas cadencé, mais, dans le même temps, il refuse de tenir à l'écart ses fidèles Bédouins.

Le chérif, de même, déteste voir ses fils triompher. Mécontent que la gloire de la prise de Taïef revienne à Abdallah, il a renvoyé celui-ci en mission diplomatique à Djeddah. Après avoir raccompagné au bateau Si Kaddour ben Ghabrit, le chef du protocole marocain, Abdallah devait aller au-devant de Ronald Storrs...

« Nous pourrions rédiger noir sur blanc vos accords avec McMahon », a-t-il suggéré, prenant ses fonctions de ministre des Affaires étrangères au sérieux.

C'est non. Devant le refus paternel, il a changé de registre et, tacticien avisé, de terrain. Sur la carte, son doigt désignait une importante position stratégique à cent cinquante kilomètres au nord-est de la ville sainte.

« Je pourrais me poster là, à Hanakiyeh. Ma présence soulagerait Ali et Fayçal... »

Cette fois, Hussein a hoché la tête. D'autant qu'Hanakiyeh est située sur la route du Hail, fief des émirs rachidi : le combat antiturc ne constitue qu'un aspect de la politique hachémite de suprématie du clan familial sur toute l'île des Arabes.

Abdallah gagne alors Djeddah. Mais la ville, dit-on, souffre d'épidémies. Après avoir souhaité un bon retour à Si Kaddour ben Ghabrit, l'émir installe son campement à quelques kilomètres de la côte.

Reste à attendre les Anglais de pied ferme. Et notamment Storrs, que l'émir connaît pour l'avoir déjà rencontré en 1914.

La première entrevue a lieu sous la double tente octogonale de l'émir. Ses pans s'ornent de motifs d'oiseaux, de fleurs et de textes en arabe appelant au triomphe de la vertu comme au rejet de la tyrannie. Mais tirée depuis Djeddah, une ligne téléphonique de campagne permet de communiquer rapidement avec la ville.

Vêtu d'une robe de soie blanche, la tête recouverte d'un keffieh jaune et les pieds chaussés de cuir, l'émir invite Storrs à s'asseoir sur une chaise en bois courbé au fond cannelé.

Tandis qu'ils discutent à bâtons rompus, un repas à l'euro-péenne leur est servi. Mais, se gardant bien d'entrer d'emblée dans le vif du sujet, on brode sur la guerre, sur la mort tragique de lord Kitchener…

« M-u-i-r M-i-l-l-s », épelle soudain l'émir en désignant l'ins-cription imprimée sur le mur en cotonnade de sa salle à manger.

« Vous comprenez l'anglais, Votre Altesse ? » s'étonne Storrs.

Geste fataliste de l'émir.

« Je sais déchiffrer l'alphabet romain, mais je ne parle mal-heureusement aucune langue européenne. »

Cette ignorance le met en situation d'infériorité par rapport à son cadet l'émir Fayçal, qui comprend un peu l'anglais et même le français. Mais elle ne l'empêche pas de s'enquérir, en arabe toujours, des intentions britanniques.

« J'espère que l'Angleterre fera quelque chose pour moi. »

Storrs laisse entendre que tel sera bien le cas. Mais c'est le len-demain, au consulat britannique de Djeddah, qu'on abordera les choses sérieuses avec le colonel Wilson.

Demain est un autre jour…

Dépenaillé et sans prestance, Lawrence ne retient guère l'attention du deuxième des fils d'Hussein. Un de ces rats de bureau comme l'armée britannique en produit par dizaines. Le lieutenant parle, c'est vrai, un arabe passable. Pendant que le secrétaire oriental fait la conversation, l'émir observe Lawrence à la dérobée. À deuxième vue, le jeune homme ne semble pas plus marquant qu'à la première. Dans sa vareuse d'uniforme constellée de taches de sueur, sans la ceinture Sam Browne réglementaire mais avec les épaulettes rouges d'officier d'état-major, il oscille entre air gêné et sourire vaguement ironique. Rien qui permette à Abdallah d'entrevoir en lui le coureur de désert, maître ès guérilla.

Wilson s'est joint à l'entretien. Le colonel vient de recevoir un télégramme de Khartoum. Œuvre de sir Reginald Wingate, le gouverneur du Soudan, qui, complication supplémentaire de la bureaucratie impériale britannique, vient tout juste d'être chargé de la liaison militaire avec la thawra, le message jette un froid.

Cédant aux pressions d'Hussein, inquiet d'une offensive possible de Fekri Pacha en direction de La Mecque, les Anglais avaient promis d'acheminer au plus vite à Rabegh une escadrille du Royal Flying Corps, l'ancêtre de la RAF. Et plus tard, une brigade d'infanterie. Des esprits chagrins ont alors fait remarquer à Wingate qu'une escadrille du RFC sans protection à terre – traduisez : sous la seule sauvegarde des troupes arabes du chérif – risquait fort de tomber entre les mains des Turcs. Et le gouverneur du Soudan vient d'ordonner que le navire qui transportait les appareils fasse demi-tour...

Comme base de discussion, on peut rêver mieux. Storrs s'en rend compte, qui choisit de réorienter l'entretien sur la situation à Djeddah même ; l'état des relations entre les habitants de la cité portuaire et les Bédouins ; l'administration future de la région ; la substitution de l'ancienne loi religieuse au code civil turc. Toutes questions qui ne fâchent pas trop.

« Quand nous aurons le temps, assure Abdallah, enjoué comme à son habitude, nous trouverons dans le Coran ce qu'il faut pour adapter la loi aux transactions commerciales modernes comme la banque ou la Bourse... »

Deux réalités chères au portefeuille des Britanniques, l'émir le sait. Mais, assure-t-il, quand le contexte s'y prêtera seulement. Dans l'immédiat, la restauration de la justice coutumière garantit la loyauté des Bédouins, plus indispensable à la thawra que celle des citadins de Djeddah.

Comme tous les Hachémites, Abdallah n'affectionne guère les innovations. N'est-ce pas pour rétablir l'ordre « normal » des choses – le chérif et les siens à La Mecque, les Arabes maîtres chez eux et les Ottomans à Istanbul –, qu'ils sont entrés dans la voie de la dissidence ?

Passant au domaine militaire, Storrs se tourne vers Lawrence :

« L'ordre de bataille turc, c'est votre spécialité au Bureau arabe... »

Le jeune homme ne se fait pas prier. Pas question de manquer la moindre occasion de sortir de la routine. Car, à vingt-huit ans, T. E. Lawrence n'a rien accompli qui marque vraiment une existence. Rien en tout cas qui puisse s'élever à la hauteur de ses rêves.

De bonnes études à Oxford University, Jesus College, en qualité de boursier, certes. La rencontre, en janvier 1909, de David Hogarth, son chef au Bureau arabe aujourd'hui. Un début de correspondance avec l'explorateur Charles Doughty, auteur dès 1883 du classique *Travels in Arabia Deserta*. Des travaux d'excellente facture sur l'architecture militaire féodale en France. Un premier séjour en 1909 au Moyen-Orient pour visiter les forteresses des croisés en ruine. Une thèse en 1910 : *The Influence of the Crusades on European Military Architecture – to the End of the XIIth Century*.

Le hasard et l'opiniâtreté de Hogarth font ensuite admirablement bien les choses. En septembre de la même année 1910, le British Museum obtient d'Istanbul l'autorisation d'effectuer des fouilles parmi les ruines de la vieille cité hittite de Karkemish, à quelque cent cinquante kilomètres au nord-est d'Alep, en Syrie. Cheville ouvrière de cette équipée archéologique, Hogarth sonde son protégé :

« Cela vous intéresse-t-il, Lawrence ? »

Mille fois oui ! Et c'est encore Hogarth qui l'aide à obtenir l'indispensable bourse de recherche. Fasciné par le Moyen-Orient, où tous les destins lui semblent possibles, le jeune homme embarque pour Beyrouth le 10 décembre.

Karkemish ne constitue pas seulement une mine dont on va déterrer des trésors archéologiques. Par un curieux hasard, ses huit hectares jouxtent en effet un autre chantier, celui du pont ferroviaire de huit cent cinquante mètres de long que jette sur l'Euphrate une armée de travailleurs dirigée par les ingénieurs allemands du chemin de fer Constantinople-Bagdad, le Bagdad-bahn.

Une proximité qui n'a pas échappé à ce diable de Hogarth, toujours à mi-chemin du monde scientifique et de l'univers des services de renseignements. Par ses implications stratégiques, le Bagdadbahn préoccupe à l'extrême les milieux dirigeants britanniques, qui voient d'un œil sombre la percée allemande en cours au Moyen-Orient.

Sans compter le pétrole, indispensable aux marines de guerre modernes. Depuis mars 1903, une convention germano-ottomane autorise les concessionnaires allemands du chemin de fer à exploiter, sur le tronçon Bagdad-Bassorah, « toutes les mines qu'ils découvriront dans une zone de vingt kilomètres de chaque côté de la moitié de la voie ». De quoi convaincre le responsable du tracé de la ligne, Heinrich August Meissner, ingénieur de génie et bon patriote, de veiller à ce que celle-ci traverse des zones potentiellement riches en or noir...

Lawrence, agent secret ? Pas au sens plein du terme. Passionné de photographie, le jeune archéologue prend tout de même des clichés, effectue diverses tâches de surveillance utiles à son mentor. Hogarth lui-même n'émarge pas directement aux services spéciaux, se contentant de donner son avis, de proposer des analyses, de repérer les éléments prometteurs...

Deuxième tranche des fouilles à Karkemish début 1912. Troisième en 1913. La guerre devenue mondiale, on affecte Lawrence, spécialiste qualifié du monde arabe, au renseignement militaire du Caire. À partir de décembre 1914, il s'y active sous les ordres du capitaine Skinface Newcombe. Une vieille connaissance du temps de Karkemish, par où cet officier du génie, en charge de relevés topographiques dans le désert du Sinaï, avait fait le crochet, histoire de visiter le chantier archéologique... ou peut-être de jeter un petit coup d'œil à celui si proche, si tentant du Bagdadbahn.

Et comme si Karkemish, étape initiatique, devait toujours demeurer en toile de fond, Lawrence retrouve aussi Charles Leonard Woolley. Conservateur adjoint de l'Ashmolean Museum et bras droit de Hogarth, ce fils de pasteur, de huit ans l'aîné de Lawrence, a dirigé les fouilles à partir de 1912.

Lieu de résidence de cette bande naissante de non-conformistes, les « indiscrets », l'hôtel Grand Continental devient, comme les bureaux de l'armée d'Égypte, le siège des services de renseignements civils et militaires chapeautés par l'imperturbable Bertie Clayton, le théâtre de discussions épiques.

On s'étonne d'une diplomatie britannique retorse que dévoile le quasi-parallélisme des négociations de Sykes avec Georges-Picot, d'une part – un pas vers les Français –, d'Henry McMahon avec le chérif Hussein, de l'autre – un pas dans le sens opposé, vers les Hachémites. Le pied droit de Sa Majesté, de ses représentants plutôt, ignore ce que fait son pied gauche et réciproquement. L'après-guerre dira de quel côté pencher, et quelles promesses trahir. Toutes, peut-être...

Entre deux rapports sur les mouvements de troupes ottomanes, Lawrence se prend à rêver d'une Syrie qui, ressuscitant après des siècles de domination ottomane, retrouverait ses racines, échappant du même coup à l'influence occidentale corruptrice.

C'est au nom de ce paradis arabe hypothétique que le jeune officier a contrecarré, à son modeste niveau, les tentatives françaises de mainmise sur la Syrie. Que penser aujourd'hui de la duplicité impériale britannique, qui promet la même Syrie à deux partis amis mais opposés, la France et les Hachémites, tout en se réservant le sud de l'Irak, c'est-à-dire le débouché sur le golfe Arabo-Persique, et la Palestine, qui ouvre sur la Méditerranée et protège le canal de Suez ? Mais personne d'important ne sollicite ses lumières, et Lawrence ronge son frein tout en s'efforçant de ressembler le moins possible à un officier de Sa Gracieuse Majesté.

Avec succès, faut-il croire puisque, en mars 1916, on le convoque ainsi que son alter ego du renseignement militaire, Audrey Herbert, presque aussi débraillé que lui bien qu'honorable député aux Communes. La division du major général Townshend reste bloquée par les Turcs dans le guêpier irakien de Kut-el-Amara. Des milliers d'hommes ont déjà payé de leur vie les tentatives malheureuses de déblocage.

Tout est bon pour épargner à l'Empire l'humiliante capitulation qui s'annonce. Même des actes indignes d'un homme d'honneur. Comme il faut bien en passer par là, on a pensé à eux, Lawrence en particulier :

« Vous vous rendrez à Bassorah...

— Mais c'est très au sud de Kut-el-Amara !

— Justement. Une fois sur place, contactez sir Percy Cox, l'officier politique de la Force D et sa secrétaire orientale, Gertrude Bell. Vous la connaissez déjà, je crois... »

S'il la connaît ! Lié depuis Karkemish à cette femme d'exception, son aînée de vingt ans, le capitaine sait tout de son itinéraire personnel.

Fille d'un maître de forges, petite-fille de baronnet, Gertrude a perdu sa mère à l'âge de trois ans. C'est l'épouse en secondes noces de son père qui l'a élevée. Effort couronné de succès puisque, en 1886, l'orpheline force les portes d'Oxford.

Vous avez dit Oxford ? Le jour de la rentrée, elles ne sont qu'une poignée de jeunes filles en toge noire, bottines lacées et chapeau à larges bords carré à affronter les regards de centaines de condisciples masculins, dont la plupart les considèrent comme de vulgaires intruses. Mais le monde est petit... celui des hautes sphères britanniques surtout. Derrière les murs de la vénérable université où elle décroche son diplôme de première classe en histoire, Gertrude va se lier d'amitié avec Janet, la jeune sœur de David Hogarth...

Hogarth, qui entame à cette époque sa carrière d'archéologue, ne sera pas le dernier à reconnaître les capacités intellectuelles de la nouvelle venue. Bon point supplémentaire : la jeune femme appartient à l'aristocratie, où tout le monde connaît tout le monde, où chacun travaille au maintien de l'ordre existant comme à la gloire de l'Empire. L'une des plus restreintes, numériquement, au monde, la classe dirigeante anglaise fait de cette caractéristique une de ses forces : pas question de laisser le moindre talent en friche. Or Gertrude en regorge.

C'est d'abord une polyglotte. Amoureuse d'Henry Cadogan, diplomate britannique à Téhéran, Miss Bell a perfectionné un persan déjà remarquable d'aisance. Mais, ses parents s'opposant à leur union, Gertrude va regagner Londres et s'y lancer dans la traduction de poèmes d'amour iraniens, qu'elle publiera par la suite.

En 1893, c'est le drame : une lettre lui apprend qu'Henry vient de succomber des suites d'une pneumonie – tentative de suicide peut-être...

Foudroyée, la jeune femme pressent-elle que le destin, associé à des qualités sortant de l'ordinaire, la condamne à un célibat qu'elle ne recherche pas ? Fille de l'aristocratie, Miss Bell n'entend pas révolutionner la société, mais s'y faire reconnaître à sa juste place. Or seuls les hommes au tempérament affirmé et combatif l'attirent. Mais ils sont rarement libres, à l'image du major des Royal Welch Fusiliers, Charles Doughty-Wylie. Officier, diplomate, écrivain, « Dick » se trouve être le neveu du célèbre Charles Doughty, l'auteur du classique *Travels in Arabia Deserta*. Lequel est déjà un ami de David Hogarth, qui le mettra bientôt en relation épistolaire avec son jeune protégé T. E. Lawrence. Un tout petit monde, vraiment...

Doughty-Wylie se distingue par son courage. En 1909, la ville turque d'Adana connaît un déchaînement antiarménien d'une violence inimaginable : vingt mille victimes hommes, femmes et enfants contre deux mille morts musulmans. Vice-consul de Grande-Bretagne à Mersine, c'est au péril de sa vie que Dick se rend sur place, arrache à Djemal Pacha, dépêché d'urgence pour rétablir l'ordre, cinquante soldats en armes à la tête desquels il parcourt les rues dévastées, dispersant les groupes de tueurs et sauvant de nombreuses vies. Blessé par un Arménien affolé, Dick convoque par télégraphe un navire de guerre britannique, organise le bouclage des quartiers en proie aux massacres et au pillage, impose le couvre-feu et rentre alors seulement chez lui pour se soigner.

Dick aime Gertrude, Gertrude aime Dick. Mais il est marié, et ni l'un ni l'autre n'oseront se dresser contre les conventions de leur milieu social. L'amour qui les lie restera secret, inachevé, malheureux. Jusqu'en avril 1915, où le major va trouver la mort au combat, contre les troupes ottomanes.

Deux fois malheureuse en amour, Bell n'est peut-être pas faite pour le bonheur. Pour quoi alors ? Elle n'en sait rien encore, elle qui se partage entre trois passions apparemment contradictoires : le Moyen-Orient que cette grande voyageuse découvre en même temps qu'elle progresse de manière fulgurante dans l'apprentissage de l'arabe, l'archéologie et la haute montagne.

Alpiniste, Miss Bell grave son nom sur les tablettes. En 1900, la voici au sommet du mont Blanc. Deux ans plus tard, elle manque de périr dans l'escalade des quatre mille deux cent soixante-quatorze mètres du Finsteraarhorn, à la frontière des cantons suisses du Valais et de Berne. Et pour finir, notre héroïne montre qu'elle n'a toujours froid ni aux mains ni aux yeux, ce jour d'août 1904 où elle réussit l'escalade du mont Cervin par le versant italien.

Par-delà la tristesse de ses amours, son énergie phénoménale, son courage à toute épreuve (« Les Anglaises n'ont jamais peur », lâche-t-elle en 1899 au gouverneur arabe qui s'inquiète de la voir visiter seule le Djebel druze*, en Syrie), ses connaissances encyclopédiques, une volonté commune de faire et défaire princes et rois la rapprochent de Lawrence d'Arabie.

Après avoir travaillé pour la Croix-Rouge en 1914, Gertrude entre, fin novembre 1915, au Bureau arabe du Caire. C'est l'inévitable David Hogarth qui a convaincu le chef du renseignement naval, Reginald Hall, « l'amiral aux yeux clignotants », que, tout machisme mis à part, il serait absurde de se priver d'un tel potentiel.

En mission de liaison à Delhi en janvier 1916, elle retrouve une vieille relation de sa famille, le baron Hardingue, vice-roi des Indes. Deux mois plus tard, débarquant à Bassorah avec la Force D, elle devient donc la collaboratrice de Percy Cox, qu'en vertu de leur vieille amitié et de la fermeté de ses convictions patriotiques, elle surnomme le Rocher de Brighton.

Quel plaisir pour Lawrence de travailler à nouveau avec elle... Moins, quand on demande au jeune officier de voir s'il pourrait corrompre le commandant des forces ottomanes qui assiègent Kut-el-Amara. La tentative ne donnera d'ailleurs rien sinon l'occasion d'une prise de contact avec Cox, que Lawrence découvre beaucoup moins braqué contre Le Caire et le Bureau arabe qu'il se l'était imaginé. Pour un homme du Raj, c'est faire preuve d'un grand esprit d'ouverture.

Cox, en particulier, semble comprendre les sentiments proarabes qui travaillent son cadet. Mais on ne peut pas en dire autant de son adjoint, le capitaine Arnold Talbot Wilson, nuque raide à toute épreuve, convaincu que le gouvernement des Indes doit coloniser l'Irak et peupler les zones désertiques des « races martiales du Penjab »...

Voici Lawrence tel qu'en lui-même, en ce quatrième mois de la thawra, à l'heure où il rencontre l'émir Abdallah. Un civil déguisé en militaire qui brûle de sortir des rangs. Même ceux du Bureau arabe où il se sent pourtant si bien, avec ses amis les « indiscrets ».

Il connaît son affaire, constate Abdallah dès les premières explications. Mais Lawrence en fait trop. Tellement que l'émir, plus ironique qu'irrité, lance :

« Cet homme est donc le diable, qu'il sait tout ? »

Résigné à en venir au point qui fâche, le colonel Wilson lit, en anglais, le télégramme qui annonce le retrait des avions. Tentant de déchiffrer au fur et à mesure la réaction de l'émir sur son visage, Storrs traduit le texte en arabe. Pour l'instant, Abdallah se contient, accusant le coup comme un véritable gentleman.

« Relisez le télégramme, exige-t-il avec calme, que je puisse l'apprécier pleinement. »

Une seconde lecture ne change rien à la triste réalité. Le conseil de guerre britannique a tranché : il n'y aura ni brigade d'infanterie, ni appareils du Royal Flying Corps.

Devant ses interlocuteurs gênés, Abdallah brosse le tableau intégral des manquements britanniques à la révolte arabe.

« Bien entendu, poursuit-il, accusateur, Fekri Pacha a profité de vos carences pour repousser les colonnes de mes frères Fayçal et Ali. Faute d'équipements militaires, de canons, de mitrailleuses et maintenant d'aéroplanes, sans parler de la brigade anglaise fantôme, les Arabes ne pourront ni tenir leur places fortes, les collines, ni, par conséquent, bloquer les soldats turcs en route vers La Mecque. Le moral des tribus s'effondre. Certaines d'entre elles sont d'ailleurs en train de se rallier à l'ennemi.

— Les canons de la Royal Navy protègent tout de même Djeddah et Yenbo », objectent les Anglais.

C'est peine perdue : la courtoisie de l'émir ne suffit pas à masquer sa déception. Que dira-t-il à son père le chérif, qui comptait sur lui, son ministre des Affaires étrangères, pour obtenir gain de cause ?

11

Jeux de dupes

Toute la nuit, Abdallah médite sa riposte. Le lendemain, il rencontre à deux reprises le colonel Brémond dont la prestance et la maîtrise de l'arabe lui plaisent, mais dont la réserve envers la cause hachémite le consterne. Et, d'entrée de jeu, il informe l'officier français du revirement britannique.

Brémond accuse le coup.

« C'est la première fois que j'entends parler de cela, Votre Grandeur », assure-t-il.

L'officier a l'air sincère. Raison de plus pour lui extorquer le principe du débarquement au Hedjaz d'une force occidentale importante. Et puisque la brigade britannique a l'air de disparaître corps et biens dans le cimetière des promesses non tenues, pourquoi pas une brigade française ?

« Les Anglais vont-ils attendre que mon père, lassé, fasse un arrangement avec les Turcs qui l'en sollicitent déjà ? Il y a quelques jours, le Grand Chérif a demandé que les troupes annoncées venant de France débarquent à Suez d'abord, parce qu'il ne voulait pas exciter la jalousie anglaise. Son vrai sentiment est pourtant qu'il faut les débarquer tout de suite à Rabegh avec tous leurs cadres européens. C'est urgent.

— Mais, Votre Altesse, objecte le colonel, le gouvernement français et le gouvernement anglais s'informent mutuellement de leurs projets et de leurs actes. Si le gouvernement français agit comme le demande le Grand Chérif, il ne le fera qu'après s'être mis d'accord avec le gouvernement anglais... »

L'officier a un geste expressif de la main.

« ... Tout cela demandera du temps. »

Brémond table sur l'affaiblissement des chérifiens. Tout au plus laisse-t-il entendre que, à titre personnel, il ne serait pas hostile au débarquement d'une brigade européenne à Rabegh. Sans livrer son véritable mobile, bien sûr. Une telle opération constitue le meilleur moyen d'empêcher les Arabes de prendre Médine. Dépendant des Franco-Britanniques, le chérif ne pourrait alors remonter la thawra vers le nord, vers la Syrie.

Abdallah hoche la tête avec gravité :

« Je connais les arrangements entre vos deux gouvernements », concède-t-il.

De quels accords parle l'émir ? Pas des négociations secrètes Sykes-Picot, dont il ignore l'existence, mais des documents publics qui ne riment pas à grand-chose dans ce Hedjaz où chacun, drapé dans les plis d'une loyauté sans faille, joue au poker menteur.

Dupant les Hachémites dans le même temps où ils se dupent mutuellement entre eux, Français et Britanniques démontrent la signification très particulière qu'ils confèrent au mot « alliance ». Laquelle n'a d'égale que celle des chérifiens, certains qu'avec les Occidentaux, toute tromperie serait légitime. Rien ne leur interdit, le cas échéant, de se retourner vers les Ottomans pour négocier avec eux l'indépendance à meilleur compte.

Nul, au Caire, même parmi les « indiscrets », ne semble s'aviser qu'à ce jeu de dupes, c'est Ibn Séoud, l'émir des wahhabites, qui s'en tire le mieux. Financé par les Britanniques (modestement : un prêt exceptionnel de vingt mille livres et une rente annuelle de cinq mille), le chef politico-religieux des terres du Nedjd et du Hasa s'en tient au traité passé avec Percy Cox, et ratifié par le gouvernement des Indes le 18 juillet 1916. Un texte qui lui permettra, le moment venu, d'exiger le prix de sa neutralité auprès du vainqueur, La Mecque ou Istanbul.

Tout à son engouement pour la thawra, Le Caire n'a pas pris la mesure des ambitions séoudiennes. Le Nedjd, c'est le domaine de l'India Office, après tout, et les communications entre les diverses parties de l'Empire britannique restent si difficiles. Sans compter les relations tendues entre les « indiscrets » du Bureau arabe et les hommes du Raj depuis le début de la révolte...

Oui, concède Abdallah. D'accord pour que Storrs, Lawrence et Ali l'Égyptien partent pour Rabegh rencontrer son frère aîné, l'émir Ali.

Et si Ali l'accepte à son tour, oui encore pour que le jeune officier du Bureau arabe, qui en brûle visiblement d'envie, pousse jusqu'au campement de Fayçal, quelque part à l'intérieur des terres.

Encore faut-il que le chérif Hussein donne son aval à cette entreprise risquée, au plan politique, pour les Hachémites, dont la faiblesse risque d'apparaître au grand jour.

La ligne téléphonique Djeddah-La Mecque fonctionne toujours. Abdallah appelle son père : accepte-t-il que l'« indiscret » se mette en route pour rencontrer Ali et Fayçal ?

Toujours méfiant, Hussein soupèse au milligramme près les avantages et les inconvénients d'une telle initiative. La discussion s'éternise à telle enseigne qu'Abdallah, à court d'arguments, finit par passer le combiné à Storrs.

S'engage alors une conversation en arabe, où le secrétaire oriental déploie toute sa maestria. Storrs, c'est le mot qui charme, la formule qui fait mouche, le soupçon qui se dissipe. Submergé par le flot d'amabilités qui jaillit du combiné, Hussein cède à son tour.

Du coup, l'atmosphère se détend, pour la plus grande satisfaction d'Abdallah :

« Vous quitterez Djeddah par la mer jusqu'à Rabegh, messieurs. Et puisque mon père le chérif est d'accord, je vais rédiger de ma main un mot d'introduction écrit pour l'émir Ali, l'invitant à vous faciliter l'accès à l'émir Fayçal. »

Lawrence remercie.

« Ce document vous sera remis avant votre départ, lieutenant. Cela vous convient-il ?

« — Tout à fait, Votre Altesse. »

Aux yeux d'Abdallah, qu'importent les fantasmes d'un Anglais, de plus fasciné par l'Orient et le désert ? Or en donnant, après celle d'Hussein, sa bénédiction à la rencontre du jeune officier avec son frère cadet, l'émir vient de se porter à lui-même un de ces coups dont on se remet mal.

À quoi tiennent les destinées. Qu'aurait été celle d'Abdallah si l'émir, au lieu de se polariser sur les chefs hiérarchiques, les Storrs, les Wilson, avait su, en ces journées cruciales, gagner le cœur de l'homme du Bureau arabe ?

Le hasard des chromosomes a fait naître Lawrence petit de taille. Ceux de la vie l'ont affublé d'une répulsion maladive pour les contacts physiques, d'une sexualité mutilée. Ils l'ont aussi doté d'un intellect supérieur et d'une culture encyclopédique. Assez pour vouloir compenser ses manques sur le terrain du jeu politique. Faute d'appartenir à l'espèce de ceux qui ordonnent, les généraux, les lords, les gouverneurs, les députés, les ministres, du moins sera-t-il de celle des hommes qui, dans l'ombre, orientent les décisions.

Faiseur de rois puisqu'il ne saurait régner lui-même. « Roi sans couronne », comme ses compatriotes le qualifieront à l'avenir...

Rien de ses rêves arabes confus n'a été comblé à Djeddah, et le jeune lieutenant ressent en lui-même assez d'injustice pour en rendre Abdallah responsable. L'émir n'exerce aucune attirance sur lui. Ce n'est pas qu'il le juge dénué d'intelligence, mais il ne lui trouve aucun charisme. Jamais plus Lawrence n'en démordra : n'étant pas l'homme qui convient à ses rêves, Abdallah ne saurait être celui qu'il faut à la révolte arabe. Et cette déception, l'émir devra la payer au prix fort.

Le soir, Abdallah vient dîner au consulat anglais. Derrière ses serviteurs, une petite troupe d'hommes s'avance en lambeaux d'uniforme, porteuse de vieux instruments de musique en cuivre.

« Ma fanfare », annonce le fils d'Hussein, assez fier.

Et l'orchestre de jouer. Pas trop bien, pas si mal que ça. Plus avant dans la soirée, sentant les Occidentaux las des mélopées turques, Ali l'Égyptien demande des musiques étrangères. Or, les instrumentistes disposent d'un répertoire occidental qui, en raison de l'influence germanique dans l'Empire ottoman, se résume à quelques airs allemands.

Deutschland über Alles, par exemple. À peine l'hymne du Reich résonne-t-il triomphalement que le téléphone sonne. De La Mecque, le chérif Hussein veut s'assurer du bien-être de ses invités. On lui fait écouter quelques mesures, puis le concert se poursuit.

De cette soirée, Lawrence tirera plus tard argument pour dépeindre Abdallah comme un inculte fasciné par un orchestre de pacotille. L'assertion n'est pas seulement maligne, elle est absurde. Amateur éclairé de poésie arabe, rimeur lui-même et diseur, conteur, chanteur, l'émir possède au contraire un solide bagage musical acquis tant à Istanbul qu'au Caire. Connaisseur des œuvres lyriques européennes, il en apprécie surtout la partie instrumentale. Mais rien chez lui ne trouve grâce aux yeux du lieutenant comme, plus tard, aux yeux du colonel Lawrence...

À bord du bateau qui le transporte vers Rabegh, à la rencontre de l'émir Ali, avec Storrs, Wilson et Ali l'Égyptien, l'homme du Bureau arabe médite son rapport à Bertie Clayton.

Moitié information objective à l'usage de ses supérieurs, moitié caricature, l'exercice a tout d'un exercice d'équilibrisme. Bertie sait lire entre les lignes. Si la dose de malveillance envers Abdallah devient trop ostensible, le chef du Bureau arabe recti-fiera de lui-même. En sens contraire, une attaque trop molle serait imperceptible, donc inefficace.

Mais le futur écrivain T. E. Lawrence maîtrise déjà à merveille l'art d'insinuer. Sur quel trait défavorable mettre l'accent ? Une certaine légèreté dans l'apparence : ça fait toujours mauvaise impression. Le côté politicien, que les responsables britanniques n'apprécient que chez les leurs. L'ambition personnelle, sur-tout. Sachant les ravages qu'elle peut provoquer, ses chefs seront moins enclins à accorder leur confiance à l'émir...

La forme du document n'est pas encore fixée, puisque, aupa-ravant, il faut faire la connaissance d'Ali et de Fayçal. Mais les grandes lignes sont déjà là. Couché sur le papier dix jours plus tard, cela va donner ce portrait fielleux d'Abdallah à l'usage de ses chefs du Caire :

« Âgé de trente-cinq ans, mais fait plus jeune. Petit et trapu, apparemment aussi fort qu'un cheval, avec de joyeux yeux marron foncé, un visage rond et lisse, des lèvres charnues mais petites, un nez droit, une barbe brune. Manières ostensiblement ouvertes et charmantes, pas du tout cérémonieux mais plaisantant avec les hommes des tribus comme l'un de leurs propres cheiks. Dans les occasions sérieuses, pèse soigneusement ses mots et se révèle un dialecticien efficace. Est probablement moins le cerveau de son père, que son éperon : il travaille de toute évidence à l'instauration de la grandeur de sa famille, et a des idées larges qui incluent sans aucun doute son avancement personnel... Les Arabes le considèrent comme un politicien des plus astucieux et un homme d'État qui voit loin. Mais il tient sans doute plus du premier que du second. »

Lawrence n'a pas raté son entrée en scène : Abdallah se trouve déjà sur le reculoir...

12

L'illumination Fayçal

Ali accueille de son mieux les deux visiteurs anglais qui lui arrivent de Djeddah. À trente-sept ans, l'émir paraît plus que son âge. Parce qu'il a tendance à se voûter peut-être. Pendant que Storrs fait les frais de la conversation, Lawrence décèle en leur hôte un sang arabe plus apparent que chez Abdallah. Il observe une peau olivâtre, des grands yeux bruns profonds, un nez mince, légèrement crochu.

Couvert de rides et de creux avec la bouche qui tombe, barbe clairsemée et noirâtre, le visage de l'émir est comme marqué. Mais ses mains sont délicates, et ses manières dignes et dénuées d'affectation.

Merveilleux de courtoisie et de prévenance, l'aîné des quatre frères hachémites éveille la sympathie, mais ne suscite en rien l'admiration. Trop de conscience de sa haute lignée, trop d'honnêteté pour nourrir une ambition personnelle, conclut Lawrence – dans sa bouche, ce n'est pas forcément un compliment.

L'émir manifeste envers son père un respect qui frise l'adulation. Interpréter librement les directives paternelles ? Forcer le destin ? Abdallah le peut mais Ali, non. Ce n'est qu'en matière religieuse que cet excellent connaisseur du droit musulman se montre inébranlable. La chose guerrière, la stratégie, la tactique lui semblent infiniment moins familières que l'exégèse des versets du Coran.

Storrs parle, Lawrence mime au contraire le subalterne cantonné bien sagement à son rang. Mais la vareuse mal boutonnée et le pli très approximatif du pantalon indiquent l'esprit frondeur.

Les ambitions de l'archéologue de Karkemish vont pourtant très au-delà du cadre fixé par ses chefs. Quel que soit son grade, c'est bien souvent l'homme de terrain qui finit par obtenir gain de cause. Pourquoi pas lui, ici, au Hedjaz ? Qu'il parvienne à chapeauter les quatre fils du chérif Hussein, et le jeune « indiscret » pèsera sur l'événement d'un poids autrement plus important que ses deux malheureuses barrettes de lieutenant ne le permettent.

Instructive entre toutes, la traversée depuis Djeddah a permis au jeune ambitieux d'apprendre d'autres choses passionnantes. Les vues d'Aziz Ali el-Misri, par exemple, d'autant plus appréciées qu'elles vont tout à fait dans le sens des siennes.

La brigade britannique est superflue, a martelé l'Égyptien. Les Arabes n'ont aucun besoin d'elle. Ce qu'il faut, c'est un état-major anglais à Djeddah. Une structure légère, pratique, à base de cadres compétents.

Lawrence décrypte le message sans effort. Le gêneur, c'est le chérif Hussein lui-même. L'obsession du vieil homme, tout contrôler, dépasse désormais les limites du supportable. Elle freine le développement de la lutte, paralyse les mouvements des troupes arabes, inhibe les énergies.

L'aversion du lieutenant envers le chérif dépasse déjà celle qu'il éprouve d'instinct à l'encontre d'Abdallah. Muré dans son orgueil de descendant du Prophète, le sexagénaire mecquois lui rappelle les gérontes de la *gentry* anglaise. Des gens bien nés dont la seule préoccupation semble être de barrer le chemin des honneurs aux pousses juvéniles.

Or, aux yeux de Lawrence, cette thawra à laquelle il s'identifie de plus en plus ne sera pas seulement la révolte des Arabes contre les Turcs, mais aussi, et avant tout, la révolte des jeunes chefs contre les barbons fatigués. Qui n'a pas conquis un royaume à trente-cinq ans – l'âge d'Abdallah – n'est qu'un jean-foutre. Dans ce cas, que dire de gens sans trône ayant dépassé la soixantaine ?

Plus Lawrence réfléchit, plus il donne raison à Ali l'Égyptien. Pour court-circuiter l'encombrant chérif Hussein, rien de plus efficace qu'une simple antenne anglaise au Hedjaz. Assurant la liaison directe avec les émirs, cette petite unité de spécialistes laisserait la bride sur le cou d'Ali l'Égyptien, dont les ambitions se révèlent au moins aussi considérables que celle de son interlocuteur anglais.

Le dispositif suggéré par Misri a ceci de précieux qu'il évite le débarquement de troupes européennes au Hedjaz. Or, pour Lawrence, pareille opération est de nature à hérisser les susceptibilités arabes. Elle limiterait aussi l'autonomie de la thawra – exactement ce qu'en attend Brémond d'ailleurs.

Misri bénéficie d'un capital sympathie supplémentaire : son adjoint Nouri Saïd. L'eau du canal de Suez a coulé depuis la période cairote où Lawrence croisait l'Irakien par l'intermédiaire de Ken Cornwallis, son collègue du Bureau arabe. Mais leur amitié ne demande qu'à se développer. Et Dieu, quel plaisir de retrouver Nouri, en plein cœur de la bagarre !

Moins fougueux que Lawrence, moins intrigant qu'Ali l'Égyptien, Saïd, dont la seconde nature s'appelle prudence, ménage certes le vieux chérif de La Mecque, mais par son âge, le même que Lawrence à quatre mois près, et par sa détermination au combat, le rebelle irakien fait déjà partie du club. « Indiscret » d'honneur ou presque...

Alors ils parlent. De la situation militaire en particulier.

« Je suis venu me renseigner sur l'état des armées arabes. À mon retour au Caire, je rédigerai un rapport complet à mes chefs », annonce Lawrence. Et Nouri de sauter sur l'occasion pour souligner la faiblesse de l'aide anglaise, dans le domaine de l'artillerie surtout.

Lawrence conclut.

« Ne vous inquiétez pas. Je ferai de mon mieux pour vous aider. Et, si Dieu le veut, tout ira bien. »

Au plan militaire, l'entrevue de Rabegh avec l'émir Ali n'apportera pas grand-chose. Belle avancée, en revanche, dans la stratégie personnelle de Lawrence. Par reconnaissance, le jeune aventurier aux couleurs britanniques n'abaissera jamais l'image de l'aîné hachémite auprès de ses chefs du Caire comme il a déjà commencé à le faire pour Abdallah.

Au soir d'une journée de discussion, la suite de son périple s'organise. Plein de prévenances, Ali fournit non seulement à l'« indiscret » un méhari entièrement équipé, mais aussi un guide, Tafas, qui appartient à la branche des Béni Salem* de la tribu des Harbs. Conformément au code d'honneur des fils du désert, Tafas répond sur sa vie d'un personnage dont l'identité demeure secrète pour raison d'État.

Lawrence se fait une joie de revêtir une robe bédouine et de masquer son visage sous un keffieh. De nuit, cela fera illusion.

Le soleil se couche. L'heure du départ est fixée à trois heures du matin. Au côté de son frère aîné, de Nouri Saïd et d'Ali l'Égyptien, le jeune émir Zaïed assiste aux derniers préparatifs.

Tout au long du séjour à Rabegh, le dernier des quatre fils du chérif Hussein n'a pas dit grand-chose. Rien en particulier dont Lawrence puisse faire son miel. Comme Abdallah, il paiera cet affront un prix exorbitant. Décrit comme un garçon effacé, timide, complexé, « élevé au harem », Zaïed sera, en prime, l'objet de supputations injurieuses. Né d'une mère turque, cette ascendance expliquerait chez lui un manque d'enthousiasme pour la thawra dont l'histoire n'a guère gardé trace.

Tout se passe comme si, revêtant le costume bédouin, Lawrence s'autorisait à se croire plus authentiquement arabe que les Arabes eux-mêmes...

Galets ; sable ; cailloux ; chaleur du jour ; froid d'une courte nuit enroulé dans un manteau ; déhanchement infernal du dromadaire ; découverte de l'oued Safra, la rivière Jaune, une étroite vallée rocheuse où Fayçal, pressé par les Turcs, vient de battre en retraite : l'existence sédentaire du Caire n'a guère habitué Lawrence à de telles conditions de voyage.

Le trajet jusqu'à Hamra, le refuge de l'émir, à plus de cent kilomètres de la mer Rouge, met la résistance physique du jeune homme à contribution. Mais, heureuse surprise, celle-ci se révèle suffisante. Renouant avec l'archéologue de Karkemish, l'officier de bureau retrouve les sensations du terrain. N'empêche que, dans l'après-midi du 23 octobre, c'est à bout de forces que Lawrence parvient au campement de l'émir.

La révolte arabe n'est pas loin de toucher le fond. Démoralisés par la belle tenue au feu d'un escadron de chameliers turcs, les guérilleros hachémites ont rompu le combat ; ils viennent d'évacuer la zone de Bir Abbas conquise quelques jours plus tôt. Hurlant ses ordres, caracolant d'un point à un autre dans l'espoir de redonner courage à ses hommes, Fayçal a soudain disparu. On l'aurait retrouvé peu après, l'écume aux lèvres, en proie à une crise d'épilepsie…

Ici, à Hamra, chaque bouquet d'arbres est devenu un bivouac. Les Bédouins se reposent un peu partout dans les palmeraies. Le détachement de soldats égyptiens qui les accompagne semble à peine en meilleur état. Seuls quelques bishas de la garde personnelle d'Hussein font encore bonne figure.

Parmi ces hommes prostrés, il se murmure que la retraite forcée sur Hamra serait le résultat des jalousies croissantes entre Hachémites. Ali et Zaïed, croit-on, auraient refusé de voler au secours de Fayçal au moment où il se trouvait le plus exposé. Abdallah serait le seul à vouloir soutenir son frère cadet. Mais Fayçal lui reproche un goût du luxe excessif et une propension à la paresse…

Armé d'un sabre à pommeau d'argent, un esclave conduit les deux visiteurs à la maison de l'émir. Au-delà de la cour intérieure, une fine silhouette s'encadre dans les montants d'une porte noire. Vêtu d'une longue robe de soie blanche, le keffieh brun retenu sur le front par une *agal*, une cordelette rouge et or, c'est Fayçal. Paupières baissées, mains croisées sur sa dague, le troisième fils du chérif Hussein attend son visiteur. Et là, c'est le choc.

« Je sentis au premier coup d'œil que c'était l'homme que j'étais venu chercher en Arabie, le chef qui conduirait la révolte arabe à sa gloire », écrira Lawrence dans son chef-d'œuvre, *Les Sept Piliers de la sagesse*. Réécriture de l'histoire ou tout au moins net raccourcissement, car il est peu probable qu'une seule seconde ait suffi à mettre l'émissaire du Bureau arabe dans une disposition d'esprit aussi favorable…

Ce qui est sûr, c'est que Lawrence va vivre ses vingt-quatre heures à Hamra comme une véritable illumination. Le lendemain matin, l'émir et lui vont se rencontrer de manière plus approfondie en compagnie d'un nouveau rescapé du Pacte, Mouloud Moukhlis. Deux fois dégradé par les Turcs en raison de son attachement à la cause arabe, cet officier irakien, ancien secrétaire d'Ibn Rachid, a déserté l'armée ottomane dès juillet 1915 pour passer côté britannique.

À mesure qu'ils feront mieux connaissance, l'impression favorable que ressent Lawrence à l'égard de Fayçal redoublera d'intensité, tournant à l'attirance. La vie amoureuse de Lawrence se caractérisant par le refus maladif des contacts physiques, ne parlons pas d'homosexualité au sens où on l'entend de nos jours, mais d'une amitié inégale. Tandis que l'émir se contente d'apprécier le lieutenant anglais, qui présente l'immense avantage d'être en relation directe avec les hauts responsables du Caire, Lawrence porte son interlocuteur, « presque royal d'apparence », aux nues, comme une sorte d'incarnation du destin.

De là, cette description à ses supérieurs du Caire où la nuance ne trouve guère de place : « Plus imposant qu'aucun de ses frères, le sait et sait en jouer. Aussi clair de peau qu'un pur Circassien avec des cheveux foncés, des yeux noirs très animés, un peu de biais par rapport au reste du visage, un nez fort, un menton court. L'air d'un Européen, il ressemble beaucoup au monument de Richard Ier à Fontevrault. »

S'adressant à des officiers pétris des gloires séculaires du trône d'Angleterre, mais oublieux du fait que Richard Cœur de Lion n'évoque guère de bons souvenirs dans le monde arabe, l'éloge a quelque chose de disproportionné et de très habile à la fois.

C'est qu'il s'agit de forcer la décision. Représentons-nous le Hedjaz de l'époque : une terre inconnue des Anglais en raison du manque d'informations les plus élémentaires sur les événements qui s'y déroulent depuis le mois de juin. Quid de la réalité de la thawra ? De l'influence des Hachémites ? Des tribus ralliées ? Premier officier britannique à s'être enfoncé dans le pays aussi loin des côtes, le témoignage de Lawrence revêt, de ce simple fait, une importance majeure.

Fayçal présente, insiste-t-il, « un tempérament emporté, fier et impatient, quelquefois déraisonnable ». L'émir prend facilement « la tangente », gros défaut tout de même. Mais ce qui compte, n'est-ce pas la capacité à s'imposer ? Et là, les éloges se succèdent, même tempérés par quelques restrictions :

« Doté d'infiniment plus de magnétisme personnel et de vie que ses frères, Fayçal est moins prudent. De toute évidence très habile, pas trop scrupuleux peut-être. Il a l'esprit plutôt étroit, inconsidéré quand il agit sur une impulsion, mais d'ordinaire, assez fort pour prendre le temps de réfléchir, et alors son appréciation est juste. »

Lawrence tel qu'en lui-même. Il se paie au passage le luxe de régler quelques comptes pendants avec la hiérarchie militaire. Car si Fayçal « avait été élevé de manière inadéquate, il aurait pu tourner officier de caserne », alors que la vie en a fait « une idole populaire ; plein de rêves et capable de les réaliser, avec une perspicacité aiguë, et très efficace ».

Une efficience qui passe par une meilleure compréhension entre Britanniques et insurgés arabes et, dans l'esprit de Lawrence, par une véritable symbiose.

Au soir, Fayçal et Moukhlis donnent un grand repas en l'honneur de leur invité. La maison est pleine de convives et d'esclaves affairés à les servir. Dans une salle, les familiers de Fayçal, dignitaires de La Mecque, cheiks des Djouheinas et des Ateibas, plus quelques Irakiens sont rassemblés. On s'assied devant un bol fumant de riz et de viande. Plus tard viendront les confidences. Lawrence narre les anecdotes qui ont émaillé son voyage. L'émir, lui, évoque son enfance en Turquie, l'ambiance à la cour du sultan Abdulhamid II, son service militaire, la dure éducation reçue de son père le chérif.

« Je n'ai pas été élevé dans le Hedjaz, lâche Fayçal, songeur, et pourtant, par Dieu, je suis jaloux de ce pays. Et j'ai beau savoir que les Anglais n'en veulent pas, ils ont bien pris le Soudan, alors qu'ils n'en avaient pas besoin non plus. Ils sont toujours à l'affût de terres désolées pour leur redonner vie ; alors pourquoi l'Arabie ne leur paraîtrait-elle pas, un jour, précieuse ? Notre race, tant qu'elle ne sera pas debout sur ses pieds, aura toujours la rancœur des infirmes », ajoute-t-il.

Messieurs les Anglais, l'allié arabe ne sera jamais un allié facile...

Deuxième partie

Le rêve prend corps : le temps des victoires

13

Hussein, roi des Arabes

Abdallah a monté le coup jusqu'au moindre détail. À l'heure de l'« unanimité arabe » derrière le clan des Hachémites, la moindre fausse note était exclue. L'émir a rédigé la proclamation qui va faire de son père le roi des Arabes. C'est aussi l'auteur du modèle unique de télégrammes de félicitations qu'on fera converger le moment voulu vers La Mecque.

Au retour d'Abdallah de Djeddah, après sa rencontre avec Storrs et Lawrence, de longs conciliabules ont confronté le chérif et son ministre des Affaires étrangères. Père et fils ne se sont pas bornés à regretter le recul anglais à propos des avions du Royal Flying Corps et de la brigade promise, puis refusée. Ils ont surtout parlé des avances d'Abdallah à Ronald Storrs.

Le gouvernement britannique était-il prêt à s'adresser officiellement à son père Hussein comme étant le « commandeur des croyants » ?

« Ce titre est l'apanage du calife, Votre Grandeur, avait répliqué le secrétaire oriental. Le gouvernement du roi George n'entend pas interférer en matière religieuse.

— Majesté, alors ? » insistait Abdallah.

Fin polie de non-recevoir.

« Roi ? »

Même réaction : ni Londres ni Le Caire ne voulaient d'un royaume arabe unifié sur les ruines de l'Empire ottoman. Quant aux Français, ils ne décideraient rien de sérieux sans avis préalable de l'allié britannique.

Tant qu'à forcer la main aux chrétiens, autant aller jusqu'au bout. Après tant de siècles de domination turque, qui oserait s'opposer à la nouvelle splendeur de la maison des Hachem ?

Dans un premier temps, organisons l'élévation d'Hussein à la dignité royale ici, à La Mecque. Son autodésignation comme calife viendra ensuite. Arguant du commencement, le 28 octobre, de l'année musulmane, Abdallah a réuni dans le palais de son père tous les notables, fonctionnaires et oulémas* présents à La Mecque, et convoqués le colonel Cadi et ses camarades français musulmans, les capitaines Raho et Reguieg.

Aucun Britannique ne pourra assister à la cérémonie. Mais est-ce plus mal quand Storrs a exprimé si nettement l'opposition de son gouvernement aux projets royaux des Hachémites ?

En ce premier jour de l'année 1335, tout ce qui compte à La Mecque s'entasse donc devant le palais. Face au prestigieux aréopage, le cheik Abdallah Sarradj, chef de file des oulémas de La Mecque, juge musulman de la ville sainte et membre du conseil des notables désigné par le chérif, a tout l'air d'un homme en service commandé.

Le cheik va prononcer un discours qu'Abdallah connaît par cœur pour l'avoir lui-même rédigé. Afin que nul ne se trompe sur l'identité de l'auteur du texte, l'émir, dont les lèvres remuent au rythme exact des mots et des phrases, rectifiera d'ailleurs à plusieurs reprises les menus bafouillages de l'orateur.

Quand le document vante le réveil de la nation arabe, et chante les mérites du chérif, qualifié de « sauveur de l'islam », nul n'est surpris : cela correspond à la tonalité obligée à La Mecque. Ce qui est nouveau, c'est cette phrase : « Nous, les Arabes, reconnaissons Sa Majesté notre seigneur et maître Hussein ibn Ali comme notre roi, et il agira parmi nous conformément au livre de Dieu puissant et miséricordieux et aux lois du Prophète. »

La mise en scène atteint son apogée quand Sarradj invite l'assistance à entrer dans le palais pour informer l'intéressé du contenu de la pétition qui fait de lui un roi. D'un geste théâtral, le cheik remet ensuite au chérif un paquet de lettres qui proviennent, paraît-il, de Syrie. Toutes reconnaissent Hussein comme le seul chef politique et religieux de la nation arabe...

Cadi et ses adjoints se regardent, ahuris. L'orateur parlant arabe avec un accent très différent de celui du Maghreb, les malheureux officiers ne comprennent goutte. Alors, ils restent figés sous le regard réjoui d'Abdallah. C'était le but cherché : l'émir pourra prétendre que les Français, présents à la cérémonie, ont approuvé l'accession de son père au trône, faisant d'eux les complices involontaires de l'ambition hachémite.

Au signal, l'assistance se lève d'un bond. Groupée autour du chérif, elle le proclame par acclamation Malik el-Arab, « roi des Arabes ». Un titre que Hussein accepte, et pour cause, sans se faire prier.

« Je n'ai pas voulu cette guerre, annonce-t-il sous les ovations. Je ne la fait que pour le peuple. Plus tard, les musulmans choisiront leur calife. Mais au préalable, il faut mener la lutte libératrice jusqu'au bout.

— Si tu ne veux pas être calife, qui le sera ? Les Français ? » lance un chef bédouin.

Calife, c'est encore trop tôt. Pour faire diversion, on donne la parole à Nessib el-Bekri, et l'ami syrien assure bien entendu le chérif du soutien unanime de ses compatriotes...

Les manifestations de liesse commencent. Sur l'ordre d'Abdallah, maisons et boutiques ont été décorées. Des rumeurs tout aussi « spontanées » courent les rues : la royauté d'Hussein sur les Arabes serait déjà reconnue par la Grande-Bretagne, la France, l'Italie, la Russie...

Pendant ce temps, l'émir – le prince, dit-on désormais, puisque, aussi bien, Hussein vient d'être proclamé roi – fait le point avec son père.

« C'était la proclamation publique, dit Abdallah, mais il faut maintenant que je vous dise que, tandis que les Turcs sont encore dans le pays, je connais onze mille hommes à La Mecque qui voulaient un roi hachémite, et ils suivront les commandements de Dieu et de son Prophète. »

Perdu dans ses pensées, le malik garde un silence pesant.

« Cela me fait songer à Abou Muslim el-Khorassani », laisse-t-il enfin tomber.

Esclave iranien affranchi d'une tribu arabe de Koufa, Abou Muslim fut, au milieu du VIIIᵉ siècle de l'ère chrétienne, le stratège du renversement de la dynastie omeyade* et de l'émergence des califes abbassides*. Devenu gênant pour ceux-là mêmes qu'il avait portés au pouvoir, ce chef de guerre devait être assassiné. La remarque en dit long sur le pessimisme du chérif lors même qu'il vient de se faire proclamer roi.

Au soir, monuments, échoppes et habitations sont illuminés. Des crieurs courent les rues. Et tandis que le malik Hussein décrète, sans consulter le moins du monde l'intéressé, que toutes les unités françaises vont être réunies en une seule aux ordres de Cadi, interdiction est faite aux cafetiers de vendre des boissons pendant les heures de prière. Inquisitorial, Abdallah a déjà ordonné qu'on dresse la liste de ceux qui ont éteint les lumières de leurs demeures ou de leurs boutiques…

Avec son bras droit, Fouad el-Khateb, le ministre hachémite des Affaires étrangères va passer une bonne partie de la nuit à expédier des télégrammes aux représentants des puissances étrangères non ottomanes.

Le texte s'adapte à chacun des interlocuteurs. Voici la version qu'en recevra le colonel Brémond :

« Ce matin a eu lieu, conformément à l'avis général et à l'avis unanime des savants en vue, la proclamation de Son Altesse, notre maître et maître de tous, Hussein ibn Ali, comme souverain de la nation arabe, et sa reconnaissance comme chef religieux, en attendant que les musulmans s'entendent pour émettre une décision au sujet du califat de l'Islam. Le lieutenant-colonel Cadi ainsi que tous les membres de votre respectable mission assistaient à la cérémonie. Je vous communique cette nouvelle. Je souhaite que les relations amicales entre nos deux nations soient de longue durée, et je forme des vœux pour que leurs succès soient ininterrompus. »

Pour Wilson, les termes sont légèrement différents, mais le contenu identique :

« Conformément aux vœux du public et des oulémas assemblés, le Grand Maître, Sa Majesté Notre Seigneur et le Seigneur de tous Hussein ibn Ali a été reconnu comme roi de la Nation arabe et sera reconnu comme leader religieux jusqu'à ce que les musulmans soient en mesure de s'accorder sur le califat islamique. »

Simultanément, des listes interminables de signataires sont publiées par *El Kibla*, le journal du chérif. Hussein se garde toutefois de franchir la ligne rouge. Les articles s'arrêtent au moment de le proclamer calife...

Prudence justifiée, car aucun des alliés occidentaux des Hachémites, ni les Anglais, ni les Français, ni les Italiens, ni même les Russes, n'entend lui reconnaître la dignité de roi des Arabes. Les chancelleries occidentales vont certes s'accorder à l'admettre comme monarque, mais du Hedjaz seulement. Quant aux Rachidi du Hail, alliés des Ottomans, et à Ibn Séoud, la proclamation de La Mecque ne fait qu'aggraver les tensions avec eux...

Après le coup de théâtre, Abdallah, confiant provisoirement le ministère des Affaires étrangères à Khateb, se prépare à rallier son poste de combat d'Hanakiyeh. Manifestant sa mauvaise humeur envers un allié si peu obligeant sur le plan politique, il repousse la proposition faite par Cadi de détacher un officier français auprès de lui.

« Nous manquons d'eau... »

Dans les jours qui suivent, son amertume trouve matière à s'aggraver. Tout, chez les Britanniques, devient sujet à critique. Jusqu'à la façon dont ils mènent leur combat sur le front européen.

« Sans le courage des Français, les Allemands auraient battu tous les autres alliés. »

Au dernier moment, l'émir se résigne néanmoins à emmener le capitaine Raho. L'allure fringante de l'officier de spahis algériens a-t-elle emporté la décision ? La doit-on à des considérations plus diplomatiques ? Le fait est qu'Abdallah n'aura qu'à s'en féliciter. Un camarade de combat, et quel camarade, vient de se ranger à ses côtés.

Né en 1877 dans la région d'Oran, engagé volontaire dans les spahis, Raho s'illustra dès 1903 au combat, contre des tribus rebelles. Nommé sous-lieutenant, c'est à la pointe du sabre qu'il a gravi les échelons hiérarchiques. Il guerroie au Sahara, participe à la conquête du Maroc, se fait remarquer lors de la prise de Taza en mars 1914.

Au Hedjaz, il retrouve son aîné Saad Reguieg ben Mebarek, né en 1863 près d'Alger, et qui n'a pas seulement combattu en Afrique du Nord, mais aussi en Afrique noire et jusqu'en Indochine. De même qu'il fait confiance à Raho pour son ardeur au baroud, le ministère français de la Guerre compte sur l'expérience de cet officier de cinquante-trois ans pour impressionner les chérifiens.

Côté britannique aussi, Abdallah doit faire des concessions. Il intègre donc dans sa colonne, baptisée armée arabe de l'Est, un médecin et deux officiers égyptiens.

Le 12 novembre, flanqué de deux solides unités de chameliers, d'une unité de cavalerie munie de dix canons récupérés sur l'ennemi à Taïef et de trois mitrailleuses, le prince quitte La Mecque.

Autour de lui, une cohorte d'hommes des tribus, inefficaces en combat frontal mais redoutables dans la guerre d'embuscades. Et à ses côtés, le chérif Chaker qui, cinq mois plutôt, accompagnait son frère Zaïed pour la rencontre secrète sur le rivage de la mer Rouge avec Ronald Storrs, Hogarth et Cornwallis.

Grand connaisseur des us et coutumes des fils du désert, Chaker apparaît, dès cette époque, comme l'adjoint indispensable, aussi prompt à désamorcer les querelles tribales qu'à monter à l'assaut des troupes ennemies.

C'est qu'il faut parler stratégie, désormais...

Cinq mois après le début de la thawra, une telle conférence s'imposait, ne serait-ce que pour envisager une répartition plus efficace des rôles. Le 16 novembre 1916, Djeddah abrite une réunion au sommet. Pour la première fois depuis la période où ils nomadisaient aux alentours de Médine, les émirs Ali et Fayçal siègent ensemble aux côtés d'Aziz Ali el-Misri, de Nouri Saïd et de divers représentants anglais ou français, mais pas de Lawrence.

Depuis juin, tous les plans de bataille hachémites ont été conçus par Hussein, dont l'incompétence guerrière risque d'avoir des effets catastrophiques. Il faut donc – c'est le non-dit de la rencontre de Djeddah – aller vers la prise en charge directe du conflit par les princes, et le dessaisissement progressif de leur père.

Ali l'Égyptien expose ses thèses sur la complémentarité entre forces régulières de combat en ligne et colonnes mobiles de guérilleros opérant sur les arrières de l'ennemi. Hérétiques aux yeux du chérif, elles remportent ici un beau succès, le prince Fayçal acceptant que son armée soit organisée sur ce modèle.

Issu comme Ali l'Égyptien du Pacte, Nouri Saïd brosse alors le tableau des troupes régulières hachémites implantées presque uniquement dans la zone côtière.

L'armée d'Ali d'abord, dont l'Égyptien est le chef d'état-major, avec Nouri comme adjoint. Basée à Rabegh, cette troupe en formation comprend deux bataillons, le premier aux ordres de Toufik Abou Taouq el-Hamaoui, un Syrien, et l'autre à ceux de son camarade irakien, Rachid el-Medfaï. Administration, intendance et équipements sont supervisés par un autre vétéran du Pacte, l'Irakien Ali Djaoudat. En ajoutant les guérilleros bédouins aux soldats en uniforme, l'effectif total de la colonne d'Ali grimpe à quatre mille hommes, dont huit cents méharistes.

Toujours dans la région de la rivière Jaune, l'armée de Fayçal ne survit qu'adossée à Yenbo. Elle se compose d'une unité d'infanterie commandée par l'Irakien Abdallah el-Douleimi, des muletiers de Mouloud Moukhlis, nouveau conseiller militaire de Fayçal à l'instigation de Nouri Saïd, et de l'unité d'artillerie du Syrien Rassim Sardist. En tout quatre mille hommes avec les irréguliers bédouins, particulièrement nombreux compte tenu des tâches de harcèlement et d'embuscades affectées à cette colonne.

Nouri tisse patiemment sa toile. Lien privilégié entre les différents membres du clan hachémite, le père et les quatre fils, l'Irakien sait se rendre indispensable à tous. De même profite-t-il de l'amélioration de son anglais, suffisant pour nouer des relations avec les officiers britanniques de Yenbo et de Rabegh, auxquels il demande avec insistance le détachement au Hedjaz de son beau-frère Djefar el-Askari, toujours suspect de sympathies ottomanes.

C'est encore Nouri qui explique l'ordre de bataille ottoman. Fekri Pacha dispose à Médine de deux bataillons d'infanterie, d'un régiment méhariste, d'une compagnie du génie, d'une batterie d'artillerie et d'une compagnie de mitrailleuses. À Bir Derouich, Ghalib Pacha, le vaincu de Taïef, commande cinq bataillons d'infanterie, deux compagnies montées à mulet, un régiment de méharistes, une batterie de montagne à dromadaire. Et même une escadrille de quatre appareils qui ont fait une apparition remarquée, le 7 novembre, au-dessus de Rabegh.

À Bir Raha, enfin, Ahim Bey dispose de deux bataillons d'infanterie, d'une compagnie muletière, d'une batterie d'artillerie et d'un groupe de cinq cents chameliers appartenant à la confédération tribale des Chammars*, fidèle aux Rachidi du Hail. Sans compter le régiment de chemin de fer qui assure la sécurité des communications ferroviaires, et un régiment mobile de méharistes. En tout, treize mille hommes et deux mille dromadaires.

La méthode retenue consiste à gêner le déploiement de ces forces. On fera planer sur elles des menaces multiformes, de sorte que leurs chefs, préférant se retrancher autour de Médine, n'oseront pas prendre le risque de progresser vers La Mecque, Djeddah, Yenbo ou Rabegh.

De plus en plus assuré, Nouri propose à l'assistance de clarifier les zones d'intervention respectives des émirs. Chacun se plaît à reconnaître la qualité de son jugement et la modération de ses paroles. À lui de dessiner et de faire adopter enfin un véritable plan de bataille.

Si elle parvient à créer un climat d'insécurité à l'est, dans la région d'Hanakiyeh, l'armée d'Abdallah contraindra Fekri Pacha à maintenir des troupes dans ce secteur. De même qu'il lui incombe de couper les communications entre l'armée turque et les Rachidi.

Au centre du dispositif hachémite, Ali, muni de canons égyptiens, doit s'avancer en direction de Bir el-Hassan, dans la région de la rivière Jaune.

Le long de la côte de la mer Rouge, enfin, Fayçal se voit assigner le port d'El Ouedj, beaucoup plus au nord sur la côte hedjazi. Sous ses ordres et ceux de Nouri, détaché à ses côtés, un détachement principal montant de l'oued Safra à l'oued Yenbo tentera de s'établir autour de Kheif Hussein. Confiée à l'émir Zaïed, la seconde branche de l'armée du Nord devra, elle, tenir Bir Saïd, couvrant la route de l'oued Safra à Yenbo.

Le lendemain même de la conférence, Fayçal et Brémond se heurtent de nouveau à propos des canons de montagne que l'émir réclame à cor et à cri à la France. Le colonel est le premier convaincu de l'utilité de ces pièces de 65. Dans ses messages au ministère de la Guerre, il n'a de cesse de les réclamer. Mais, sauf à perdre son prestige, comment avouer que Paris persiste à les lui refuser ? Quitte à choquer le prince, il riposte en proposant une meilleure utilisation des aptitudes bédouines.

« Les Arabes n'ont pas besoin de canons, Votre Altesse. J'ai fait la guerre contre eux au Maroc. Pour grimper dans les montagnes et monter des embuscades, ils sont plus agiles que des chèvres. Mais ce que vos forces doivent éviter à tout prix, c'est l'affrontement direct avec les Ottomans. Elles ne sont pas encore taillées pour. »

Les faits semblent lui donner raison...

14

Victoire à El Ouedj

Début décembre, tout bascule. Longeant les côtes de la mer Rouge, trois brigades ottomanes lancent une attaque-surprise sur Yenbo. Douze bataillons en tout qui fondent comme l'éclair sur les Béni Salem, les Bédouins postés au bord de la rivière Jaune.

Une patrouille montée ennemie découvre la faille dans le dispositif chérifien. L'Ottoman s'y engouffre. Parce que les étendues où ils nomadisent leur offrent toujours des itinéraires de repli, les hommes des tribus ont en permanence été de piètres défenseurs. Les Béni Salem comme les autres. Résultat : la débandade générale pour revenir dans les campements protéger leurs familles.

Secondé par un vieux guerrier harith, le chérif Abdallah ben Thaouab, Zaïed esquisse une contre-attaque sur Hamra, le village où son frère l'émir Fayçal et Lawrence d'Arabie faisaient connaissance un mois et demi plus tôt. Il prend la tête des unités régulières égyptiennes fournies par les Anglais, mais, face au tir nourri des armes automatiques, ses troupes manquent de mordant. Lui-même échappe de peu à la capture et, saisi par la panique ambiante, prend la fuite au triple galop.

Surpris de cette facile victoire, les Turcs réoccupent sans coup férir Bir Saïd et Hamra. Ils s'y installent en force. La rivière

Jaune entre les mains des Ottomans, Yenbo et Rabegh sont désormais sous la menace.

Fayçal a pris la tête d'un parti de quatre mille guerriers, djouheinas notamment. Mais, après la désertion des Béni Salem, il doute de la solidité de sa propre troupe. Les nouvelles affluent, contradictoires. Le prince pousse quand même jusqu'à El Nakhel, la Palmeraie, bourg de quatre mille âmes au milieu des dattiers, qu'il tente de fortifier à la hâte.

Après avoir jeté les plans d'un état-major anglais restreint au Hedjaz avec des officiers britanniques arabophones, désormais capitaine, Lawrence a quitté Le Caire le 25 novembre. Flanqué d'Abd el-Karim el-Beidaoui, demi-frère de l'émir des Djouheinas, c'est au pire moment qu'il rejoint ses amis arabes. À l'approche de la Palmeraie, les deux hommes distinguent la fumée des feux de camp hachémites. Piétinements et rugissements de milliers de dromadaires ; cris ; tirs en l'air de Bédouins demi-nus... partout, le désordre règne.

On accueille les nouveaux venus à bras ouverts. Mais leur appui est surtout moral, car le vent de la déroute continue à souffler en rafales, disloquant les armées chérifiennes à la seule exception de celle d'Abdallah, trop éloignée du théâtre des opérations de la côte.

Jugeant la Palmeraie impossible à défendre, Lawrence regagne Yenbo au bout de deux jours. Pour demander à Herbert Garland, le spécialiste en explosifs de la future mission militaire anglaise, d'improviser une ligne fortifiée.

La Royal Navy, c'est la seule planche de salut. Les canons de marine pourraient balayer le glacis devant l'ersatz de fortification de Garland : une ligne de tranchées peu profondes, mais suffisamment pour faire illusion.

Avec Garland, allez savoir ! Métallurgiste dans le civil, ce grand escogriffe barbu semble capable d'un miracle. C'est un homme qui rit de tout, qui s'amuse d'un rien, qui manie la dynamite comme personne. Les rumeurs que colportent les fuyards des armées de Fayçal et de Zaïed ? Il s'en fiche. Munis d'une artillerie impressionnante (en fait, trois canons de montagne), les assaillants seraient des dizaines de milliers (une simple

133

avant-garde : trois bataillons seulement, plus six cents Arabes de tribus fidèles à l'Empire ottoman)…

Pendant que les quelques défenseurs creusent, Lawrence expédie radiogramme sur radiogramme. Les ondes portent le message jusqu'au HMS *Sula*, sous le commandement du capitaine Boyle, le chef de la patrouille maritime sur la mer Rouge, bras droit de l'amiral Wemyss. Ginger Boyle qui, comprenant l'urgence, rameute toutes affaires cessantes ses bateaux sur Yenbo.

Fekri Pacha n'a pas l'âme d'un baroudeur. En temps ordinaire, jamais le commandant en chef turc n'aurait poussé son avantage aussi loin. Mais là, l'ennemi se décompose. Alors, il jette les premiers détachements turcs sur la Palmeraie.

Leurs adversaires prennent la fuite. Au matin du 9 décembre, une cohue d'un millier et demi d'hommes parvient à Yenbo : tout ce qui reste de l'armée de Fayçal, éparpillée par la panique, les désertions. Ajoutez-y cinq cents rescapés de la troupe de Zaïed, et vous obtiendrez la garnison de Yenbo. Elle ne dispose que d'une quinzaine de mitrailleuses, que Garland positionne de son mieux.

Le salut va venir de la mer. Dès son arrivée, Ginger Boyle apporte une bouffée d'optimisme. Avant d'atteindre Yenbo, remarque-t-il, les Turcs devront traverser à découvert plusieurs kilomètres de sable plat.

« Un magnifique champ de tir. Qu'ils osent s'y aventurer de jour, et les batteries des cinq navires de ma flottille n'en feront qu'une bouchée.

— Et de nuit ?

— Dès le lendemain matin, mes canons les balaieront. Les Turcs ne sont pas fous, ils préféreront s'abstenir. Je vais demander aux hydravions du *Raven* de lancer quelques bombes sur leurs positions à l'intérieur des terres. Ça ne causera guère de dégâts matériels, mais ce qui compte, c'est d'atteindre le moral de l'adversaire… »

Dans la nuit du 11 au 12, ce dernier n'est plus qu'à sept ou huit kilomètres de la ville. Les Ottomans vont-ils attaquer, portant ainsi le coup fatal à la révolte arabe ? Ils le pourraient, mais les projecteurs des navires anglais qui, en balayant sans cesse le port, dévoilent le terrain plat qui leur reste à parcourir minent leur détermination.

Au matin, les hommes de Fekri Pacha n'ont toujours pas donné l'assaut et pourtant, une nouvelle vague de panique submerge la ville assiégée. Flanqué de son état-major, Fayçal monte précipitamment à bord du HMS *Hardinge*. Mais le miracle se produit : les Turcs font demi-tour...

Pourquoi Fekri Pacha n'a-t-il pas saisi la chance qui s'offrait aussi généreusement ? Pusillanimité peut-être, panne d'énergie ou d'imagination.

Manque d'eau, de ravitaillement, de munitions, prétendra-t-il, quand Istanbul lui demandera des comptes sur son échec devant Yenbo. Tout le monde n'est pas Jules César, Saladin ou Napoléon...

Fekri Pacha moins que d'autres. Jugeant ses troupes exposées à une contre-attaque ennemie, il évacue d'abord la Palmeraie. C'est l'amorce d'un repli généralisé dans les alentours immédiats de Médine.

Les nouvelles de la déroute arabe, puis du rétablissement inattendu de Yenbo, parviennent aux Hachémites par le truchement des radios militaires anglaises. Hussein en prend connaissance avec des sentiments mélangés. Le roi du Hedjaz est arrivé à Djeddah le 10 au matin, à l'issue d'un périple qui aurait abattu de plus jeunes hommes : quatre-vingt-dix kilomètres à dos de dromadaire depuis La Mecque.

Chez un homme de cet âge, pareille résistance à la fatigue fait l'admiration de ses compagnons de voyage : Mammar ben Azzouz, remplaçant français, à La Mecque, de Chérif Cadi, qui a payé d'une mutation à Rabegh les pots cassés de la proclamation royale, ou le capitaine Saad Reguieg. Elle impressionne tout autant les Brémond, Wilson ou George Lloyd, député conservateur du West Straffordshire et officier de renseignements, de passage à Djeddah pour le compte du Bureau arabe.

Et bientôt Ronald Storrs, qu'une longue soirée de discussion à la lueur de la lampe à acétylène oppose au chérif. Le secrétaire oriental débarque en pleine polémique avec le patriarche hachémite. Fayçal annonce-t-il, via Lawrence, que la thawra risque la déconfiture dans les trois semaines ? Hussein, d'humeur belliqueuse, reproche à l'allié britannique son incapacité à débarquer en Syrie et à couper les chemins de fer du Hedjaz qui acheminent toujours le ravitaillement de la garnison de Médine.

« Aucune des promesses de sir McMahon n'a été tenue. Pour gagner la confiance des tribus, il nous fallait de l'or, des armes...

— Nous vous avons fourni l'un et les autres. À ce jour, cinquante-cinq mille fusils ont été livrés à votre armée.

— Fusils et mitrailleuses ne suffisent pas, il nous faut des canons. Si la Grande-Bretagne est prête à reconnaître l'indépendance arabe, que lui importe que nous disposions d'une artillerie. Mais l'est-elle vraiment ? »

L'art de mettre le doigt sur la plaie. Pour Hussein, l'indépendance arabe reste indissociable de sa propre accession au trône. Or les alliés anglais, français, russes et même italiens persistent à ne l'agréer que comme souverain du Hedjaz.

Le secrétaire oriental enregistre en revanche avec plaisir la détermination du chérif. Comme la rumeur court les ruelles de La Mecque qu'effrayé par l'avance ottomane, il ne viendrait à Djeddah que dans le but de s'enfuir par la mer, Hussein exige de regagner au plus tôt la ville sainte. Dès son retour, il prétend y recruter des milliers de combattants pour le djihad.

Réconforté par ce regain de pugnacité, Storrs poursuit son périple diplomatique sur les côtes de la mer Rouge. Le 13 décembre, le secrétaire oriental gagne Yenbo par la mer. C'est là qu'il va faire la connaissance de Fayçal.

Café, échange de compliments, l'entrevue commence sous les auspices de la cordialité. Elle est capitale, pourtant. À ce jour, les rapports favorables à Fayçal demeurent l'œuvre d'un seul officier britannique, le fantasque capitaine Lawrence. Que Storrs, beaucoup plus élevé dans la hiérarchie officielle, se montre d'un avis opposé, et les chances du prince se réduiront comme peau de chagrin. Or, c'est le contraire qui se produit : le secrétaire oriental tombe à son tour sous le charme de Fayçal. Le prince lui apparaît sous les traits d'un homme qui accuse le coup de ses échecs mais ne se laisse pas abattre, qui rappelle ses griefs envers l'allié britannique sans leur laisser prendre le dessus :

« Cela ne sert à rien de remuer le couteau dans la plaie. Ni vous ni moi n'y gagnerions.

— Je le crois aussi, Votre Altesse. Ce qu'il faudrait, c'est que le courage des tribus fidèles se manifeste de façon plus éclatante. En terrain découvert, nous venons de le voir, vos guerriers n'ont pas tenu. Mais cet échec ne doit pas nous décourager. Je connais les Arabes. Dans leurs zones montagneuses, ils peuvent devenir des adversaires redoutables. »

Regard reconnaissant du prince, humilié par la déroute de ses hommes à la Palmeraie et à Yenbo.

« Pour mener la guerre d'embuscades sur les arrières turcs, mes troupes et moi avons besoin de nous appuyer sur des bases de repli solides. Pouvez-vous me garantir la possession de Yenbo et de Rabegh ? »

Storrs comprend le raisonnement de son interlocuteur, qu'il juge approprié à la situation au Hedjaz. Anglais cultivé, le secrétaire oriental se souvient des guérillas espagnoles qui ont donné tant de fil à retordre aux armées napoléoniennes parce qu'appuyées par les troupes britanniques de Wellington, retranchées, elles, sur la frontière portugaise. Aussi offre-t-il les garanties demandées.

« Si Yenbo et Rabegh restent entre nos mains comme point de repli, insiste alors Fayçal, je reprendrais l'offensive contre les Turcs. »

Rien de commun avec l'attitude d'un chef abattu par les revers. La sympathie instinctive de Storrs ne peut qu'en sortir renforcée : Fayçal, dont l'allure s'apparente selon lui à celle d'un « noble Arabe de légende », est bien l'homme qui convient à la thawra.

Lawrence, ce feu follet incontrôlable, avait donc raison...

Encore le secrétaire oriental ignore-t-il que le prince, tout à ses projets d'avenir, s'apprête à dépêcher un émissaire à Nouri Chalaan, émir des Aneizés* Rouallah*, rameau principal de la confédération des Aneizés qui nomadise entre le grand désert syrien, à l'ouest de l'Euphrate, et le territoire des Chammars, au nord et au centre de la péninsule Arabique.

Ses contacts secrets avec Nouri Chalaan datent de plusieurs mois déjà. Obéi au doigt et à l'œil par ses Rouallah, l'appui de ce chef sans scrupule – pour accéder au pouvoir, Nouri a fait assassiner, entre autres, son propre frère – reste indispensable au déploiement vers le nord d'une grande stratégie antiturque. Mais il est encore trop tôt pour s'ouvrir de cela aux Britanniques.

Le prince veut une offensive chérifienne immédiate broyant les forces ottomanes dans les collines entre ses troupes et celles d'Ali. Une colonne s'est déjà mise en route pour la Palmeraie. De quoi combler l'infatigable Lawrence qui, ayant quitté Yenbo pour se rendre à Rabegh puis à Djeddah plaider la cause hachémite, se heurte une fois encore à son ennemi intime, Brémond.

Ce qui oppose les deux hommes, ce ne sont pas seulement l'âge et l'expérience, mais deux systèmes de valeurs. Pour le colonel, rien de moins défendable que la volonté de son cadet britannique de se fondre parmi les hommes des tribus. Se vêtir comme un indigène au lieu de leur en imposer par son impeccable tenue d'officier, quelle hérésie ! Mais Lawrence sait partager, quand il ne les suscite pas, les rêves des simples Bédouins, de leurs cheiks, de leurs princes – à preuve l'arabisation de son nom en Aurens, désormais courante. Brémond, lui, se montre dépourvu de tout charisme autre que strictement militaire.

Leur dialogue se ressent de cette opposition. Au colonel qui soutient sur son honneur d'officier qu'une offensive chérifienne vers El Ouedj serait suicidaire car elle obligerait l'émir Fayçal à abandonner Yenbo, son cadet réplique que la guerre au Hedjaz ressemble à une guerre psychologique beaucoup plus qu'à un conflit traditionnel.

Reste le problème des garanties britanniques sur la sécurité de Rabegh et de Yenbo, qui obsèdent littéralement Fayçal.

« Rabegh est le rempart de La Mecque, fait-il valoir lors d'une conférence avec les alliés anglais à bord du *Dufferin*. Je préférerais abandonner Yenbo que de l'abandonner. »

Wilson, qui voit non sans raison dans l'offensive sur El Ouedj le seul moyen de couper l'herbe sous le pied à toute nouvelle poussée ottomane vers la ville sainte, s'engage :

« Votre Grandeur, c'est l'officier britannique qui vous parle. Les Turcs ne s'empareront jamais de Yenbo en votre absence, je vous en donne ma parole. »

Aucune école militaire n'excuserait certitude aussi peu fondée. Mais le massif colonel a raison. Balayant les objections d'un Fayçal saisi par le doute, sa détermination d'officier fait pencher la balance...

Le plan imaginé par Fayçal suppose que les sept mille hommes de l'armée d'Ali reprennent Bir el-Hassan. Mais l'aîné des Hachémites, mécontent que l'initiative provienne d'un autre, déclenche l'assaut sans souci du calendrier fixé. Et, à nouveau, l'ombre du désastre plane, avec la défection de la tribu bédouine des Soubhas, à laquelle il venait de verser la bagatelle de cent cinquante mille souverains.

Ses propres troupes menaçant une nouvelle fois de se débander, le prince reflue sur Rabegh. Une reculade qu'il tente de justifier par d'obscures manœuvres d'Ali l'Égyptien, et par la jalousie de son cadet, qui lui laisserait porter seul le poids de la guerre.

Affaibli par la tuberculose, Ali n'est plus, il est vrai, que l'ombre de lui-même. Le Dr Rabinovitch, médecin militaire français qui vient de l'examiner, suscitant la jalousie de ses confrères syriens, ne lui accorde que deux ans d'existence.

Dans ce climat de défiance familiale et d'épuisement physique, seules les pressions répétées de son père et du colonel Wilson et les promesses – tenues – de bombardement des positions turques par le Royal Flying Corps parviennent à lui arracher un nouveau mouvement en avant, le 31 décembre, vers Abou Dhiba, région plus sûre, à soixante-dix kilomètres au nord-est de Rabegh, sur la route de Médine.

Pendant ce temps, à Yenbo, la contre-offensive de Fayçal se prépare avec les seuls Britanniques, sans concertation avec les Français. Longeant la côte, son armée doit monter vers El Ouedj. Mais, grâce au chemin de fer du Hedjaz, parallèle à la côte, les Ottomans peuvent progresser plus vite que les chérifiens. Le flanc de l'armée du Nord doit donc être couvert à coup sûr.

Cette tâche incombe à la colonne d'Abdallah, par le biais d'une avancée vers l'oued Aiss, place forte naturelle à cent kilomètres de Médine. En additionnant les Mouteïrs*, les Ateibas, les Boukoums, les Aneizés aux troupes régulières chérifiennes, les effectifs de son armée de l'Est atteignent à présent les quinze mille fusils.

Après avoir contourné Médine par le nord, le prince traverse la voie ferrée. Un mouvement qui ne tarde pas à porter ses premiers fruits : les Turcs se retirent en effet sur leurs positions fortifiées du djebel Ohod.

À son frère de jouer...

Le 4 janvier 1917, Fayçal, tout de blanc vêtu, conduit la marche. À sa droite, le chérif Charef en gandoura et en caftan teints au henné et keffieh rouge. Derrière eux, trois bannières de soie pourpre au bout de hampes dorées et trois tambours qui battent la cadence des hymnes guerriers. Et d'autres drapeaux encore, car chaque tribu met un point d'honneur à arborer le sien.

Montés sur des dromadaires dont les parures multicolores battent paresseusement l'air au rythme de leur pas, mille deux cents combattants de la garde princière suivent leur chef. Un festival de cris et de couleurs, d'armes brandies qui s'éloigne peu à peu de la Palmeraie, manifestant avec éclat la nouvelle ardeur au combat des Arabes.

Derrière eux, sept à huit mille combattants, véritable marée humaine formant l'une des plus grandes armées qu'ait jamais connues le Hedjaz. Il y a vingt jours à peine, ces hommes refluaient en désordre vers Yenbo et, aujourd'hui, les voilà prêts à en découdre.

Lawrence accompagne un instant Fayçal et le chérif Charef. Le jeune officier est vêtu de blanc et de rouge. Mais pour l'instant, il doit gagner Yenbo pour accueillir le lieutenant-colonel Newcombe, qui arrive d'Égypte pour prendre le commandement de la mission militaire britannique et supplanter définitivement l'équipe de Brémond.

La manœuvre qu'entreprend Fayçal repose sur l'appui de la Royal Navy, si paradoxalement mise à contribution dans cette guerre du désert. La colonne chérifienne – cinq mille méharistes plus cinq mille fantassins munis de quatre canons de montagne allemands Krupp pris aux Turcs et de dix mitrailleuses anglaises Maxim – doit progresser en territoire ami avant de se rabattre sur la côte. Un relais de ravitaillement est prévu à deux cinquièmes de distance de l'objectif avec le HMS *Hardinge*.

Rendez-vous ensuite devant El Ouedj pour l'opération combinée terre-mer qui devrait permettre d'obtenir sans trop de casse la reddition d'une garnison ottomane évaluée entre cinq et huit cents soldats. L'armée de Fayçal attaquera par le sud, les unités arabo-anglaises débarquées bloquant tout itinéraire de repli par le nord, tandis que la Navy interdira l'accès à la mer.

Le 15 janvier, Fayçal atteint sans difficulté l'étape intermédiaire d'Oum Ledj. Des centaines de tentes en cuir de chameau groupées autour de la sienne, plus grande, plus haute, sont plantées à quelques kilomètres à l'intérieur des terres, là où on peut trouver de l'eau douce. L'y rejoignent Lawrence, qui a fait le trajet par mer à bord du HMS *Suva*, Ginger Boyle et le major Vickery, affecté à la mission militaire britannique sous les ordres de Skinface Newcombe.

Officier d'artillerie ayant passé seize années sous les drapeaux, dont dix au Soudan où il a appris l'arabe, Vickery vient enseigner aux chérifiens les techniques de destruction des voies ferrées. Et tout irait pour le mieux si ce vétéran de la guerre des Boers, monstre d'arrogance impériale, n'affichait sa méfiance envers les combattants arabes et son mépris envers Lawrence, l'officier « déguisé ».

Pour arrondir les angles, Fayçal convie les trois Britanniques à déjeuner. Un vaste plat a été posé sur des caisses de munitions. Selon la coutume bédouine, chacun doit en tirer des morceaux de viande avec ses doigts. Mais le prince, soucieux d'honorer ses invités, saisit les meilleurs morceaux avant de les leur tendre.

L'intuitif Ginger comprend tout de suite cette preuve de l'élégance naturelle de Fayçal et sa portée. Vickery moins. Sans se troubler, ce « spécialiste du monde musulman » exhibe sa flasque de whisky ! Seul un rire très diplomatique du prince parvient à éviter le scandale.

On passe ensuite à l'examen du plan de bataille.

« L'amiral Wemyss et moi aurons six navires et cinquante canons, annonce Ginger d'emblée, histoire de montrer à quel point la Navy prend l'affaire au sérieux. Et même un hydravion pour régler les feux d'artillerie. Le 20, nous serons à Abou Zereibat, et le 22 à Habbane pour le ravitaillement en eau. À l'aube du 23, vos méharistes devront avoir bouclé toutes les sorties d'El Ouedj. Alors, nous lancerons notre groupe de débarquement à l'assaut. »

Ledit groupe sera surtout composé de combattants de second ordre, des Harbs et d'anciens esclaves des Djouheinas qu'on embarquera sur l'île d'Hasani, au sud du camp de Fayçal. Commandés par Salah ben Chefia, chef digne de confiance il est vrai, et encadrés par une poignée de bishas, ces six cents hommes occupent un pont entier du *Hardinge*. Mais Ginger compte avant tout sur le détachement de Royal Marines de la flottille de la mer Rouge. Et sur l'armée du Nord de Fayçal, si elle est bien au rendez-vous...

Le départ du camp intermédiaire est fixé au lendemain, le 18 janvier, vers treize heures. Avec ou sans Newcombe ? Skinface rattrape la colonne en marche. Débarqué à Oum Ledj dans la matinée, cet homme d'action a aussitôt réquisitionné un cheval.

« Restez avec moi jusqu'à El Ouedj, demande-t-il à Lawrence. Une semaine ensemble, cela vous permettra de me transmettre les consignes au mieux. »

Un messager survient peu après, porteurs de nouvelles sensationnelles. Sur la route d'Hanakiyeh, le prince Abdallah vient d'enregistrer une grande victoire...

Les détails de l'action d'éclat ne parviendront qu'après. Le 13 janvier, lors d'une halte à deux jours de marche au nord-est d'Abou Naam, Abdallah discute avec le chérif Chaker. Un de leurs adjoints, Mohammed Raja, surgit, tout essoufflé.

« Il y a une force turque en embuscade là-bas. »

Son doigt désigne une colline distante de quelques centaines de mètres à peine. L'accompagne un jeune garçon, rescapé d'une corvée de ravitaillement chérifienne razziée quelques heures plus tôt par les Ottomans.

« Nous étions en train de ramasser de l'herbe quand des Turcs nous ont capturés, explique le gamin. Ils nous ont demandé qui se trouvait ici. Nous leur avons répondu que nous étions des Houteims*. Leur chef vient de me relâcher, mais il a gardé mon frère en otage.

— Et que vas-tu faire ?

— Je vais vous guider jusqu'à eux parce que, s'ils sont nombreux, nous le sommes plus encore. »

Et le garçon de désigner les emplacements ennemis à Abdallah, au chérif Chaker ainsi qu'au capitaine Raho, présent à leurs côtés.

À l'issue d'un bref conseil de guerre, Abdallah divise sa troupe en trois. Deux groupes de fantassins encerclent la colline tandis que les cavaliers, menés sabre au clair par le flamboyant Raho, chargent de front. Surpris, l'ennemi plie sous la violence du choc puis se disperse. Quarante-trois Turcs et trois Arabes ont été tués. Des mitrailleuses tombent entre les mains des troupes hachémites.

Le succès serait complet si le chef ottoman n'avait pris la poudre d'escampette. Il s'agit du lieutenant-colonel Achraf Bey, brigand et escroc dont les Jeunes-Turcs ont fait leur spadassin de prédilection.

« Mille pièces d'or pour sa capture ! » s'écrie l'émir.

L'aventurier blessé sera retrouvé par des hommes du chérif Faouzan. Dans ses bagages, vingt mille livres-or ottomanes, représentant la solde des garnisons turques du Yémen, des lettres officielles à Ibn Séoud et à Ibn Rachid, une mitrailleuse, un coffret de pistolets allemands Mauser. Et un magnifique poignard fabriqué à La Mecque qu'Abdallah, tout fier, fait aussitôt parvenir en cadeau à son frère Fayçal.

Ragaillardi par ce succès, l'émir se sent assez fort pour traverser à nouveau la voie ferrée du Hedjaz. Au passage, il fait coincer entre les rails un message pour Fekri Pacha annonçant la capture d'Achraf Bey.

Mais la victoire est à double tranchant : ayant récupéré les livres-or turques, beaucoup de combattants bédouins s'estiment satisfaits. Du coup, les effectifs de la colonne, en route vers l'oued Aiss qu'elle atteindra bientôt, fondent d'un bon tiers. Raho, qui vient de démontrer sa valeur guerrière, n'en revient pas d'une telle rapacité.

Ils partirent quinze mille, ils n'en sont plus que dix. Et que dire des complots qui rongent les armées hachémites ?

Les Britanniques, qui voient en lui un soldat plein d'astuce, ont fait tant et si bien qu'Hussein vient de nommer Aziz Ali el-Misri ministre de la Défense. Mais l'Égyptien du Pacte supporte de moins en moins les réserves du roi Hussein sur son projet de réorganisation en deux branches de l'armée chérifienne, soldats réguliers d'une part, guérilleros bédouins de l'autre.

Pressent-il, cet esprit agile mais inconstant, les motifs profonds du retrait turc vers Médine ? Craignant une opération de forces britanniques en Palestine, le général Otto Liman von Sanders, chef suprême des conseillers militaires allemands auprès de l'armée ottomane, a demandé à Fekri Pacha de faire monter vers le nord le maximum d'unités possible, fût-ce au prix d'une inertie quasi complète dans la région du Hedjaz.

Comptons aussi avec la « cavalerie de Saint-George », les souverains d'or britanniques frappés à l'effigie équestre du saint, dont les siècles ont prouvé l'efficacité. Depuis les débuts de la thawra, près de deux millions de livres sterling ont été versées aux Hachémites. Une averse de pièces qui ne garantit peut-être pas la fidélité de toutes les tribus bédouines, mais y contribue tout de même.

Fayçal, par exemple, verse une prime d'un souverain par fusil turc récupéré, que son nouveau détenteur a le droit de garder par-devers lui. Ses hommes perçoivent des soldes mensuelles de quatre à dix livres. À telle enseigne que, dans les camps chérifiens, la monnaie anglaise est devenue l'unité de compte, et qu'il n'est guère de Bédouins qui se promènent sans quelques souverains cousus dans ses vêtements.

Habitué à manier lui aussi l'arme de la corruption, l'Empire ottoman n'a plus les moyens de renchérir.

Profitant du désir d'action du prince Ali et de l'éloignement des Britanniques, tout à l'offensive en cours sur El Ouedj, l'Égyptien parvient à convaincre l'aîné des fils d'Hussein d'improviser une attaque sur Médine.

Secondé par Ali Djaoudat el-Ayoubi, son vieux compère irakien du Pacte, et par une poignée d'autres officiers hostiles comme lui à la séparation d'avec l'Empire ottoman, Ali l'Égyptien en a dressé les plans.

Mais c'est d'un piège qu'il s'agit : en faisant mine de s'en prendre à Médine, il concentrera une force arabe importante. Au dernier moment, celle-ci se retournera contre La Mecque. Elle déposera Hussein au profit de l'Égyptien. Investi du pouvoir suprême, Misri entamera alors des négociations avec Istanbul en vue de l'autonomie arabe dans le cadre ottoman.

Le complot vient à la connaissance d'officiers syriens fidèles aux Hachémites. Lesquels, indignés, s'en ouvrent au pire ennemi de l'Égyptien, un Irakien, le colonel Rachid el-Medfaï.

« Trahison ! » s'écrie le prince Ali, informé des projets du ministre de la Défense chérifien.

L'attaque de Médine était programmée pour le 21 janvier. Le prince l'annule aussitôt, exigeant le retour à Djeddah de toutes les unités hachémites.

Les jours de l'Égyptien sont comptés. Dans un mois précisément il embarquera pour Le Caire sur un navire de la Royal Navy. Ainsi s'achève son rôle dans la thawra car ce comploteur impénitent va s'exiler deux ans en Espagne, proposant en vain ses services aux Turcs, aux Anglais puis aux Français. Pour finir, ce personnage hors série finira la Première Guerre mondiale comme auxiliaire des Allemands rémunéré quarante livres égyptiennes par mois...

Le discrédit qui frappe l'Égyptien fait bien les affaires de Nouri Saïd. L'Irakien a désormais les coudées franches pour devenir le seul spécialiste militaire de haut rang au service des Hachémites...

En route pour El Ouedj, l'armée du Nord de Fayçal compte ses nouvelles recrues. Dans l'hypothèse de négociations avec les tribus, le malik Hussein lui a dépêché chérif Nasser, le frère de l'émir de Médine. Fait assez inhabituel ici, au Hedjaz, ce jeune homme de grande réputation et de grande fortune est chiite, appartenance religieuse qui n'entame en rien le crédit dont il dispose. C'est lui, dit-on, qui tira le premier coup de feu sur les Turcs devant Médine.

Il y a aussi Mohammed ben Chefia, le père de Salah, seul chef arabe capable d'ordonner à ses gens, hommes sans terre et sans famille, de se transformer en manœuvres sans provoquer d'émeutes.

Pas question en revanche d'affecter les ageyls à des tâches aussi dégradantes. Connus pour leur ténacité et leur combativité, ces jeunes hommes entre seize et vingt-cinq ans suffiraient à eux seuls à démonter les fantasmes de Lawrence sur la pureté originelle des Bédouins. Ce ne sont pourtant pas des nomades, mais des sédentaires des confins du Nedjd, la région d'Arabie contrôlée par les wahhabites de l'émir Ibn Séoud. Pas des volontaires mais des mercenaires qui se vendent au plus offrant comme guerriers et comme gardes du corps.

Leur efficacité sur le terrain égale en revanche, voire surpasse, celle des redoutables moines soldats wahhabites, les ikwans*, les « frères du croissant », dont ils sont proches par leur frugalité et leur austérité matérielle, mais dont ils diffèrent par une dose d'humour et un manque assez inhabituel de fanatisme.

De leurs pères, membres de confréries de vendeurs de méharis ou de guides de caravanes, les ageyls, que commande un chef atrabilaire, Abdallah ibn Dakni, ont conservé un sens de l'orientation peu commun. Le désert est leur domaine : Nedjd, Hedjaz, Hail, et même, plus au nord, Nefoud. N'appartenant à aucune tribu, ces hommes n'en partagent pas les querelles et n'y possèdent pas d'ennemis. Très autonomes dans la vie comme dans l'action mais dotés d'un véritable sens de la discipline, ils sont en quelque sorte les gardes suisses de l'Arabie : des soldats de fortune loyaux envers qui les paie.

Tout irait pour le mieux si l'armée du Nord n'avait perdu un temps précieux en cérémonies de ralliement tribal et en célébrations de la capture d'Achraf Bey par la colonne du prince Abdallah. Deux jours très exactement. Assez pour que, le 22 janvier, quand l'amiral Wemyss se présente comme convenu au nord d'El Ouedj, à Habbane, le *Hardinge* gorgé de bidons d'eau, nul ne puisse discerner la moindre présence chérifienne. Faut-il agir avant que la brume se lève ou au contraire, se retirer ? Rosy opte pour la première solution.

À l'aube du 23, masqué par un brouillard assez dense et flanqué de son adjoint, le capitaine Norman Bray, Vickery dirige le débarquement. Le retard des chérifiens l'arrange, lui qui compte bien se couvrir de gloire. Sans attendre, il décide l'assaut. Dès les premiers tirs turcs, les irréguliers arabes de Mohammed ben Chefia refusent d'avancer, à l'exception, heureuse surprise, d'un groupe de Djouheinas qui fond sur l'ennemi, le dépasse, se retourne et commence à fusiller les Turcs dans le dos, vengeant ainsi les vingt morts enregistrés dans ses rangs.

Ahmed Toufik Bey, le gouverneur ottoman d'El Ouedj, s'enfuit avec une escorte de méharistes, abandonnant ses hommes. Mais deux cents soldats turcs refusent de se rendre, affrontant crânement le feu des canons de la Royal Navy et des troupes terrestres. Pour briser leur résistance, Ginger Boyle prend l'initiative de bombarder le quartier de la mosquée, causant d'importants ravages matériels. Et on ne parle pas des ravages psychologiques. Chacun sait ce qu'ont coûté aux Ottomans leurs obus sur la Grande Mosquée de La Mecque, au moment du déclenchement de la thawra.

Touché en plein vol par une balle turque, Stewart, l'observateur en hydravion de la Royal Navy, paiera de sa vie l'acharnement de son supérieur. Mais le résultat est là : au matin du 24, les Turcs lèvent le drapeau blanc. C'est l'heure que l'avant-garde de Fayçal choisit pour s'approcher enfin de la ville. Abandonnant leurs burnous, leurs chemises et leurs turbans dans l'espoir que, en cas de combat acharné, leurs plaies resteront saines et leurs vêtements, intacts, les ageyls progressent en bon ordre.

Ils se servent des obstacles du terrain pour se protéger. Mais à quoi bon cette discipline quand l'ennemi s'est rendu ? La cité déjà mise au pillage par les hommes de Mohammed ben Chefia, les nouveaux venus ne tardent pas à se débander : on ne jette pas sa part de butin aux chiens...

Le bilan a tout d'une catastrophe : fallait-il vraiment donner l'assaut à ce prix alors que la petite garnison ottomane, dénuée de moyens de transport et de ravitaillement, se serait sans doute rendue assez vite ? Mais au plan militaire, on peut quand même parler de succès. La thawra vient de remonter d'un bon cran vers le nord, la Syrie et le chemin de fer du Hedjaz...

15

Guérilla dans le désert

Nuage de fumée à l'horizon. C'est la locomotive. Viennent ensuite le tendeur et les wagons – treize en général, et jusqu'à vingt, dont au moins deux bardés de soldats armés de mitrailleuses.

La voie est étroite, un mètre cinq seulement. À l'intérieur des wagons, les hommes tassés constituent une cible de choix. On comprend leur nervosité. Ce qui fait peur aux Turcs, ce n'est pas le combat, c'est cet inconnu qui dure jusqu'à Médine, terminus du chemin de fer du Hedjaz. Des heures et des heures sans savoir si l'ennemi va attaquer ou pas.

Maintenant peut-être. Allongée sur les dunes de sable, une poignée de Bédouins guette sa proie. Qui sera encore vivant, ce soir ? Tous ont encore en tête leur défilé désordonné au travers de leur campement, juste avant le départ, les clameurs des femmes et des enfants, la cavalcade débridée entre les tentes...

Quelques secondes avant l'arrivée du convoi, le chef du commando déclenche la mine à distance. Bien réglée, l'explosion provoque le déraillement. Tardive, elle n'aura que des effets psychologiques. Hâtive, elle obligera malgré tout les Turcs à ralentir, essuyant les tirs des nomades postés au sommet de la dune. Lesquels décampent bientôt sur leurs méharis car on ne traîne jamais sur le lieu d'une embuscade...

Efficace contre les Turcs, adaptée au mode de vie des Bédouins, la guérilla s'est emparée du Hedjaz. Autour du chemin de fer de Médine, on la mène au pas des dromadaires.

Le « vaisseau du désert » peut parcourir cent kilomètres par jour, et il est capable de subsister cinq jours sans eau.

Ses besoins sont modestes : les arbustes et les buissons du désert. En échange, il nourrit les nomades des tribus qui boivent le lait des chamelles, mangent le caillé, savourent la viande des animaux morts. Mais il est de constitution délicate, d'une conduite difficile à cause de son mauvais caractère et, après une marche, il exige un temps de repos double de celui où il a marché – une semaine de marche, quinze jours de repos.

Seul moyen de transport en territoire désertique avant la récente irruption du chemin de fer, le dromadaire fut la cause principale de l'indépendance dont les Bédouins bénéficiaient voici peu encore. Les Ottomans se contentaient de tenir quelques points clés, et les tribus profitaient de cette discrétion pour continuer à vivre en marge, selon leurs propres lois.

C'est encore le dromadaire qui a donné aux nomades le goût des aventures guerrières. Habitués à des déplacements incessants, les nomades constituent une troupe mobile qui campe un soir là, l'autre ailleurs, avec femmes, enfants, bêtes de somme, troupeaux. Tout les oppose aux Turcs, rudes sédentaires des plateaux d'Anatolie. Pour les Bédouins, pas de villes, de villages, pas de cultures, pas de silos à grains à défendre. Rien que des rezzous à mener.

Quel Bédouin s'accrocherait à un coin de sable ou de cailloux pour le défendre au prix de son sang ? Les combats sont courts, les pertes, légères, à la mesure d'une population peu nombreuse.

De toutes ces spécificités naît un mental singulier où l'assaut s'apparente à un coup de poing, où la gloire et l'honneur comptent plus que la victoire. Ce qui distingue un grand guerrier, c'est son aptitude à respecter les codes chevaleresques en vigueur, pas son efficacité militaire. Jusqu'aux années 1900, les duels à la lance, arme traditionnelle, étaient encore de règle. Depuis, l'usage des fusils s'est généralisé, mais l'art du combat reste individuel avant tout.

La réputation d'un guerrier doit également beaucoup à sa capacité à rapporter du butin. Pour acquérir auprès des sédentaires des vêtements et le sacro-saint café, l'argent demeure nécessaire au nomade. Il l'est tout autant au prestige de sa tribu, car un cheik riche, c'est un cheik respecté, et que sa richesse rejaillit sur tous les membres de son clan.

Du coup, la guérilla du désert exige des Britanniques une « mise de fonds » qu'experts en maniement de la cavalerie de Saint-George, ils ont jugé raisonnable. Moins onéreuse que l'entretien de troupes régulières en tout cas, même si la rapacité de certains chefs de tribu a de quoi faire frémir les officiers éduqués dans l'austérité victorienne.

Les résultats sont là, avec cette guérilla qui se développe, anarchique mais gênante pour l'ennemi et, au bout du compte, bénéfique à la Couronne, dans la mesure où elle détourne du front palestinien des effectifs ottomans importants.

D'El Ouedj, base d'opérations de Fayçal, ou de l'oued Aiss, fief d'Abdallah, partent des raids incessants contre le chemin de fer. Les Turcs remettent toute voie sabotée en état de marche ; ils ont même créé des unités spécialisées dans ce type de travail. Mais ces piqûres d'insectes les contraignent à la défensive.

L'ennemi arabe à écraser, où se trouve-t-il ? Il est passé par ici, il sabotera par là. Le chemin de fer compte des centaines de ponts, grands ou petits, des dizaines de gares et de points d'eau pour les wagons-citernes.

Chaque matin, on lance des patrouilles le long des rails. Le plus souvent, elles reviennent bredouilles. Pas la moindre trace de destruction. Demain peut-être, ou un autre jour...

Les pertes ? Elles ne sont pas si lourdes puisque les Bédouins ne livrent que des combats de courte durée. Mais c'est le matériel qui trinque, plus difficile à remplacer que les hommes.

Locomotives, tendeurs, wagons, rails, traverses en bois même se font de plus en plus rares. Au moment du déclenchement de la thawra, le Hedjaz comptait une quarantaine d'engins de traction en état de marche, cent quatre-vingts wagons de voyageurs, sept cent quarante wagons couverts, six cents wagons découverts et quarante wagons-citernes.

Or, pour aller de Damas à Médine, un train de treize wagons mobilise quinze locomotives en état de marche et quatre wagons-citernes. Et depuis cette nuit fatidique du 20 février 1917 où Herbert Garland, après avoir quitté le campement de Fayçal à El Ouedj à la tête d'un groupe de Bédouins, a fait dérailler son premier convoi à trois kilomètres de Toueira, l'explosif parle un peu partout : bâtons de dynamite, coton-poudre (un mélange explosif à base de fulmicoton et de nitro-glycérine), mines Tulipe conçues par le génie britannique pour le sabotage des voies.

Tel jour, c'est un viaduc, un pont qui fait les frais de l'attaque alliée. Tel autre, un rail qu'une mine détruit ou qu'un guérillero arabe déboulonne, ses camarades l'accrochant à leurs méharis pour arracher la voie sur des dizaines de mètres. Ici, ce sont les fils du télégraphe qu'on coupe, leurs poteaux qu'on abat. Et en février, la bonne nouvelle tombe : les Turcs effectuent les réparations avec de vieux rails, ils ne mettent plus qu'un seul boulon par éclisse. Leurs réserves de matériel commencent à s'épuiser...

Garland, doté du courage tranquille des hommes gravement malades (cardiaque, on devra le retirer un instant du front pour le soigner au Caire), et Lawrence, le masochiste sans cesse à l'affût de nouvelles épreuves auxquelles se soumettre, figurent au premier rang des autodidactes de la guérilla ferroviaire. On les a vus détruire des rails de leurs propres dents, dit la légende du désert.

L'armée britannique compte d'autres destructeurs aussi acharnés : le lieutenant-colonel Joyce, un Anglo-Irlandais ; Skinface Newcombe ; le major Davenport et son camarade Walter Francis Stirling, ancien officier d'active qui a repris du service en 1914 après avoir dirigé le secrétariat du très select Sporting Club d'Alexandrie ; le capitaine Hornby ; le sergent Yells et le caporal Brook.

Barbe hirsute, cheveux au vent, uniformes en lambeaux quand ils n'ont pas encore adopté la tenue des Bédouins, ces hommes feraient honte aux instructeurs de Sandhurst, le Saint-Cyr britannique. Mais ici, on ne voit en eux que des guerriers à l'énergie inépuisable.

Côté français, le capitaine algérien Raho est le meilleur chef de rezzou de l'armée de l'Est du prince Abdallah. Se distinguent à ses côtés le capitaine Depui, un Franc-Comtois converti à l'islam dont la vie ressemble à une bande dessinée d'aventures ; les lieutenants Bendjennat, Kernag puis Zemori ; l'adjudant-chef Lamotte ; les adjudants Kaddour et Prost ; le sergent Azzoug.

Pas mal de Maghrébins dans cette liste car l'armée française, moins rigide dans sa mentalité coloniale que son homologue britannique, confie d'assez bonne grâce des responsabilités à des officiers ou des sous-officiers « indigènes ». À Djeddah, les soldats égyptiens ont été stupéfaits de voir les officiers français originaires du Maghreb manger à la même table que leurs homologues métropolitains. Avec les Anglais, c'eût été inconcevable.

Côté arabe enfin, beaucoup de Bédouins anonymes parmi les guérilleros du chemin de fer, de petits cheiks dont les archives, œuvre des Occidentaux principalement, n'ont pas révélé les noms. Mais le chérif Nasser, le chérif Chaker, le chérif Charef des Béni Kelb, le chérif Ahmed des Ouled Mohammed, le chérif Ali ibn Hussein el-Harithi, l'émir Dari, le chérif Feisan, Daknilallah el-Gadir ainsi qu'un nouveau venu, Aouda Abou Taya*, sortent du lot par leur ardeur au combat.

Un baroud qui va bientôt prendre une nouvelle dimension...

En avril-mai 1917, les Arabes peaufinent leur plan le plus secret : un assaut-surprise contre Akaba.

Fayçal et le chérif Nasser sont familiers de ces conciliabules, auxquels Lawrence se joint fréquemment.

Délégué des autorités britanniques, l'« indiscret » a fait la preuve de son indépendance en critiquant les plans de ses supérieurs. Les chérifiens le considèrent comme un conseiller sans voix décisionnaire dont les avis sont écoutés avec la plus grande attention.

Ses rapports avec Fayçal se sont métamorphosés en février. À cette époque, brûlant de prouver sa fidélité à la cause arabe, Lawrence a dévoilé au prince ce qu'il savait des accords Sykes-Picot, qui livrent à la France une bonne partie de la Syrie...

Fayçal a accusé le coup. C'est dans un deuxième temps que les avantages de cette situation déplaisante lui sont apparus. Grâce à Lawrence, n'était-il pas le seul membre du clan hachémite à lire dans le jeu anglais ? D'où la franchise de ses entretiens ultérieurs avec le capitaine. Fayçal se garde de tout lui dire comme lui-même se garde de tout dire à Fayçal. Mais l'information circule, fut-ce à demi-mot.

Le colonel Wilson et le major Vickery en tête, les Britanniques poussent maintenant les Arabes à s'en prendre à El Oula et Medéaim Salah, deux gares à cent cinquante kilomètres d'El Ouedj. En réponse à un courrier de Vickery, Bertie Clayton et le Bureau arabe ont en effet indiqué qu'ils n'était pas utile qu'Akaba passe aux mains des Arabes.

— Pendant que vos forces occuperont El Oula, explique Wilson, Newcombe et Joyce couperont la voie ferrée un peu au nord avec les cent hommes du Camel Corps égyptien. Mettez à profit la meilleure cohésion de vos troupes et l'excellent travail de Djefar Pacha.

Djefar el-Askari, c'est de lui qu'il s'agit, aime se parer du titre turc de « Pacha », réservé aux hauts fonctionnaires, gouverneurs de province ou généraux. Libéré par les Anglais, le beau-frère de Nouri Saïd figure à présent parmi les conseillers militaires des princes hachémites. Nouri et lui s'efforcent de discipliner les troupes chérifiennes régulières.

Cette réorganisation leur vaut l'estime des officiers anglais du Hedjaz. Pas celle de Lawrence qui, s'imaginant les Bédouins comme des êtres purs à préserver des méfaits de la civilisation, n'apprécie guère ce qu'il considère comme du caporalisme.

L'admiration du jeune homme pour l'Arabe primitif du désert se double d'un rejet viscéral du sédentaire des villes, abâtardi selon lui. Il rêve de faire émerger parmi les Bédouins du Hedjaz une nation arabe selon ses vœux, primitive et immaculée, à la conquête de la Syrie, de l'Irak, de la Palestine.

Des vues pas très éloignées de celles du malik Hussein, que Lawrence abhorre sans même le connaître – ils ne se rencontreront qu'en juillet. Mais pour l'Anglais, l'homme appelé à prendre la tête de la révolte, c'est Fayçal et nul autre.

Les élites nationalistes et modernistes de Damas ou de Bagdad, dont Djefar et Nouri font partie intégrante, ne s'inscrivent pas dans cette épure dont le caractère réactionnaire n'est masqué que par un engouement pour l'authenticité des nomades.

Quelle stratégie pour la thawra après El Ouedj ? Il faut viser plus haut qu'El Oula et Medéaim Salah qui n'intéressent que l'état-major anglais.

« Prenez Akaba, martèle Lawrence à Fayçal. Akaba menace le flanc droit de toute armée anglaise qui progresserait en Palestine à partir du canal de Suez. Le général Murray vous sera reconnaissant de le débarrasser de cette écharde.

— Suis-je entré dans la lutte uniquement pour complaire au général anglais, Lawrence ?

— Bien sûr que non, mais pour assurer le triomphe de la cause arabe. C'est pourquoi vous devez vous emparer d'Akaba par vos propres forces, sans aide extérieure.

— Brémond aussi veut Akaba. Nous en avons déjà parlé ensemble en janvier...

— Il n'envisage qu'une opération combinée comme celle d'El Ouedj, pas une action arabe autonome.

— Et moi, que suis-je censé vouloir ?

— Akaba pour en faire votre base vers Damas. »

Fayçal sourit. Lawrence a quelque chose de diabolique, mais il parle d'or.

Akaba reste toujours aussi stratégique... et toujours aussi imprenable. Les Britanniques lorgnent, mais sans espoir, sur ce havre naturel au fond du golfe entre la côte extrême nord du Hedjaz et la côte sud du Sinaï. Là où, à l'hiver 1182-1183, un aventurier des croisades, le Français Renaud de Châtillon, seigneur d'Outre-Jourdain, a construit son escadre pirate pour la lancer contre les navires musulmans, piller les ports du Hedjaz et menacer La Mecque et Médine, sacrilège que ce boutefeu allait payer de sa vie quatre ans plus tard. Mais à part Lawrence, bon connaisseur de l'histoire des croisades, qui se souvient de Châtillon en 1917 ?

Là naît la dépression qui va du golfe du même nom à la mer Morte. Une palmeraie, un fort de la fin Moyen Âge en mauvais état et un petit village de maisons de boue séchée.

Ce sont les collines qui servent de retranchement, souligne le dossier que Rosy Wemyss, l'amiral au monocle, relit avec attention dès qu'il le peut, puis referme en maugréant.

L'homme qui livrerait Akaba à la marine de Sa Majesté mériterait à coup sûr le ruban bleu de la Victoria Cross Navy. Mais cet homme n'existe ni au Hedjaz ni ailleurs. À quoi bon tirer des plans sur la comète puisque Akaba restera jusqu'au dernier jour de la guerre une écharde douloureuse et inexpugnable dans le flanc des troupes britanniques de Palestine ?

Fayçal finit par se laisser convaincre… à moins que, convaincu d'avance, il n'ait guetté qu'une batterie d'arguments supplémentaires car ses rapports avec l'officier de liaison du Bureau arabe, s'ils sont de plus en plus confiants, se complexifient de jour en jour…

Plus encore que ses camarades de la mission militaire britannique, Lawrence a été choqué par les propos tenus par Mark Sykes, conseiller pour le Moyen-Orient du ministre des Affaires étrangères, lord Balfour, lors de sa visite en mai. Après concertation au Caire avec son partenaire François Georges-Picot, Sykes était venu rencontrer le prince Fayçal à El Ouedj d'abord, puis le chérif Hussein à Djeddah.

Pour leur révéler enfin la vérité sur les accords franco-anglais ? En clarifier les termes ? Admettre leur incompatibilité partielle, sinon totale, avec la correspondance Hussein-Mac-Mahon ? Que non ! L'honorable parlementaire cherchait au contraire à perpétuer la politique sinueuse de son pays envers les Hachémites. Tout au plus avait-il manifesté quelque surprise devant l'étonnante précision des questions posées – et pour cause – par un Fayçal très bien renseigné.

Originalité chez un membre de l'establishment britannique, sir Mark, fils unique, a embrassé la foi de sa catholique de mère. En matière politique, peut-être reste-t-il marqué par les bribes d'éducation reçues des jésuites entre deux voyages à l'étranger avec son père, le cinquième baronnet de Sledmere.

Parlant couramment le français, langue de la diplomatie internationale à l'époque, Sykes a pris plaisir à négocier avec Georges-Picot. Diplomate de carrière, le Français connaissait surtout le monde des ambassades et des consulats. Colonel de réserve, son vis-à-vis anglais avait combattu en Afrique du Sud et, plus récemment, en France ; visité moult fois la Turquie ; traîné ses guêtres en Irak, en Syrie, en Égypte, en Inde, dans toutes les zones kurdes comme dans les Balkans.

Conseiller pour les questions du Moyen-Orient au Foreign Office, où on l'appelle le « Derviche tourneur », et, simultanément, au War Office, Sykes accouchait, sitôt l'entrée victorieuse des troupes britanniques à Bagdad, le 14 mars, de la charte par laquelle le général Maude dit « Systematic Joe », nouveau maître de la capitale, s'engageait à respecter l'autonomie irakienne. Un texte aux intonations grandioses appelant la « race arabe » à redevenir « grande et glorieuse parmi les peuples de la terre » et à s'unir « dans l'harmonie et la concorde ».

C'est dire si les demi-vérités ne lui font pas peur. Avec sa mèche rebelle, le Derviche tourneur est de ceux qui se trompent eux-mêmes en même temps qu'ils trompent les autres. Sa sincérité reste intacte. Comme les impérialistes traditionnels, il croit les peuples arabes inaptes à se doter à court terme d'institutions nationales stables. Mais contrairement à eux, incapables de concevoir une domination occidentale autre qu'ad vitam æternam, il rêve d'une Angleterre sage-femme de l'indépendance.

Ce qui horrifie cet homme plus honnête que ne le perçoivent ses compatriotes postés auprès des Hachémites, c'est la multiplicité des centres de décision britanniques : Foreign Office, War Office, India Office, Raj, Colonial Office, état-major du Caire, gouvernorats d'Égypte et du Soudan. Mais ses efforts pour y remédier, notamment le projet de « bureau islamique », lancé en 1915, se sont heurtés au mur des administrations impériales, empires à l'intérieur de l'Empire.

À son retour à El Ouedj, le Derviche tourneur s'est montré franc devant ses compatriotes. Les promesses, a-t-il expliqué, n'engagent que ceux qui ont la naïveté de s'y fier, Arabes et Hachémites inclus.

Loin d'éclaircir la politique anglaise dans la région, il fallait au contraire en conserver longtemps le flou artistique. Un jeu de billard qui passait par La Mecque, Khartoum, Le Caire ou Bombay mais aussi Paris et Londres, sainte hypocrisie ne visant qu'à préserver l'artère vitale de l'Empire britannique, le canal de Suez.

De la haute politique. Si haute que tous, même les plus endurcis, même Wilson, même Joyce, s'en sont sentis écœurés. Et que Lawrence s'est dit qu'à vouloir concilier son amitié pour Fayçal et sa qualité d'officier britannique, ses ambitions arabes et sa loyauté envers l'Empire, il risquait fort de perdre son âme...

Fayçal ne nourrit pas les mêmes préoccupations métaphysiques. Pour lui, Akaba s'insère dans un contexte bien précis. En chef de clan madré, son père Hussein a pris soin de répartir les rôles après la victoire de la thawra. Roi des Arabes, et bientôt, espère-t-il, calife de l'islam, le chérif régnera en personne sur le Hedjaz. Le prince Ali gouvernera Médine ; le prince Zaïed, La Mecque. L'Irak sera confié à Abdallah, la Syrie à Fayçal. Enfin, le chérif Chaker deviendra gouverneur du Yémen. Ainsi doit aller le monde arabe selon Hussein : un grand royaume unifié dont il sera l'unique souverain, ne déléguant à ses fils et à ses proches parents que des parcelles de pouvoir.

Dans cette optique inverse de celle des Britanniques, le rêve compte plus que la réalité. Peu lui chaut que Bagdad soit désormais sous l'administration militaire de Systematic Joe Maude. Guère plus que le général Murray vienne d'essuyer face aux Ottomans deux revers de taille en Palestine, l'un en mars, l'autre en avril, l'armée anglaise perdant en tout dix mille hommes tués, blessés ou prisonniers.

Qu'importe si Djemal Pacha reste maître de la Syrie et du Liban, en proie aux réquisitions turques, au blocus naval allié et à l'invasion des sauterelles.

La piété filiale n'empêche pas le raisonnement. Ali, trop soumis, et Zaïed, trop jeune, n'osent pas le comprendre. Mais Fayçal ou Abdallah, eux, le savent bien : Hussein perd peu à peu le sens du réel. C'est même pire, une paranoïa qui ronge le chérif depuis sa proclamation comme roi des Arabes. En décembre déjà, il accusait deux médecins syriens à peine sortis des geôles turques de Damas d'être venus à La Mecque dans le seul but de l'empoisonner. Depuis, il ne cesse de multiplier les mesures de défiance, et les nouvelles de l'extérieur franchissent de moins en moins les murs de son palais...

Toujours dans son camp de l'oued Aiss, Abdallah s'est ouvert des contradictions familiales au capitaine de spahis Raho, de plus en plus influent, à l'aune de ses exploits guerriers. Raho qui tantôt mène un raid contre le chemin de fer, tantôt fait parvenir des tracts aux soldats maghrébins de l'armée ottomane les incitant à rallier la cause hachémite, tantôt forme une compagnie de mitrailleurs avec des déserteurs d'origine syrienne. Raho, enfin, auquel Abdallah distille ses confidences, sachant le capitaine trop discipliné pour cacher quoi que ce soit à ses supérieurs hiérarchiques.

Un soir, c'est pour pester contre les Britanniques – en s'emparant de Bagdad, ces impérialistes lui auraient volé sa future capitale. Le lendemain, c'est pour accuser les Alliés en général, qui ne fournissent pas assez d'armes à la thawra.

À maintes reprises, le prince se plaint de Fayçal, jaloux de son aîné depuis la prise de Taïef. Et n'hésite pas à révéler à Raho qu'en dépit des plans de campagne dressés avec ses frères, jamais il ne prendra le risque de causer la moindre destruction à Médine, une cité sainte qui a abrité le Prophète.

En coupant ses voies de ravitaillement, explique-t-il au spahi, on va réduire la ville par la faim ; il suffit d'attendre. Fayçal, pendant ce temps, confie à ses proches que le siège de Médine ne lui incombe en rien, que d'autres tâches l'appellent en Syrie, qu'Abdallah, Ali et Zaïed doivent se charger d'investir la cité sainte...

En mars-avril, Lawrence effectue un long séjour au camp de l'oued Aiss. Pour crier, bien entendu, haro sur Abdallah. Chef d'une armée de combattants de second ordre, le deuxième fils d'Hussein passerait, écrit Lawrence à ses chefs, ses journées à lire des journaux arabes, à manger, à dormir, à plaisanter avec ses proches, à s'exercer au tir au fusil, et vouerait ses soirées à la poésie arabe.

Son regard se porte, reprend Lawrence, vers la Syrie et l'Irak, qu'il considère comme acquis à sa famille en vertu de la correspondance Hussein-McMahon, en même temps que sur l'île des Arabes dans son ensemble. Car le prince se fait fort d'en achever lui-même la conquête, à commencer par celle du Yémen.

Ne prenons pas pour argent comptant les phrases meurtrières d'un homme juge et partie à la fois. Notons au contraire qu'à l'oued Aiss, on fait bien autre chose qu'éplucher la rubrique mondaine. Le prince s'y montre un diplomate de grand talent. Chaque jour le voit recevoir des délégations tribales fortes de cent à deux cents nomades ralliés, Haoueitats* en particulier. Une autre fois, un neveu de Nouri Chalaan, le chef des Aneizés Rouallah, indispensable à toute attaque surprise sur Akaba, lui apporte cinquante chevaux et chameaux en signe de ralliement.

Parfois, le prince décrète une prise d'armes. Les Français de l'oued Aiss s'y distinguent. Parmi eux, un sexagénaire, Claude Prost, dont Hussein lui-même a réclamé au colonel Brémond l'envoi près d'Abdallah.

Le roi et le prince ont leurs raisons. Prost, qui manie aussi bien le turc que l'arabe, fut en effet le frère de lait du chérif Hussein, lien qui, en terre musulmane, vaut fraternité du sang, puis le précepteur d'Abdallah.

Mortifié d'apprendre de la bouche d'Hussein les relations anciennes du ressortissant français avec les Hachémites, Brémond a confié au sous-officier une lettre qui met le prince en garde contre les tentatives britanniques d'encerclement des Arabes par Aden, Gaza et Bagdad. Restée sans réponse, la missive n'en a pas moins renforcé Abdallah dans sa conviction que les Anglais gardent au chaud la carte Ibn Séoud…

Malgré son âge, Prost, passé en un éclair du grade de maréchal des logis fourrier à celui d'adjudant, participe comme ses camarades aux raids antiturcs. Car l'oued Aiss combat, quoi qu'en dise Lawrence. Chaque semaine ou presque, un détachement de deux ou trois dizaines de méharistes s'ébranle vers l'est, la direction du chemin de fer du Hedjaz, pour en harceler les défenseurs et en saboter les installations.

Raho, qui commande un petit groupe de combattants marocains d'élite de la mission militaire, trouve son accomplissement dans ces rezzous antiturcs. D'où sa très forte popularité dans le camp, dont même le chérif Hussein se fera écho.

Pour autant, ne faisons pas de ce brillant soldat un équivalent français de Lawrence. L'Algérien n'a ni la dimension politique ni la dimension poétique et littéraire de l'« indiscret » du Bureau arabe. « Honnête garçon qui sait travailler dur » selon la formule condescendante de Lawrence, toujours prompt à diminuer les mérites des autres s'ils peuvent le gêner, c'est avant tout un homme d'honneur qu'attend un destin tragique et que l'Histoire a choisi injustement d'oublier, comme d'ailleurs ses camarades de la mission militaire française.

Les Bédouins d'Abdallah remportent d'importants succès sur les Chammars, fidèles aux émirs rachidi. Un jour, trois canons, une mitrailleuse et un convoi raflés près d'Hanakiyeh. Un autre, quatre canons et six mille méharis. Comme elle a assumé une tâche de diversion fort utile dans la prise d'El Ouedj, l'armée de l'Est s'apprête à jouer sa partition à elle dans l'assaut contre Akaba.

Un assaut qui, contrairement à la légende une fois de plus, ne sera pas le chef-d'œuvre du seul Lawrence d'Arabie, mais aussi, et surtout, celui d'un nouveau venu. Un de ces chefs de tribu, les Béni Sakr*, les Haoueitats, les Rouallah qui, le 5 avril, se sont réunis autour du prince à El Ouedj pour jurer sur le Coran fidélité à la cause arabe et mettre au point les grandes lignes de la prochaine offensive.

Un homme enfin dont le clan contrôle aujourd'hui les alentours d'Akaba...

16

Raid sur Akaba

La majesté d'un rapace dans le corps d'un chat de gouttière. Nez busqué, yeux brun-vert, joues creuses, c'est Aouda Abou Taya, le cheik des Taoueihas*.

On les appelle aussi les Abou Taya. De purs Bédouins. La seule bannière qu'ils connaissent, c'est celle de leur clan, rameau minoritaire de la confédération des Haoueitats.

Aux confins du Sinaï, de la Transjordanie et du désert de Syrie, leurs territoires de maraude, on craint ces nomades encore plus qu'on les déteste. Leur arme, la surprise ; leur méthode, la terreur. Les Abou Taya, c'est le vent de sable, le nuage de sauterelles.

Fusil et poignard à la main, Aouda et les siens sont montés, dit-on, jusqu'à Alep au nord, descendus jusqu'à Bassorah au sud. La mer seule peut les arrêter. Et pourtant, les Taoueihas n'ont pas toujours été un clan de prédateurs. Avant qu'Aouda, le bras, et son cousin Mohammed ed-Deïlan, le cerveau, ne surgissent, c'était même une tribu semi-sédentaire sans histoire.

Pas de guerrier plus redouté qu'Aouda. Un quinquagénaire aux traits creusés, aux longs muscles secs, à la barbe noire piquée de blanc, qui compte les hommes morts de sa main au combat comme d'autres, les têtes de leur cheptel. Soixante-quinze depuis 1900 ; avant, il ne faisait même pas attention...

161

C'est en 1908 que, après des années de brigandage, Aouda s'est engouffré sur le chemin de la dissidence ouverte. Sombre histoire de taxes impayées : deux gendarmes ottomans munis d'un mandat d'arrêt devaient s'assurer de sa personne ; lui les a proprement liquidés.

Passons sur les actes de cruauté gratuite comme ce cœur arraché à vif à un ennemi vaincu. On peut aussi bien parler des blessures reçues : treize, une babiole. Et des mariages, vingt-huit.

Les enfants ? Là aussi, il ne compte pas, mais beaucoup sont morts de maladie ou des suites de représailles tribales. Après la mort du garçon de leur cheik, abattu au fusil par Aouda Abou Taya, les Haoueitats de la région de Maan, les Hamed el-Arar, ont poignardé et lacéré Annad, le fils préféré du guerrier taoueiha. Fou de douleur, Aouda a alors jeté les deux tribus dans quinze années de vendetta qui ne lui ont jamais redonné le sourire. Avec la disparition d'Annad, un ressort s'est cassé.

Seigneur du désert, le chef des Taoueihas peut se montrer obligeant. Ainsi servit-il, avant la guerre, de guide à deux orientalistes français, les pères Savignac et Jaussen, de l'École biblique de Jérusalem, ainsi qu'à l'explorateur tchèque Alois Musil. Or, signe des temps en ce printemps 1917, Antonin Jaussen, moine dominicain, est la cheville ouvrière du service de renseignements français pour la Syrie, basé en Égypte, à Port-Saïd, tandis que Musil connaît une trajectoire parallèle mais pour le compte de l'Autriche-Hongrie, alliée de l'Allemagne et de l'Empire ottoman.

Aouda n'a plus de dents. Du jour de son ralliement à la thawra, il s'est débarrassé de sa prothèse de confection turque. La légende veut que le chef abou taya l'ait détruite de ses mains avant d'entrer sous la tente du prince Fayçal auquel il venait de faire allégeance. En signe d'amitié, les deux hommes devaient partager un festin.

« Je ne mangerai pas du bon mouton arabe avec des dents turques », se serait écrié Aouda.

Beaucoup prétendent avoir été témoins de cette scène édifiante... enfin, des amis de confiance ou des amis d'amis de confiance la leur ont décrite. Dans *Les Sept Piliers de la sagesse*,

Lawrence, qui ne craint pas la surenchère, assurera avoir vu le patriarche des Abou Taya bondir dès le milieu du repas, sortir en trombe de la tente de l'émir et écraser à l'extérieur les fausses dents avec des pierres en hurlant :

« C'est Djemal Pacha qui me les a données. Et voilà que je mangeais le pain de Mon Seigneur avec des dents turques ! »

Dommage que ce morceau de bravoure ne figure dans aucun des rapports au Bureau arabe où Lawrence décrit de manière plus objective ses contacts avec Aouda. L'Abou Taya restera, paraît-il, édenté jusqu'au jour où Reginald Wingate lui dépêchera un orthodontiste d'Égypte.

Qu'est-ce qui fait courir Aouda ? Le rezzou bien sûr, le coup de main, l'embuscade. L'or fascine tant leur chef qu'il a métamorphosé ses Abou Taya en chercheurs de trésor, eux qui ne vivaient autrefois que pour leurs cultures et leur bétail.

Les Bédouins s'astreignent à des règles draconiennes de survie collective, de sorte que leurs querelles tribales débouchent rarement sur des guerres d'extermination. Un raid ne vise pas à tuer, mais seulement à disperser le parti adverse le temps nécessaire au rapt de son cheptel. L'usage veut en outre qu'on lui laisse suffisamment de têtes de bétail pour survivre. Les prisonniers du camp opposé ont la vie sauve, les blessés sont soignés. Qui s'en prend aux femmes et aux enfants, enfin, s'expose à des représailles terribles.

Ces lois, Aouda s'en dispense volontiers car une autre les surpasse, sacrée à ses yeux : celle du talion. Seul compte la dette d'honneur qui l'oppose aux Hamed el-Arar et lui confère, croit-il, le droit de tuer gratuitement.

Cette liberté qu'il s'accorde avec tant de générosité, il ne la pardonne pas aux autres. En apprenant les méthodes de contre-guérilla des Turcs qui, à Médine et ailleurs, ont exterminé des populations civiles désarmées, violé des femmes, assassiné des enfants, on l'a vu piquer une colère épouvantable et les siennes, on le sait, sont mortelles.

D'autres facteurs jouent dans son ralliement à l'émir Fayçal : le besoin de s'adosser à une autorité légitime après toutes ces années hors la loi ; la fidélité des Hamed el-Arar aux Ottomans ; le goût intact des cavalcades guerrières ; l'appât du gain. Un certain sens du devoir et de la solidarité bédouine enfin car, on l'a dit, tout chez cet homme est paradoxe.

En se réconciliant sur demande expresse de l'émir avec toutes les tribus adverses sauf celle des assassins de son fils, Aouda a déjà consenti un immense sacrifice à la cause. Mais Fayçal fait de ces pardons entre ennemis d'hier un préalable. Ce n'est pas un conglomérat de chefferies qu'il entend rassembler autour de lui, mais un bloc lié par la conscience d'une destinée commune. L'ébauche d'une nation. Or ici, si tous s'accordent sur le mot liberté, aucun ne lui donne le même sens. Les hommes des tribus la conçoivent comme la fin de l'administration turque, l'absence de gouvernement, l'anarchie. Fayçal l'imagine au contraire comme un pouvoir nouveau, un gouvernement haché-mite de La Mecque à Damas, à Jérusalem et à Bagdad.

Dans l'armée du Nord qu'il commande, une règle au moins a force de loi : plus d'Arabe ennemi d'un autre Arabe. Sauf la branche chammar des Rachidi du Hail. Mais ceux-là ne sont pas de vrais Arabes, alors l'honneur est sauf. Quant aux cinq cents Taoueihas d'Aouda, qui contrôlent la région sinon les alentours directs d'Akaba, leur aide est indispensable aux projets du prince...

Début avril, Aouda s'est présenté à El Ouedj sous la seule protection de son dernier fils vivant, Mohammed, onze ans. Et fait sans attendre la conquête de Fayçal, heureux de voir un guerrier de cette valeur intégrer son armée du Nord après des dizaines de cheiks rouallah, cheraat, imram, béni sakr et haoueitat de rang et d'importance divers.

Fasciné par la force primitive qui émane du chef taoueiha, Lawrence partage cet avis. Pour lui, Aouda n'a qu'un seul défaut. Comme les Haoueitats en général et les Abou Tayi en particulier, c'est un intarissable bavard.

Pas d'inquiétude inutile, quand même. Ayant prêté serment de discrétion sur le Coran, le Taoueiha saura tenir sa langue. Car le silence s'impose. Secret vis-à-vis des Turcs, mais aussi secret vis-à-vis des Français et surtout des Anglais. Avertis, ceux-ci ne manqueraient pas d'opposer leur veto au coup de commando qui doit donner à la thawra son second souffle.

Lawrence continue à naviguer à vue entre les intérêts arabes et les instructions de ses chefs. Il n'entend pas sortir d'une ambiguïté qui arrange les chérifiens comme elle l'arrange lui-même.

Cette situation équivoque lui permet, par exemple, de fournir aux « comploteurs » d'El Ouedj des renseignements de première main sur la place à investir. Le 20 avril, sur la foi de rumeurs inquiétantes annonçant l'arrivée d'officiers allemands à Akaba, la Royal Navy a bombardé énergiquement la place, jeté un détachement de soldats sur une plage voisine, raflé onze prisonniers, localisé l'emplacement d'un champ de mines avant de rembarquer sans encombre.

L'officier en charge de l'affaire, Ginger Boyle, a ramené les captifs à El Ouedj. Lawrence en a interrogé six parmi eux, des Arabes de Syrie, qui ont aussitôt rallié l'armée hachémite du Nord.

Les informations recueillies sont de toute première valeur. D'Allemands, point. La garnison d'Akaba se composerait en tout et pour tout de trois cent trente hommes. Et mieux, les postes ottomans qui protègent à distance la place, côté terre, seraient très peu défendus. Or, l'originalité du plan de Fayçal, de Lawrence, du chérif Nasser et d'Aouda, c'est d'attaquer par l'intérieur des terres, pas par la mer...

Le 9 mai dans l'après-midi, le chérif Nasser, qui confirme son rôle de premier plan au sein de la galaxie hachémite, prend congé du prince Fayçal. À ses côtés, Aouda Abou Taya ; son cousin et fidèle allié Mohammed ed-Deïlan ; son neveu Zaal Abou Droubi ; et Lawrence.

On sort de la tente princière. Les drapeaux des tribus flottent au vent. En poste à El Ouedj, l'adjudant-chef Lamotte, un des hommes de la mission militaire française, prend la photo-souvenir.

Dix-sept ageyls assurent la protection rapprochée des organisateurs du raid. Nos « gardes suisses » d'Arabie sont commandés par leur nouveau chef, le taciturne Ibn Dgheithir. Las de la discipline trop rude imposée par son prédécesseur, Ibn Dakni l'irascible, ils se sont mutinés. Tiré pieds nus de son sommeil, le prince Fayçal a pu ramener un semblant de calme à grands coups de plat de cimeterre. Le lendemain, Dakni présentait sa démission...

Lestée de vingt mille souverains d'or, de vingt-six kilos de farine par homme pour six semaines de transhumance, la petite troupe du chérif Nasser met le cap sur le nord-ouest. Six méharis transportent les bâtons de dynamite destinés aux installations ferroviaires ottomanes.

Nessib el-Bekri, le nationaliste syrien, et un de ses compatriotes, Zaki Droubi, se sont joints aux raiders. Regagnant secrètement son pays natal, Nessib, qui affirme descendre d'Abou Bakr, le premier calife de l'islam, doit préparer le terreau politique de l'opération.

Cette exigence du prince Fayçal, Lawrence a dû s'y plier, mais de bien mauvaise grâce, ses rapports étant on ne peut plus tendus avec Bekri, prototype, selon lui, de l'urbain éduqué qui ne peut qu'affadir la thawra.

Serait-il plus arabe que les Arabes pour s'autoriser pareil jugement ? Auprès de ses chefs comme dans ses *Sept Piliers de la Sagesse*, Lawrence prétendra avoir craint l'enthousiasme du Syrien qui nourrissait, paraît-il, la chimère d'une insurrection prématurée à Damas. En pratique, l'Anglais voit surtout en lui un rival gênant. D'autant plus dangereux que les cinq frères Bekri, et notamment Faouzi, Nessib et Sami, militants de la Fétah*, sont liés de longue date aux Hachémites. Nessib a été associé à la thawra par Fayçal avant même son déclenchement. Quant à son frère Faouzi, il vient d'être nommé ministre de l'Intérieur par intérim du gouvernement chérifien.

Pour toutes ces raisons, Bekri a l'oreille du prince. Il n'en faut pas plus pour que Lawrence, jaloux, le prenne en grippe. La silhouette fine et élégante du jeune aristocrate syrien, né comme lui en 1888, aurait pu le séduire. Mais les choses ont tourné autrement et, désormais, le climat est à la méfiance.

En dix jours, le commando hachémite, renforcé en cours de route par une vingtaine d'autres ageyls prêtés par le chérif Chaker, atteint la voie ferrée du Hedjaz après avoir fait étape pour remplir d'eau ses outres en peau.

Saboter les rails, c'est la tâche des ageyls (Aouda ne connaît pas encore la puissance des explosifs mais, dans quelques jours, ravi de son efficacité, il lui consacrera un poème de sa façon). On se rabat ensuite vers l'intérieur, pour camper vers Ed Disah.

Vient le moment de piquer dans les zones désertiques, traverser la plaine d'El Haoul – en arabe, La Terreur. Un véritable enfer, c'est vrai, avec ses dalles caillouteuses où les pieds des dromadaires se heurtent et se blessent sous les rafales du vent de sable.

Chargé de la poussière du Nefoud, le grand désert du nord de l'Arabie, le vent fouette, dessèche, meurtrit. Pour s'en prémunir, les ageyls ont masqué leurs visages avec leurs chèches. Arrogant et masochiste comme à son ordinaire, Lawrence s'est dispensé de cette précaution. Il en subira les conséquences : des lèvres gonflées et un affreux mal de gorge.

On ne plaisante pas avec le désert. Pour résister à la soif, il faut quatre à cinq litres d'eau par jour et par homme. Quant au soleil, il fait perdre peu à peu toute sensation tactile. Les nuits, par contraste, sont glaciales.

À la fin de la matinée du 24 mai, on aborde le désert de boues séchées, le Biseitat. Yeux blessés, plante des pieds brûlée : le supplice continue. On s'assoupit au rythme du pas des méharis. C'est là qu'un des hommes, Kassim, se serait égaré. Après être retourné seul sur ses pas, Lawrence le ramène, s'attirant les reproches amers de Nessib el-Bekri, mécontent qu'une brebis égarée ait risqué de compromettre la mission. Récit à prendre avec précaution tant il donne le beau rôle à Lawrence, et le mauvais à Bekri, trop sophistiqué, trop civilisé, trop éloigné de la nature – l'antithèse du Bédouin.

On entre dans l'oued Sirhan, un peu moins sauvage et beaucoup mieux doté en puits. Trois jours plus tard, les raiders arrivent au campement où les Abou Taya au grand complet attendaient leur chef.

Passé les somptueuses fêtes de retrouvailles, Aouda ne s'attardera pas en compagnie des siens. Il a trop à faire. Rencontrer Nouri Chalaan, son homologue des Rouallah, par exemple. Un homme puissant qu'il faut à tout prix convaincre d'apporter son soutien à l'attaque en préparation.

Pendant ce temps, Nasser, Bekri, Lawrence et les ageyls naviguent d'un camp de nomades à l'autre pour y recruter des combattants. Et dans les deux cas, naturellement, la cavalerie de Saint-George joue son rôle.

Comptez aussi avec les palabres sans fin, les cérémonies du café ou du thé, les repas de bienvenue car, sous les tentes de poil de chèvre noir des Bédouins, l'étiquette est des plus rigoureuses.

Considérant Akaba comme un objectif secondaire, Nessib el-Bekri veut monter en Syrie parlementer avec ses amis, les leaders nationalistes rescapés des rafles de Djemal Pacha. Il sait se montrer convaincant. De retour au camp des Abou Taya, voilà Aouda qui, gagné par l'optimisme de son cadet damascène, rêve déjà des trésors de l'ancienne capitale des Omeyades...

Craignant de perdre la main, l'officier du Bureau arabe multiplie les obstacles de procédure – sombre affaire de sept mille livres sterling, qu'il faut demander à Fayçal l'autorisation de dépenser. Mais ce n'est pas suffisant. Alors, prenant les devants, Lawrence part lui-même pour la Syrie le 5 juin, flanqué de huit hommes d'escorte seulement.

Les mobiles de son expédition quasi solitaire restent vagues. Conduite suicidaire, disent les uns – Lawrence aurait multiplié les risques dans l'espoir d'en finir. Conduite d'échec, croient savoir d'autres, rappelant que malgré ses trois galons, l'« indiscret » savait bien qu'il ne possédait qu'une expérience guerrière modeste. Impérieuse obligation de couper l'herbe sous les pas du bouillant Nessib el-Bekri, assurent les derniers.

Un peu de tout peut-être. Reste qu'au plan militaire, la conduite de Lawrence sème la confusion : alors que le moment décisif approche, pourquoi s'écarter ainsi de la côte de la mer Rouge et d'Akaba ?

Ce qu'on sait, c'est que, à marche forcée, l'« indiscret » traverse le grand désert de Syrie pour gagner la région de Palmyre. Le 9 juin, le voici face au cheik Dhami qui commande les Kawakibas, un rameau de la tribu aneizé particulièrement favorable aux Hachémites. Dhami qui accepte d'enterrer la hache de guerre avec les Haoueitats et met à sa disposition trente-cinq chameliers bédouins.

Lawrence prend la tête de la petite troupe et la conduit saboter un pont à proximité de la gare de Raas Baalbek, à cent kilomètres au nord-est de Beyrouth, dans la plaine de la Bekaa. Cette astucieuse manœuvre de diversion va prendre au-delà de tous les espoirs. Croyant à une révolte des tribus locales, les Turcs mobilisent plusieurs centaines d'hommes pour protéger le chemin de fer. Autant de soldats ennemis qu'on ne croisera pas sur la route d'Akaba...

Poursuivant la mission qu'il s'est lui-même assignée, Lawrence monte ensuite à quelques kilomètres de Damas. C'est là, dans le village d'El-Kaban, qu'il rencontre Ali Reda er-Rikabi. Officier du génie mis à la retraite par les Ottomans et vieux militant de la Fétah, Rikabi est de ceux qui, en avril 1915, se réunissaient dans la demeure familiale des Bekri pour introniser l'émir Fayçal au sein de la société secrète nationaliste. Peu après, son nom figurait parmi les signataires du « protocole de Damas », adjurant le chérif Hussein de prendre la tête de la rébellion anti-turque. Maire de la capitale, il a été limogé en février dernier par les autorités ottomanes.

« À Damas, il n'y a que cinq cents gendarmes turcs et trois bataillons », explique Rikabi à son jeune interlocuteur. Pour autant, faut-il se lancer dans l'aventure ? Rikabi n'est guère chaud, et ce n'est pas Lawrence qui va l'encourager dans cette voie. Pour qu'une insurrection ait quelque chance de succès, il faut attendre l'arrivée d'une armée conduite par Fayçal, conviennent les deux hommes avant de se quitter.

Les pas de Lawrence l'entraînent ensuite dans la région du Hauran et du Djebel druze, un massif de moyenne montagne à cent kilomètres au sud de Damas. Aux confins de la Syrie et de la Transjordanie, c'est le fief de cette puissante communauté arabophone que sont les Druzes, adeptes d'une doctrine chiite qui se transmet par filiation, sans aucun prosélytisme. Hussein Atrache, son chef, lui aurait fait un excellent accueil, l'assurant que les Druzes étaient prêts à entrer dans le combat antiottoman.

Dans l'oasis d'Azrak, à soixante-dix kilomètres à l'est d'Amman, l'actuelle capitale de la Jordanie qui n'est alors qu'un gros bourg, Nouri Chalaan, l'émir des Rouallah, dont le fils reste fidèle aux Ottomans, se montre plus circonspect. Désignant une pile de documents écrits, il lance :

« Les Anglais vont des promesses contradictoires à tout le monde. Lesquelles faut-il croire ?

— La dernière en date », répond Lawrence, jouant son va-tout.

Vieillard de soixante-dix ans aux cheveux teints en noir, au visage couvert de rides, Nouri le laisse aller, lui faisant comprendre qu'il répondra sur sa tête du respect de la parole britannique.

Le 18 juin, Lawrence est de retour au camp de Nebk, son point de départ. En treize jours de périple, il a couvert plus de cinq cents kilomètres, croisé beaucoup d'interlocuteurs et intoxiqué suffisamment les Turcs pour qu'ils évitent de regarder dans la direction d'Akaba.

Belle réussite pour une mission improvisée aux objectifs indéfinis qui aurait pu lui coûter sa liberté, voire son existence. Ce qui n'empêche pas le jeune officier de repartir à la tête d'un petit groupe de raiders, d'effectuer un nouveau sabotage de voie ferrée vers le nord toujours, puis de rencontrer secrètement Faouz el-Faiz, le grand cheik des Béni Sakr.

Connu pour ses idées indépendantiste, Faouz l'assure de sa loyauté à la cause chérifienne et de son soutien. Mais, dans la nuit, Naouf, le frère du cheik, tire Lawrence de son sommeil :

« Faouz a envoyé des cavaliers avertir les Turcs. Fuis avant qu'il ne soit trop tard. »

L'« indiscret » se lève, quitte la tente et rejoint son dromadaire. Naouf l'accompagne à cheval, le fusil posé en travers des cuisses, et le guide vers des lieux plus sûrs.

Lawrence l'a échappé belle : plus que les Turcs, c'est une vendetta entre les frères Faiz qu'il avait à craindre.

Il faut croire qu'une bonne étoile veille sur l'expédition d'Akaba...

Nasser et Aouda ont fait du bon travail : plusieurs tribus ralliées sur leur chemin. Avec les cinq cent trente Abou Taya, les cent cinquante Rouallah et Cheraats, les trente-cinq Kawakibas et les ageyls, c'est un corps de bataille solide et expérimenté qui se concentre à Baïr. Mais en face aussi, on s'alarme. Les Haoueitats de la région de Maan, autrefois les pires ennemis d'Aouda Abou Taya et aujourd'hui ses alliés, s'étaient emparés d'Abou Lessan, le point d'eau le plus important de toute la région, à une trentaine de kilomètres au nord-est d'Akaba, ainsi que du fort de Foueilah qui le domine. Un bataillon de renfort du 178ᵉ régiment ottoman vient de les en chasser.

Les Turcs ont-ils éventé l'opération en cours ? Rester sur place, dans tous les cas, c'est courir à la ruine. Le 2 juillet, la force arabe encercle le bataillon ennemi. Toute la journée, les deux camps échangent des fusillades sporadiques, sans autre résultat tangible que de démoraliser les Turcs, ignorants du nombre de leurs agresseurs.

Peu avant la tombée du jour, quatre cents méharistes ou cavaliers chérifiens lancent au signal du chérif Nasser une charge furieuse. Aouda a pris leur tête. Lawrence, qui dans son excitation, tire une balle dans la tête de son propre dromadaire, tombe au sol évanoui. Il ne verra pas l'ennemi se débander, laissant trois cents morts et cent soixante prisonniers sur le terrain.

N'importe, la route d'Akaba est ouverte. Une garnison arabe en place à Abou Lessan, la troupe du chérif Nasser descend vers le sud à travers la plaine de Goueira. Histoire de désorienter un peu plus l'ennemi, les ageyls font sauter une dizaine de ponts de chemin de fer et arrachent des rails en quantité.

Trois positions turques dominent Akaba : Goueira, Khetara et Khadra.

Encerclés, les cent vingt défenseurs de Goueira se rendent aux Haoueitats le 4 juillet. Le soir même, les Arabes s'emparent de Khetara après une courte résistance.

Reste Khadra. Les Ottomans y ont regroupé leurs forces mais, après le désastre d'Abou Lessan, leur moral est au plus bas. Toutes les fortifications de Khadra ont été conçues pour stopper un assaut venu de la mer. Que faire quand l'ennemi vient de l'intérieur ? Craignant de subir le même sort funeste que leurs camarades d'Abou Lessan, les chefs de la garnison entament des pourparlers avec les Arabes.

Abandonnant aux Haoueitats le soin de conclure, la colonne chérifienne, grossie de centaines de combattants des tribus locales ralliées, reprend sa marche victorieuse, drapeaux au vent. Le 5 au soir, on bivouaque à l'oued Ithm.

Le lendemain, les chérifiens pénètrent dans Akaba.

En huit semaines, sans aide alliée, ils ont accompli un exploit que tout le monde jugeait impossible, fait six cent cinquante prisonniers turcs et assuré à Fayçal, qui, quittant El Ouedj, va y installer son nouveau quartier général, la possession d'un emplacement stratégique.

Reste – c'est tout aussi important – à informer de ce succès l'état-major anglais du Caire. Payant une nouvelle fois de sa personne, Lawrence prend la tête d'un petit groupe de méharistes qui traverse le Sinaï jusqu'à Suez en quarante-huit heures ponctuées de quelques courtes pauses.

Toujours en costume arabe, le capitaine gagne Le Caire. Pour y apprendre le nouvel échec britannique sur le front de Palestine, le limogeage du général Murray et son remplacement par son collègue Allenby, un chef de guerre énergique.

Le départ de Murray correspond à une refonte générale du dispositif allié en Orient. La responsabilité des opérations franco-anglaises dans les Balkans, où la présence militaire tricolore se révèle forte, échoit ainsi à un Français, le général Maurice Sarrail. Par souci d'équilibre, la responsabilité des opérations au Moyen-Orient, front où les Français sont quasi inexistants, incombe à Allenby.

Allenby, que Lawrence rencontre sur proposition de Bertie Clayton, est irrité par l'indiscipline chronique de son subordonné, mais satisfait des prouesses accomplies.

Le nouveau commandant en chef débarque au Caire avec la ferme volonté de faire mieux que son prédécesseur. Officier de cavalerie né en 1861, Edmund Henry Hynman Allenby, fils d'un hobereau du Nottinghamshire, a combattu les Zoulous en Afrique du Sud, servi en Irlande, puis s'est illustré pendant la guerre des Boers par son aptitude à éventer les ruses de ces guérilleros-nés comme à limiter les pertes de ses troupes.

Énergique et même rude envers ses subordonnés, toujours sûr de lui, cet officier à la limite de la suffisance est nommé dès l'automne 1914 commandant du corps de cavalerie du corps expéditionnaire anglais en France. Il combat à Ypres, sur la Somme, comme commandant de la 3ᵉ armée, puis dans la région d'Arras. Des divergences tactiques l'opposent bientôt à son supérieur hiérarchique, le maréchal Haig. Fin juin 1917, le voilà rétrogradé comme chef de la force expéditionnaire d'Égypte en remplacement du général Murray, pas assez offensif, voire carrément mou. Et ce qui pouvait apparaître comme une sanction va devenir sa chance…

L'homme est intelligent. Si on a surnommé cet excellent tireur, pêcheur et plaisancier « le Taureau », c'est en référence à son obstination légendaire, non à la bêtise qu'on prête souvent à l'animal à cornes. Pour autant, rien ne fait d'Allenby un adepte des méthodes de guerre non conventionnelles chères à Lawrence. Même s'il se passionne à titre privé pour l'ornithologie et la botanique et n'hésite jamais à donner son point de vue, le général reste un militaire de type traditionnel. Un peu plus pragmatique que d'autres, tout de même…

Pourquoi Allenby prêterait-il une oreille complaisante au héros d'Akaba ? Par respect pour l'exploit guerrier, peut-être, comme il y a chez les Britanniques un respect de l'exploit sportif. Parce que le jeune officier s'est montré capable de gagner la sympathie des Hachémites, surtout, et parce que ses projets d'une armée arabe remontant vers la Syrie à partir d'Akaba se marient avec les plans d'Allenby pour arracher la Palestine aux Turcs et prendre Jérusalem.

C'est qu'entre le départ de l'expédition d'Akaba en mai et son succès en juillet, bien des événements se sont produits…

17

La mission Georges-Picot

Une fois n'est pas coutume, remontons le fil du temps. Tandis que l'armée arabe préparait l'attaque d'Akaba, Paris dépêchait en Égypte François Georges-Picot, architecte, avec Mark Sykes, des accords de partage du Moyen-Orient entre les deux puissances après guerre.

Sa mission : informer à petites doses, et dans un flou artistique, le roi Hussein des projets de la France en Syrie. Ce plan, le Quai d'Orsay l'a résumé à l'intention des représentants français au Hedjaz. Respectant les limites tracées avec Sykes entre zones d'administration directe et zones d'influence, il recoupe peu ou prou celui du lobby « syrianiste ».

Le pays sera divisé en deux parties distinctes.

La Cilicie, qui borde au nord la Turquie, et les régions dites du « front de mer », Liban notamment, doivent tomber entre les mains d'un gouvernement sous étroite tutelle de Paris. Ouverte sur la Méditerranée, cette zone littorale se trouve justement être la plus prometteuse au plan des échanges commerciaux, la plus diverse du point de vue ethnique aussi.

« Les provinces où domine l'élément arabe », c'est-à-dire l'intérieur du pays, connaîtront de leur côté une autonomie en trompe-l'œil. Des émirats vont naître à Alep et à Damas, qui pourront tisser quelques liens avec le royaume du Hedjaz, mais sous contrôle. « Pour mener à bonne fin leur œuvre de civilisation », ils seront en effet encadrés par des conseillers français.

Reste à faire admettre ce plan aux Hachémites, qui revendiquent toujours la Grande Syrie, Liban et Palestine inclus. En vue d'une démarche commune, Georges-Picot a donc renoué avec Sykes.

Les deux diplomates arrivent ensemble à Port-Saïd, le 21 avril, à bord du *Minnetonka*, qui convoie également des unités du détachement français de Palestine, en cours de formation sous le commandement d'un officier de cavalerie, le lieutenant-colonel Philpin de Piépape.

Le lendemain, Georges-Picot et le Derviche sont au Caire. Ils y rencontrent trois délégués syriens, mais « sans leur montrer la moindre carte ou les laisser savoir qu'il existe un accord géographique détaillé », comme l'avouera Sykes sans complexe.

Comme on l'a déjà vu, le Derviche se rend ensuite au Hedjaz. Sa tournée entre le 2 et le 20 mai 1917 va marquer une date cruciale dans les rapports entre Grande-Bretagne, France et Hachémites.

Homme de réseaux, le Derviche est mieux informé que quiconque des tensions qui règnent au sein de l'appareil d'État britannique à propos du Moyen-Orient. Il craint en particulier la montée au Foreign Office d'une tendance favorable à des négociations directes avec Istanbul, renversement de politique qui entraînerait la fin du soutien anglais aux Hachémites et à la révolte arabe.

Cette fin, Sykes la refuse au nom de la morale. De même qu'il rejette la francophobie, celle du Bureau arabe tout spécialement. Le sentiment prohachémite s'y double en effet d'une rivalité de personnes entre Lawrence et le colonel Brémond.

Le 4 mai, sir Mark et le colonel Wilson qui l'accompagne parviennent à Djeddah à bord du HMS *Lama*. À peine débarqué, Wilson téléphone au malik Hussein pour mettre au point leur rencontre du lendemain. Toujours à Yenbo, Brémond n'arrivera que le 6, et c'est le lieutenant Millet, parfait anglophone, qui va le suppléer. Le Derviche le reçoit dans les locaux de la mission militaire britannique. Un accueil amical pour des propos déconcertants :

« Si les Bédouins du Hedjaz se battent mal, c'est parce qu'ils sont mal nourris. Mais dans le triangle Damas-Alep-Bagdad, je suis certain que les tribus se battront très bien. Elles n'attendent que des armes. Bien entendu, on les laissera croire qu'elles se battent pour l'indépendance…

— Cela risque de poser des problèmes dans l'avenir », hasarde Millet.

Haussement d'épaules de Sykes.

« Je ne regarde pas si loin. Pour faire de la bonne besogne, il faut chercher l'intérêt immédiat ; une partie de la France est occupée par les Allemands [depuis 1914 et les grandes offensives des généraux du Kaiser stoppées au moment du « miracle de la Marne » (*N.d.A.*)], ainsi que la Pologne, et cependant, nous ne doutons pas que, après la guerre, cela sera restitué. Pour le moment, il s'agit de battre les Allemands partout où on le peut. On s'arrangera toujours pour le partage des territoires après la fin de la guerre. »

Bonne grosse logique choquante pour Millet, qui y voit le fruit d'une grave méconnaissance des hommes et du pays.

Hussein se présente le lendemain, flanqué de son ministre des Affaires étrangères, Fouad el-Khateb. Dès son arrivée, il reçoit les missions militaires britannique et française, le consul italien Bernabei, puis le colonel Wilson et sir Mark auquel il confie :

« Jusqu'à ce que l'indépendance arabe soit assurée, je crains que la postérité ne m'accable pour avoir assisté au renversement du dernier pouvoir musulman sans en avoir installé un autre à sa place. »

Le califat, en d'autres termes, reste l'objectif. Mais Sykes renifle le piège de celui qu'il appelle *the old man* :

« Le califat ne regarde pas les chrétiens mais la Couronne ne voit aucun inconvénient à ce que Votre Majesté devienne le plus puissant des princes musulmans. »

Au sortir de ce premier face-à-face, vers quinze heures, l'Anglais se rend au siège de la mission militaire, belle maison avec des fenêtres grillagées en arabesques. Il explique à Millet :

« Pour ce qui concerne les points déjà abordés par moi avec le vieil homme, demandez au colonel Brémond de ne plus y revenir de façon à laisser le malik ruminer ces questions jusqu'au 19 mai. À cette date, je reviendrais, je pense, avec M. Georges-Picot. »

Millet prend note sans le moindre commentaire, tandis que sir Mark précise :

« Je me suis refusé à parler des questions franco-arabes pour éviter le piège où le malik veut nous faire tomber, étant franco-phobe avec les Anglais et anglophobe avec les Français.

— Nous ne pouvons nous passer de lui à propos des tribus aneizés de Syrie, poursuit le Derviche. Et pour vous particuliè-rement, une politique promalik serait une tête de pont pour tourner à votre profit les druzes du Hauran de Syrie qui jusqu'ici, étaient anglophiles et francophobes. Les druzes recueillent en ce moment beaucoup d'officiers ottomans déser-teurs ; ils seraient une force intéressante à mettre de notre côté... »

Sykes quitte Djeddah le soir même, Brémond débarque le lendemain. Mais c'est seulement le 7 au matin qu'il rencontre une première fois Hussein pour l'échange de politesses tradi-tionnel. Après un vibrant éloge de la France, le malik lance à brûle-pourpoint :

« Me donnera-t-elle les médecins, les agriculteurs et tous les spécialistes que pourrais lui demander ?

— Je ne veux pas vous mentir, Votre Majesté. La France fera ce qu'elle pourra mais, en ce moment, la guerre absorbe tous ses efforts et ce sera certainement difficile... »

Pas un de ses cils blancs ne bouge sur le visage d'Hussein.

« Il est un autre problème que je souhaiterais aborder avec Votre Majesté, poursuit le colonel. Récemment, un bruit a couru dans l'entourage de l'émir Fayçal. On prétend que les Français vont débarquer soixante mille hommes en Syrie. Fayçal aurait déclaré que dans ce cas, il combattrait les Français après avoir combattu les Turcs... »

Toujours impassible, le malik contemple son interlocuteur, lui abandonnant la suite de la conversation :

« Bien entendu, il s'agit de rumeurs. Je suis certain que l'émir Fayçal ignore jusqu'aux propos qu'on lui prête. Ceux qui répandent ces bruits fallacieux ne songent qu'à nous nuire. Mais si Votre Majesté consentait à écrire à son fils pour le mettre en garde, les choses ne s'en porteraient que mieux. »

Hussein réfléchit, puis délivre sa réponse :

« Comptez sur moi colonel, j'écrirais à Fayçal. »

Mais ce point ne l'enchantant guère, il passe sans transition à un autre :

« Vous m'aviez aussi parlé d'un document à l'usage de mon académie militaire…

— En effet, sire. Comme vous le savez, je suis avec intérêt vos efforts pour doter le royaume d'une armée moderne. Aussi ai-je cru bon de vous apporter à toutes fins utiles la traduction en arabe de notre règlement d'infanterie. La voici. »

C'est toucher le malik au point sensible. En décembre 1916, Hussein a créé à La Mecque une académie militaire. La commande un Syrien, Choukri el-Chourbadji, officier déserteur de l'armée ottomane et ancien adhérent de l'omniprésente Fétah.

L'académie comprend deux départements. Une école d'officiers, en centre ville, dans des bâtiments appartenant à la famille hachémite ; et, à l'extérieur, dans d'anciens baraquements militaires ottomans, un centre d'instruction où trois cents hommes du rang mecquois, Bédouins et Yéménites s'initient à l'art de la guerre sous la conduite de cinq officiers hedjazi, d'un Égyptien, d'un Turc, d'un Syrien et d'un Irakien.

À l'image de ce corps enseignant, remarque le lieutenant Bendali, officier maghrébin de l'armée française, les méthodes sont hétéroclites. Pour l'infanterie, on enseigne le modèle égyptien, pour l'artillerie, le modèle ottoman. Mais, spécialité de Bendali, le tir à l'arme automatique suit, lui, les manuels d'instruction français.

Le malik repart, son règlement d'infanterie sous le bras. De retour à la mission militaire française vers quinze heures trente pour le thé, il dit à Brémond son intention de se rendre dès que possible en Europe, et notamment à Paris, pour y remercier la France de tous ses efforts en faveur de la cause arabe.

« Ce serait un grand honneur. Je ne manquerai pas d'informer mon gouvernement de ce projet, qui ne pourra, bien sûr, se réaliser qu'une fois la guerre finie. »

On en est encore loin…

Le 18 mai, neuf jours après le départ de l'expédition d'Akaba, une silhouette aristocratique se profile à la coupée du HMS *Northbrook*, battant pavillon de l'amiral Rosy Wemyss.

Flanqué de George Lloyd et du lieutenant-colonel Gerald Leachman, nouvelle recrue du Bureau arabe en provenance de Bassorah, le prince Fayçal vient rencontrer Sykes et faire connaissance avec Georges-Picot, arrivé d'Égypte par la mer.

Outre ses deux subordonnés du Quai, Robert Coulondre et Gaston Maugras, Picot s'est assuré les conseils d'un véritable connaisseur du monde musulman, le capitaine Massignon.

Apparaît dans ce dernier une figure haute en couleur qui, côté français, vient contrebalancer un peu celle de Lawrence. Fils unique d'un sculpteur de renom, Louis Massignon est né à Nogent-sur-Marne, en juillet 1883.

Étudiant à la Sorbonne, il effectue un premier voyage en Algérie en 1901. Un séjour de recherches au Maroc, trois ans plus tard, débouche sur l'apprentissage de la langue arabe (Massignon parle aussi le sanscrit et l'hébreu) et sur la publication d'un livre, qu'il fera parvenir au père de Foucauld par des amis communs.

Missionnaire au Sahara, le père n'est pas seulement connu pour sa foi empreinte de mysticisme, mais aussi pour sa *Reconnaissance au Maroc*, compte rendu à la précision toute militaire d'un voyage effectué en 1883-1884, alors qu'il venait à peine de quitter l'uniforme d'officier des chasseurs d'Afrique.

Fin 1906, Massignon quitte la France pour l'Égypte. Au Caire, il se fond littéralement dans le paysage, adoptant la robe et le turban des étudiants musulmans. En parallèle, un ami espagnol converti à l'islam, Luis de Cuadra, l'introduit dans les milieux homosexuels de la capitale, expérience mal vécue par Massignon qui va en concevoir une culpabilité intense.

On retrouve le Français, début 1908, en Irak, où il effectue des recherches archéologiques. Un peu d'espionnage, comme plus tard Lawrence et ses amis à Karkemish ? C'est l'avis des autorités ottomanes de Kut-el-Amara. Celles-ci consignent Massignon à bord du vapeur qui doit le ramener à Bagdad.

Se produit alors la première d'une série de visions qui vont amener le jeune homme à se convertir au catholicisme. Transféré à Bagdad, libéré, il regagne la France en juillet, et y rencontre le père de Foucauld, de passage à Paris. Des rapports épistolaires s'ensuivent entre ces deux fortes personnalités qui aiment l'Orient, mais chacun à sa manière – chez les « indigènes », Foucauld n'admire que la profondeur de la foi religieuse quand Massignon s'est épris de la civilisation et de la langue arabes.

En janvier 1914, Massignon épouse à Bruxelles sa propre cousine, Marie. Dès cette époque, il apparaît comme une sommité sur les questions arabo-musulmanes.

La guerre mondiale venue, l'appui de Paul Claudel lui vaut une mutation au service de presse des Affaires étrangères, où il traduit les journaux arabes et surveille le moral des Maghrébins. Mais, face aux exhortations pressantes de Foucauld, qui ne sépare jamais le devoir de chrétien de celui de soldat, il quitte cette « planque » pour se faire muter comme interprète aux Dardanelles. C'est sur le front serbe qu'il apprendra la mort du père, assassiné dans son ermitage de Tamanrasset le 1er décembre 1916.

Trois mois plus tard, le sous-lieutenant Massignon est affecté auprès de François Georges-Picot, avec le grade de capitaine à titre temporaire. Comme Lawrence, son cadet de cinq ans, c'est un partisan avoué de la cause arabe. Mais, à son contraire, il ne la croit pas incompatible avec l'influence française en Syrie. Aspirant à un syncrétisme religieux entre christianisme et islam, Massignon voit en effet dans Paris l'allié naturel d'un nationalisme modéré et moderniste.

Rien ne permet mieux de comprendre la différence entre les deux hommes que leur pratique de l'arabe. Celui de Massignon est moderne, littéraire, presque maniéré. Forgé au contact des Bédouins, celui de Lawrence est dialectal, heurté, plein d'imperfections. Son univers, c'est celui du désert et des tribus ; Massignon préfère le monde des grandes villes...

En trois jours, du 18 au 20 mai, dont deux passés à bord du *Northbrook*, Massignon apprend à connaître et à apprécier le prince Fayçal.

Le 19 et le 20, se tiennent à Djeddah cinq réunions franco-anglo-hachémites au sommet, réunissant Fayçal et son père

Hussein, le ministre des Affaires étrangères Fouad el-Khateb, le Derviche et François Georges-Picot. Massignon officie en qualité d'interprète.

L'homme du Quai d'Orsay et celui du Foreign Office multiplient les pressions sur les chérifiens.

« En Irak et en Syrie, les conseillers européens bénéficieront de pouvoirs exécutifs », assure, par exemple, Sykes quand on en vient à aborder le statut des États « autonomes » de l'après-guerre.

« C'est la fin de l'indépendance arabe ! » proteste Khateb.

Le roi Hussein ne pense pas autrement. Fayçal et lui revendiquent d'une seule voix la Grande Syrie tout entière, qu'il n'est pas question pour eux de séparer du Hedjaz et de la péninsule Arabique.

Qu'en disent donc les Français ?

« Mon gouvernement est déterminé à apporter en Syrie la même aide efficace que les Anglais ont accordée à l'Irak, répond Georges-Picot. Par l'occupation du littoral syrien, nous ne songeons qu'à libérer la race arabe... »

La nuit portant conseil, on se retrouve le lendemain. Hussein, Fayçal et Khateb espèrent prendre le chef de mission français au piège de ses propres déclarations. Du coup, le malik s'échine à lui faire reconnaître un parallélisme entre le rôle actuel de la Grande-Bretagne en Irak et celui à venir de la France en Syrie.

Maîtres de Bagdad depuis mars, les Britanniques ont promis, par la déclaration Maude (en fait, Sykes), une large autonomie au futur gouvernement arabe irakien. Bien qu'irrité par cette mainmise, le malik l'a admise comme provisoire, ses alliés britanniques n'ayant, paraît-il, l'intention d'occuper l'Irak que le temps du conflit avec les Ottomans.

Par symétrie, il serait donc prêt à accepter une occupation partielle et temporaire de la Syrie par la France, dans la mesure où celle-ci correspondrait à une égalité de traitement entre Paris et Londres au sein du grand royaume hachémite à naître.

Fouad el-Khateb procède à la lecture du texte conçu dans cette optique :

« Sa Majesté le roi du Hedjaz a appris avec satisfaction que le gouvernement français approuve les aspirations nationales arabes. Et, de même qu'il a confiance dans la Grande-Bretagne, il serait satisfait si le gouvernement français suivait la même politique envers les aspirations arabes des musulmans syriens du littoral que celle des Britanniques à Bagdad. »

Georges-Picot ne bronche pas. L'essentiel, croit-il, est acquis. On a informé Hussein des accords conclus avec Sykes, mais de manière assez vague, et le malik ne s'est opposé ni à la présence française sur le littoral syrien, ni, pour le reste du pays, à un régime d'émirats dans l'esprit de la déclaration Maude.

Sur la base d'une interprétation toute différente, Hussein se montre satisfait. Il n'a consenti aucun abandon de souveraineté à long terme sur la Syrie, tout juste quelques arrangements provisoires.

Le Derviche, enfin, se frotte les mains. Le partenaire français semble content et le malik, pas trop malheureux.

L'inconvénient de cette passe à trois, c'est que toutes les parties se sont cantonnées dans une confortable ambiguïté.

Or, en leur for intérieur, les Hachémites n'ont renoncé à rien.

Surtout pas Fayçal qui sait Nasser, Aouda, Bekri, Lawrence et leurs compagnons en route pour Akaba mais n'en souffle mot.

Surtout pas Hussein, qui prépare un autre événement spectaculaire, la fête nationale de son royaume...

La veille, une pluie violente s'est abattue sur La Mecque, transformant les rues en torrents. Mais, ce 30 mai 1917, Dieu se montre plus clément envers la ville sainte où les cadets de l'académie militaire, uniformes kaki de type anglais, et les soldats, longues tuniques blanches barrées d'une ceinture, défilent fièrement sous les yeux de leur roi.

C'est treize jours en avance sur l'année solaire que débutent les cérémonies du premier anniversaire de l'appel à la thawra.

L'enjeu des réjouissances n'est pas uniquement sentimental. Hussein entend montrer l'émergence en Arabie d'une puissance étatique. Dès février, il a fait établir un projet de monnaie à frapper aux Indes. Il s'est aussi penché sur la question des droits de douane. Rompant avec le modernisme jeune-turc qui faisait jusque-là autorité, il a enfin mis en place un appareil juridique fondé sur la charia, la justice musulmane traditionnelle.

Un État, c'est aussi un drapeau. Flotte pour la première fois l'oriflamme du royaume : un triangle rectangle rouge cerise, couleur des Béni Hachem ; et trois bandes parallèles : noire, couleur des califes abbassides de Bagdad, blanche, couleur des Omeyades de Damas, et verte, couleur des Fatimides du Caire et de Kairouan.

Pas de meilleur moyen pour traduire plus clairement la volonté du malik Hussein de représenter l'islam arabe dans sa totalité, de la Syrie à l'Irak, de l'Égypte à l'Afrique du Nord, et non le seul Hedjaz, comme l'estiment les chancelleries occidentales.

Un hymne national vient d'ailleurs compléter cet arsenal politique et législatif. Les Hachémites ont repris le poème de Refik Rizk Selloum, un des martyrs de la cause arabe, pendu par les Turcs en 1915 :

> *Nous ne voulons pas de la honte,*
> *Nous, les fils de Kaytan.*[1]

Pourquoi donc l'allié britannique choisit-il ce moment pour introduire par la grande porte un nouvel acteur dans leur jeu moyen-oriental déjà incompréhensible ?

---

1. Les habitants de l'Arabie du sud sont supposés descendre d'un ancêtre légendaire, Kaytan, lui-même rattaché au Noé biblique. (*N.d.A.*)

18

Le coup de tonnerre Balfour

Depuis le 2 octobre 1187, où un baron chrétien, Balian d'Ibelin, rendait après une belle résistance les clés de Jérusalem au grand chef musulman Saladin, aucun Occidental n'a posé un pied conquérant dans la ville sainte.

En ce mois d'octobre 1917, le taureau Allenby se trouve en quelque sorte contraint de le faire. Car, le 28 juin, jour de sa désignation comme chef du corps expéditionnaire britannique d'Égypte, le cabinet de guerre a exigé Jérusalem comme « cadeau de Noël pour la nation britannique ».

L'ordre de s'emparer de la ville sainte avant la fin de l'année ne tombe pas du ciel, mais du Premier ministre. Depuis sa prise de fonctions en décembre 1916, David Lloyd George adhère aux thèses des Easterners. Comme eux, il estime que, le front européen englué dans la guerre de tranchées, c'est sur les théâtres d'opérations secondaires qu'on parviendra à déstabiliser l'ennemi.

La Palestine, entre autres, où les Ottomans, épaulés par le contingent allemand du colonel Friedrich Kress von Kressenstein, un conseiller militaire expérimenté, continuent à tenir la dragée haute aux Britanniques.

Meilleur stratège que Murray, le Taureau compte bien éclipser leur compatriote Systematic Joe, entré sur son cheval à Bagdad sept mois plus tôt. Et pourquoi pas, puisque le chef du corps expéditionnaire, dont les effectifs ont été renforcés, dispose désormais de cent mille hommes au moral élevé, dont le détachement français de Palestine du colonel de Piépape, symbolique même s'il participe aux combats ; d'un plan de bataille bien conçu ; d'une logistique impeccable.

La révolte continue à remplir son rôle de force d'appoint dans la mesure où elle fixe des effectifs ottomans substantiels dans le Hedjaz – un peu plus de vingt mille hommes, soixante-dix-huit canons, autant de mitrailleuses et quatre mille animaux de bât. Mais d'elle, Allenby attend encore plus. Il en espère une nouvelle levée, coïncidant avec l'avancée de ses propres troupes sur Jérusalem.

Depuis quelques mois, Akaba, base militaire hachémite numéro un, connaît une activité intense. Début août, le chérif Nasser y menait, par voie de terre, l'avant-garde de l'armée de Fayçal. Le 17, Djefar Pacha el-Askari le rejoignait, à bord du HMS *Hardinge*, à la tête d'un millier de combattants chérifiens et d'un petit détachement français conduit par un nouveau venu, le capitaine Pisani. Le 23 août, enfin, c'était le tour du prince lui-même, flanqué du colonel britannique Basset, le remplaçant de Wilson, d'une compagnie égyptienne et de quatre cents chérifiens.

Quant à l'armée du Nord de Fayçal, elle se structurait sous la houlette du prince, expert dans l'art de désamorcer les conflits, de son aide de camp Abdallah el-Douleimi, un ancien du Pacte encore, et des deux beaux-frères irakiens Saïd et Askari.

Formée de prisonniers de guerre libérés et de Bédouins, son fer de lance, la « brigade hachémite » – trois cents mules, quatre cents chameaux et une section de mitrailleuses –, manifeste une belle ardeur aux ordres de l'infatigable Mouloud Moukhlis, compagnon des premières heures du prince. Et quand Fayçal, surmené, fléchit un peu, comme à la fin septembre où une maladie des oreilles l'oblige à prendre quelque repos, ses conseillers prennent le relais, à l'image du chérif Mestour assurant la distribution des subsides et des vivres apportés par le *Hardinge*.

La participation française, enfin, dépasse désormais les cent combattants, commandés par Pisani et munis de deux canons, de quatre mitrailleuses et d'une dizaine de fusils-mitrailleurs.

Pour compenser leur faiblesse numérique, les Français savent faire flèche de tout bois. À Djeddah, Brémond montre l'exemple, mobilisant deux opérateurs du service cinématographique des armées. Magnifiques, leurs images des combattants bédouins de la thawra vont servir à la propagande française dans les pays du Maghreb.

N'empêche qu'on attend toujours le prince Zaïed, qui, rechignant à rallier Akaba par la mer depuis El Ouedj comme convenu, préfère rester dans l'oued Aiss.

Le petit détachement du capitaine Raho se trouve alors au centre de toutes les attentions. De retour d'un raid antiturc particulièrement réussi, l'officier algérien fait stopper sa petite troupe peu avant le campement du prince.

« Arrangez vos tenues », ordonne-t-il aux hommes, épuisés par des kilomètres de marche dans le désert. De leurs sacs à dos, les soldats, tous musulmans du Maghreb, tirent quelques effets propres, ils réenroulent leurs coiffes puis, en colonne par quatre, défilent au pas cadencé devant les partisans du prince, ahuris d'une telle démonstration de discipline. Sous les applaudissements, les youyous, les Français se dirigent vers la tente d'Abdallah au rythme des tambours en peau séchée. Sans souci des usages, le prince se précipite alors vers le capitaine, l'étreint, puis lui embrasse l'épaule dans un geste plein de noblesse.

La guérilla reprend le 6 octobre, à partir d'Akaba (attaque menée par Pisani et Lawrence : un train pris d'assaut, cinquante Turcs tués, six prisonniers dont quatre officiers, un pont de trois arches détruit et un butin énorme), ou le 12 octobre, entre Antar et Boueit (opération menée par quarante-quatre Nord-Africains commandés par Raho, huit cent quatre-vingt-huit rails détruits).

À La Mecque, le malik Hussein, s'il avance dans le processus d'édification d'un État chérifien digne de ce nom, montre par ailleurs des signes inquiétants de fléchissement personnel.

Témoin cette péripétie survenue le 28 septembre.

Ce jour-là, le lieutenant français musulman Bendali se trouve aux côtés du roi quand un groupe demande à pénétrer sous sa tente avec un drapeau vert, couleur de l'islam. En guise d'hommage, ces Yéménites ralliés veulent exécuter une danse traditionnelle. Or, craignant une tentative de meurtre, sa hantise, Hussein fait signe aux bishas de la garde.

Les soldats barrent le chemin aux visiteurs. Bousculade, échange d'insultes, d'horions et, finalement, coup de poignard dans le bras d'un bisha.

Traduit devant le tribunal par le cadi* des cadis, juge suprême de La Mecque, le Yéménite auteur de l'agression n'est condamné qu'à une simple amende. Sa victime ne décolère pas ; elle se venge en le tuant devant la tente du roi. Et voilà le bisha meurtrier et les Yéménites survivants dans la même prison, tandis que la rumeur court déjà les ruelles de la ville sainte : on a voulu assassiner le malik...

Bilan contrasté dira-t-on. Tellement que, convoqué au GQG (grand quartier général) britannique, en plein Sinaï, près d'El Arich, Lawrence se voit contraint de doucher le bel enthousiasme du Taureau.

« Le moment est venu de prouver que les armées chérifiennes peuvent protéger mon flanc. Elles devront être remontées vers le nord au moment où je donnerai l'assaut.

— À quelle date précise, mon général ?

— Elles n'ont pas à le savoir [sous-entendu : vous non plus (N.d.A.)]. Ni où. Qu'elles fassent mouvement dès maintenant, et, au fur et à mesure de leur progression, nous leur fournirons tous renseignements utiles. »

Pas facile de servir, selon sa propre formule, « deux maîtres à la fois ». Lawrence ne peut « ni expliquer entièrement la situation des Arabes à Allenby, dont il est l'officier, ni révéler entièrement les plans britanniques à Fayçal, dont il est le conseiller ».

D'où le soudain réalisme qui le pousse vers une position médiane :

« Nos attaques contre le chemin de fer sont efficaces dans la mesure où elles affaiblissent le potentiel turc au Hedjaz, mon général. Mais si nous lui causions trop de dégâts, cela pourrait inciter Fekri Pacha à abandonner Médine avec ses quatorze mille hommes et à remonter vers le nord. S'il s'installait, par exemple, à Maan, cela ferait peser une sérieuse menace sur votre flanc droit... »

En foi de quoi, Lawrence propose une simple action de commando : le dynamitage du viaduc ferroviaire turc sur le fleuve Yarmouk. Clayton l'approuve.

« D'accord, bougonne Allenby. Dites-leur que le pont doit sauter le 5 novembre ou dans les trois jours suivants, sinon ça ne servira pas à grand-chose... »

Le Taureau peaufine son plan de bataille. Face aux 7e et 8e armées ottomanes qui lui barrent la route de Jérusalem, il compte arracher la décision par une offensive éclair sur Birsheba.

C'est précisément là que l'ennemi, sur les conseils de Kress von Kressenstein, a retranché le gros de ses forces, à l'abri de fortifications solides. Comment le persuader que l'armée britannique attaquera sur sa gauche, vers Gaza ?

La tâche de « déception », le terme anglais pour la désinformation militaire tactique, échoit aux services secrets. Ils sont dirigés par le major Richard Meinertzhagen, descendant d'une famille danoise installée de longue date en Grande-Bretagne et passionné d'oiseaux migrateurs, comme Allenby lui-même.

Privé d'une source précieuse de renseignements par le démantèlement du réseau juif de renseignements de l'agronome Aaron Aaronsohn, le groupe Nili, Meinertzhagen n'est pas homme à se décourager.

On doit à ce brillant cerveau, neveu de Beatrice Potter, créatrice avec son mari de la Société fabienne qui entend promouvoir le progrès social en Grande-Bretagne, quelques idées originales, comme le largage de cigarettes d'opium aux soldats ottomans par les avions du Royal Flying Corps !

Qu'envisage-t-il en l'occurrence ? Des bombardements navals effectués le moment venu par une escadre britannique, et qui viseront presque exclusivement Gaza, de manière à donner le change.

Classique, mais on peut faire mieux. Les Turcs viennent de casser un des codes anglais. Pourquoi ne pas glisser deux faux au milieu d'autres messages de routine ?

« L'attaque est prévue pour les derniers jours d'octobre, explique le chef du renseignement. Un premier radiogramme va annoncer qu'Allenby se rendra à Suez entre le 29 du mois et le

4 novembre. Un commandant en chef ne quitte pas ses troupes au moment décisif : les Turcs se diront que rien de grave n'est prévu pendant cette période.

— Ça ne suffira pas à les convaincre...

— Bien entendu. Mais le Desert Mounted Corps est en ligne au sud de Birsheba. Il va émettre un autre radiogramme confirmant, par de "nouveaux renseignements", un rapport antérieur qui signale cette zone comme peu praticable. Les Turcs en concluront qu'aucune offensive n'est à prévoir dans le secteur de Birsheba...

— Et Kressenstein ?

— Un excellent officier, mais trop rationnel, comme tous les Allemands. À supposer qu'il évite le panneau, ce n'est pas lui le patron. Si les Turcs croient notre histoire, ils la lui imposeront. J'ai d'ailleurs prévu quelques "intox" supplémentaires... »

Le coup du havresac par exemple. Il contient des objets personnels au nom d'un officier fictif. D'abord une lettre personnelle de son « épouse » qui, de Londres, annonce à l'intéressé la naissance de « leur garçon ». Puis une ébauche manuscrite de réponse du soi-disant jeune papa. Là se glisse l'information maligne : la logistique anglaise serait si mal en point que pour son transport, le mess des officiers se réduirait à un chameau...

Autre perversité de la manœuvre, un carnet Manifold réglementaire avec feuilles de papier carbone bourré d'indications de service dénuées d'intérêt. Assez pour conférer du crédit au document qui l'accompagne : la copie d'un ordre bidon laissant entrevoir des préparatifs vers Gaza.

Le 10 octobre, une patrouille s'enfonce dans le no man's land entre le Desert Mounted Corps et les avant-postes turcs. Bien entendu, elle se heurte à l'ennemi. Dans le feu de l'action, les soldats anglais « perdent » le havresac garni, une paire de jumelles et un fusil qu'on a pris soin de barbouiller de sang frais provenant d'un cheval légèrement blessé.

Un sous-officier turc trouve le havresac, le porte à ses supérieurs. Il parvient au 2e Bureau ottoman, qui en dissèque le contenu. Kressenstein s'est trompé, si les Britanniques doivent frapper, ce sera autour de Gaza.

Du coup, les travaux de fortification autour de Birsheba sont ralentis tandis qu'on achemine des renforts vers la côte.

Meinertzhagen poursuit son jeu pervers. Des navires de guerre patrouillent ostensiblement devant Gaza. De nuit, on convoie les unités d'assaut britanniques par petits paquets vers Birsheba tandis que, de jour, une activité factice donne l'illusion que les campements en face de Gaza sont toujours occupés. La veille du jour J, enfin, on embarque des centaines de « soldats britanniques » (en fait, des supplétifs égyptiens revêtus d'uniformes anglais) dont la seule destination possible ne peut être que maritime. Gaza, donc.

Le bombardement naval sur la ville côtière commence au matin du 30 octobre. Autre confirmation de la « perspicacité » du 2e Bureau turc, une unité britannique lance une attaque de diversion sur Gaza. Le véritable assaut, lui, se déclenche dans la nuit, et sur Birsheba. Avec succès : le front est rompu.

C'est le moment que les autorités anglaises choisissent pour lancer leur bombe...

> *Cher lord Rothschild,*
> *J'ai le grand plaisir de vous adresser de la part du gouvernement de Sa Majesté la déclaration qui suit, sympathisant avec les aspirations juives sionistes, déclaration qui, soumise au cabinet, a été par lui adoptée.*
> *Le gouvernement de Sa Majesté considère favorablement l'établissement en Palestine d'un foyer national pour le peuple juif, et consentira les plus grands efforts à l'achèvement de cet objet, étant entendu que rien ne doit être fait qui soit de nature à porter atteinte aux droits civils et religieux des communautés non juives existant en Palestine, hors les droits et le statut politique dont jouissent les Juifs dans n'importe quel autre pays.*
> *Je vous serai obligé de porter cette déclaration à la connaissance de la Fédération sioniste.*

Publiée par la presse britannique le 9 novembre 1917, quelques jours après l'offensive Allenby, cette lettre va mettre aux poudres un feu qui consume encore le Moyen-Orient aujourd'hui...

Par ces lignes laconiques, lord Arthur Balfour, ministre des Affaires étrangères et supérieur hiérarchique de Mark Sykes, affiche l'appui britannique au projet sioniste de retour des Juifs en Terre sainte, dans le cadre d'un État hébreu.

La déclaration Balfour est le fruit des travaux d'approche des sionistes comme de la politique tortueuse des Britanniques au Moyen-Orient. Elle s'appuie sur cette réalité nouvelle, l'augmentation de la population juive de Palestine depuis la fin du XIXe siècle.

En 1869, les Juifs de Terre sainte n'étaient que treize mille environ, concentrés pour leurs neuf dixièmes à Jérusalem, Hébron, Saphet et Tibérias. Une toute petite minorité parmi les trois cent cinquante mille habitants de la région : musulmans surtout, mais aussi chrétiens orthodoxes, catholiques, maronites, arméniens, protestants ou coptes.

Mais en Russie, en Roumanie, en Pologne, l'antisémitisme faisait des ravages. Cinq millions d'israélites vivaient dans l'empire des tsars, et certains d'entre eux étaient prêts à tout pour échapper à leur existence sans espoir.

Pas forcément pour la Terre sainte : les yeux et les pas se tournent plus volontiers vers les États-Unis, où les israélites sont bien accueillis. Pourtant, dès la fin des années 1870, les Juifs d'Europe de l'Est commencent à s'installer en Palestine. Créé le 6 février 1882 par un groupe d'étudiants de Kharkov, un premier mouvement tâche de coordonner leurs déplacements. C'est le Bilou, acronyme forgé, un peu comme Nili, à partir des initiales d'un verset du prophète Isaïe.

En 1888, les autorités ottomanes décident l'arrêt officiel de toute immigration dans la région. Or, tournant le décret de mille manières, des israélites est-européens parviennent à s'établir sur place. C'est la première aliya, un terme qui fait référence à la colline de Sion, à Jérusalem.

À la fin du siècle, les Juifs sont environ quarante-cinq mille, mais le projet d'État hébreu, officialisé lors du congrès fondateur de l'organisation sioniste, à Bâle en 1897, reste une utopie.

Encore faut-il compter avec la révolution russe manquée de 1905, qui conduit le régime impérial sur la voie de la répression. S'accentue alors la deuxième aliya qui, entre 1904-1906, conduit vers la Terre sainte des israélites aux opinions de gauche affirmées, souvent marxistes.

Celui qui va devenir le père fondateur de d'État d'Israël, David Ben Gourion – en hébreu : Fils de lion – appartient à cette génération d'immigrants. Né David Gryn, en 1886, dans la partie de la Pologne sous tutelle russe, il gagne la Palestine vingt ans plus tard, et change de patronyme en 1910.

Pour les militants sionistes, Allemagne ou Grande-Bretagne, il n'y a pas de bon ou de mauvais côté. À moins que Londres se prononce ouvertement en leur faveur.

L'Angleterre, après tout, compte une communauté juive influente. Prenez Haïm Weizmann, avec sa tête si particulière, mélange de barbiche à la Trotski et de crâne chauve à la Lénine. Né en 1874, en Russie blanche, ce fils de bûcheron hostile au tsarisme décide d'effectuer ses études de chimie en Occident plutôt qu'en Russie.

Elles le conduisent à Berlin, et enfin en Suisse, à Fribourg pour son doctorat. Mais le jeune homme ne cherche pas seulement à percer les mystères des formules chimiques, il fait aussi ses débuts dans le sionisme pour en devenir un ardent partisan.

En 1900, c'est à Genève qu'il rencontre sa future épouse, Vera Chatzman, étudiante en médecine qui vient de Rostov-sur-le-Don. Quatre ans plus tard, persuadé que la Grande-Bretagne serait « le seul pays à même de montrer une sympathie sincère pour un mouvement comme le nôtre », Weizmann gagne Londres puis l'université de Manchester, dont le département de chimie jouit d'une réputation flatteuse.

Un ami commun, Charles Dreyfus, président de la Société sioniste de la grande cité industrielle, lui fait rencontrer Arthur Balfour, candidat aux législatives de 1906 dans une des circonscriptions de Manchester.

À l'époque, le futur ministre des Affaires étrangères penche pour un projet d'installation des israélites en Ouganda, défendu par certains sionistes, mais fort éloigné des conceptions de Weizmann, partisan du retour en Palestine.

« Monsieur Balfour, attaque Weizmann, supposons que je vous offre Paris au lieu de Londres : est-ce que vous prendriez ? »

L'allusion à l'Ouganda comme pays d'accueil de substitution est claire.

« Mais, docteur Weizmann, Londres, nous l'avons déjà.

— C'est vrai. Mais nous, nous avions Jérusalem quand Londres n'était encore qu'un marécage.

— Est-ce que beaucoup de Juifs pensent comme vous ?

— Je crois que je parle au nom de millions de Juifs que vous ne verrez jamais et qui ne peuvent parler pour eux-mêmes. »

Balfour hoche la tête.

« Si l'en est ainsi, un jour, vous serez une très grande force. »

L'éclatement de la Grande Guerre voit Weizmann l'anglophile affronter ceux des sionistes russes qui, nombreux, abhorrent le tsarisme au point de prier pour le triomphe des armes allemandes.

C'est à cette époque qu'il se lie d'amitié avec deux personnages appelés à jouer chacun un rôle important dans la destinée future de la Palestine : Zeev Jabotinsky, tête de file de la droite sioniste, et Pinhas Rutenberg, ingénieur électricien qui met, quant à lui, beaucoup d'espoir dans le renversement du tsarisme par les voies démocratiques.

Science et militantisme peuvent-ils faire bon ménage ? Dans le cas de Haïm Weizmann, oui. En réalisant la synthèse industrielle de l'acétone, produit précieux en ces temps de guerre moderne, il va s'attirer la sympathie du complexe militaro-industriel anglais.

Alors ministre des Munitions, Lloyd George lui confie un rôle important au département des poudres. Peu après, le scientifique juif passe au service du Premier lord de l'Amirauté, Winston Churchill. Homme de contacts personnels, Weizmann va profiter de ces différentes opportunités pour densifier ses réseaux au sein de la classe dirigeante britannique.

Membre de l'exécutif sioniste international, président de la Fédération sioniste de Grande-Bretagne, ce quadragénaire apparaît en 1917 comme une personnalité posée, consciente des problèmes, toujours prête au débat et jamais à court d'arguments. Exactement ce qu'il faut pour séduire l'establishment britannique, dont l'aversion pour l'extrémisme reste toujours aussi profondément ancrée. Pour preuve cette nouvelle rencontre du 22 mars 1917 avec Arthur Balfour, qui vient de remplacer sir Edward Grey aux Affaires étrangères.

« Si aucun accord entre la France et la Grande-Bretagne n'était possible, que diriez-vous d'attirer ensemble l'attention des États-Unis sur le problème ? » suggère Balfour.

Weizmann trouve l'idée tirée par les cheveux. Si d'autres sionistes persistent à jouer la carte ottomane (en Palestine même, c'est le cas de Ben Gourion), la carte allemande, quelques-uns même la carte française ou américaine, le chimiste reste persuadé que la seule avancée possible se situe du côté de Londres.

Jérusalem, « cadeau de Noël pour la nation britannique » en décembre, c'est à plus long terme un cadeau en faveur de la nation juive à naître. Il suffit d'un peu de patience, et Haïm Weizmann n'en manque pas...

D'autres acteurs jouent leur rôle. Parmi les plus importants, la branche anglaise des Rothschild et leurs parents français, Edmond et son fils James, qui soutiennent matériellement les colonies juives de Palestine, mais sans arrière-pensées étatiques.

Nahoum Sokolow représente en quelque sorte le sionisme russe en exil. Mais il faut aussi compter avec Louis Wolf, un journaliste disposant d'entrées au Foreign Office ; avec Achad Haam, Israël Sieff ou Harry Sacher, membres de l'exécutif sioniste. Et bien sûr avec Aaron Aaronsohn. L'agronome-agent secret a quitté la Palestine avant la chute du réseau Nili pour faire la conquête de Sykes, certain désormais que les Arabes ont besoin des sionistes pour développer mutuellement à l'avenir des nations indépendantes...

Le Derviche, un allié de poids, le plus déterminé des Britanniques favorables au projet sioniste ; Leopold Amery ; lord Cecil ; Meinertzhagen ; son camarade le colonel Gribbon et leur ami, le Pr Webster, détenteur de la chaire d'histoire à l'université de Liverpool et appartenant aussi aux services secrets de Sa Majesté.

Sans doute sir Mark est-il de bonne foi en s'imaginant que, le moment venu, la divine providence permettra à la Grande-Bretagne de concilier les promesses contradictoires faites aux Français, aux Hachémites, aux Séoudiens, et maintenant aux sionistes. Mais le risque est énorme. Certains connaisseurs britanniques du monde arabe s'inquiètent déjà de son engouement pour Weizmann.

Lawrence est de ceux-là. Chacun des deux interlocuteurs campant sur ses positions, sa rencontre avec Aaronsohn, fin août, au Savoy Hotel du Caire, a mal tourné. Les Juifs, expliquait le créateur du réseau Nili, voulaient acheter les droits sur les terres de toute la Palestine de Gaza à Haïfa et jouir, en pratique sinon politiquement, de l'autonomie.

« Par des transactions équitables, ou par des ventes forcées, des expropriations ? » avait demandé l'officier du Bureau arabe, sans obtenir de réponse qui le satisfasse.

L'« indiscret » s'en est ouvert par lettre à sir Mark. Sa missive insiste sur la différence, chère au cœur des Hachémites, entre les Juifs qui vivent de longue date en Palestine, et dont la langue est l'arabe, et les colons juifs de fraîche date, qui parlent le yiddish allemand.

« Fayçal, poursuit Lawrence, est au contact des Juifs arabes (leur quartier général de Saphet et Tibérias se situe dans sa sphère d'influence) et ils sont prêts à l'aider sous conditions. Ils montrent une forte antipathie envers les colons juifs, et ont même suggéré des mesures répressives contre eux. Fayçal a ignoré ces propositions jusqu'à présent et continuera de le faire. Ses tentatives pour établir le contact avec les colons juifs n'ont guère été couronnées de succès. Ils disent avoir conclu des arrangements avec les grandes puissances, et ne souhaitent aucun contact avec le parti arabe. Ils n'aideront ni les Turcs ni les Arabes.

« Maintenant, Fayçal veut savoir (ce serait mieux que l'information lui parvienne par mon canal car, en général, j'aime me faire une idée personnelle avant qu'il le fasse) quel est l'arrangement entre les colons juifs (quelquefois appelés sionistes) et les Alliés... Qu'avez-vous promis aux sionistes, et quel est leur programme ? »

Le chef de Lawrence au Caire, le général Clayton, abonde dans le même sens. Pour lui, Sykes n'est qu'un amateur qui manie de la poudre sans imaginer qu'elle peut exploser à tout moment.

Quand sir Mark, fasciné par la personnalité d'Aaronsohn, soutient que les succès du centre de recherches agronomiques d'Athlit prouvent la viabilité du projet de foyer national juif en Palestine, le général hausse les épaules. Et voyant l'or israélite partout, multiplie les mémorandums, que Sykes classe sans suite comme une prose dénuée d'intérêt.

Lawrence, Hogarth et Clayton hantent beaucoup moins les nuits du Derviche que les surenchères de certains sionistes, qui revendiquent carrément une grande Palestine englobant les régions syriennes de Damas, du Djebel druze et de la Transjordanie (la Jordanie plus la Cisjordanie actuelles).

Juifs, Arméniens et Arabes s'y entendraient, assurent-ils, à merveille. Même sir Mark, féru d'harmonie intercommunautaire, n'y croit guère. Et de toute façon, pour la Syrie, on ne peut rien faire sans la France.

Négociant pied à pied avec Sykes, Weizmann parvient à dessiner les contours d'une Palestine juive plus réaliste. Reste la question des lieux saints, épineuse puisqu'elle met en cause trois religions, chrétienne, juive et musulmane. Le Vatican s'y montre particulièrement sensible. La France aussi, qui se voit depuis longtemps en gardienne des lieux de culte. On en reste donc à un projet assez vague d'internationalisation dont le seul mérite serait de ne causer de déplaisir à personne.

C'est encore sir Mark qui mettra les Français, son ami Georges-Picot d'abord puis, à travers lui, le Quai d'Orsay, en contact avec Sokolow. Une initiative qui a le don d'agacer Weizmann, lequel voit dans le Juif russe à la fois un rival pour sa personne et un danger pour sa stratégie du tout Grande-Bretagne. En sort une lettre de sympathie signée de Jules Cambon, le ministre français des Affaires étrangères, plus vague, plus restreinte que la future déclaration Balfour.

Balfour qui a définitivement basculé en faveur des thèses de Sykes. Le reste n'est qu'allers-retours de moutures de texte entre Sokolow, sir Walter Rothschild, principal leader de la communauté juive anglaise, sir Alfred Milner, chargé des questions impériales au cabinet de guerre du Premier ministre, et ses deux adjoints, Mark Sykes et Leopold Amery ; Edwin Montagu, le secrétaire d'État britannique des Indes, hostile au projet, sir

George Curzon, ancien vice-roi des Indes influent au Comité de guerre, à peine plus chaud ; et naturellement Lloyd George et Balfour.

Le 31 octobre, Curzon lève ses dernières objections lors d'une réunion du Comité de guerre.

« Docteur, c'est un garçon », lance le Derviche à l'adresse de Weizmann qui, dûment averti, l'attendait dans un lieu voisin.

Le 2 novembre, Balfour signe la lettre à l'attention de lord Rothschild.

Les dés sont jetés.

Dans l'intervalle, un maelström s'est abattu sur la Russie : Lénine et les bolcheviks viennent de s'emparer du pouvoir...

La diplomatie secrète, c'est terminé. Désormais, tout sera exposé sur la place publique, décrètent les nouveaux maîtres de Saint-Pétersbourg et de Moscou.

Une affirmation qui, avec le recul, fait pouffer de rire. Mais pas à l'époque, quand les bolcheviks publient le texte intégral des accords Sykes-Picot, dont la Russie tsariste était cosignataire.

Si l'objectif était de mettre les États impérialistes en difficulté, le voilà atteint. Ainsi, on s'est partagé une région entière du globe, sans le moindre souci de ses habitants !

La nouvelle tombe d'autant plus mal que le prince Zaïed vient enfin de rejoindre Fayçal à Akaba, et qu'Ali a essuyé, le 9 novembre, un cuisant échec. Les six canons de montagne de 80 mm français du lieutenant Kernag ont bien détruit la gare de Mélil, mais, refusant de s'engager, les deux mille Bédouins et les huit cents réguliers de la troupe du prince sont restés à bonne distance de l'ennemi. Pour un peu, Kernag et ses hommes tombaient entre les mains des Turcs. Ce qui n'empêchera pas Ali de réclamer, le 22 novembre, de l'argent frais au colonel Brémond :

« Il me faut au moins deux mois de subsides, c'est-à-dire deux cent mille livres. Je ne touche, voyez-vous, que quarante-trois mille livres par mois, Zaïed trente-cinq mille et Abdallah, soixante-trois mille avec un effectif qui atteint à peine le quart du mien... »

La ficelle est grosse : à l'oued Aiss, le prince Abdallah et ses douze officiers, dont le capitaine Raho, ne commandent certes que quatre cents réguliers et, parmi eux, cent six Français, mais ils sont à la tête de six à sept mille Bédouins qu'il faut payer sous peine qu'ils se débandent.

Le 16 novembre, Allenby pénètre dans Jaffa. Le 18, on apprend la mort, à cinquante-trois ans, de Systematic Joe Maude. Pour un verre de lait infecté, le choléra emporte le conquérant de Bagdad, victime des conditions sanitaires épouvantables dans la capitale irakienne.

Le 20, le roi Hussein désigne le remplaçant d'Ali l'Égyptien au ministère hachémite de la Guerre, Mahmoud el-Kaissouni, jeune officier égyptien plein de flamme. Et pendant ce temps-là, l'armée du prince, tuant cent vingt-deux Turcs, s'empare d'Istabl'-Ansar et met la main sur d'importantes réserves de munitions et de ravitaillement...

Quelques jours plus tard parvient la nouvelle de la publication des accords Sykes-Picot.

À Damas, Djemal Pacha réagit d'autant plus vite qu'il se sent menacé de rappel à Istanbul. Il dépêche un émissaire à Akaba. Double mission : remettre en mains propres deux lettres datées du 26, l'une au prince Fayçal et l'autre à Djefar el-Askari ; et demander un blanc-seing pour se rendre à La Mecque négocier directement un traité de paix avec le roi Hussein.

Pour faire bonne mesure, le bourreau de la Syrie expédie une autre missive, datée du 5 décembre, au prince Abdallah.

Dans les trois cas, l'argumentaire reste le même : que vaut une indépendance fictive quand Français et Anglais, des infidèles, se sont déjà partagé le monde arabe ? Ne serait-il pas préférable de s'arranger entre musulmans ?

Refusant à l'émissaire de Djemal Pacha le libre accès à La Mecque, Fayçal invite le proconsul ottoman de Damas à s'adresser directement aux Alliés ; dans le même temps, il transmet la lettre à son père. Abdallah adopte une conduite similaire.

Dès réception, Hussein demande à ses fils de répondre à l'émissaire de Djemal Pacha que « l'épée sera l'arbitre entre

Arabes et Turcs ». Et pour montrer sa bonne foi aux Britanniques, il leur transmet les trois lettres.

Insensible aux aléas diplomatiques, Allenby poursuit son avancée sur Jérusalem. Gaza prise à revers à partir de Birsheba, les troupes anglaises progressent en direction de la ville sainte. À Londres, à Paris ou au Caire, on s'inquiète déjà des conditions dans lesquelles il devra s'en emparer. Sans destructions bien sûr – elles friseraient le sacrilège. Aussi le commandant en chef donne-t-il l'ordre d'éviter tout bombardement.

Conçu pour l'essentiel par le Derviche, en liaison avec les Français et les Italiens, dans le but de ménager la susceptibilité musulmane, un cérémonial a été fixé. Contrairement à l'entrée dans Bagdad, il n'y aura ni fanfare, ni chevauchée, ni drapeaux.

Le 9 à midi, le maire et le chef de la police, porteurs d'un drapeau blanc, se présentent aux avant-postes britanniques. Tandis que les combats se poursuivent à la baïonnette, les négociations commencent. Elles se prolongent jusqu'au lendemain.

Mark Sykes et le Foreign Office ont scénarisé la suite des événements. C'est sur cette base que, diplomate de carrière et parfait anglicisant, le chef de la mission militaire française au Caire, le lieutenant René Doynel de Saint-Quentin, a négocié avec Bertie Clayton la place de nos compatriotes dans la cérémonie de reddition de la ville sainte, Massignon réglant sur le terrain les derniers détails, tels la composition du détachement militaire ou l'emplacement des drapeaux tricolores.

Vers dix heures et demie, le 11 décembre, Allenby, le général Burton, nouveau gouverneur de la ville sainte, Georges-Picot, le lieutenant-colonel Wyndham Deedes, pendant civil de Meinertzhagen, le lieutenant-colonel de Piépape et son homologue italien D'Agostino se retrouvent devant la porte de Jaffa.

Lawrence, venu d'Akaba, et Massignon les observent. Le Français est sanglé dans son uniforme, tandis que l'Anglais semble toujours aussi déguisé.

« Votre casquette est de travers et vos pattes de col, mal attachées », souffle Massignon.

Rien dans l'air détaché de Lawrence n'indique que, voici trois semaines, lors d'une reconnaissance hasardeuse derrière les lignes ottomanes, il a été capturé, pris pour un déserteur, fouetté et, selon toute probabilité, violé par le gouverneur turc, Hadjim Bey. Mais la blessure intime est profonde, et elle ne fera que s'élargir par la suite. Comme prévu, c'est à pied qu'Allenby fait son entrée, suivi par Burton, ses aides de camp. Derrière eux, Piépape en képi et D'Agostino la tête coiffée du couvre-chef à plumes des *bersaglieri*, les combattants d'élite italiens qui, d'ordinaire, défilent au pas de course.

Entre deux haies de troupes dont un modeste contingent français de cinquante hommes et une force italienne plus réduite encore, le cortège officiel se dirige lentement vers la tour de David.

Une courte déclaration d'Allenby, et la cérémonie est terminée.

Pour les Britanniques, cette journée du 11 décembre marque un immense succès : le « cadeau de Noël de la nation britannique » est arrivé dans les délais impartis. Territoire occupé militairement, la ville sainte sera administrée sous le régime de la loi martiale par un gouverneur britannique, le colonel Bolton.

Des soldats indiens musulmans du 123e Outram's Rifles montent déjà une garde vigilante devant la mosquée d'Omar. C'est le meilleur moyen de contrarier les appétits des Français comme ceux des Arabes.

Pour les Hachémites, la chute de la ville constitue en effet une humiliation supplémentaire. Les Anglais ont déjà pris Bagdad sans eux, et Fekri Pacha garde toujours le contrôle de Médine, la deuxième ville sainte de l'islam.

Voilà qui augure mal du califat futur d'Hussein. Et autant de l'indépendance arabe que Sykes et Georges-Picot ont déjà mise à mal...

19

Bienvenue, Mr Philby

Pour épauler sa poussée future vers la Transjordanie puis Damas, Allenby compte sur les forces hachémites. Encore faut-il prémunir La Mecque contre une attaque des Rachidi du Hail, alliés des Turcs.

Dans ces conditions, sir Percy et Gertrude Bell, installée à Bagdad, depuis mai 1917, comme correspondante du Bureau arabe et l'une des chevilles ouvrières du pouvoir anglais en Irak, ont décidé de réactiver le traité d'amitié avec Ibn Séoud. Une tâche qui incombe à un nouvel arrivant dans le jeu, Harry Bridger St John Philby.

Fonctionnaire du Raj, le gouvernement de l'Inde, ce fils d'un planteur de café, né le 3 avril 1885 à Ceylan est plus réputé pour son don pour les langues orientales que pour son hostilité viscérale à l'establishment anglais. Il connaît bien la région. Aussi fleuri que celui de Ronald Storrs, son arabe fait l'admiration de tous, autochtones compris. Gertrude Bell ne tarit d'ailleurs guère d'éloges sur cet anticonformiste-né.

« St John, vous vous rendrez dans le Nedjd, ordonne le Rocher de Brighton. À Riyad, parlez avec Ibn Séoud. Dites-lui que nous souhaitons ouvrir dès que possible un bureau civil dans sa capitale, et informez-vous de ses intentions vis-à-vis du roi Hussein et des Hachémites.

— Pas très amicales, à en croire Miss Bell…

— Ibn Séoud déteste autant les Rachidi. Faites en sorte qu'il tourne d'abord ses armes contre eux. Assurez-vous qu'il laisse Hussein tranquille. On verra après guerre comment nous accommoder de cette situation. Mais d'ici là, de grâce, pas de conflit. Si Ibn Séoud annihile les Rachidi, il aura droit à toute notre reconnaissance.

« Pour votre mission, a conclu sir Percy, vous disposerez de trente mille souverains à distribuer au coup par coup… »

Le 17 octobre 1917, Philby quitte donc Bagdad pour se diriger vers Bassorah. Il embarque bientôt sur une petite embarcation à voile latine pour Ouquair, petit port sur la côte orientale de l'Arabie. Il met pied à terre le 15 novembre. Quinze jours plus tard, il gagne Riyad à dos de chameau.

Jusque-là, rien que de très conforme à la mission. Mais Philby l'outrepasse quand, sympathisant avec Ibn Séoud, il noue une sorte de pacte à deux dont la maison Hachem constitue la cible principale.

Sensible à la puissance sauvage du leader wahhabite, à son courage physique, à sa haine du roi Hussein qui n'a d'égale que celle que lui-même voue aux cercles dirigeants anglais, ces foutus snobs à la cervelle vide, St John imagine une technique bien à lui pour discréditer la cause hachémite.

On murmure que Ronald Storrs visiterait bientôt Taïef pour y rencontrer une nouvelle fois Hussein. Pourquoi Philby ne se rendrait-il pas dans cette cité pour se faire l'interprète d'Ibn Séoud auprès du secrétaire oriental ?

Escorté de trente-six ikwans, les « frères du croissant » wahhabites, l'anticonformiste du Raj se met en route le 8 décembre. Un voyage éprouvant à travers le désert, en compagnie de Bédouins hostiles. Parvenu à Taïef, le collaborateur du Rocher de Brighton, barbu et costumé en arabe, est reçu presque aussi fraîchement par le gouverneur hachémite de la cité.

« Qui êtes-vous ? Que faisiez-vous à Riyad, chez ces fanatiques ? »

C'est à Djeddah que la rencontre avec Storrs aura lieu, apprend Philby, qui finit par arracher l'autorisation de gagner la côte hedjazi.

Là-bas, nouvelle surprise : Storrs ne viendra pas, on attend seulement Hogarth. Le 6 janvier, le chef du Bureau arabe débarque pour se trouver face à un émissaire du Raj dont il n'a jamais entendu parler auparavant.

« C'est Cox qui vous envoie, mais pour quoi faire ? Et pourquoi n'étions-nous pas au courant ? »

Assez fin pour comprendre les dysfonctionnements causés par l'étendue même de la sphère d'influence britannique au Moyen-Orient, Hogarth l'est tout autant pour saisir l'ambiguïté propre à Philby. L'homme a agi « pour le mieux », prétend-il. Mais quel « mieux » au juste ? À travers le portrait flatteur que Philby brosse d'Ibn Séoud, c'est un véritable renversement de la politique arabe de la Grande-Bretagne qu'il propose.

Dans l'attente de l'arrivée d'Hussein, Hogarth tente de faire le point. Le roi sera furieux d'apprendre que la Grande-Bretagne pactise avec Ibn Séoud. Une colère qui risque de tendre un peu plus les relations avec la maison Hachem, déjà mises à mal par la déclaration Balfour.

Hogarth sait que le roi du Hedjaz, mécontent de ses alliés britanniques, fait mine de négocier un renversement d'alliance avec les Ottomans, par l'intermédiaire du khédive Abbas II. Ancien prince d'Égypte surnommé « le Patriote », Abbas a été limogé en 1914 par la Grande-Bretagne car trop antianglais. Installé en Turquie, il brûle de jouer un rôle dans la région. C'est dire si le chef du Bureau arabe pressent de sérieuses difficultés.

De fait, l'orage annoncé ne tarde pas à éclater. Le 8, Hussein parvient à Djeddah, et après les échanges de salutations traditionnels, la conversation avec Philby tourne à l'aigre.

« Ni le commandant Hogarth, ni M. Storrs, ni qui que ce soit n'aura jamais l'autorisation de se rendre à Riyad à travers mes terres pour y rencontrer Ibn Séoud ! Et vous... »

Le malik se tourne vers Philby :

« Vous, vous vous êtes permis de rentrer dans mon royaume du Hedjaz sans vous faire annoncer, comme le soleil dans le ciel. Si vous tenez à vous rendre à Riyad, empruntez la voie maritime en passant par les Indes. Pour ce qui est d'Ibn Séoud, il est en train de vendre son pays aux Anglais. Les Arabes finiront par comprendre que je vois clair quand je dénonce l'iniquité de ce personnage. »

Philby devrait s'incliner. Mais, fait incroyable chez un simple fonctionnaire, il se permet de prendre la mouche :

« Le gouvernement britannique m'a envoyé dans le Nedjd pour examiner la situation de mes propres yeux, et j'ai le malheur d'être arrivé à des conclusions fort différentes de celles de Votre Majesté. »

Il faut toute la diplomatie de Hogarth pour détendre l'atmosphère. En signe d'apaisement, le roi baisera le front de Philby, mais sans lui accorder l'autorisation de retourner à Riyad via l'intérieur du pays :

« Par la mer si vous voulez, par Bombay, mais c'est tout. »

Hogarth n'a aucune difficulté à comprendre le message : Philby est de trop.

Pendant que St John tue le temps à contempler la mer Rouge, le chef du Bureau arabe et le roi du Hedjaz entrent dans le vif du sujet, la question palestinienne. Non sans qu'Hussein ait laissé transparaître au préalable sa préoccupation essentielle du moment : les menées d'Ibn Séoud.

Le chef du Bureau arabe procède à la lecture d'un long message en plusieurs points destiné au malik. La Grande-Bretagne et la France ont décidé qu'après la guerre, l'unification de la nation arabe sera l'œuvre des Arabes eux-mêmes. Mais la Palestine, carrefour de religions, devra bénéficier d'un statut particulier, permettant le libre accès de tous aux divers lieux saints musulmans, juifs ou chrétiens.

« Dans votre correspondance, c'est ce que McMahon désignait comme les intérêts spéciaux de l'Angleterre et de la France, Votre Altesse.

— Je comprends, commandant Hogarth. Mais il est difficile pour nous, Arabes, de fonder notre action sur la bonne entente entre Britanniques et Français, provisoire peut-être.

— Pour les affaires arabes, l'accord entre nos deux gouvernements est complet. Il va tout à fait dans le sens des projets de votre fils Fayçal, comme d'ailleurs dans celui du gouvernement américain. Le président Wilson demande d'accorder aux peuples le droit à la souveraineté. Dans le cas de la Syrie, ce sera un gouvernement indépendant. »

Hogarth poursuit sa lecture.

« En ce qui concerne la mosquée d'Omar, elle sera considérée comme d'intérêt uniquement musulman et ne sera soumise ni directement ni indirectement à aucune autorité non musulmane. »

Le monarque approuve cette formule, qui préserve ce haut lieu de l'islam de toute intrusion étrangère. Il se montre plus réservé, mais pas hostile, quand Hogarth aborde l'immigration juive.

Le chef du Bureau arabe minimise, il est vrai, les conséquences de la création du Foyer national juif dont il ne mentionne même pas le nom, bien qu'il figure en toutes lettres dans la déclaration Balfour. Le projet sioniste se réduirait à l'installation de Juifs sur la terre de leurs ancêtres, perspective qui ne choque pas vraiment le roi. Tant qu'il ne s'agit pas de construire un État hébreu, elle lui paraît acceptable.

Surtout si, comme le souligne le message, « la sympathie du judaïsme mondial à la cause arabe revient à la soutenir partout où les Juifs exercent une influence politique. Les dirigeants du mouvement sioniste sont décidés à fonder la réussite du sionisme sur l'amitié et la coopération avec les Arabes. » Mais c'est une vue optimiste, reflet au mot près des thèses de Weizmann, décidément bien en cour à Londres.

À la veille du départ, St John Philby tente une fois encore de persuader son supérieur du Bureau arabe de gagner Riyad en sa compagnie pour y faire la connaissance de ce personnage si extraordinaire, Ibn Séoud. Il s'attire une réponse cinglante :

« Pas question. Je vous emmène au Caire pour faire votre rapport. Rasez-vous, débarrassez-vous de ces vêtements arabes, et faites vous prêter un uniforme digne de ce nom. Nous sommes en guerre, dois-je vous le rappeler ? »

En février 1918, Djefar el-Askari, nommé trois mois plus tôt commandant militaire de l'armée arabe du Nord par Fayçal, transfère son quartier général opérationnel à Abou Lessan, au sud-est d'Akaba. Le colonel Joyce l'y rejoint presque aussitôt, vite chapeauté par un nouveau venu, le longiligne lieutenant-colonel Alan Dawnay, des Coldstream Guards, responsable de toutes les opérations impliquant des Britanniques au Hedjaz.

Dès sa première tournée sur le terrain, début février, Dawnay a saisi la véritable nature du conflit en cours. Pour en venir à des conclusions voisines de celles que défendait jadis Ali l'Égyptien. Deux troupes arabes complémentaires mais différentes, l'une pratiquant la guérilla tandis que l'autre mène des formes de combats plus classiques.

À cette différence près que l'armée régulière du Nord, étoffée et professionnalisée sous la houlette de Djefar el-Askari et de Nouri Saïd, a désormais acquis la capacité guerrière qui lui faisait défaut au moment de la disgrâce de l'Égyptien.

Dawnay sait qu'Akaba, poumon de la thawra, permet aux Alliés de débarquer du matériel semi-lourd, comme les autos blindées anglaises de Joyce, les camions Talbot ou les canons de montagne français du capitaine Pisani. Et mieux, qu'un terrain d'aviation a été aménagé un peu plus loin. De quoi envisager avec sérénité le déploiement des trois mille réguliers arabes. Pour leurs premières armes sous le drapeau hachémite, ces hommes ne seront pas lâchés seuls dans la nature.

Suite aux demandes réitérées des Britanniques, Brémond a été limogé fin décembre 1917. Son successeur à la tête de la mission militaire française, le commandant Henry Cousse, note que l'armée du Nord comprend désormais deux divisions à deux régiments dotés « d'une certaine valeur militaire ».

Djefar el-Askari, souligne-t-il, affiche une grande fermeté personnelle. Parlant couramment sept langues, l'arabe, le turc, le kurde, le persan, l'anglais, l'allemand et le français, il est de surcroît l'intermédiaire rêvé.

En la personne de Dawnay, vite agréé par Fayçal et ses fidèles, la révolte arabe tient un allié différent de Lawrence, mais presque aussi précieux. Sa nomination prouve qu'Allenby considère enfin l'armée hachémite comme partie intégrante de son dispositif de combat. De fait, le Taureau compte sur les combattants de Fayçal pour sécuriser la rive orientale de la mer Morte, parallèle à la côte, quand le gros des forces britanniques s'avancera vers le nord entre la Méditerranée et la rive occidentale de la mer Morte.

Le malheur, c'est que Dawnay s'entend on ne peut plus mal avec Nouri Saïd. D'ordinaire mieux disposé envers les officiers de Sa Gracieuse Majesté, l'Irakien brûle de démontrer ses qualités de chef sur le terrain. Et, du coup, le ton monte parfois.

À la demande de Fayçal, Nouri a formé le premier régiment de cavalerie régulière purement chérifien. Il installe son poste de commandement tout près d'Abou Lessan, à Ouaheida. C'est là qu'il va faire la connaissance du jeune lieutenant Kirkbride.

Fils d'un fonctionnaire anglais de l'administration d'État des postes égyptiennes, Alec Kirkbride possède au plus haut point le don des langues. Outre le français, appris dans un collège de jésuites, il parle couramment l'arabe pour l'avoir pratiqué avec ses condisciples autochtones.

Engagé volontaire dans les Royal Engineers à dix-huit ans et demi, on a d'abord chargé ce brillant sujet du recrutement de la main-d'œuvre locale pour les chantiers du corps expédition-naire britannique. On lui commande ensuite un rapport sur la viabilité d'une route carrossable pour les camions entre Birsheba et Tafilé, un point stratégique en altitude, à mi-chemin entre Akaba, au sud, et Amman, la future capitale jordanienne, au nord.

C'est à cette occasion qu'il rencontre une première fois Lawrence. Tremblant de froid et de fatigue, l'homme du Bureau arabe vient d'effectuer le trajet Tafilé-Goueira-Tafilé dans des conditions climatiques épouvantables. Il propose au jeune lieu-tenant de demander son affectation ultérieure dans l'armée arabe, ce que Kirkbride accepte avec joie.

Muté dans cette attente à l'East Mediterranean Special Intel-ligence Bureau, un service secret de plus, il effectue par la suite une mission de liaison auprès de Joyce. Celle-ci passe par Oua-heida.

« Voulez-vous rester quelques jours avec nous ? s'enquiert Nouri Saïd. Je serais ravi de vous faire les honneurs de notre mess des officiers. »

Kirkbride acquiesce. Pour comprendre à quel point la « popote » de Nouri diffère des mess britanniques, mille fois plus guindés. Du coup, le voilà qui arrache sa mutation auprès de l'armée chérifienne du Nord. À lui la grande aventure, les chevauchées dans le désert, les coups de commando contre le chemin de fer. En la personne de ce jeune officier, un nouvel acteur de la saga des Hachémites vient de faire irruption. Il n'est pas prêt de quitter la scène...

Entre janvier et mars, le prince Zaïed effectue plusieurs volte-face selon qu'il s'empare de Tafilé, ou que, au contraire, pressé par de vigoureuses contre-attaques turques, il s'en retire à toute vitesse.

Mortifié, le jeune prince attribue en toute injustice ses revers à Fayçal « qui ne fait rien », aux Anglais « qui l'abandonnent » et à Lawrence... qui n'est pas assez souvent là !

« Fayçal n'entrera jamais dans Maan », prétend-il avec aplomb.

On dirait presque qu'il le souhaite.

De l'autre côté de la voie du chemin de fer par rapport à Abou Lessan, Maan constitue l'objectif numéro un de l'armée du Nord dans le plan de campagne d'Allenby.

Une des rares bourgades importantes de Transjordanie, contrée déshéritée entre le nord du Hedjaz et le grand désert syrien, Maan est dotée d'une garnison ottomane de deux mille hommes. Si tout se passe comme prévu, Fayçal et les siens devront s'en saisir, avant de monter jusqu'à la rive est de la mer Morte opérer la jonction avec l'armée britannique. Il s'agit de protéger le flanc droit d'Allenby. En cas de succès, les chérifiens pousseraient, vers le nord toujours, jusqu'à Tafilé et Jéricho, où le commandant en chef britannique envisage une attaque de diversion tandis qu'il progressera le long de la côte palestinienne.

La coopération des forces armées hachémites vaut bien quelques concessions. D'où ce télégramme du 8 février. Réponse embarrassée de Wingate, haut-commissaire britannique en Égypte à la place de McMahon, au roi Hussein, il minimise en toute mauvaise foi la portée des accords Sykes-Picot :

« Les documents trouvés par les bolcheviks au ministère des Affaires étrangères de Saint-Pétersbourg ne correspondent pas à un accord en bonne et due forme, mais consistent dans l'enregistrement écrit de conversations entre la Grande-Bretagne, la France et la Russie qui se sont tenues dans les premiers jours de la guerre, et avant la Révolte arabe, dans le but d'éviter des difficultés entre les puissances dans le cours de la guerre avec la Turquie. »

Et d'accuser Djemal Pacha de déformer à dessein le but initial de ces discussions, que le déclenchement de la thawra et l'effondrement de la Russie auraient de toute façon rendues caduques.

Djemal Pacha, justement, vient de sortir du jeu, remplacé par son quasi-homonyme Ahmed Djemal Pacha « le Petit ». Lequel, ce même mois de février, dépêche un nouvel émissaire auprès de Fayçal.

« Une paix entre Turcs et Arabes est possible, explique ce Djemal-là, car les Ottomans ont l'intention d'évacuer toutes leurs possessions arabes. Que diriez-vous d'en parler ensemble ? »

Ébranlé par la publication des accords Sykes-Picot, le prince ne ferme pas la porte. Pas complètement en tout cas :

« Dites à Djemal Pacha qu'il évacue déjà la région comprise entre Médine et Amman. Cela nous donnera un aperçu de sa bonne volonté... »

Cette prise de contact n'empêche aucunement les Turcs d'attaquer une nouvelle fois son frère Zaïed à Tafilé, le 4 mars. Ni Fayçal d'envoyer Nessib el-Bekri au Hauran, flanqué de quelques cavaliers.

« Priez les Druzes de se joindre à moi car dès que les puissances m'auront reconnu comme roi de Syrie, je leur accorderai une large autonomie. »

Le même jour, Lawrence débarque d'avion pour expliquer les nouveaux développements du plan Allenby. L'homme de Bureau arabe arrive du Caire puis de Jérusalem, où il a séjourné deux jours en compagnie de Ronald Storrs. Promu gouverneur militaire de la ville, l'ancien secrétaire oriental opère sous les ordres de l'inévitable Bertie Clayton, chargé, lui, de l'administration de toute la Palestine du sud, occupée par les Britanniques.

Flanqué d'un haut fonctionnaire chrétien de Syrie, le général Gabriel Haddad, Storrs affronte les assauts répétés de Georges-Picot, d'autant plus pugnace que les forces françaises représentent peu de chose sur le terrain. Tel jour, la polémique porte sur la conversion de la monnaie ottomane, tel autre sur certains lieux saints dont Georges-Picot voudrait s'assurer le contrôle au nom de la France, « protectrice traditionnelle » des minorités catholiques du Moyen-Orient.

Ces tensions permanentes ne font qu'exprimer la cascade de méfiances réciproques qui affecte les Britanniques, les Français mais aussi les Arabes et les Juifs sionistes. Allenby se méfie du diplomate français. En bon militaire, il ne fait guère plus confiance à ses compatriotes civils, surtout à l'exubérant Derviche. Et même s'ils s'inclinent, par discipline, devant les consignes du Foreign Office, Clayton et Storrs partagent l'avis de leur supérieur hiérarchique.

Qui dit gouvernement militaire dit statu quo. En particulier frein à l'achat massif de terres par les immigrants juifs, donc retard dans la mise en œuvre des projets sionistes de colonisation agraire. Alarmés par la déclaration Balfour, les Arabes se montrent de moins en moins enclins à coopérer avec les immigrants, qu'ils commencent à voir comme des envahisseurs. Ils se retournent donc vers les Anglais. Lesquels Anglais et ainsi de suite...

L'équation palestinienne à multiples inconnues qui va parcourir tout le XXᵉ siècle est en train de se former. Elle ne concerne encore qu'indirectement les destinées de la thawra, suspendue à la progression des troupes anglo-hachémites vers la Transjordanie.

Lors de ces deux journées à Jérusalem, Lawrence a-t-il confié à Storrs et Clayton ses doutes croissants sur les capacités militaires des Arabes ?

Il est vrai qu'une vive discussion vient de l'opposer à l'émir Zaïed. Pour rémunérer le concours des tribus nomades voisines de la zone d'opération, Lawrence était allé chercher à Goueira trente mille souverains-or. Cette somme, le prince en était le détenteur. Or, il a préféré l'affecter à des tribus sédentaires, peu enclines à prendre les armes à cause du risque de représailles turques mais qui souffraient des conséquences d'un hiver épouvantable.

Furieux de voir ses plans anéantis, Lawrence s'est alors livré à un véritable chantage. Si le prince n'en passait pas par ses exigences, le financement britannique serait remis en question.

« J'exige un décompte écrit des sommes versées », a-t-il conclu d'un ton rogue.

L'« indiscret » parlait d'expérience. Ne venait-il pas de couper les vivres à Abdallah, pas assez malléable ? Plus un sou depuis février. Et pire, la Grande-Bretagne reversait en totalité l'allocation d'Abdallah à Fayçal. De quoi semer un peu plus la zizanie entre frères.

Sachant ces arrière-pensées, Zaïed a dû s'exécuter. Mais de mauvaise grâce, pestant contre l'arrogance des Britanniques, maîtres de l'argent à défaut d'être les maîtres de la guerre.

Mais le fiel déjà versé suffit. Alors, au moment de sa nouvelle rencontre avec Fayçal, Lawrence fait mine de ne penser qu'à l'avenir.

« Un officier britannique sera bientôt là. C'est moi qui ai suggéré son nom. Il s'appelle Hubert Young, parle couramment l'arabe et sort de la Royal Military Academy. Il vient d'Irak, et connaît le Moyen-Orient depuis deux ans. Si je disparaissais, on aurait besoin de quelqu'un pour me remplacer. Autant que Young soit déjà sur place, bien informé des réalités de notre guerre. »

Fayçal hoche la tête. Tout de même, il préférerait que le cas de figure ne se produise jamais...

Le 7 mars, Djefar Pacha prend la tête d'une expédition vers Maan composée de chérifiens qu'épaule le détachement français Pisani. Mal préparée, elle échoue. Confronté aux mauvaises conditions climatiques (il neige !) et aux risques de désertion en masse, l'Irakien, toute honte bue, doit regagner Abou Lessan. Des chameaux ont été perdus en grande quantité. Le moral, lui, est en berne. Si les Britanniques ont pris Jéricho, les Arabes piétinent toujours.

Lawrence, Joyce et Dawnay élaborent alors une nouvelle tactique, plus sophistiquée, dans la veine très anglaise de la stratégie indirecte, où l'on n'attaque pas l'ennemi de front, mais où on le met dans une situation impossible en coupant ses lignes de communication.

« Faisons remonter l'armée arabe au nord de Maan sans nous en prendre à la ville. Postons-la en travers de la voie du chemin de fer du Hedjaz. Isolée et privée de ravitaillement, la garnison turque sera contrainte à une sortie. Nous l'attendrons en rase campagne et, là, nous l'écraserons. »

Fayçal et Djefar el-Askari sont d'accord, d'autant qu'ils savent les Germano-Turcs commandés depuis février par l'énergique et compétent Liman von Sanders. Mais pas leurs officiers qui, meurtris par les échecs arabes contre les villes, à Médine ou ailleurs, et furieux que le point de vue britannique finisse toujours par triompher, exigent à cor et à cri un assaut frontal. Pris entre la double méfiance des chérifiens qui le trouvent trop favorable aux Britanniques, et celle des Britanniques qui le trouvent trop favorable aux chérifiens, Nouri Saïd se montre le plus intransigeant.

« L'honneur de notre cause l'exige.

— Mais vos troupes ne sont pas encore prêtes, et vous manquez de canons, de mitrailleuses », objecte Joyce.

Atteint de tuberculose et affaibli, il n'est guère écouté. Djefar Pacha avance alors un nouveau plan :

« Je propose que l'armée se divise en trois colonnes. Au centre, notre infanterie sous le commandement de Mouloud Moukhlis. Elle attaquera Semna, qui n'est guère distante, par l'ouest, de la gare de Maan. Au nord, ma colonne attaquera Djerdoune de façon à couper la voie du chemin de fer. Au sud, Nouri Pacha pourra la couper aussi à la hauteur de Ghedir el-Hadj.

— Et les Britanniques ? Et les Égyptiens ?

— Puisque le colonel Joyce est malade, c'est Dawnay qui en prendra la tête – on l'attend ici, à Abou Lessan, d'un jour à l'autre. Leurs troupes s'adjoindront nos Bédouins, les voitures blindées britanniques et les hommes du Camel Corps. Eux couperont la voie plus au sud encore, à Moudawera.

Au fur et à mesure qu'il sent le terrain favorable, Askari prend de l'assurance. Son plan de campagne a l'avantage de donner le beau rôle aux troupes régulières chérifiennes, dont les mouvements seront couverts à distance – cent kilomètres – par les Anglo-Égyptiens et les Bédouins, simple force de repli prépositionnée au sud en cas de contre-attaque turque.

Séduit, Fayçal approuve sans réserve. De nouvelles unités arriveront avec Dawnay à Abou Lessan le 7 avril, en provenance du quartier général d'Allenby, où une séance de travail l'a confronté au commandant en chef et à Lawrence, fraîchement promu lieutenant-colonel.

Dawnay prêche la patience et l'organisation. Les forces d'Allenby n'ont pas progressé comme prévu. Après avoir essuyé de lourdes pertes, mille deux cents tués et blessés, elles se sont retirées de la région d'Amman et Es Salt, précédemment conquise, pour se replier plus au sud. Dans ces conditions, les alliés anglo-arabes doivent faire preuve d'une certaine modestie.

Son intervention jette un froid. Encore n'a-t-il pas révélé que le haut commandement britannique vient de retirer deux divisions à Allenby, qui doivent être acheminées progressivement en Europe...

Le lendemain, le prince Zaïed se joint à la conférence. En l'absence de Lawrence, Young fait office d'interprète, surprenant les uns et les autres par la fluidité de son arabe.

Cette fois, Dawnay avance un nouveau plan, beaucoup plus réaliste. Deux colonnes couperont le chemin de fer, la première au nord, à Djerdoune, sous le commandement de Djefar el-Askari, et la seconde à Ghedir el-Hadj, sous le commandement de Nouri.

Une prudence qui a le don de mécontenter Mouloud Moukhlis. Furieux, l'Irakien lance une pétition accusant les conseillers britanniques de freiner la thawra pour des raisons inavouables. Il refuse l'ordre qui est donné d'attaquer la gare de Fasouah, au sud de Maan.

« Je me vois contraint de démettre ce combattant de la première heure du commandement de sa division, décide Fayçal. J'en suis très triste. »

Mais peut-on écarter Moukhlis à l'aube d'une offensive dont il a été l'un des précurseurs ?

« S'il se plie au plan convenu avec Dawnay et Askari, il pourra reprendre un commandement à titre provisoire », finit par admettre Fayçal.

Le 11 avril, le pétitionnaire prend la tête d'une des trois colonnes d'assaut, celle du centre, formée essentiellement de cavaliers toueitahs d'Abou Taya. Au prix d'une grave blessure à la cuisse, il s'empare des crêtes de Semna, distantes de cinq kilomètres de Maan, qu'elles dominent de plusieurs centaines de mètres. Au sud, Askari prend Djerdoune le 12, capture cent cinquante Turcs, met le feu à la gare et détruit des centaines de mètres de voie ferrée. Au nord, Nouri Saïd s'assure de la gare de Ghedir el-Hadj, avec l'appui des canons de 65 à tir rapide du capitaine Pisani, l'incendie, détruit cinq ponts, un kilomètre de rails et fait cent vingt prisonniers.

Dès le 13, Nouri établit le contact avec les hommes de Moukhlis, dont il prend le commandement, arguant de la blessure de leur chef. Le lendemain, c'est Djefar Pacha qui noue la liaison avec son beau-frère. Un appareil du Royal Flying Corps lance une pluie de tracts sur Maan, assurant les défenseurs de la magnanimité de Fayçal s'ils se rendent immédiatement. Dans le même temps, Askari propose des négociations au commandant turc de la garnison, son ancien condisciple au collège militaire d'Istanbul, mais l'offre est repoussée.

Le 15 avril, Fayçal juge le fruit assez mûr pour donner l'ordre d'attaque générale sur la ville. À quatre heures de l'après-midi, après une préparation d'artillerie intensive où les Français jouent, une fois encore, un rôle important, l'infanterie régulière hachémite dévale des hauteurs de Semna. Malgré les tirs ottomans, les pertes, elle parvient à cinq cents mètres de la gare. Mais il est tard, la nuit va bientôt tomber. Les combats se poursuivent dans l'obscurité jusqu'au petit matin, où Askari donne l'ordre de repli.

Faut-il continuer l'offensive ? Fayçal, archiprudent en matière militaire, estime que non. Mais, face aux relances incessantes des officiers arabes de son armée, il cède et donne son accord.

« Dieu nous donnera la victoire », pronostique fièrement Nouri Saïd. Moins péremptoire, Askari n'ose pas affronter ses propres lieutenants qu'enflamme la perspective d'un succès remporté par l'armée arabe seule. Dans l'enthousiasme général, personne n'écoute le capitaine Pisani quand il rappelle la faible dotation en obus de ses pièces, qui les rend incapables d'assurer un tir de barrage efficace.

Le 17, Askari concentre ses bouches à feu – celles de Pisani essentiellement – sur la crête sud de Semna. Pour cette journée décisive, Nouri a revêtu son plus bel uniforme. À la tête de ses hommes, il s'avance vers la gare tandis que les Taoueihas s'emparent d'un avant-poste à l'est. Retranchés dans leurs abris en béton, les Turcs opposent une résistance farouche. Leurs salves de mitrailleuses font des ravages.

Jugeant l'affaire trop mal engagée, les Bédouins se retirent, abandonnant leurs camarades de l'armée régulière.

« Demandez à Pisani un soutien d'artillerie immédiat ! » lance Nouri Saïd, la pipe de bruyère aux lèvres, ganté, à Lawrence et aux officiers britanniques qui l'accompagnent.

Sautant dans leur Ford, les Anglais foncent auprès de leur camarade français, qu'ils trouvent au désespoir :

« À court de munitions, j'ai imploré Nouri de ne pas attaquer. Et maintenant, je ne peux plus rien faire d'autre que regarder nos hommes se faire déloger de la gare. »

L'obstination de l'Irakien va coûter des pertes sévères à l'armée arabe. Son aide de camp, Soubhal Khadra, est gravement blessé alors qu'il combat à ses côtés. Mais les Turcs, eux, ne plient pas.

Le 18, Djefar el-Askari donne l'ordre du retrait.

C'est l'échec. L'armée arabe du Nord a perdu cent quarante hommes. Mais si la tactique des chefs des forces régulières a failli, leur valeur militaire n'est plus en cause. Les soldats de Fayçal se sont suffisamment bien comportés pour guérir enfin du complexe d'infériorité qu'ils nourrissaient de longue date envers leurs adversaires turcs.

Cette victoire psychologique va permettre à Nouri Saïd d'inverser sa ligne de conduite sans perdre la face.

« Les attaques de front sont trop coûteuses en hommes, admet-il désormais, comme si cette découverte était le fruit de ses propres réflexions. Revenons à des opérations plus furtives. »

Abdallah l'a compris depuis belle lurette. Il en fait la démonstration éclatante dans son propre secteur du front. Après avoir endigué un assaut-surprise des Turcs et des Rachidi contre le camp chérifien de Nabaa, le prince s'est bien gardé d'une riposte frontale. Mais, dans les jours qui ont suivi, une série de raids des Bédouins de l'émir Faisen et de l'émir Dari ont desserré l'étau, contraignant les agresseurs à quitter la région. Faute d'un Lawrence pour porter la bonne nouvelle jusqu'au Caire, l'écho du succès tactique d'Abdallah ne dépassera hélas pas les limites de sa portion du Hedjaz...

20

Hussein contre Fayçal

Dans l'armée arabe du Nord, si les hommes du rang sont majoritairement syriens, les meilleurs officiers viennent d'Irak.

Cette contradiction n'échappe pas au commandant Cousse, remplaçant du malheureux Brémond à la tête de la mission militaire française. Pour lui, « la conception d'une nationalité arabe est trop nouvelle, peut-être trop artificielle aussi, pour être admise sans discussion ».

Sensible à la flatterie, Djefar el-Askari a tendance à promouvoir ses officiers sur des critères purement personnels. Un comportement qui ne fait pas que des heureux. Composée de Hassan Bey Hammada et de Faouzi el-Bekri, une délégation égypto-syrienne vient d'ailleurs d'obtenir des garanties du prince Fayçal. Quelle que soit leur origine, les officiers coupables d'indiscipline ne seront plus révoqués sur simple caprice, mais après jugement en bonne et due forme...

Rien n'est réglé pour autant. Beaucoup de gradés non hedjazi boivent ostensiblement du whisky et jouent au poker. Des manières qui ne contribuent guère à améliorer leur image. Que dire en outre des querelles entre officiers, courantes sans qu'on puisse déterminer si leur cause reste individuelle ou si elles expriment des inimitiés collectives de type national ?

L'armée du prince Ali connaît aussi quelques remous. En mars, les intrigues de trois officiers irakiens, les commandants Rechid, Chaker et Djemil, aboutissaient déjà au départ de Bimbachi Nouri Bey, officier libyen considéré comme « un des rares valables » par les hommes de la mission française.

Réclamant des postes et de l'argent, les Bagdadis ont ensuite créé un comité où chauvinisme et corporatisme faisaient bon ménage. Mais, comme s'en félicite le capitaine Depui, placé auprès du prince en qualité de conseiller militaire avec deux autres officiers français, les lieutenants Kernag et Bendjennat, et quarante hommes de troupe, les « factieux » se sont heurtés à un refus catégorique.

Aucune contestation de cet ordre n'est enfin signalée au campement d'Abdallah à l'oued Aiss. Le détachement anglais du major Davenport, quatre officiers anglais, trois officiers et quatre-vingts troupiers égyptiens, y fait pendant au détachement français du capitaine Raho, dont les effectifs ont été portés à cinq officiers et une centaine d'hommes du rang d'origine maghrébine.

Ce qu'on remarque ici, c'est surtout l'efficacité des raids contre le chemin de fer et l'importance des ralliements bédouins au prince : trois mille Cheraats avec quinze cents dromadaires et sept cents Ateibas pour la seule période d'avril.

Le même mois, Fekri Pacha et Ibn Rachid lancent une attaque contre le camp chérifien de Nabaa. Mais cet assaut-surprise ne déstabilise pas Abdallah, qui lance des contre-raids bédouins. Le 2 mai, le prince trouve même les ressources pour une opération combinée avec les troupes d'Ali. Quant aux Béni Kelb du chérif Chaker et aux Ouled Mohammed du chérif Ahmed, leurs actions de guérilla, souvent menées de concert avec Depui et son détachement français, redoublent de vigueur.

Au Hedjaz, l'intensité des engagements militaires va de pair avec celle des activités diplomatiques...

Cette entrevue entre Haïm Weizmann et Fayçal, qui l'a imposée, sinon Mark Sykes ? Qui l'a voulue, sinon Allenby ? Qui l'a mise au point, sinon Bertie Clayton ? Et pour finir, qui l'a manquée d'un cheveu, sinon Lawrence, en opération avec le chérif Nasser quand le radiogramme fixant la date de la rencontre est arrivé ?

Depuis la déclaration Balfour, le sionisme émerge comme un méandre supplémentaire dans le cours byzantin des Britanniques. À Fayçal le mérite de l'avoir compris parmi les premiers, côté arabe. La Grande Syrie de ses rêves comprend certes la Palestine. Mais quelle Palestine, au juste, si les Britanniques, préférant l'allié juif à l'allié arabe, venaient à en offrir une partie à Weizmann et à ses amis ?

La question taraude d'autant plus le prince que les tiraillements entre son père et lui lézardent la maison Hachem. Retranché dans son palais de La Mecque, le malik se donne le beau rôle de défenseur intransigeant des intérêts arabes. Mais ici, sur le terrain, il faut bien composer.

« Je vais accepter, a tranché Fayçal. Cette rencontre avec Weizmann, c'est peut-être le moyen de savoir ce que les Juifs ont en tête... »

Le leader sioniste n'attendait que cela. Flanqué du major Ormsby-Gore, ancien du Bureau arabe rattaché au secrétariat de sir Mark, il s'est mis en route pour Akaba.

Comme les Ottomans tiennent toujours la vallée du Jourdain, leur voyage va durer une dizaine de jours. D'abord le train jusqu'à Suez, puis le bateau jusqu'à Akaba. Mais l'ancien yacht de l'ambassadeur d'Allemagne à Istanbul est si mal entretenu, la chaleur de ce début juin tellement écrasante, qu'Ormsby-Gore tombe gravement malade.

Hubert Young réceptionne l'expédition à Akaba. À Weizmann, contraint de poursuivre le voyage sans son compagnon du Caire, il affecte un officier britannique et un guide arabe. Après trois heures de parcours en auto à travers les étendues désertiques, le petit groupe gagne à dos de chameau le nouveau campement de Fayçal, à Goueira.

« Prenez un peu de repos, vous n'aurez pas l'occasion de voir le prince avant demain », conseille alors le colonel Joyce.

Demain, autrement dit le 4 juin 1918. Entouré des chefs de guerre arabes aux armes rutilantes, Fayçal attend l'invité devant sa tente. À l'approche de Weizmann, en costume blanc immaculé et cravate sombre, une fantasia se déchaîne. S'ensuit une demi-heure d'exercices militaires : maniement d'armes, ordre serré, simulacres de combat destinés à montrer la discipline et la combativité de l'armée arabe.

Un geste de Fayçal invite son hôte à pénétrer sous la tente. Du thé très sucré leur est servi. Après les préliminaires d'usage, la conversation commence sous l'œil attentif de Joyce.

« Juifs et Arabes doivent unir leurs efforts, annonce Fayçal. Quant aux modalités pratiques, je ne suis pas en mesure d'en discuter. Ces questions sont du ressort exclusif de mon père. Mon opinion personnelle compte peu. »

C'est dire s'il n'accorde aucun caractère officiel à ce simple échange de vues.

« Tout ce qui est en notre pouvoir sera fait pour apaiser les craintes arabes, répond Weizmann. Nous ne voulons pas établir un gouvernement juif en Palestine, mais seulement travailler sous le contrôle des Britanniques. Ce qu'il faut, c'est coloniser et moderniser le pays sans nuire aux intérêts de quiconque. »

Fayçal saisit la perche avec la plus extrême circonspection.

« En tant qu'Arabe, je ne peux pas discuter de l'avenir de la Palestine, que ce soit comme colonie juive ou comme pays sous tutelle britannique.

— Mais vous avez bien votre idée ?

— Mon idée, monsieur Weizmann, se résume à cette constatation : les Turcs et les Allemands se servent de tout cela comme arme de propagande. Une négociation publique serait prématurée ; elle risque d'être comprise de travers par nos Bédouins. Plus tard, quand la cause arabe aura progressé, le temps de la discussion viendra.

— Nous ne pouvons pas remettre éternellement à demain, Votre Altesse !

— Alors sachez-le : à titre personnel, et uniquement à titre personnel, je serais disposé à admettre certaines prétentions juives en Palestine. Mais à l'heure actuelle, impossible d'en débattre publiquement, le sujet est trop brûlant. »

À cet interlocuteur qui s'exprime quelquefois en français et la plupart du temps en arabe, le chimiste tente d'exposer le programme sioniste. Mais Fayçal n'a pas la moindre envie d'entrer dans les détails. Sa marge de manœuvre est si étroite qu'elle l'empêche de lâcher quoi que ce soit de concret.

« Je vous promets de faire part de vos arguments à mon père, conclut-il. Le malik est le juge ultime, le seul habilité à fixer la politique arabe. »

Dans l'esprit de Weizmann, l'entretien a duré deux heures, et seulement quarante-cinq minutes d'après la montre de Joyce. Quand l'émissaire sioniste propose qu'on les photographie côte à côte, le prince, surpris, n'ose refuser.

Conscient de la valeur de ce cliché, preuve irréfutable de sa parfaite entente avec les Hachémites, le chimiste se coiffe d'un keffieh avant de s'installer à la droite de son hôte. On fixe l'objectif, Fayçal impassible, mal à l'aise peut-être, et Weizmann enjoué.

Le petit oiseau sort… c'est la photo qui fera foi.

Fayçal mesure-t-il la portée de ce cliché ? Guère, sans doute. Sa courtoisie naturelle vient pourtant de lui faire perdre des points précieux dans le bras de fer propagandiste qui va bientôt opposer Juifs et Arabes en Palestine…

L'offensive Allenby sur Damas débutera à l'automne.

Une série de manœuvres doit donner aux Germano-Turcs la certitude erronée que les Britanniques attaqueront par la rive orientale du Jourdain. Mais c'est près de la côte, au nord de Jaffa, qu'aura lieu la percée décisive. Fort d'une supériorité numérique de deux contre un, le Taureau va frapper à l'articulation de la 8e armée turque, celle de l'ouest, et de la 7e armée, celle du centre.

Les cartes d'état-major donnent la clé de la manœuvre. Le front germano-turc rompu par une attaque-surprise, le corps monté du désert, négligeant Haïfa et la route de la côte, contournera la mer Morte par l'ouest puis se rabattra vers l'intérieur, en deux ailes distinctes.

La division montée australienne et la 5e division de cavalerie britannique vont longer la rive occidentale du lac de Tibériade. La 4e division de cavalerie britannique, elle, effectuera un large mouvement tournant à l'est du lac. Filant à bride abattue, chacune de leur côté, vers le nord, les deux branches de la pince britannique se refermeront ensuite sur Damas.

Cette chevauchée audacieuse, les appareils de la toute nouvelle Royal Air Force, la RAF, créée en avril 1918 par fusion du Royal Flying Corps et du Royal Naval Air Service, la couvriront du ciel. Au Moyen-Orient, elle dispose d'une nette supériorité sur l'aviation ennemie.

Pour épauler la marche en avant de la 4ᵉ division à l'est du Jourdain, le commandant en chef interallié au Moyen-Orient compte enfin sur l'armée de Fayçal, à laquelle il vient de fournir deux mille dromadaires. Assez pour équiper la colonne mobile prévue pour s'emparer de Deraa.

À l'est du lac de Tibériade et au nord d'Amman, trois voies ferrées convergent vers ce nœud stratégique. Le prendre, c'est isoler les armées turques de Palestine de leur base de ravitaillement damascène. Et pendant ce temps-là, le gros des forces arabes, commandé par Zaïed et Djefar el-Askari et basé à Abou Lessan, multipliera les arrachages de rails.

« Je place la colonne mobile sous les ordres de Nouri Saïd, a tranché le prince Fayçal lors d'une conférence interalliée, confirmant ainsi le retour en grâce de l'officier irakien. Le chérif Nasser commandera les unités bédouines. »

L'armée britannique a livré des mitrailleuses aux cinq cents réguliers de la colonne Saïd. Le capitaine Pisani et ses artilleurs fourbissent leurs canons de montagne, tandis que le capitaine anglais Frederick Peake, expert en la matière, s'occupe des dromadaires.

Sacrée tête de lard, ce fils d'officier qui se destinait à la marine avant d'opter pour l'armée de terre ! En Inde, son premier poste hors Angleterre après Sandhurst et le régiment du duc de Wellington, Peake sort du lot par son aversion pour les soirées mondaines, son goût pour la chasse et sa passion pour les langues locales.

En 1914, l'armée d'Égypte le recrute à sa demande. Viennent ensuite le Soudan ; le Camel Corps en 1915 ; le squadron n° 17 du Royal Flying Corps comme observateur en avion sur le front de Salonique.

Quand le sens de l'humour de son chef de corps, le général Milne, le sauve de la cour martiale à laquelle le destinait son mauvais caractère, Peake Bey a déjà derrière lui un parcours contrasté. Muté disciplinaire au Darfour, une chute de dromadaire lui vaut une fracture des cervicales et plusieurs mois d'hôpital. Où ce casse-cou au sens littéral du terme trouve encore le moyen de rentrer droit dans un arbre !

Retapé par un chirurgien virtuose, son bateau est torpillé près d'Alexandrie. Sans hésiter, Peake saute par-dessus bord une bouteille de bière d'une main et un sandwich de l'autre. Une patrouille navale le récupère assez mal en point mais toujours flambard.

Au début de 1918, on l'envoie dans le Sinaï prendre le commandement d'une compagnie de l'Egyptian Camel Corps affectée auprès de l'armée arabe du Nord. C'est là que le futur père de la « patrouille du désert » rencontre Lawrence d'Arabie, Joyce, Young, Kirkbride et les autres officiers anglais en poste auprès des chérifiens.

Tous ne rêvent que de Damas…

Ce moment exaltant, le malik Hussein le choisit pour déclencher une épreuve de force avec son propre fils. Passe-t-il sur Fayçal sa mauvaise humeur devant une politique anglaise qui ménage Ibn Séoud ? Est-ce l'entretien du prince avec Weizmann qui lui déplaît ? Les deux sans doute, et beaucoup d'autres choses encore, comme la rencontre de Fayçal avec le puissant émir des Aneizés Rouallah, Nouri Chalaan.

Officiellement, le roi du Hedjaz n'aurait pas apprécié le geste du général Allenby qui, le 10 août, a décerné une décoration britannique à Djefar el-Askari qui s'est rendu en Palestine pour l'occasion. Mais ce n'est là qu'un simple prétexte.

Hussein n'a jamais avalisé, et même jamais avalé, la nomination d'Askari au commandement militaire de l'armée du Nord par Fayçal, qui date pourtant de l'année précédente. Or, le 19 août, le journal mecquois du malik, la *Kibla*, publie un article de la main du malik proclamant que Djefar Pacha, vague subalterne, n'aurait jamais occupé les hautes fonctions qu'on lui attribue, pour la bonne et simple raison que le grade de général n'existe pas dans l'armée arabe…

Sur ces entrefaites, le 20 août, l'émir Mohammed Saïd el-Djezaïri se présente à Abou Lessan :

« Je suis porteur d'un message écrit de Djemal Pacha », fait-il savoir au prince Fayçal.

Ahmed Djemal Pacha le Petit est bien mieux considéré des Arabes que son boucher de prédécesseur. La personnalité de son messager laisse cependant perplexe.

Petit-fils d'Abd el-Kader, l'âme du djihad arabe contre la colonisation française de l'Algérie, Mohammed Saïd est le frère d'Abd el-Kader el-Djezaïri.

De leur lignage prestigieux, les deux parents tirent le soutien des habitants d'origine algérienne de la région du fleuve Yarmouk ou même de Damas. Or, depuis octobre 1917, Lawrence leur voue une solide détestation. Fort de la recommandation du malik Hussein, qu'il venait de rencontrer à La Mecque, Abd el-Kader el-Djezaïri avait promis son aide à l'officier anglais. Mais ce qu'il voulait obtenir des Turcs, c'était le retour au pays des gens de son clan, exilés en Anatolie. Alors, en cours de route, il a pris la tangente, obligeant Lawrence à dynamiter dans des conditions exécrables le pont de Tell es-Chebab. Pendant ce temps, Abd el-Kader filait dénoncer le sabotage assez tard pour que Lawrence ait le temps matériel de l'exécuter, mais assez tôt pour que la nouvelle ne soit pas encore parvenue à Damas, s'attirant ainsi les bonnes grâces des autorités ottomanes.

À peine tiré de ce mauvais pas, Lawrence, déguisé en Circassien, repartait pour une mission de reconnaissance à Deraa. Tombant entre les mains des Turcs, il a été violé par le gouverneur de la ville, Hadjim Bey. Abd el-Kader a-t-il joué un rôle dans ce drame personnel ? Lawrence jure que oui.

Fayçal ne partage pas la haine de son ami anglais envers le clan Djezaïri. Des opportunistes sans doute, prêts à jouer un jour la carte turque, le lendemain la carte hachémite. Et de ce fait, des gens utiles dont on peut se servir.

Aussi fait-il bon accueil à ce visiteur qu'on sait pourtant brutal – il a déjà abattu trois hommes à coups de pistolet et fracassé le crâne d'un quatrième.

« Que me veut Djemal Pacha ?

— Il ne m'a pas donné de détails, Votre Altesse. Seulement cette lettre à vous remettre en main propre. »

Fayçal ouvre l'enveloppe, épluche le document.

« Djemal Pacha est un homme honorable. Si les Turcs veulent que nous fassions la paix avec eux, ils doivent donner en retour aux Arabes quelque chose de sérieux. Notre statut auprès du gouvernement ottoman doit être celui de la Bavière avec la Prusse. »

El-Djezaïri roule des yeux pleins d'incompréhension.

« Eh bien, explique le prince, quand la Bavière a accepté d'intégrer l'Empire allemand, en 1870, c'était à condition d'y disposer d'une large autonomie. Nous exigeons la même chose. C'est ce que je vais répondre à Djemal Pacha. Vous retournez auprès de lui ?

— Oui, Votre Altesse, à Es Salt.

— Alors rendez-lui compte de notre conversation sans en parler à quiconque. Et surtout, remettez-lui en main propre la lettre que je vous ferai porter avant votre départ. »

Lawrence est absent d'Abou Lessan. Faudra-t-il s'ouvrir à lui de cette amorce de dialogue ? Dans les jours qui suivent, Fayçal décide que non. Seuls Nouri Saïd, de plus en plus indispensable, Ahmed Kadri et Faïez el-Ghoussein seront mis dans le secret. Deux fers au feu, c'est toujours mieux qu'un...

En niant la désignation d'Askari à la tête de l'armée du Nord, le malik ne provoque pas seulement son fils ; il heurte de front l'allié anglais.

L'insulté démissionne. Mais, en fait de départ, Djefar se retire sous sa tente, à deviser autour d'un narguilé. Et, fous de rage devant l'ingratitude du malik, les officiers de l'état-major de l'armée du nord se solidarisent avec leur chef et, comme lui, se retirent en bloc sur le mont Aventin...

L'heure n'est pourtant plus aux manœuvres de couloir. Sous la direction de Nouri Saïd, le beau-frère et compatriote de Djefar, de Lawrence, du colonel Joyce et du capitaine Pisani, la colonne mobile achève ses préparatifs à Abou Lessan.

Celle-ci comprend quatre compagnies chérifiennes d'infanterie montée, soit quatre cents recrues de Palestine ou du Hauran. S'y ajoutent les cent quarante Français du détachement Pisani ; les trente Gurkhas, guerriers népalais d'élite, du capitaine Scott-Higgins ; et les trente-cinq Indiens montés, spécialistes de la destruction des voies ferrées.

Renforcée au fur et à mesure de son avancée par des contingents arabes, cette colonne doit couper les voies de retraite turques entre Deraa et Damas, mission trop importante pour qu'une jalousie paternelle vienne la perturber.

« Si les caravanes ne se mettent pas immédiatement en mouvement, elles ne parviendront jamais à Deraa au moment voulu », s'inquiète Hubert Young, l'officier de liaison britannique auprès de Nouri Saïd.

Pour atteindre le nœud ferroviaire le 16 septembre, date convenue avec le Taureau, les deux premières colonnes de ravitaillement auraient dû quitter Akaba les 26 et 28 août respectivement. Or, on est loin du compte. Le retard pris en raison de la crise ouverte par le malik, de la grève de Djefar el-Askari et de son état-major, ainsi que du raid inopiné de deux avions allemands sur Akaba, risque de devenir irrémédiable.

C'est tout juste si Fayçal, de retour ce même 28 août à Abou Lessan, à bord de la Vauxhall verte flambant neuve dont il venait de prendre livraison à Akaba, a pu passer les troupes en revue. Après la cérémonie, le prince confiait d'ailleurs en privé ses craintes à Djefar :

« Cette avance vers le nord est très risquée. J'espère sincèrement que vous réussirez. »

À l'exception de Nouri Saïd, aucun des officiers supérieurs de l'armée du nord ne semble comprendre la véritable nature de l'opération de Deraa. Il ne s'agit pas d'un simple raid qu'on pourrait décaler sans dommage, mais d'une manœuvre complexe soumise à un horaire minuté.

Fayçal seul reste en mesure de débloquer la situation. Mais en aura-t-il l'énergie ?

« Nous exigeons que Djefar el-Askari reste en poste », protestent les membres de son état-major. Les plus audacieux ajoutent qu'accepter ce limogeage serait se désavouer soi-même.

226

Le prince n'est pas long à traduire le message. Qu'il cède aux caprices d'Hussein, et c'en est fini de ses visées sur le trône de Syrie. Alors, contraint et forcé, il se résigne à sortir de l'expectative.

Le 29 août, un télégramme parvient à La Mecque. La décision du malik ne permet pas à Fayçal de conserver honorablement son commandement, qu'il remet sur-le-champ à son frère Zaïed.

Deux jours plus tard, un échelon précurseur de plusieurs centaines de dromadaires escortés par un détachement de soldats indiens et égyptiens quitte Akaba pour Azreq, lieu de concentration de la colonne mobile, à quatre-vingt-cinq kilomètres à l'est d'Amman. Seul point d'eau dans le désert à l'est du Jourdain, s'y croisent les routes de l'Arabie, de la Syrie et de l'Irak.

Lawrence, de plus en plus pessimiste, câble au quartier général du Caire : « En vertu du plan, la caravane et l'avant-garde du plan de septembre font mouvement vers l'avant sur notre ordre, sans l'approbation du chérif… J'estime qu'on peut encore faire aller les choses quatre jours. Si Fayçal a satisfaction d'ici là, les opérations pourront continuer, sinon je ferai tout mon possible pour organiser le repli des postes avancés. »

Le compte à rebours est commencé. De toute part, des lettres, des télégrammes parviennent à La Mecque. Mais Hussein, sûr de son bon droit, s'obstine.

« Fayçal est un traître et un rebelle. Je romps toute relation avec lui », proclame-t-il à la cantonade. Des insultes qu'il confirme dans un radiogramme à Zaïed, auquel il ordonne de déposer son propre frère.

En l'absence de commandement arabe, les Anglais ont pris la direction des opérations. Le 2 septembre, Young lance sur Azreq la deuxième caravane de ravitaillement, à encadrement français cette fois. Mais, avec trois jours de retard sur le plan initial, on court au désastre.

L'occasion d'un retournement se présente le 4, sous la forme d'un nouveau message-fleuve chiffré du malik. Décryptée par les opérateurs radio britanniques, sa première partie peut, à la rigueur, être prise comme des excuses déguisées avec confirmation de la nomination de Djefar el-Askari. Mais la seconde vaut répétition des insultes sous une forme différente.

Lawrence comprend tout le parti qu'on peut en tirer. Supprimant d'autorité la fin du message royal, il n'en garde que le début, ajoute la mention « très urgent », et porte le document expurgé par ses soins à la tente de Fayçal.

Dupe ou non, le prince manifeste sa satisfaction.

« Avertissez Djefar et Nouri que, une fois encore, la sagesse a prévalu chez mon père », ordonne-t-il.

Et, se tournant vers Lawrence :

« Le problème est réglé. Quand partez-vous ?

— Demain avec le chérif Nasser et lord Winterton, si Votre Altesse le permet. Nous partirons en Rolls-Royce blindée. »

Fayçal sourit. Récemment versé auprès de l'armée arabe du Nord, Edward Turnour, sixième comte Winterton, qui vient de l'Imperial Camel Corps, a l'air d'un brigand avec sa maigreur effrayante, son mètre quatre-vingt-dix-huit, son visage anguleux et son nez acéré.

Ancien député très, très conservateur du Sussex, c'est un homme de caractère. De mauvais caractère même, à en croire Winston Churchill, grand connaisseur en la matière. Mais la guerre dans le désert, c'est sûr, n'a rien d'une école de bons sentiments.

« Je vous rejoindrai à Azreq, reprend le prince. Mon frère Zaïed prendra le commandement ici. »

Lawrence s'incline légèrement, comme lorsqu'on lâche une confidence :

« Oui, mais Azreq n'est qu'une étape. Retrouvons-nous à Damas, c'est un endroit plus digne de Votre Altesse. »

Le visage de Fayçal s'éclaire...

TROISIÈME PARTIE

LE RÊVE S'ÉPANOUIT :
LA « SOLUTION HACHÉMITE »

21

Le chemin de Damas

Satané Lawrence, aura-t-il donc toujours le dernier mot ? Dans les dernières semaines de février 1963, une houle d'indignation agite les vétérans de la mission militaire française au Hedjaz. Une main invisible s'acharnerait de nouveau à occulter leurs sacrifices...

Pour ces rescapés des combats du désert, pas de plus grand scandale que *Lawrence d'Arabie*, le film en Technicolor de David Lean qui va sortir sur les écrans français en mars.

À la mi-décembre, la reine d'Angleterre a visionné l'œuvre en avant-première. La presse prétend qu'Elizabeth II est ressortie enchantée des deux cent trois minutes de projection. Mais une Anglaise, surtout la petite-fille de George V, est forcément partiale...

Par les magazines de cinéma, on sait tout des vedettes de *Lawrence d'Arabie*, Peter O'Toole dans le rôle-titre, Alec Guinness, Omar Sharif, Anthony Quinn ou Jack Hawkins. Tout de Lean, déjà metteur en scène du *Pont de la rivière Kwaï*. Moins de ses collaborateurs, sauf qu'ils ont tourné en Espagne, en Angleterre et au Maroc...

En Jordanie, surtout, dans le djebel Toukeik, à quatre cents kilomètres de la frontière séoudienne. Jusqu'à seize heures par jour, trois semaines d'affilée. Un exploit humain et technique.

Entre chaque prise, les techniciens redonnaient sa virginité au désert à grand renfort de balais, de ventilateurs et d'une herse pour courts de tennis en terre battue.

Pour acheminer les personnes sur le tournage, deux bimoteurs DC 3 effectuaient rotation sur rotation. L'eau, elle, arrivait en camions-citernes. En camion aussi, le matériel pour les effets spéciaux. Quand les véhicules s'ensablaient, on les dégageait avec des chenillettes. Si on avait eu le quart du dixième de ce matériel, la vraie guerre du désert n'aurait pas duré longtemps !

À partir d'octobre 1961, Lean a transformé Séville en ersatz de Damas. Et c'est dans les alentours d'Almeria qu'ont été tournées les scènes de la prise d'Akaba par les guerriers du chérif Nasser et d'Aouda Abou Taya. Sur les collines alentour, les curieux, venus par dizaines, applaudissaient aux exploits des cascadeurs. Drôle de guerre en dentelles...

S'il ne s'agissait que de cela, on se contenterait de hausser les épaules. Mais le producteur, Sam Spiegel, affiche une admiration sans bornes pour *Les Sept piliers de la sagesse*, le livre de Lawrence à la gloire de Lawrence. Il fait d'*Avec Lawrence en Arabie*, l'hagiographie semi-bidonnée du journaliste américain Lowell Thomas, son livre de chevet. Et c'est encore un Américain, Robert Bolt, qui a été chargé d'expurger le scénario de toute présence française. Le complot, vous dis-je...

Un ancien contrôleur civil au Maroc sonne le rappel des vieilles troupes. Marcel Matte, vingt ans à l'époque de la marche sur Damas, commandait le groupe de mitrailleurs français. Breveté d'arabe de la faculté d'Alger, il parle la langue du Coran, littéraire comme dialectale, comme une mosquée. C'est souvent lui qui lisait aux chefs de tribu illettrés les messages du prince Fayçal. Et rien ne l'agaçait plus que le comportement de Lawrence, déguisé en Arabe pour « arroser » les chefs de tribu.

« Pour eux, c'était "Abou Guineh", L'homme aux pièces d'or », rappelle-t-il, un rien perfide.

Quand on objecte qu'il y va fort, Matte rétorque que l'histoire, la vraie, passe avant tout.

Cette histoire avec un grand H, l'ancien chef du groupe de mitrailleurs la trouve plus à son goût dans *Le Hedjaz dans la guerre mondiale* du colonel Brémond, publié chez Payot en 1931. Ses camarades et lui s'y sont esclaffés aux piques contre Lawrence, « petite flûte » qui se prenait pour l'orchestre tout entier ! Mais ont-ils remarqué qu'Édouard Brémond ne possédait pas le dixième du talent littéraire de celui qu'il ne cessait d'attaquer ? Et que son expérience du monde arabe, plus étendue que celle de Lawrence, certes, ne lui a pas beaucoup servi au Hedjaz tant elle restait comprimée dans les carcans coloniaux traditionnels.

Les guerres ont ceci de révolutionnaire que rien ne s'y passe comme prévu. Tout Abou Guineh qu'il fût, Lawrence l'avait compris. D'autres moins...

Autre source d'inspiration de Matte, le tome IX, premier volume des *Armées françaises dans la Grande Guerre*, publié par le Service historique de l'armée de terre, le SHAT, en 1935, l'année même de la mort de Lawrence. Cet ouvrage au format imposant contient le rapport de son chef direct, le capitaine Pisani, résumant la marche sur Damas. Du sérieux, contrairement aux affabulations en série des *Sept Piliers*, publié l'année suivante à Paris.

Alors, le 6 février, Matte prend sa plume pour écrire au général de Cossé-Brissac, et lui déclarer qu'en sa qualité de vétéran du détachement français du capitaine Pisani, il n'accepte pas que, trente ans après sa mort, Lawrence continue à monopoliser l'attention aux dépens de ses alliés.

Comme interlocuteur, Matte aurait pu trouver pire. Pas seulement parce que Charles de Cossé-Brissac dirige avec compétence le SHAT. Mais aussi parce que, ancien résistant arrêté en février 1943 et déporté, il possède une expérience pratique de la guerre non conventionnelle.

Le général demande à un lieutenant-colonel, historien militaire réputé, de faire le point sur la question :

« Jouin, voyez avec quels arguments sérieux on pourrait contrebalancer le rouleau compresseur qui précède la sortie du film. »

Tâche difficile. Que faire, par exemple, quand, légitimant à sa façon le travail de David Lean, Hussein de Jordanie, l'arrière-petit-fils d'Hussein roi du Hedjaz, prête en guise de figurants les cavaliers et les chameliers de sa prestigieuse Légion arabe ? Celui qu'on surnomme le « petit roi », mais dont le courage force le respect, s'est rendu dans le djebel Toukeik. Il a assisté au tournage de quelques scènes, posé même pour les photographes en compagnie de l'équipe du film.

Les Français sont-ils les victimes principales de ce nouvel avatar du cinéma à grand spectacle qu'est *Lawrence d'Arabie* ? Pardon d'en douter. Ce que nos anciens soldats du désert, tout à leur fureur, ne discernent pas et que, à l'époque, peu voient d'ailleurs en Occident, c'est la simplification qui fait de la thawra l'œuvre quasi exclusive d'un chef occidental, incarné par Peter O'Toole.

Dans les *Sept Piliers*, Lawrence s'était ménagé le beau rôle, mais lui-même aurait honte de cet hymne démesuré à sa propre légende. Car les Arabes, où sont-ils ? De simples éléments du décor. Sans remettre en cause l'immense talent d'Alec Guinness, était-ce bien sérieux de faire incarner Fayçal, figure éminente de l'histoire arabe moderne, par un acteur anglais ? Fallait-il confier le rôle d'Aouda Abou Taya à un Américain, Anthony Quinn ? Réduire, pour les besoins de la cause, le cheik des Tahoueihas à un brigand de western, lui qui, en fin de compte, n'aura tiré aucun enrichessement personnel de sa participation à la thawra ?

La seule star arabe du film, l'Égyptien Omar Sharif, joue le cheik Ali ibn el-Harish, personnage qui s'inspire, mais très librement, du chérif Ali ibn el-Hussein el-Harithi, admiré en son temps de Lawrence pour sa beauté et sa force. C'est dire à quel point les lois du vedettariat l'ont emporté sur le bon sens... mais pas sur le sens commercial, puisque les foules se pressent déjà devant les salles de projection.

Furieux, Matte et ses camarades sonnent à toutes les portes. Celles des journaux – les *Nouvelles littéraires* du 14 mars donneront la parole à l'ancien chef du groupe de mitrailleurs. Celles du SHAT, on l'a vu. Ainsi Matte fournit-il à Yves Jouin bon nombre d'éléments qui permettront au colonel de rédiger, dans le quotidien *Le Monde*, deux brefs articles intitulés « Lawrence d'Arabie et la vérité historique ». Et plus tard, une étude détaillée dans la *Revue historique des armées* sous le titre « Hedjaz 1916-1918, les compagnons français de Lawrence ».

Assez pour apporter un zeste d'apaisement aux soldats du désert, mais bien trop peu pour inverser le flux qui va faire de *Lawrence d'Arabie*, le film aux sept oscars dont celui du meilleur film, un des plus grands succès cinématographiques de l'époque.

De quoi enrichir la sempiternelle problématique de la réalité et de la fiction. Mais le vrai capitaine Pisani, qui était-il justement ? Et quel rôle ont joué les hommes de son détachement dans la marche victorieuse sur Damas ?

Rosario Pisani est né le 5 novembre 1888 à La Calle, dans le département de Constantine. D'origine maltaise, ce Français d'Algérie s'engage en 1901 dans le bataillon d'artillerie de forteresse de Bizerte. En 1906, la France et l'Espagne s'arrogent le droit de régenter huit ports du Maroc, pays théoriquement indépendant. C'est dans ce cadre que Pisani se voit affecter, l'année suivante, au 7e tabor de police de Rabat, avec le grade de maréchal des logis. Son chef de corps n'est autre que le colonel Brémond, qu'il suit au Maroc dans la mission militaire française auprès du sultan Moulay Hafid.

Excellent arabisant, Pisani se distingue par son courage. En 1911, promu adjudant, il se bat devant Fez, assiégée par les tribus rebelles du nord. Fez où des émeutes antieuropéennes et antijuives éclatent en avril de l'année suivante, et qui sera dégagée par la colonne du colonel Gouraud, futur vainqueur de l'armée de Fayçal à Khan Meissaloun. Et là encore, Pisani se mettra en valeur.

Nommé sous-lieutenant l'année suivante, il est affecté à la garde chérifienne du nouveau sultan, Moulay Youssef. Ses pas y croisent ceux de Mohammed ben Ali Lahlouh, officier au tabor d'infanterie qu'il va retrouver au sein de la mission militaire française auprès du chérif Hussein.

En 1917, Brémond a en effet proposé au lieutenant Pisani de le rejoindre au Hedjaz. Et, bien entendu, ce dernier s'est aussitôt porté volontaire.

Pour lui, l'aventure hachémite commence mal, puisque son bateau, le *Calédonien*, est torpillé le 30 juin devant Port-Saïd. Une péripétie qui n'empêche pas notre homme, nommé capitaine, de rallier Akaba pour se tailler une place de choix dans les actions de guérilla antiturque.

Au contraire de Brémond, Pisani a su nouer des liens de camaraderie avec Lawrence, son aîné de deux mois et demi à peine. Bon vivant, étranger aux calculs politiques, le pied-noir de La Calle n'a en effet rien qui puisse contrarier le jeune officier du Bureau arabe. Où ses chefs lui disent de combattre, le capitaine Pisani combat. Et de quelle manière ! Or, par décision de Cousse, son chef ici, c'est Lawrence, point final.

La popularité du capitaine d'artillerie coloniale est grande parmi les Bédouins, qui apprécient autant sa faconde que ses capacités d'artilleur. Car Pisani manie ses Schneider de montagne de 65 mm mieux que personne, et la seule chose qui le mette vraiment hors de lui, c'est l'imprévoyance chronique de ses alliés arabes.

Après avoir quitté Abou Lessan le 2 septembre, les cent quarante hommes, dont les deux tiers sont maghrébins, de sa petite colonne marchent vers Azreq, trois cents kilomètres de désert plus haut.

« Nous sommes à trois jours de Bethléem, sur le chemin qu'ont suivi les Rois mages », remarque un Français quand la colonne parvient à la moitié du trajet.

Elle rallie Azreq le 12, comme prévu. Matte en commande la section de mitrailleuses, Leimbacher, Souquet et Ségala, les pièces d'artillerie.

Au contraire de Lawrence, qui y a rencontré Nouri Chalaan, l'émir des Aneizés Rouallah, juste avant le raid d'Akaba, Pisani découvre Azreq. Beaucoup d'eau, une oasis dans le désert au départ de l'oued Sirhan, et les restes assez bien conservés d'un fortin d'origine nabatéenne. Les Romains en avaient fait une forteresse en blocs de basalte noir, les musulmans l'ont perfectionné et, peu avant sa mort en 744, le calife marouanide Walid II ibn Yazid s'y est réfugié quelques jours.

Azreq entre une nouvelle fois dans l'histoire. Dans l'attente de la prise de Damas, le prince Fayçal compte en faire son nouveau quartier général. On y aménage même une aire d'atterrissage de fortune.

Le prince, qui a confié à son frère Zaïed le commandement de la zone Akaba-Abou Lessan, vient justement d'arriver sous la protection des réguliers de Nouri Saïd. L'accueillent côté arabe les Taoueihas d'Aouda Abou Taya et de son cousin Mohammed ed-Deïlan, les Rouallah de Nouri Chalaan, les Béni Sakr de Fahdat plus des villageois syriens que commande Talal el-Haraïdhin – en tout, un millier d'hommes environ. Et côté allié, la fine équipe Joyce, Lawrence, Kirkbride, Peake, Stirling et Young.

Après un premier échec des chameliers de Peake Bey, les raids des voitures blindées britanniques ont déjà permis une coupure de voie plus au nord, entre Amman et El Mafrek. Le 14 septembre, à l'aube, la colonne tout entière s'ébranle, laissant sur place Fayçal, sa garde personnelle et un contingent de réguliers qui vont transformer la vieille forteresse en poste de commandement avancé de l'armée du Nord.

Certain qu'entre Nouri Saïd, Lawrence et même Pisani, le sort de ses troupes d'assaut est en de bonnes mains, le prince préfère éviter les aléas des combats. Par crainte du risque, sans doute. Par souci d'efficacité, aussi. Organiser le ralliement des tribus de cette région du sud syrien à la cause hachémite, donc à sa propre personne : la tâche qu'il se fixe est politique avant tout. Nul ne peut la remplir à sa place...

Le 17 septembre, vers quatre heures trente du matin, la colonne mobile, précédée par les cavaliers rouallah, parvient face à la redoute turque de Tell Arar, à huit kilomètres au nord de Deraa.

« À nous le privilège d'attaquer en premier », ont exigé les Rouallah de Nouri Chalaan.

Ils donnent l'assaut sous les yeux de Nouri Saïd, parti en avant-garde sur un camion Ford avec Young. Cinq des huit aéroplanes ennemis basés à Deraa surviennent sur ces entrefaites, bien décidés à disloquer l'armée arabe.

C'est compter sans Pisani. Transformant ses quatre Schneider 65 mm à tir rapide en batterie antiaérienne, cet as du système D oblige les appareils ennemis à voler si haut que leur bombardement en perd toute efficacité.

« Bravo ! » s'enthousiasment les combattants arabes, heureux de constater à quel point des contre-mesures astucieuses peuvent contrarier les frappes aériennes, qu'ils ont longtemps crues imparables. Apparaît alors le seul aéroplane britannique disponible ce jour-là, un antique chasseur-bombardier léger BE 12. Pourchassé par trois appareils ennemis, atteint par leurs rafales, le pilote tente un atterrissage de fortune mais le vent le pousse sur une zone caillouteuse où il capote. Avant qu'un avion allemand vienne incendier les restes de son BE 12, le jeune et flegmatique Hugh Junor démontera avec soin ses deux mitrailleuses jumelées.

Comme la panique, le courage est contagieux. Les Rouallah reprennent l'assaut et, cette fois, emportent la place. On pousse des cris de joie, les autos blindés britanniques circulent à toute vitesse sur les rails. Jamais le moral n'a été si bon.

« Coupez la voie ! » ordonne Nouri. Côté français, le sergent Mathieu supervise la destruction d'un pont : plus moyen de voyager de Deraa à Damas par le chemin de fer.

Vers onze heures trente, les chefs alliés se concertent sous un soleil de plomb. Ils décident de scinder provisoirement la colonne en deux. Le commandant Djemil Bey et ses hommes, le sous-lieutenant Leimbacher, les sections Matte et Ségala du détachement Pisani, Joyce et Winterton resteront à Tell Arar pour démanteler la redoute. Pendant ce temps, sous la houlette de Nouri, de Lawrence et de Pisani, le gros de la troupe va marcher en direction de Mézerib, au nord-ouest de Deraa.

S'emparer de la gare de Mézerib, c'est interdire aux Turcs et à leurs alliés allemands l'embranchement qui conduit vers la Palestine. La colonne mobile atteint son objectif dans l'après-midi, donne l'assaut après quelques tirs d'artillerie. Bataille violente mais courte où les 65 de Pisani font encore merveille. Les survivants turcs de la gare, une quarantaine, se constituent prisonniers. Gants blancs et l'épée à la main, Nouri s'avance seul pour les recevoir.

« Démantelez les installations ! »

238

Lawrence et Young s'occupent des fils télégraphiques, les Arabes des rails et des aiguillages. Plusieurs camions sont incendiés, tandis que les villageois pillent tout ce qu'ils peuvent.

Le lendemain, l'armée du Nord se remet en route pour Nessib, où les Turcs se défendent comme de beaux diables. Sous la pression, l'ennemi doit évacuer le pont ferroviaire, que Lawrence s'empresse de faire sauter, à grand renfort de coton-poudre.

Un peu avant la tombée de la nuit, on se retire. Sous la protection de sentinelles, les hommes s'écroulent. Épuisés, ils dormiront à la belle étoile.

Courte nuit cependant. Le lendemain, à l'aube, les officiers britanniques sont parmi les premiers éveillés. C'est, ils le savent, le jour J qui va commencer sur le front principal, celui de Palestine...

Le 19 septembre à quatre heures du matin, Allenby lance l'assaut contre les positions germano-turques au nord de Jaffa. À midi, le front ennemi est rompu entre la mer et Naplouse. Les dix mille soldats de la 8ᵉ armée turque se débandent tandis que la 7ᵉ, commandée depuis quelques jours par le général Mustapha Kemal, héros de la bataille des Dardanelles contre les Franco-Britanniques, esquisse une retraite en bon ordre.

Ses sept mille hommes occupaient la partie centrale du dispositif ennemi ; on ne leur laissera aucun répit. Mais, à l'est du Jourdain, dans la région d'Amman, la 4ᵉ armée de Djemal Pacha le Petit reste inactive, malgré ses douze mille combattants de première ligne et ses cinq mille réservistes.

« À vous de jouer, messieurs ! » ordonne le Taureau aux chefs des 4ᵉ et 5ᵉ divisions de cavalerie de l'armée des Indes, les majors-généraux George De Symons Barrow et Macandrew, ainsi qu'à leur supérieur, le lieutenant-général Henry George Chauvel.

Celui-ci commande non seulement la division montée de l'Anzac* (les soldats australiens et néo-Zélandais de l'armée britannique), mais aussi le corps monté du désert, le DMC, auquel on a adjoint, au titre de la courtoisie entre alliés, trois escadrons de spahis et de chasseurs d'Afrique, sous les ordres du commandant Lebon.

Par sa mobilité, le DMC constitue une pièce maîtresse du dispositif Allenby. Dans un premier temps, il occupera le nœud de voies ferrées au sud de Nazareth, ainsi que les gués du Jourdain au sud du lac de Tibériade, points de passage obligés pour les Ottomans en retraite. Et, comme on l'a vu, il opérera en deux détachements distincts coordonnés par Henry Chauvel, l'armée arabe couvrant le flanc droit de la 4e division.

Malgré les bombardements des canons turcs montés sur rails, puis des aéroplanes, la colonne mobile, quittant la zone proprement désertique, a en effet repris sa progression. La voilà à Oum Taya, où Lawrence la quitte en voiture blindée pour Azreq.

« Je dois convaincre Allenby de nous accorder un soutien aérien », annonce-t-il.

D'autres, on croirait à une dérobade, pas de lui. On le laisse partir sans discuter. De son côté, Joyce retourne à Abou Lessan de manière à rétablir les communications avec l'armée britannique.

La colonne repart. Pisani s'efforce d'y maintenir un moral élevé.

« Chantez en marchant au pas, comme vous en avez l'habitude », commande-t-il à ses soldats maghrébins.

Les fantassins s'exécutent au rythme de mélopées algériennes ou marocaines, bien vite reprises par les Hedjazi, les Bédouins, les Syriens, les Irakiens.

« Nous allons nous établir ici, c'est le meilleur endroit possible pour attendre le retour de Lawrence », décrète Nouri quand les combattants, exténués mais joyeux, parviennent à Oum es-Soubab, un village en ruine à sept kilomètres au sud d'Oum Taya.

Le 22 septembre, fidèle à sa promesse, l'homme du Bureau arabe atterrit à Oum es-Soubab. Il rapporte le seul bombardier Handley-Page disponible, bourré de carburant, de munitions, de produits sanitaires, et deux chasseurs Bristol Badger d'une escadrille australienne qui se mettent aussitôt en appétit, abattant chacun un avion allemand.

Les nouvelles sont excellentes : la cavalerie britannique a débordé les Turcs. Leur 4ᵉ armée tente de se replier sur Damas, aux combattants arabes de les en empêcher.

Dès le lendemain, Fayçal, flanqué de Nouri Chalaan, arrive en auto au village. S'il ne participe pas directement aux combats, le prince, enhardi par les succès de l'offensive Allenby, entend maintenir son emprise personnelle. La réunion des chefs de l'expédition se réunit sous sa présidence. Au centre des débats, le prochain objectif.

« Cheik Saad, propose Lawrence. Cela nous permettra de couper complètement Deraa de Damas.

— Quinze kilomètres au nord de Mézerib... c'est trop risqué, objecte Young, dont le classicisme militaire est heurté par ce genre d'opération de guérilla. Il incombe aux Britanniques de prendre Deraa, ajoute-t-il. Et le bon sens commande à l'armée arabe de couper vers l'est jusqu'au Djebel druze, Votre Altesse.

— Croyez-vous, colonel ?

— Même affaiblis, les Turcs représentent une force beaucoup plus considérable que la vôtre. À les prendre de front, nous courons au désastre.

— Et vous, Nouri Bey, quel est votre avis ? »

L'Irakien n'a guère besoin de réfléchir :

« L'armée arabe doit avancer en arrière de la ligne de Deraa parce que les Turcs en retraite passeront certainement à cet endroit. Mais j'en ai discuté avec mes officiers : la majorité d'entre eux estime que cela n'empêche pas d'effectuer des raids sur les arrières de la 4ᵉ armée ennemie. La gare de Mafrek par exemple... »

Se retranchant derrière les intentions d'Allenby qu'il est le seul à connaître, Lawrence avance alors une nouvelle batterie d'arguments :

« De Cheik Saad, nous pourrons surveiller l'ennemi, menacer la 4ᵉ armée et répondre aux attentes du Taureau. Il veut que nous empêchions les Turcs de faire retraite tranquillement vers le nord, à travers la vallée du Yarmouk. »

En quête d'alliés, l'homme du Bureau arabe se tourne vers Rosario Pisani.

« Je prendrai les ordres, et je les suivrai, répond le capitaine.

— Je sens vos doutes, Pisani. Mais écoutez, cela fait dix-huit mois que nous combattons côte à côte. Avez-vous déjà eu l'occasion de m'appeler téméraire ? »

Pisani éclate de rire.

« Tout cela me paraît bien téméraire, mais je suis un soldat. »

Fayçal réfléchit, puis tranche :

« Vos idées sont bonnes. Consacrez une journée à attaquer la gare de Mafrek. Ensuite, portez-vous sur Cheik Saad et, de là, lancez des rezzous pour couper les lignes de communication turques.

— Et vous, Votre Altesse ?

— Moi, je retourne à Azreq. C'est là que je suis le mieux à même de préparer le terrain à l'armée arabe. Comme l'a suggéré Lawrence, les autos blindées anglaises aussi reviendront à Azreq. N'étant pas en mesure d'opérer dans le Hauran, autant qu'elles servent à autre chose. De même pour les aéroplanes, qui peuvent regagner la Palestine... »

Le 24, vers quinze heures, un biplan anglais survole Oum es-Soubab et largue un message encourageant : l'offensive Allenby vole de succès en succès. Pure vérité sur le terrain où la poussée du Taureau précipite l'éclatement ethnique de l'armée ennemie. Hier latente, la méfiance entre soldats d'origine turque et soldats d'origine arabe est en train de se muer en hostilité ouverte. La thawra acquiert ainsi toute son importance de facteur subversif, créant une alternative politique : celle de Fayçal et des chérifiens.

Comme une invite à contrarier les mouvements des troupes ennemies qui refluent en désordre, le document jeté du ciel par les aviateurs indique la position de deux colonnes turques, l'une de six mille hommes en provenance de Deraa et l'autre de deux mille qui arrive de Mézerib.

Vers quinze heures, l'armée arabe se remet en marche vers Cheik Saad avec Nouri Chalaan et le chérif Nasser à la tête de l'avant-garde. Leurs cavaliers bédouins ramènent deux cents prisonniers, dont, nouveauté, des Allemands et des Autrichiens.

Le lendemain, quand la colonne arrive à Cheik Saad, des habitants du village l'implorent : les Turcs sont en train de commettre des atrocités un peu plus loin, à Tafass. C'est même pire que ça : un massacre général perpétré par les deux mille fuyards en provenance de Mézerib. Des hommes qui n'ont de soldats que le nom, et que commande, au moins en théorie, le commandant de lanciers Chérif Bey.

« Pas question de laisser assassiner nos compatriotes arabes ! » s'écrie Nouri Saïd d'une voix étranglée par l'émotion.

Composé de deux compagnies régulières chérifiennes, de deux sections de Schneider 65 mm commandées personnellement par Pisani et d'une section de mitrailleuses françaises aux ordres du sergent Raveau, un fort détachement se rue à l'assaut de l'ennemi. Talal, le cheik de Tafass, et Aouda Abou Taya mènent les Bédouins sur son flanc.

À l'extérieur du village, Pisani met ses pièces en batterie et ouvre le feu sur l'ennemi. Le tir français frappe de plein fouet les fantassins turcs, qui se dispersent en désordre. Les lanciers aussi refluent dans tous les sens, poursuivis par les cavaliers bédouins.

Quand Talal, Aouda et leurs guerriers pénètrent dans le village, c'est l'horreur : une quarantaine de femmes et vingt enfants tués à la lance ou à coups de fusil. Fou de rage, Aouda lance ses hommes à l'assaut des restes de la colonne ennemie. La voilà coupée en trois tronçons. Seul le dernier, une section de mitrailleurs allemands formidablement disciplinés, parvient à quitter le champ de bataille.

Affolés, les Turcs lèvent les bras. Hélas, il est trop tard. Ceux qui survivent encore vont payer pour les crimes commis aujourd'hui, mais aussi pour une domination séculaire dont ils ne sont pas responsables.

« Pas de prisonniers ! hurle Talal.

— Pas de prisonniers ! confirme Aouda.

— Pas de prisonniers ! » reprend Lawrence.

Seule la compagnie chérifienne de réserve, qui n'a pas pris part aux combats, prendra la peine de capturer deux cent cinquante survivants, dont des Allemands, et trouvera l'humanité de les épargner. Partout ailleurs, on tue. Turcs et Allemands tombent les uns sur les autres, criblés de balles par les mitrailleuses Hotchkiss.

À Cheik Saad, indignés par ces assassinats contraires aux lois de la guerre, Nouri, le chérif Nasser, Pisani, Young et Kirkbride parviennent à sauver la vie d'autres captifs. Inquiet des répercussions fâcheuses que pourrait avoir à l'avenir le crime sur ses braves électeurs, lord Winterton se joint à eux. Et plus tard, quand les irréguliers arabes auront étanché leur soif de vengeance et quand lui-même aura repris ses esprits, Lawrence aussi convaincra les Bédouins d'épargner quelques rares survivants. Mais le mal est fait, dont le futur écrivain des *Sept Piliers de la sagesse* va ressentir une culpabilité intense qui finira par le ronger.

Un silence de mort plane sur Tafass. Le sang a appelé le sang et la guérilla arabe, cruelle déjà, vient de montrer qu'elle peut devenir sauvage.

Gênés, les chefs de l'expédition se concertent.

« Partez en direction de Deraa, dispersez en route toute formation turque que vous rencontrerez et occupez la place, ordonne-t-on aux cavaliers bédouins. Le reste de la colonne vous suit... »

En fin de journée, les Bédouins de Chalaan et de Nasser commencent à pénétrer par l'est dans Deraa, vide de défenseurs. Les réguliers de Nouri suivent à bonne distance – peu de chose distinguant les fantassins arabes en uniforme kaki de leurs ennemis turcs, personne ne tient à ce qu'ils essuient les « tirs amicaux » des lanciers indiens de la division Barrow, en route vers la ville côté ouest. Le malheur, c'est que, faute d'un encadrement suffisant, les Bédouins, fidèles à leurs coutumes ancestrales, vont en profiter pour mettre à feu et à sang une ville laissée à leur disposition.

Vers neuf heures trente, le gros du détachement Nouri Saïd et ses alliés occidentaux font leur entrée à Deraa, livrée aux incendies et aux pillages.

« Fuyez vite, les Anglais peuvent arriver d'un moment à l'autre ! » leur crie une vieille femme. Elle les prend pour des

Turcs : c'est dire si le risque de combats fratricides avec les Britanniques devient sérieux.

« Allez au-devant de De Barrow, je ne tiens pas à ce qu'il ouvre par erreur le feu sur mes hommes », lance Nouri à Kirkbride, vers onze heures. Le keffieh sur la tête et l'uniforme britannique kaki sur le dos, le jeune officier s'exécute.

Dans l'après-midi, Lawrence tente de parlementer avec le major-général De Barrow, lequel a du mal à comprendre pourquoi il devrait laisser le champ libre à une administration arabe qui n'existe que sur le papier, et encore...

« Vous avez vu le train sanitaire ? s'étrangle le chef de la division de cavalerie indienne. Ces sauvages ont arraché les pansements des blessés turcs avant de les égorger. »

Discrédité aux yeux de cet officier de tradition par sa tenue d'homme du désert, Lawrence a beau défendre les intérêts chérifiens bec et ongles, il ne parvient pas à les faire prévaloir.

« Dégagez le quartier de la gare et instaurez la loi martiale ! » ordonne De Barrow à ses hommes.

Mais dans d'autres secteurs de la ville, le chérif Nasser, Lawrence, Nouri et leurs compagnons parviennent à mettre fin aux pillages sans l'appui de la cavalerie indienne.

Damas, la capitale des Omeyades, n'est plus distante que d'une centaine de kilomètres à peine. Le 29 au matin, la division De Barrow se met en selle. Ses 11e et 12e brigades iront à Mézerib chercher de l'eau, à charge pour Nouri et ses unités régulières de couvrir leur flanc en progressant le long de la voie ferrée, et aux Bédouins de continuer à harceler l'ennemi qui bat en retraite. Une section des canons français de 65 mm et une section de mitrailleuses commandée par Leimbacher accompagnent Nouri.

Depuis son départ d'Azreq, l'armée arabe a fait deux mille prisonniers, tout en s'emparant de cinquante mitrailleuses et pièces d'artillerie. Lawrence reste sur place. C'est sur le plan politique qu'il va devoir batailler ferme. L'enjeu en vaut le coup : rien de moins que le devenir du rêve hachémite, né deux ans plus tôt au Hedjaz et ici même, en Syrie...

22

Une capitale pour le prince

Les Australiens ou les Arabes : qui entrera en premier dans Damas libérée ? Au plan de la stratégie, la question compte peu, mais en matière diplomatique, beaucoup.

Si l'armée du Nord précède les cavaliers de Chauvel comme l'espèrent les Hachémites et leurs partisans, les accords Sykes-Picot de partage de la Syrie entre la Grande-Bretagne et la France seront remis en cause. Comment les cent quarante hommes du détachement Pisani ou les trois escadrons du commandant Lebon pourraient-ils l'empêcher ? Seule l'armée britannique du Moyen-Orient, forte de dizaines de milliers de soldats, possède cette prérogative.

Or, elle n'entend pas en profiter. Allenby a donné des ordres en ce sens à Chauvel :

« Donnez l'impression que les chérifiens ont libéré la cité eux-mêmes. Faites-leur place nette, et n'entrez à Damas qu'en cas d'absolue nécessité. Si vous y êtes contraint, ne vous attardez pas. Ce qui nous intéresse, ce sont les Turcs, pas vrai ? »

Père des forces montées australiennes, Chauvel n'est pas seulement un cavalier hors pair. Pour avoir quitté l'uniforme plusieurs années afin d'aider son père à renflouer quelques affaires en mauvais état, ce vétéran de la guerre des Boers possède une expérience concrète de la vie civile. Laisser les Arabes s'introduire les premiers au cœur de la place, il l'a compris tout de suite, c'est jouer un bon tour à l'allié français.

D'où l'ordre de bataille qu'il fixe à ses unités le 29 septembre. Tandis que les divisions Macandrew et De Barrow effectueront une poussée par le sud, la brigade montée australienne d'Hobson bouclera Damas en coupant la route d'Homs, côté nord.

Promptitude et finesse, voilà la consigne. Il va en falloir beaucoup car, côté arabe, les partisans des Hachémites ne sont pas seuls en lice...

Le 30 septembre à l'aube, Ali Reda er-Rikabi, vieux militant nationaliste de la Fétah, court se présenter au major-général De Barrow, dont les cavaliers bivouaquent encore à soixante-dix kilomètres de Damas.

« Les Turcs m'avaient chargé d'organiser la défense de la capitale. J'ai basé mon infanterie dans des positions indéfendables, et stationné mon artillerie lourde de telle sorte qu'elle ne pourra pas vous résister longtemps par suite du manque d'eau », explique le « déserteur ».

Très aimable de sa part, mais les sociétés secrètes nationalistes avaient prévu de faire de lui le gouverneur arabe de Damas ! Dieu sait maintenant où les cavaliers rouallah lancés à sa recherche par le chérif Nasser pourront le trouver...

Or les frères Djezaïri aussi sont candidats au poste ! Au début du mois, l'émir Abd el-Kader s'est vu désigner, par Djemal Pacha le Petit, chef d'une force auxiliaire de maintien de l'ordre composée de ses fidèles d'origine algérienne. Mille fusils et soixante-dix caisses de munitions ont été livrés à cette police irrégulière. Quant à Mohammed Saïd, le commandant en chef allemand, Liman von Sanders, lui a remis d'importantes sommes d'argent en échange de la protection de divers points stratégiques.

L'allégeance des Djezaïri est fluctuante. Elle ne les a jamais empêchés d'entretenir des liens avec les chérifiens. À telle enseigne que Fayçal a chargé un de ses fidèles, Faïez el-Ghoussein, de s'introduire clandestinement à Damas, d'entrer en contact avec eux et de hisser à leurs côtés un drapeau hachémite remis par le malik Hussein. Mais, retardé par la retraite des Turcs, Ghoussein n'a pu s'acquitter de sa mission.

Vers midi, ce même 30 septembre, Abd el-Kader el-Djezaïri se présente au quartier général de Djemal Pacha, flanqué de ses hommes en armes. Et cette fois, plus de formules de politesse :

« Les Damascènes craignent que les Allemands ne mettent le feu à la ville avant de retirer leurs derniers contingents.

— Mais non, mon ami, ils détruisent simplement les dépôts de munitions et de carburant !

— Cela revient au même. Les Allemands et vous devez évacuer la ville sans attendre. Nous nous chargeons du maintien de l'ordre. »

L'imbroglio se complique quand un partisan de la thawra, Choukri el-Ayoubi, est convoqué par Behjet Bey, l'adjoint de Djemal. Ancien général de l'armée turque et directeur d'une fabrique de tapis à Istanbul, Ayoubi a longtemps été considéré comme loyal au régime ottoman. Jusqu'en 1916 où, condamné à mort, il a échappé de peu à la pendaison, avant de s'échapper tout court pour se rallier à la cause hachémite.

« Je vous remets le commandement de Damas, lui lance Behjet Bey. Faites en sorte qu'aucun débordement ne se produise avant l'arrivée des Britanniques. »

Une consigne qu'Ayoubi, se souvenant des jours d'angoisse passés derrière les barreaux turcs, interprète à sa manière. Il se rend à la prison de la citadelle pour en libérer les quatre mille détenus. Initiative fort imprudente : la grande majorité des captifs relâchés étaient des voleurs, voire des criminels, et non des militants nationalistes. Ils commencent à se répandre dans la ville, mettant certains quartiers au pillage.

À quatorze heures, Djemal Pacha quitte Damas, abandonnant Behjet Bey.

Trente minutes plus tard, les Djezaïri proclament l'indépendance de la Syrie. Devant un parterre de notables où l'on distingue Choukri el-Ayoubi, qui n'ose intervenir, et Farès al-Khoury, un ancien élève des Américains à Beyrouth, ils autodésignent Mohammed Saïd comme le représentant du malik Hussein.

Brevet de légitimité pour les deux frères, « leur » drapeau hachémite est hissé sur le palais du gouvernement sous l'œil indifférent des dernières unités allemandes et turques qui quittent la ville.

Aussitôt, quinze cents hommes armés jusqu'aux dents, d'origine algérienne pour la plupart, commencent à patrouiller dans les rues, montant la garde devant les banques et les lieux officiels. La loi martiale est instituée. Les partisans des Djezaïri, qui se sont emparés de la poste, expédient à tout vent des télégrammes annonçant que le gouvernement arabe est enfin créé sous la houlette de Mohammed Saïd, petit-fils du grand Abd el-Kader.

Le premier round revient aux deux frères, et si les Australiens et l'armée du Nord marchent bien vers la capitale, ce n'est pas de la façon prévue...

La division montée australienne et le petit contingent français de Lebon progressent plus vite à l'ouest que les 4e et 5e divisions, les réguliers de Nouri, les Bédouins de Nouri Chalaan et du chérif Nasser ou encore le détachement Pisani à l'est.

Tactiquement, cela ne change pas grand-chose. Mais au plan des alliances, c'est plus embêtant. Les Hachémites ne comprendraient pas que les troupes anglaises leur brûlent la politesse en s'emparant de Damas ; les Français, eux, verraient d'un sale œil qu'elles temporisent aux portes de la cité pour laisser passer l'armée du Nord.

Tout militaire qui se respecte craint les combats de rue comme la peste. En principe, la brigade de cavalerie légère australienne ne doit pas entrer dans Damas, mais son chef, le brigadier-général Wilson, estime qu'à contourner la ville, il va perdre un temps précieux. Or sa mission – couper la route d'Homs pour empêcher les débris de la 4e armée turque de remonter vers le Nord – impose des délais très serrés.

Des patrouilles de reconnaissance rapportent que les Ottomans ont cessé toute résistance dans la partie nord-ouest de la capitale. Dans ces conditions, autant emprunter le chemin le plus direct.

« Traversons Damas droit devant nous pour poursuivre l'ennemi et sortons-en au plus tôt », confirme Wilson.

Le 1er octobre, vers cinq heures du matin, la brigade pénètre dans les quartiers nord-ouest. Sous les vivats d'une foule déjà nombreuse, les hommes du 10e régiment prennent la direction de la vieille ville.

« Pied à terre », ordonnent le chef de corps, le major Olden, et son subordonné direct, le major Timperley, quand l'escadron de tête parvient devant le sérail, le palais du gouvernement.

Sous la protection d'une dizaine de leurs cavaliers, les deux officiers s'y engouffrent, le pistolet d'ordonnance à la main.

« Qui est le responsable ici ? » s'enquiert Olden.

N'importe quel pouvoir civil d'allure à peu près régulière lui conviendrait. Or l'homme qui se présente, paré de son titre de gouverneur, n'est autre que Mohammed Saïd el-Djezaïri.

« Au nom de la population de Damas, je souhaite la bienvenue à nos amis britanniques », annonce-t-il. Et l'officier de liaison arabe qu'il s'empresse de fournir à Olden s'attache surtout à persuader les Australiens qu'une parade militaire dans les rues serait une riche idée…

Pour affermir la « légitimité » des frères Djezaïri, certainement. Mais pour les chérifiens, beaucoup moins ! De toute façon, Olden décline l'offre. Sept heures du matin ont à peine sonné que les cavaliers australiens quittent la ville par le nord sur les talons des Turcs.

Dans le même temps, au sud-est, l'avant-garde rouallah lancée par le chérif Nasser commence à pénétrer dans la ville. Nouri Saïd les talonne à la tête de ses réguliers. L'Irakien, qui a prêté son dromadaire au lieutenant Kirkbride, monte un destrier digne d'un chef militaire arabe arpentant en vainqueur les rues de cette cité vénérable qui abrite le tombeau du grand Saladin.

Nouri n'est pas homme à capituler aussi facilement qu'Ayoubi devant les exigences des Djezaïris. Surtout que le chef de l'armée du Nord connaît la mission confiée par Fayçal à Nessib el-Bekri : rameuter au plus vite des Druzes et des Hauranais de manière à grossir les effectifs hachémites.

Bekri dispose d'un trésor de guerre suffisant pour convaincre les chefs de tribu de rallier la bonne cause. Et de fait, attirés par

250

l'appât du gain, Druzes et Hauranais de la vingt-cinquième heure commencent à affluer.

Un allié suit Nouri : Lawrence qui fonce au travers des colonnes anglaises ou arabes à bord d'une Rolls-Royce militaire, la *Blue Mist*. Son camarade David Stirling l'accompagne. La veille, après l'entrée en majesté de Fayçal à Deraa, sa Vauxhall escortée par les automitrailleuses anglaises, les deux hommes ont quitté la ville. Et bien entendu, le prince monte lui aussi vers Damas.

À l'approche de la capitale, Lawrence et Stirling ont ralenti ostensiblement l'allure pour s'effacer devant le chérif Nasser et sa garde montée. Dès leur entrée dans la ville, un cavalier arabe envoyé par Ayoubi Pacha tend aux deux Britanniques une grappe de raisin et lance :

« Bonnes nouvelles ! Damas vous salue ! »

Quel mal pour se frayer un passage ! À cheval ou à dromadaire, les Rouallah parcourent les rues dans un désordre indescriptible. Des prisonniers turcs marchent en file indienne, les mains sur la tête ; quelques-uns sont égorgés.

Le pillage devient général. Partout des fumées s'élèvent, et il ne s'agit pas seulement des dépôts incendiés par les Allemands avant leur départ. Les détenus libérés par Choukri el-Ayoubi s'en donnent à cœur joie.

Bekri, lui, peut s'arracher les cheveux de rage : les ruraux qu'il a recrutés à prix d'or se conduisent, une fois en ville, comme des bandes sans foi ni loi.

Jaillissant de la *Blue Mist*, Lawrence s'engouffre dans le sérail. Nouri Chalaan et le chérif Nasser l'y ont précédé, ainsi que le chef de file des nationalistes damascènes, le Dr Kadri, vieux de la vieille de la Fétah, effaré du culot des Djezaïris.

« Il faut les destituer immédiatement », rugit Lawrence. Dans sa vision personnelle, les deux frères ne sont pas seulement des imposteurs mais des traîtres.

Pour convaincre le chérif Nasser de sévir, les deux hommes se ruent dans la grande salle du palais. Leur parviennent alors les échos d'une violente querelle entre Aouda Abou Taya et Sultan Atrache, membre du plus puissant clan familial druze amené à la thawra par Bekri. Deux chefs aussi irascibles l'un que l'autre.

S'ils en viennent aux armes, ce ne sera certainement pas pour de rire.

Le motif de leur dispute reste inconnu, mais de précieuses minutes vont êtres perdues à l'apaiser. Assez pour permettre à Mohammed Saïd el-Djezaïri de convaincre le trop confiant Nasser que rien ne presse :

« Allez donc vous reposer, nous verrons tout cela plus tard. »

Désorienté, Nasser accepte. À la demande pressante des nationalistes, il revient toutefois quelques instants plus tard.

« Je vous prie de rentrer dans votre demeure et de ne plus en bouger », ordonne-t-il à Mohammed Saïd.

Devant le refus du gouverneur autoproclamé, Lawrence prend la mouche. Campé sur ses jambes dans son costume arabe, ses yeux lancent des éclairs.

« Si vous n'obéissez pas, le chérif Nasser donnera l'ordre de vous arrêter. Vous devriez savoir que les forces britanniques sont également prêtes à aider les Arabes à faire régner l'ordre et le calme dans cette ville.

— Je n'ai aucun ordre à recevoir d'un Anglais et d'un chrétien ! » riposte l'émir, dont la main caresse le manche de son poignard.

Alors, oubliant leur querelle, Aouda et Atrache se rangent comme un seul homme aux côtés de Lawrence. De ces guerriers-nés, on peut tout redouter. Mohammed Saïd le sait qui, malgré la présence de sa garde personnelle algérienne, choisit la prudence et se retire.

Sur ces entrefaites, c'est au tour d'Ali Reda er-Rikabi de pénétrer dans la salle. Un soupir de satisfaction l'accueille. Enfin, on va pouvoir former un gouvernement provisoire pour accueillir dignement le prince Fayçal dans sa capitale...

Quand Harry Chauvel y entre à son tour, Damas est toujours en proie à la pagaille. Son âme d'officier de carrière souffre à ce spectacle lamentable. Arrivé au sérail, il tombe sur Lawrence qui, très maître des cérémonies, lui présente Choukri el-Ayoubi, vêtu d'un costume étincelant :

« Voici le gouverneur militaire, mon général. Les forces arabes endossent désormais la responsabilité du maintien de l'ordre. »

On ose parler d'ordre ! Chauvel n'en croit pas ses oreilles. Ce blanc-bec déguisé en Arabe (vingt-trois ans séparent les deux protagonistes), c'est donc ça le fameux Lawrence !

« Gouverneur, gouverneur, grogne le général. Où se trouve le vali turc ?

— En fuite, mon général. Ayoubi Pacha vient d'être nommé à sa place par les grands notables de la ville. »

Par Kadri et les membres des sociétés secrètes plus exactement, mais on connaît le talent de Lawrence pour tordre les faits dans le sens qui l'arrange. Il plaide pour le maintien des Australiens en dehors de la ville.

« L'idée de l'abandonner aux pillards ne me plaît guère, objecte Chauvel. Le lieutenant-colonel Bourchier commande les deux régiments de la 4e brigade de cavalerie légère. Je l'ai chargé de protéger les lieux publics, les sièges diplomatiques, les hôpitaux. Nous devons aussi prendre en charge les prisonniers turcs avant qu'on les massacre ou qu'ils s'enfuient. Il ne sera pas dit que les troupes de Sa Gracieuse Majesté auront livré Damas à la racaille...

— Je connais bien les Arabes, insiste Lawrence, cela fait plus de deux ans que je combats à leurs côtés. Si vous leur imposez la loi martiale, nous allons vers un bain de sang. Entre eux, ils trouvent des arrangements ; en présence d'étrangers, cela devient impossible. Avec l'aide des troupes régulières et des hommes des tribus les plus disciplinés, je me fais fort de ramener le calme. Mais, en cas de besoin, je n'hésiterai pas à solliciter l'intervention de vos hommes... »

Chauvel réfléchit. Les consignes verbales d'Allenby l'encourageant à laisser le maximum d'espace aux partisans des Hachémites lui reviennent en mémoire.

« Je n'ai pas d'officier politique sous la main, Lawrence. Alors, occupez-vous de ces affaires. Il faut faire cesser les pillages, éteindre les incendies, enterrer les cadavres, protéger les biens des personnes. Pour les voleurs, pas de pitié. Faites bien attention au typhus qui menace ! Je retourne à mon quartier général préparer la suite de l'offensive. Quand vous aurez fait le point et évalué les besoins, rejoignez-moi là-bas. Je veux un rapport détaillé. »

Lawrence se fait une joie d'accepter. De concert avec Nouri Saïd, le chérif Nasser et les hommes des sociétés secrètes nationalistes, il va pouvoir œuvrer aux progrès de la cause hachémite. Devant ses interlocuteurs britanniques, il prétendra agir au nom de la Couronne, et devant ses interlocuteurs arabes, au nom de Fayçal.

Vers dix-sept heures, le jeune homme se présente à nouveau à Chauvel pour « avouer », mine de rien, que c'est bel et bien lui qui a nommé Choukri el-Ayoubi à son poste de gouverneur.

« Les fonctionnaires civils s'étaient tous enfuis avec les Turcs, il ne restait personne.

— Et on a vu le résultat ! Retournez vers les chérifiens, Lawrence. Moi, je demande à Bourchier de planifier une passation des pouvoirs digne de ce nom. Mais pas question de lever nos postes de garde fixes tant que la rue leur échappera encore. »

Lawrence en vient au véritable but de sa visite. Il veut persuader Chauvel de reconnaître la légitimité hachémite.

« Hier soir, les Damascènes se sont prononcés en faveur du roi du Hedjaz, assure-t-il. Nous aurions mauvaise grâce à contrarier leur volonté. »

Le général fronce les sourcils. Une chose est de favoriser les Arabes en douceur, comme l'a suggéré Allenby, et l'autre d'arbitrer ouvertement en faveur des chérifiens.

« Sans consignes supplémentaires, pas question pour moi de reconnaître le roi du Hedjaz. Mais d'accord, Lawrence : dans l'attente des nouvelles instructions d'Allenby, *votre* gouverneur devra veiller à l'administration civile à titre temporaire. En cas de débordement, Bourchier et ses gars restent sur place... »

Lawrence s'incline. On lui laisse les mains libres, c'est toujours un point de gagné...

Dans la nuit, tout semble remis en cause. Sentant que le pouvoir leur échappe, les Djezaïri aux abois mobilisent plusieurs centaines de leurs partisans armés jusqu'aux dents.

« Honte aux Hachémites qui servent les chrétiens ! » clament-ils à tout vent.

Beaucoup d'anciens droit-commun de la citadelle, de Druzes et de Hauranais perçoivent cet appel à l'insurrection comme une invite à aggraver les pillages. La libération est en train de virer au cauchemar.

« C'est insupportable ! » éclate Nouri.

Un rapide conseil de guerre débouche sur la mobilisation des réguliers arabes et des Bédouins du chérif Nasser et de Nouri Chalaan, loyaux à leurs personnes sinon tout à fait désintéressés. Les contacts avec le lieutenant-colonel Bourchier permettent une répartition des tâches compatible avec la dignité hachémite : les Australiens garderont l'ensemble des lieux publics, laissant aux chérifiens le soin de déblayer les rues.

Au matin du 2 octobre, les soldats de l'armée arabe commandés par Nouri Saïd prennent position aux principaux carrefours. Au prix d'une vingtaine de morts, l'ordre est rétabli aux alentours de midi. Réguliers et Bédouins loyaux patrouillent dans les ruelles, évacuant les cadavres et rassurant les habitants.

« Son Altesse le prince Fayçal sera là sous peu. Honneur à lui ! Le calme et la prospérité vont revenir. »

Les frères Djezaïri tombent entre les mains des chérifiens, Abd el-Kader d'abord, puis Mohammed Saïd. Réuni à la hâte, un tribunal militaire les condamne à mort. Mais faut-il exécuter la sentence au risque de nouvelles rixes avec les Algériens ? Dans le doute, on décide de ne rien décider : Fayçal tranchera...

Le prince arrive le lendemain par le train de Deraa. Pour frapper les imaginations damascènes et lever les nombreuses réticences (parmi les élites urbaines, beaucoup appréhendent la prise du pouvoir par un homme mal dégrossi et semi-inculte, venu du fond de son Hedjaz), les leaders chérifiens ont conçu son entrée en ville comme un film à grand spectacle.

Une foule en délire accueille Fayçal à la gare. Mille cinq cents cavaliers ont été mobilisés. Les réguliers de Nouri Saïd présentent les armes. Groupés par tribus et par clans, marchant chacun sous leur bannière, les Bédouins brandissent leurs épées, tirent des salves en l'air.

Le soulagement se mêle à l'enthousiasme politique pour créer des scènes inoubliables. Pour la première fois depuis l'invasion ottomane, un pouvoir arabe semble émerger dans l'ancienne capitale des Omeyades, et cela se chante, cela se crie :

« Vive Fayçal !

— Vive Hussein !

— Vivent les Béni Hachem !

— Gloire aux Arabes victorieux des Turcs ! »

Monté sur un pur-sang harnaché d'or, le prince parcourt les rues. Sur son passage, des centaines de tapis multicolores ont été étendus en signe d'allégeance. Du haut des maisons, on jette de l'essence de rose. Impassible mais plein d'un bonheur sans égal, Fayçal passe sous un arc de triomphe qu'ornent des diamants prêtés par les dames de la bonne société damascène.

Sur son passage, des agents chérifiens veillent à ranimer l'engouement populaire. Les soldats australiens qui montent la garde en certains lieux s'étonnent. Ils n'ont jamais vu cela et, à vrai dire, personne ne l'a jamais vu.

Fayçal ibn Hussein foule du pas de son cheval cette ville qui va être la sienne. À quoi songe-t-il en ces minutes cruciales ? Au destin des Hachémites peut-être, qui, si Dieu le veut, fera demain de lui un roi...

Encore faut-il déjouer les pièges des Français et ceux, plus subtils, des Britanniques. Tous, il le sait, ne voient pas la cause arabe d'un bon œil.

Venu par la route à bord de sa Rolls-Royce grise, le général Allenby l'attend à l'hôtel Victoria. Nouri Saïd chevauchant à ses côtés, Fayçal a bien du mal à se frayer un chemin au milieu d'une foule qui hurle son nom, qui chante, qui pleure de joie.

La rencontre a lieu dans le grand salon bondé de l'hôtel Victoria. Si Lawrence fait office d'interprète, Chauvel, Joyce, Kirkbride, Stirling, Young et Saïd en seront les témoins muets.

Allenby commence par remettre au prince un télégramme du Foreign Office reconnaissant aux Arabes le statut de « belligérants ».

« Traduisez, Lawrence », exige le Taureau.

Le problème, c'est que personne ne sait au juste en quoi consiste ce statut-là. D'un geste dégagé, Fayçal montre que ces formules diplomatiques incompréhensibles n'ont aucune importance entre alliés.

« Monsieur le commandant en chef, ce qui compte, et ce dont je vous remercie du fond du cœur, c'est la confiance dont vous avez témoigné à tout moment à l'égard de mon peuple comme à l'égard de ma personne. »

Sans être insensible au compliment, le Taureau semble gêné. Sa mission ne consiste pas seulement à échanger des propos fleuris avec le prince, mais à mettre les choses au clair.

Suit un exposé détaillé sur le nouveau Moyen-Orient qui découle des renégociations récentes des accords Sykes-Picot. La France va devenir la puissance protectrice de la Syrie. Représentant du malik Hussein, Fayçal sera en charge non du gouvernement, mais de la seule administration de la Syrie arabe : celle de l'intérieur avec Damas, Hama, Alep et Homs, mais sans le Liban et la zone côtière, apanage des Français, et sans la Palestine, apanage des Britanniques.

« Un officier de liaison français vous sera affecté très prochainement, Votre Altesse. Il travaillera conjointement avec le colonel Lawrence, dont j'espère bien qu'il va poursuivre la tâche importante déjà accomplie à vos côtés. »

Le prince blêmit.

« Mais la France n'a rien à voir avec nous ! proteste-t-il. Je suis tout à fait disposé à accepter une aide britannique. Des propos du conseiller que vous m'avez envoyé (il désigne Lawrence), j'avais compris que les Arabes devaient se gouverner eux-mêmes dans toute la Syrie, Liban compris ! Que voulez-vous que nous fassions d'un pays sans zone littorale et sans ports ? Quant à la France, c'est non ! Je refuse d'agréer un officier français et, de façon plus générale, je m'oppose à toute tutelle française sur la Syrie ! »

Très surpris à moins qu'il ne feigne de l'être, Allenby se tourne vers Lawrence.

« Mais, vous ne lui avez pas dit que le protectorat de la Syrie reviendrait aux Français ?

— Non, mon général, je ne savais rien là-dessus », répond le colonel.

Tellement peu que c'est lui-même qui a révélé à Fayçal les grandes lignes des accords Sykes-Picot bien avant que les bolcheviks les aient rendus publics...

« Mais vous saviez certainement que lui, Fayçal, ne devait rien avoir à faire avec le Liban ?

— Non, mon général, je ne le savais pas », répète Lawrence.

L'essentiel est dit. Pour la forme, on prolonge la conversation.

« Je suis le commandant en chef, rappelle quand même Allenby d'un ton sévère. Et vous, Votre Altesse, vous êtes un lieutenant-général placé sous mon autorité militaire. Les officiers doivent obéir aux ordres... »

Le prince reste muet. Il savait la partie dure à jouer, mais, à l'évidence, ce sera un véritable bras de fer. Tandis qu'il sort sous les vivats de la foule, Lawrence s'attarde avec Allenby.

« Je n'ai pas l'intention de collaborer avec un officier de liaison, mon général. Il me semble qu'à présent, j'ai droit à une permission. Ce serait bien que je la prenne maintenant.

— C'est aussi mon opinion. Vous avez fait un sacré bon travail, et cela mérite en effet un peu de détente. Où comptez-vous aller ?

— À Londres, mon général. »

Le Taureau ne fait aucun commentaire. Il n'en pense pas moins que des jours difficiles se préparent pour les diplomates. Mais ce n'est pas son affaire à lui, le vainqueur de Jérusalem et de Damas. Pour rester dans l'histoire comme l'homme qui aura emporté la décision au Moyen-Orient, il ne lui reste qu'à prendre Alep. Ce n'est plus qu'une question de jours.

« Voulez-vous m'apporter ma casquette et mon stick ? lance-t-il à son officier d'ordonnance. Le travail reprend... »

23

De Damas à Verdun

Dès la prise de Damas, Ali Reda er-Rikabi est allé braconner sur les terres libanaises, que les Français croyaient leurs en vertu des accords Sykes-Picot.

« Prenez vingt hommes, général, et chevauchez vers Beyrouth ! ordonne-t-il à Choukri el-Ayoubi, le 3 octobre au soir. Faites vite ! Proclamez le ralliement de la ville au gouvernement national arabe du prince Fayçal. »

La tâche n'est pas si facile car, alerté le soir même, lors d'un repas avec Nouri Saïd et Bertie Clayton, un des adjoints de Georges-Picot, Robert Coulondre, haut-commissaire de la République française à Jérusalem et désormais officier politique auprès d'Allenby, câble la nouvelle au Quai d'Orsay. Il demande l'envoi d'urgence à Beyrouth de la division navale de Syrie, conçue pour interdire les eaux méditerranéennes aux Ottomans mais dont les fusiliers marins peuvent jouer le rôle de force d'intervention rapide.

Retardée par les destructions méthodiques des voies ferrées, œuvre des Allemands, la petite troupe d'Ayoubi va mettre deux jours pour gagner la capitale libanaise. C'est seulement le 5 octobre que le général se rend au grand sérail, l'ancien siège de l'administration ottomane, pour prendre possession des lieux « au nom du nouveau gouvernement chérifien de La Mecque ».

Pendant la Grande Guerre, le Liban a perdu près des deux cinquièmes de sa population, pour cause de faim ou de maladie. Plus que de renouveau arabe, il rêve de paix et de calme.

« Qu'avons-nous à faire d'un gouvernement de Bédouins, nous, les gens civilisés ? » s'insurgent d'ailleurs beaucoup de Beyrouthins. Les maronites se montrent les plus hostiles. Arabes certes mais chrétiens, ceux-là craignent une mainmise hachémite, et guettent avec impatience l'arrivée des soldats français.

Le 6 au soir, l'ordre tombe. Le Taureau exige le départ d'Ayoubi. Le lendemain, quand la division navale française s'empare du port de Beyrouth et que son chef, le contre-amiral Varney, traverse la ville, c'est une ovation qui l'accueille. On lui jette du riz et des fleurs, certains entonnent *La Marseillaise*.

Le 8, un premier contingent britannique entre dans la ville. Le 11, un premier escadron de chasseurs d'Afrique leur emboîte le pas, suivi par quelques éléments du 115e d'infanterie territoriale et une compagnie de soldats d'origine libanaise et syrienne qui paradent dans les rues sous les clameurs des sympathisants. Les pavillons hachémites qui flottaient au-dessus des bâtiments officiels sont amenés.

Nommé gouverneur militaire de Beyrouth au titre des accords franco-britanniques, le lieutenant-colonel de Piépape, chef du détachement français de Palestine-Syrie, prend ses fonctions au grand sérail. Mais Allenby ordonne que les trois couleurs de la République française n'y soient pas arborées. Si les Français règnent, c'est seulement par la grâce du commandant en chef interallié, qu'on se le dise.

À Damas, la situation semble meilleure pour Fayçal. Pour autant, le prince ne suscite pas la sympathie universelle. Au fil des siècles, les grandes familles de notables qui tiennent la cité s'étaient accoutumées à la présence turque. L'irruption des Bédouins vient bouleverser leurs habitudes, et tous n'apprécient pas.

Ceux – rares – des notables damascènes qui auraient nourri des illusions ont vu, il est vrai, leurs yeux se dessiller avec la double mésaventure du clan des Djezaïri. En raison de leur attitude lors de l'arrivée de l'armée arabe du Nord, les deux descendants d'Abd el-Kader s'étaient attiré la haine des chérifiens ; ils en ont payé le prix.

Le 6 novembre, des éléments armés de la gendarmerie chérifienne en cours de formation abattent Abd el-Kader el-Djezaïri, lors d'une « tentative de fuite ». Arrêté lui aussi, son frère Mohammed Saïd sera sous peu contraint d'émigrer à Haïfa, où les Britanniques le mettront sous bonne garde...

Il ne fait pas bon se mettre en travers du chemin des Hachémites. Fayçal, lui, continue à souffler le froid et le chaud. Froid le jour où, recevant Coulondre, il se montre intransigeant quant à la souveraineté arabe. Mais chaud quand, accueillant le capitaine Pisani auquel l'attachent des liens de confiance, il lui glisse :

« Ma mission ici est purement militaire, et je suis prêt à évacuer Damas et la Syrie si les chefs interalliés m'en donnent l'ordre. Je suis très favorable à la France, et j'ai bien l'intention de coopérer avec elle. Je suis d'accord pour que Mercier vienne travailler à mes côtés. »

On peut considérer cette confidence comme un geste de détente car, interprète d'arabe au vice-consulat français à Port-Saïd, le Pr Mercier a été désigné comme officier de liaison auprès du prince par Coulondre lui-même.

Mais un vent glacé souffle à nouveau quand deux chérifiens notoires, Moktar el-Beihoune et Ali Slan, commencent à faire signer une pétition demandant un protectorat britannique sur le Liban. Et plus encore quand les propagandistes assurent que la France voudrait proscrire l'arabe du Liban pour y imposer sa langue...

Fayçal s'en rend très vite compte, la clé du problème syrien n'est de toute façon pas ici, à Damas, mais à Paris, où va s'ouvrir bientôt la « conférence de la paix », et à Londres.

Dans la capitale britannique, au moins peut-il compter sur un ami auréolé de gloire. Le 29 octobre, Lawrence intervient ainsi devant le comité oriental du cabinet de guerre, que préside lord Curzon, opposant à la politique britannique de soutien au sionisme et partisan du statu quo en Inde.

Si l'aventurier du désert entre dans la lice ce jour-là, c'est drapeau déployé, pour faire l'éloge du prince Fayçal, « honnête et droit... un homme de grandes capacités, extrêmement probritannique » et démontrer que l'indépendance arabe ne s'accommodera pas des visées françaises.

Sa proposition : un reformatage général du Moyen-Orient au profit de la maison Hachem. Avec l'aide de son aîné Ali, le malik Hussein continuerait à régner sur la péninsule Arabique, mais la Grande-Bretagne pousserait ses trois fils cadets au pouvoir : Fayçal à Damas ; Abdallah dans l'Irak du sud, capitale Bagdad ; et Zaïed dans l'Irak du nord, capitale Mossoul.

« Une vue de l'esprit ! » s'offusque Arthur Hirtzel, l'adjoint du sous-secrétaire au gouvernement de l'Inde.

Sir Arthur fonde son rejet du plan de Lawrence sur les rapports d'Arnold Wilson, dit A. T., le commissaire civil britannique à Bagdad.

A. T., peut-être s'en souvient-on, fut en son temps le bras droit de Percy Cox à Bassorah. Mais, au contraire de sir Percy, cet officier de carrière et explorateur tranche par son côté vieille Angleterre. Rarement la certitude d'avoir reçu mission de dominer le monde entier, en commençant par les races « inférieures » pour finir par les Français et les Allemands, aura été mieux incarnée que par cet homme muré dans ses convictions.

Fils du directeur du Clifton College, un conservatoire des valeurs traditionnelles, sa lecture de prédilection est la Bible ; son auteur favori, Rudyard Kipling, le chantre de l'impérialisme britannique ; et ses citations préférées, des aphorismes en latin.

Tant que Cox régnait à Bassorah, le mal restait moindre. Mais, en mars 1918, on l'a nommé ambassadeur à Téhéran. Les populations locales n'ont pas tardé à comprendre la différence. Dans le style : Wilson privilégie par principe les démonstrations de force, seules dignes d'un représentant de Sa Majesté selon lui. Dans le fond aussi : impérialiste radical, A. T. estime que rien ne vaut l'administration britannique directe.

Comme si l'administration du gouvernement des Indes, leur commun employeur, éprouvait le besoin de contrebalancer chacun de ses représentants par un adjoint qui en soit l'antithèse, Bombay a toutefois pris soin d'affecter Gertrude Bell aux côtés d'A. T.

Le contraste n'en paraît que plus éclatant. Au prorata de sa très fine compréhension du monde arabe, Miss Bell accorde ce qu'il faut de confiance à ses interlocuteurs autochtones. Cette attitude plus ouverte la rapproche de Lawrence, et, naturellement, du Rocher de Brighton lui-même. Non exempt de paternalisme – beaucoup d'Arabes restent pour elle de « grands enfants » –, le style Bell induit du coup un nouveau paradoxe car, en dépit de son sexe, handicap sérieux en terre d'islam, Gertrude se révèle beaucoup plus populaire que Wilson. Les notables bagdadis se prennent d'ailleurs à la désigner comme « Khatoun » – la Dame –, nom chargé de respect qui s'applique aux seules femmes de tête dignes d'être associées aux affaires d'État...

En intronisant ce tandem féminin-masculin si contradictoire, Bombay n'a fait qu'appliquer la politique traditionnelle de la carotte et du bâton, à peine tempérée par la qualité des rapports personnels entre A. T. et Khatoun. Aux antipodes du courant féministe anglais des « suffragettes » qu'elle abhorre, l'arabisante de choc ne veut en effet travailler qu'avec des hommes durs et virils.

Comme Wilson, par exemple. Mais n'en déduisez pas quelque aventure amoureuse entre Gertrude et A. T. ! Après la mort de Doughty-Willie, le cœur de Khatoun reste en jachère. Depuis mai 1917, elle habite seule, avec un couple de domestiques, dans sa belle demeure de Bagdad au jardin entouré de hauts murs.

Si Hirtzel s'oppose avec tant d'ardeur à ce qu'on appellera sous peu la « solution hachémite », c'est que, comme les hommes du Raj, il penche pour la formule opposée : pour garantir la route des Indes, la Grande-Bretagne doit administrer l'Irak sans médiation de qui que ce soit, Béni Hachem ou pas.

Après avoir lancé l'idée de faire venir Fayçal en Europe comme représentant des Arabes à la conférence de la paix de Paris, Lawrence s'efforce d'en convaincre les dirigeants de l'État britannique, à commencer par lord Robert Cecil, le secrétaire d'État adjoint au Foreign Office.

« J'espère être à même de dire à Fayçal que le cabinet examine sérieusement la possibilité de le soutenir en Syrie et de mettre un chérifien à la tête du futur gouvernement de Mésopotamie », propose-t-il carrément, le 21 novembre, lors de sa deuxième audition par le Conseil oriental.

Et de développer ses raisons :

« Il n'existe en Syrie et en Mésopotamie aucune autre famille que la famille chérifienne capable de fournir un prince acceptable simultanément par nous et par la population locale.

— Je rappelle qu'A. T. Wilson rejette tout règlement du problème incluant les chérifiens ! » objecte une nouvelle fois Hirtzel.

Depuis la veille, une longue note de sa main circule, à l'usage des hautes sphères. Niant que les Britanniques aient contracté une dette d'honneur vis-à-vis des Arabes qui les contraindrait à prendre leur parti contre les Français, l'adjoint du sous-secrétaire au gouvernement de l'Inde propose d'abandonner toute visée syrienne et de concentrer les forces britanniques sur l'Irak.

« Le plan du colonel Lawrence ne possède absolument rien en sa faveur, quelle que soit la commodité qu'il offre pour satisfaire les ambitions embarrassantes des deux autres fils du roi Hussein, une fois qu'Ali aura été installé à La Mecque et Fayçal à Damas », souligne-t-il.

Moins introduit qu'Hirtzel, Lawrence dispose par contraste de deux armes redoutablement efficaces.

Sa propre aventure d'abord, qui lui permet de toucher une fibre sensible chez les Britanniques de ce temps, le romantisme guerrier – Winston Churchill, pour ne parler que de lui, ne jurera bientôt que par le jeune colonel.

Sa plume ensuite, qui réussit à influencer l'opinion publique. Fin novembre, trois articles du *Times* vantent sous une forme très romanesque les exploits de Fayçal, ainsi que ses qualités d'homme d'État. Présentés comme anonymes, ils sont en réalité de Lawrence.

C'est dans ce contexte que, le 27, lord Curzon préside la réunion du comité oriental, résumant pour rappel les deux thèses rivales, celle de Lawrence, soutenue par le Bureau arabe, par le

War Office via Macdonogh, un vieux de la vieille des services secrets, et celle d'A. T. et du Raj.

Quelques jours plus tard, le comité adopte ses résolutions définitives.

L'accord Sykes-Picot est jeté à la poubelle : les Français n'auront que le Liban. Mais, au lieu de leur avouer franchement ce changement de cap, on va s'abriter derrière le principe d'autodétermination cher au cœur du président américain, Woodrow Wilson.

Côté hachémite, il faudra soutenir Fayçal et les Arabes « aussi loin qu'on pourra aller sans se brouiller avec les Français »...

Monument de duplicité, les résolutions du comité oriental parachèvent l'interminable litanie de mensonges et de fausses promesses britanniques qui, s'ajoutant au manque de réalisme arabe, à l'esprit étroitement colonial des Français et au projet sioniste de retour en Terre sainte, vont bientôt faire du Moyen-Orient une zone ingérable.

Les intérêts stratégiques anglais et la viabilité du « Foyer national juif » exigent qu'on place la Palestine sous administration directe d'une grande puissance anglo-saxonne, soit la Grande-Bretagne, soit les États-Unis. Plutôt Londres, si possible...

Pour l'île des Arabes, c'est plus simple. Les relations extérieures du royaume du Hedjaz resteront autonomes, sans ingérence étrangère, et les lieux saints musulmans, hors du contrôle de toute grande puissance. Mais la Grande-Bretagne se ménagera une « position spéciale » au Hedjaz...

Ni annexion ni administration directe en Irak, sauf peut-être dans la région de Bassorah, considérée comme stratégique. Un ou des gouvernements arabes seront établis en fonction des besoins. Mais quelle que soit la formule retenue, « le soutien et la protection d'une grande puissance européenne resteront indispensables ». Et bien entendu, « la sécurité de l'empire des Indes » veut que cette puissance soit la Grande-Bretagne...

Reste à déterminer qui régnera à Bagdad. Le Conseil oriental se prononce en faveur d'Abdallah, dont Lawrence a avancé le nom dans le seul but de contrer A. T. Wilson.

« S'il est bien la créature lascive, paresseuse qu'on nous présente, s'enthousiasme lord Montagu, secrétaire d'État à l'Inde depuis juin 1917, il sera l'homme idéal, parce qu'il laissera l'administrateur britannique diriger le pays de A jusqu'à Z. »

À quoi tiennent les couronnes quand les impérialismes rivaux donnent le ton...

Quand Fayçal débarque à Marseille, le mardi 26 novembre 1918, vêtu de son long caftan noir et flanqué de Nouri Saïd, de son secrétaire personnel Roustoum Haïdar, chiite de Baalbek et un des fondateurs de la Fétah, avant-guerre, à Paris, de Faïez el-Ghoussein, son conseiller diplomatique, et du capitaine Tachine Kadri, son aide de camp, c'est un simple ministre plénipotentiaire à la retraite, Emmanuel Bertrand, qui lui souhaite la bienvenue.

Rappelé d'urgence de Gand, le colonel Brémond rejoint la suite princière le 28, en début d'après-midi. Jean Gout, le sous-directeur du service Asie au Quai d'Orsay, lui a délivré des instructions précises :

« Vous ferez traiter l'émir en général, en personne de distinction, mais ne lui reconnaîtrez aucun caractère diplomatique. Vous lui direz que ces questions vous dépassent tous les deux ; qu'il a été mal conseillé ; qu'il aurait dû causer avec M. Georges-Picot. Vous lui direz que le gouvernement anglais ne fait pas tout, et n'aurait pas dû lui conseiller de venir sans consulter le gouvernement français. Vous vous arrangerez pour ne pas l'amener à Paris sans nouveaux ordres. Après avis des préfets, vous lui ferez visiter ce que vous voudrez. Vous l'emmènerez voir le général Gouraud, qui est à Strasbourg avec la 4ᵉ armée, et qui lui remettra la plaque de grand officier.

— Et Lawrence ?

— S'il vient comme colonel britannique, en uniforme anglais, nous lui souhaitons la bienvenue. Mais nous ne l'acceptons pas comme Arabe, et s'il reste déguisé, il n'a rien à faire chez nous. »

De fait, l'ancien archéologue de Karkemish arbore un vêtement arabe d'un blanc impeccable. Son face-à-face avec Brémond entraîne aussitôt quelques passes d'armes.

« Il partira ce soir même », soupire Fayçal, logé à l'hôtel Terminus, de Lyon.

Une concession en trompe-l'œil : le prince préfère que Lawrence gagne Londres pour y préparer sa prochaine visite.

De son côté, Nouri Saïd s'en va brouiller un peu plus les cartes, lors d'une visite au consul général de Grande-Bretagne à Lyon, initiative concertée avec Fayçal, de toute évidence, tant les deux hommes sont désormais proches.

« Le prince se sent prisonnier dans les mains des Français, explique l'Irakien. Il sait qu'il ne doit rien faire qui soit de nature à causer de l'embarras, mais il aimerait tout de même savoir s'il peut interrompre net son séjour en France. »

Fidèle à la ligne générale du Foreign Office, le brave diplomate l'incite à la prudence.

En wagon spécial, la suite princière arrive à la gare de Belfort le 1er décembre, vers dix heures. Elle y trouve Si Kaddour ben Ghabrit, le chef du protocole de Rabat qui a déjà supervisé pour la France le premier pèlerinage maghrébin, du temps de la guerre, à La Mecque.

Par Thann et Colmar, on gagne Strasbourg en voiture. La foule applaudit sur son passage, mais c'est plus le drapeau tricolore que les Alsaciens, fraîchement libérés d'une domination allemande vieille de presque cinq décennies, plébiscitent, qu'un prince oriental dont ils ignorent jusqu'à l'existence.

Aucune date n'a encore été fixée pour son arrivée à Paris. Dans la matinée du 3, il s'en ouvre à Brémond :

« Nous avons fait la guerre ensemble, nous sommes des camarades de combat ; j'ai confiance dans vos sentiments d'amitié et de loyauté. Dites-moi franchement ce qu'il en est. Si le gouvernement français ne veut pas que j'aille à Paris, dites-le-moi nettement. J'ai laissé à Damas pour me remplacer mon frère Zaïed qui est jeune et n'a pas d'expérience ; la situation est difficile, et je suis inquiet. Si je perds mon temps ici, il vaut mieux que je rentre à Damas.

— Je vais poser la question, Votre Altesse, et je vous ferai connaître la réponse franchement dès que je l'aurais obtenue », répond le colonel.

Le hic, ce sont les communications avec Paris. Le téléphone ne fonctionne pas, le télégraphe guère mieux et, le courrier, c'est encore pire. Il faut compter plusieurs jours. En signe de bonne volonté, Brémond expédie Si Kaddour ben Ghabrit à Metz et Nancy, à Paris s'il le faut pour rapporter des nouvelles fraîches.

Le soir, on dîne chez le général Hirschauer, qui commande à Strasbourg. Et le lendemain même, le télégramme arrive enfin :

« Pour colonel Brémond en mission auprès de l'émir Fayçal. Le président de la République recevra l'émir le samedi 7 décembre à 17 heures. Arrangez-vous pour arriver le samedi 7 à 14 heures 17. Délégués du gouvernement vous attendront à la gare pour saluer l'émir. »

Si Kaddour a bien travaillé ! La confiance revient. Le jeudi 5, Fayçal ibn Hussein reçoit la plaque de grand officier de la Légion d'honneur, place Kléber, des mains du général Gouraud. Le soir, tout le monde couche à Metz.

Le 6 octobre à six heures, des voitures conduisent les chérifiens à Verdun. Fayçal s'est vêtu à l'occidentale, un costume sombre, et seul son keffieh le distingue d'un visiteur français. De sa démarche élastique, il arpente la boue de ce qui fut le plus grand champ de bataille de la Grande Guerre, passe avec aisance sur des caillebotis par-dessus les trous d'obus gorgés d'eau.

Son recueillement impressionne les Français. Comme tous ses compagnons arabes, ce qu'il retient, c'est l'étendue des dévastations, témoin de la violence des combats :

« En Orient, nous n'avons pas idée d'horreurs pareilles. »

Après avoir remonté la Voie sacrée où circulait, aux jours de la bataille, une noria de camions apportant vivres, munitions et équipements aux poilus des tranchées, la petite troupe gagne Bar-le-Duc.

Le 7, à dix heures trente, elle en repart, petite satisfaction d'amour-propre, à bord du wagon spécial du Kaiser, quand il se rendait en Alsace. Le soir, le président Poincaré reçoit Fayçal à l'Élysée. Une fois de plus, Si Kaddour ben Ghabrit joue les traducteurs. Mais il n'aura guère de travail, les propos qu'échangent les convives ne franchissant jamais le cap des banalités d'usage.

Fayçal connaîtra-t-il un meilleur accueil à Londres ? Le 9 décembre, la délégation hachémite part pour Boulogne, où un navire britannique l'attend.

Rasé de frais mais toujours vêtu à l'arabe, Lawrence en descend sous un ciel brumeux. Il salue Fayçal, puis se tourne vers Brémond et, de son ton le plus aimable, lui lance :

« Voudriez-vous accompagner nos amis chérifiens en Angleterre ? Vous y seriez bien accueilli, je vous l'assure. »

Brémond s'incline :

« Je n'en doute pas, et votre invitation me va droit au cœur. Malheureusement, je n'ai pas la latitude d'accepter. Les ordres sont les ordres, comme vous le savez, et ma mission s'arrête ici. »

Celle de Lawrence, non...

Qui Lawrence est-il censé « conseiller » au juste : son propre gouvernement ? L'ancien chef de l'armée du Nord ? Les deux en même temps ? Et quel type de « conseils » attend-on de lui ? Les réponses se trouvent à la fois dans son mental d'homme déchiré et dans la tortueuse ligne de conduite de la diplomatie impériale. Partout et nulle part, autrement dit...

Deuxième journée du séjour londonien du prince hachémite, le 12 décembre 1918 marque une date importance. Fayçal et son conseiller s'en vont d'abord rendre visite à lord Balfour. Et, face à lui, le prince ne mâche pas ses mots :

« Si les Français tentent de s'emparer de la Syrie, nous, les Arabes, les attaquerons aussitôt... »

Balfour a participé au congrès de Berlin de 1878, où les grandes puissances européennes ont commencé à se pencher sur le « cas » de l'Empire ottoman. Pour s'être occupé par la suite des affaires écossaises, sud-africaines et surtout irlandaises, cet homme d'expérience sait que les adversaires dangereux sont ceux qui parlent peu mais agissent. Les propos de Fayçal lui paraissent donc insignifiants. Un scepticisme qui doit se lire sur son visage puisque le prince se croit tenu d'ajouter :

« Je suis bien conscient que les Arabes ne pourront pas résister à la puissance militaire d'un pays aussi grand que la France. Mais c'est une question d'honneur. Moi-même et tous mes partisans préférerions mourir au combat plutôt que de nous soumettre sans frapper le moindre coup.

— Allons, ne vous laissez pas aller à des prédictions aussi tragiques », tempère Balfour.

Fayçal sort déçu ; il n'a obtenu que de bonnes paroles. Arrachera-t-il des concessions plus substantielles à Haïm Weizmann, qu'il rencontre le même jour ?

Au prince, qui exhibe une carte des zones de domination et d'influence définies par les accords Sykes-Picot, Weizmann trichant avec la chronologie, affirme s'y être toujours opposé. Mais ce n'est pas si grave, Weizmann compte surtout sur les sionistes américains, susceptibles d'exercer une pression efficace à Washington…

Fayçal ne soulève aucune objection. Pour faire triompher le droit des Arabes, lui aussi compte de plus en plus sur le président Wilson et sur son idée de commission d'enquête internationale au Moyen-Orient. Il s'enquiert des projets sionistes à court terme.

« La conférence de la paix et vous-mêmes pourriez reconnaître les droits historiques des Juifs en Palestine, répond Weizmann en substance. La Grande-Bretagne serait désignée comme puissance de tutelle. Il y aurait alors une réforme agraire qui arracherait les terres aux grands propriétaires. À la faveur d'un plan de développement économique, quatre à cinq millions de Juifs s'installeraient en Palestine. Les questions les plus épineuses comme celles des frontières ou des lieux saints seraient réglées plus tard… »

Obsédé par le besoin de complaire aux Américains et aux Britanniques, sans l'aide desquels il ne pèse d'aucun poids face aux Français, Fayçal n'a pas senti venir cet autre danger. Flottant, il concède que, en Palestine, il y aurait suffisamment de terres pour les deux peuples. C'est entendu, il soutiendra les revendications juives, et demandera que la Grande-Bretagne soit désignée comme puissance de tutelle par la conférence de la paix.

Que gagne-t-il en échange ? Rien, si ce n'est l'espoir que l'allié sioniste du jour ne fera pas payer son soutien trop cher à l'avenir. Et, comme seul le premier pas coûte, le *Times* du lendemain publie une déclaration de sa part, affirmant qu'entre ces deux branches de la famille sémitique, les Arabes et les Juifs, on peut se comprendre.

Le 21, le prince va encore plus loin. Invité d'honneur d'un repas politico-mondain dont l'organisateur s'appelle lord Rothschild et les convives lord Cecil, lord Milner, sir Herbert Samuel, il prend la parole :

« Nous réclamons la liberté pour les Arabes, et nous serions indignes d'elle si nous ne souhaitions pas, comme je le fais aujourd'hui, la bienvenue aux Juifs, et si nous ne collaborions pas avec eux, dans les limites permises par l'état actuel de la population arabe. »

En cette fin d'année, le climat est à l'optimisme dans les hautes sphères londoniennes. On a vaincu les Allemands, battu les Turcs, pourquoi ne pas rêver d'un Moyen-Orient pacifié sous la houlette britannique ? Alors, sans tenir compte du flou princier, tout le monde applaudit.

Le climat est plus réservé le 27 décembre, quand Fayçal rencontre Edwin Montagu.

Fils de lord Swathling, l'une des figures les plus respectées du judaïsme anglais, Montagu n'a jamais éprouvé de sympathies particulières pour le sionisme. Entré au cabinet en février 1915, à trente-six ans, âge inhabituellement jeune selon les critères de l'establishment, il a joué un rôle capital dans le mode de financement de l'effort de guerre, puis au ministère des Munitions. Pour avoir pris très tôt conscience du poids de l'islam dans l'empire britannique des Indes, cet organisateur talentueux a l'oreille attentive au moindre propos du prince.

« Si Ibn Séoud parvenait à s'emparer du Hedjaz, tous les musulmans non wahhabites seraient interdits de pèlerinage », croit pouvoir assurer Fayçal.

Trop polémique, l'argument n'est guère de nature à convaincre son interlocuteur qui, comme tous les spécialistes des affaires indiennes, cherche le meilleur moyen de garantir la sécurité des voies de communication entre la Grande-Bretagne et son empire.

« Parlez-nous de la Palestine », insistent le Britannique.

C'est très volontiers que Fayçal réitère ses déclarations des jours précédents, insistant au moins autant sur l'indispensable rôle de tutelle de la Grande-Bretagne que sur la parenté de sang entre Juifs et Arabes.

Montagu apparemment satisfait, Fayçal et Lawrence se penchent sur la rédaction d'un mémorandum destiné à la conférence de la paix, document clé que le jeune colonel infléchit dans le sens des intérêts britanniques, tout en lui conservant son caractère d'ébauche d'un nationalisme arabe hachémite.

On s'écarte, en effet, du seul regard hedjazi pour définir un point de vue arabe global passant par la Syrie, apte à s'autogouverner avec l'aide de conseils techniques occidentaux (concession à la France mais à la Grande-Bretagne aussi) ; par l'Irak, dont le mode de gouvernement ne pourra s'affranchir de l'aide matérielle d'une « grande puissance étrangère » (la Grande-Bretagne, bien sûr) ; et par la Palestine où les Arabes, majoritaires dans la population mais bien disposés envers les Juifs, accepteront de bon cœur un « tuteur » (la Grande-Bretagne encore).

En prenant de la distance avec son père, Fayçal s'affirme comme candidat au leadership de ce monde arabe. Mais, dans le même temps, il nourrit de sérieuses illusions quant à un développement conjoint harmonieux des Juifs et des Arabes en Palestine.

Lawrence jouant à nouveau les agents d'influence du Foreign Office, le prince va jusqu'à contresigner avec Weizmann un document écrit, le 3 janvier, « au nom du royaume arabe du Hedjaz ». Parlant de fixer les frontières entre l'État arabe de demain et la Palestine, deux entités distinctes donc, ce nouveau document rédigé en anglais, langue que Fayçal ne parle pas ou très mal, appelle à l'immigration juive et… au développement de la colonisation des terres !

Sous le charme de Weizmann, parfait diplomate, Fayçal a-t-il été de surcroît manipulé par Lawrence ? On peut se poser la question. Déchiré entre ses deux obédiences contradictoires, l'homme d'Akaba en est venu à favoriser le sionisme, dont il n'était guère partisan, dans l'espoir que la bonne volonté du prince envers Weizmann sera récompensée par le gouvernement britannique. Une ligne sinueuse qui le contraint à mentir un peu à tout le monde.

Fayçal a-t-il senti le piège ? Après avoir paraphé le document, il insiste pour en limiter la portée par ce petit paragraphe en arabe :

« À condition que les Arabes obtiennent leur indépendance, comme il est indiqué dans mon mémorandum du 4 janvier 1919, adressé au ministère anglais des Affaires étrangères, je coopérerai aux articles ci-dessus. Mais si la moindre modification devait être apportée, ou si l'on s'en écartait ne fût-ce qu'un peu, je ne serais lié par aucune stipulation du présent accord, qui sera considéré comme annulé, sans importance ni validité, et ma responsabilité ne sera engagée en aucune manière que ce soit. »

Destinées à la postérité plus qu'aux contemporains, et à l'opinion arabe avant tout, ces lignes ont fort peu de chances de devenir un bouclier efficace en cas de reniement britannique. Quelques jours après cette entrevue Fayçal-Weizmann, si lourde de malentendus, le roi George V reçoit son hôte et lui remet solennellement la grand-croix du Royal Victorian Order, qui a préséance sur tous les autres ordres et décorations britanniques.

Le temps d'une visite officielle à Édimbourg, d'une autre à Glasgow, et le prince retrouve Lawrence une dernière fois, à Londres, pour peaufiner le mémorandum que Fayçal entend présenter devant les participants de la conférence de la paix.

Paris, c'est sûr, l'attend pour une épreuve de force décisive...

24

La conférence de la paix

Le 18 janvier 1919, les délégués sont réunis dans la salle de l'Horloge du Quai d'Orsay. Comme son secrétaire Roustoum Haïdar, Fayçal s'y présente en costume arabe, le keffieh sur la tête. Il fait grande impression. Et plus encore le soir même où, lors du banquet officiel, le prince devise avec deux convives américains, Lawrence jouant une fois encore les interprètes.

Forcer la porte de la conférence n'a pas été facile, tant les Français ont multiplié les obstacles. Le 16, Jean Gout reçoit Fayçal, furieux que son nom ne figure pas sur la liste des délégués.

« C'est facile à comprendre, rétorque le sous-directeur d'Asie avec un sourire bien faux. On se moque de vous : les Britanniques vous ont laissé tomber. Si vous vous rangez de notre côté, nous pouvons vous faciliter les choses... Nous ne reconnaissons en vous qu'un visiteur et un hôte honoré, mais sans aucun lien avec la conférence de Paris. C'est votre faute : vous êtes venu ici sans autorisation de Picot et sans l'informer. »

Dans le genre maître chanteur, difficile de faire plus explicite ! Quand le prince rappelle qu'Allenby a reconnu à l'armée arabe du Nord le statut de force belligérante, Gout parle de mensonge. Fayçal blêmit, parvient tout de même à se contrôler. Gout reprend alors la parole pour assener que oui, le Quai d'Orsay a bien reçu un télégramme du malik Hussein désignant Fayçal comme son représentant. Mais ce message a malheureusement été retardé, et, d'ailleurs, le Quai d'Orsay ne le reconnaît pas...

« Vous feriez mieux de comprendre que, si vous voulez être ami de la France, vous devez vous débarrasser de tout ce qui n'est pas la France.

— Je me permets de vous informer que je me suis révolté pour être libre et souverain, et que nous mourrons au nom de ce principe, proteste le prince. Je ne suis pas prêt à remettre la moindre parcelle de mon pays à la Grande-Bretagne ! »

Sous-entendu, à la France non plus, et c'est bien ce qui irrite Gout. Pour la Syrie, le Quai a en effet mitonné son projet maison, dont la cheville ouvrière s'appelle Chekri Ghanem. Auteur dramatique et poète, ce maronite libanais, francophile et francophone, fréquente de longue date les milieux politiques parisiens, avec une prédilection pour les cercles « syrianistes ». Ancien président de la chambre de commerce ottomane en France, il s'est d'abord opposé à la domination turque. Mais ce qui l'inquiète désormais, ce sont les Hachémites.

En juin 1917, alors que l'expédition d'Akaba battait son plein, cet antichérifien militant portait sur les fonts baptismaux le Comité central syrien, 8, rue Laffite, dans le IXe arrondissement, téléphone BERgère 39-27. Son plan : une Syrie « intégrale », rassemblement de provinces autonomes au sein d'une fédération laïque liée à la France. Et d'accuser Fayçal de vouloir imposer un État théocratique musulman à Damas.

Gout, qui suit l'affaire depuis ses débuts, compte bien transformer Ghanem et son inspirateur Georges Samné, secrétaire général du Comité central syrien et principal rédacteur de ses textes programmatiques, en contrepoids. Pour cette raison, le Quai a apporté son appui logistique aux trois cent cinquante délégués qui, les 3, 4 et 5 janvier 1919, quelques jours à peine avant le retour d'Angleterre du prince hachémite, se réunissaient dans les locaux de la chambre de commerce de Marseille.

À Londres, on voit heureusement les choses sous un tout autre jour. L'aide des diplomates de Sa Majesté va permettre à Fayçal d'arracher deux sièges, le sien et celui de Roustoum

Haïdar. Coincés en milieu de table dans un salon du Quai d'Orsay, entre les représentants du Liberia et du Guatemala, les délégués du Hedjaz tournent le dos à leurs homologues haïtiens et péruviens, et font face à deux des cinq Japonais, le baron Makino et le marquis Saionji.

Comme dans toute grande rencontre internationale, les séances plénières sont surtout organisées pour la galerie. L'essentiel des décisions se prend au Conseil suprême, qui réunit une à deux fois par jour les représentants des principales puissances : États-Unis, France, Grande-Bretagne et Italie, auxquels se sont joints deux représentants nippons, à la demande de Lloyd George. Il se tient au Quai d'Orsay, dans le bureau de Stéphen Pichon, le ministre français des Affaires étrangères.

D'accord pour démembrer l'Empire turc, les vainqueurs de la Grande Guerre en sont encore à chercher qui prendra quoi. On murmure que, suite aux pressions des États-Unis, les anciennes possessions arabes d'Istanbul comme les ex-colonies de Berlin seraient placées sous « mandat » de la Société des nations. Grande idée du président américain Wilson, celle-ci n'existe encore que sur le papier, mais on est convenu que le « pacte de la SDN » fera partie intégrante des futurs traités de paix.

Pour ce qui est des puissances « mandataires » en revanche, rien n'est décidé. France et Grande-Bretagne sont sur les rangs bien sûr, mais les États-Unis aussi, ce qui laisse de sérieux espoirs à Fayçal.

Le prince a déjà fait diffuser le texte du mémorandum écrit à quatre mains avec Lawrence à Londres. Ce document, il va enfin pouvoir le défendre devant le Conseil suprême.

Le 5 février, veille du grand jour, Fayçal donne ses ultimes consignes à Roustoum Haïdar, qui doit mettre au propre le texte de sa déclaration.

« Laissez la question de la Palestine de côté ; je crains des abus concernant les frontières de la part des Américains… »

Mark Sykes et Lawrence se présentent le matin du 6 pour serrer les boulons. Haïdar leur lit une traduction en anglais. Aussitôt, la discussion s'engage. Fayçal et son secrétaire n'ont pas prévu de dissocier le cas du Liban. Sykes exprime son désaccord :

« C'est un peuple indépendant ; dans son ensemble, il demande son rattachement à la France et en conséquence, ne vous préoccupez pas de lui et laissez-le indépendant.

— Ah les catholiques ! ironise encore sir Mark. Ils craignent que leurs coreligionnaires ne deviennent une minorité parmi les musulmans, même si cela conduit à placer la Montagne libanaise sous la coupe de la France pour se protéger de l'Angleterre protestante... »

Catholique lui-même, le Derviche parle peut-être d'expérience. Mais il y a autre chose :

« Je ne sais pas pourquoi Lawrence tient tant à la Palestine. Il veut que personne ne se mêle de son destin, pas même l'émir Fayçal, et pourquoi donc ? Pour qu'elle demeure aux mains des Britanniques ? On dit que ces derniers ont promis aux Juifs de les soutenir... »

Comprenant le message, Fayçal renonce à revendiquer la Palestine. Et l'on va ainsi jusqu'à l'heure des préparatifs.

Flanqué de Haïdar, de Nouri Saïd, d'Aouni Abd el-Hadi et de Lawrence, vêtus comme lui de leurs longues robes traditionnelles, le prince est introduit dans le bureau de Pichon. En sus des quatre têtes d'affiche, Clemenceau, Lloyd George, le président du Conseil italien Vittorio Orlando, Wilson, et de leurs collaborateurs, une dizaine de spécialistes occidentaux des questions arabes sont tout ouïe.

Pour les États-Unis, on distingue Wallace Westermann et le major Bonsal ; pour la Grande-Bretagne, Hirtzel, Montagu, Arnold Toynbee et Sykes ; pour l'Italie, De Martino, Galli et Piacentini ; pour la France, Pichon, de Caix, Coulondre, Gout, Si Kaddour ben Ghabrit et le Pr Mantoux – les deux derniers à titre d'interprètes, rôle que Lawrence assure parallèlement côté hedjazi.

Fayçal s'assied face à l'auditoire. À sa droite, Si Kaddour ben Ghabrit, chargé de vérifier si la traduction de Lawrence, qui se tient, lui, à la gauche du prince, est bien fidèle. Précaution compréhensible car les Français n'ignorent rien de l'habitude du jeune Britannique de tordre les propos des uns et des autres dans le sens qui lui convient...

« Les Arabes, attaque Fayçal, sont les héritiers d'une vieille civilisation, ils parlent une langue commune. Tous sémites, leur espace est déterminé par des frontières naturelles. »

Cette mise au point effectuée, le prince s'emploie à illustrer les positions hachémites. Les Arabes ont combattu aux côtés des Alliés, et Hussein lui-même n'a agi qu'au nom d'ambitions patriotiques. Espérant que les promesses des Français et des Britanniques seront tenues, Fayçal les remercie de leur aide. Mais, unie et indépendante, la Syrie doit avoir sa place au sein de la confédération des pays arabes libres du joug turc.

Les questions qui fâchent à présent :

« Certaines personnes de l'actuelle province du Liban souhaitent de nouvelles garanties. D'autres ne veulent pas qu'on les sépare de la Syrie. Nous désirons admettre leur indépendance, mais nous estimons essentiel pour tous de maintenir une forme d'union économique. »

Une concession à la France aussitôt suivie d'une pierre de taille dans son jardin quand Fayçal souligne aussi qu'aucune puissance n'a le droit de limiter l'indépendance syrienne « parce qu'elle a des intérêts matériels dans le pays ».

Suivez son regard… ni Clemenceau ni Pichon ne bronchent.

« Le premier effort de notre gouvernement, insiste le prince, sera de maintenir les croyances soudées, au service du principe commun de nationalité. »

Ledit principe constituant le grand projet du président Wilson, et l'idée d'une commission d'enquête, celui du Dr Howard Bliss, président du Syrian Protestant College, l'université américaine de médecine de Beyrouth, bien en cour à la Maison-Blanche, Fayçal conclut sur un nouvel appel du pied :

« Une commission d'enquête internationale, sur la base du principe d'autodétermination, pourrait recueillir de manière rapide, facile, sûre et juste, le vœu des populations quant à leur indépendance ou leur choix de puissances mandataires. »

On sait le talent d'orateur du prince, sa capacité à charmer son oratoire d'un geste, d'un regard, d'une inflexion de la voix. Captivée par cet Arabe alliant l'exotisme du costume traditionnel à un discours politique moderne, la salle l'écoute jusqu'au bout.

Vient le tour de Lawrence, qui traduit en anglais. Les Italiens, qui ne parlent pas la langue de Shakespeare, mais le français, si, font la tête. Le président américain Wilson trouve la solution :

« Colonel Lawrence, pourriez-vous traduire aussi la déclaration de l'émir Fayçal en français ? »

À peine Lawrence a-t-il achevé cette seconde traduction que des applaudissements éclatent. L'aura romantique de l'aventurier du désert vient s'ajouter au charme du prince pour créer un climat favorable aux Hachémites.

C'est encore Lawrence qui traduit les réponses de Fayçal aux questions de Lloyd George et de Wilson. Clemenceau, impassible, n'en pose aucune, laissant l'initiative à Pichon, lequel multiplie si bien les gaffes que la passe d'armes qui l'oppose à Fayçal tourne à son désavantage.

« Voulez-vous bien nous dire ce que la France a fait pour vous aider ? » lance le ministre, rageur.

Le prince s'incline.

« Je dois en effet la remercier pour le soutien qu'elle nous a apporté. Un petit contingent est venu se joindre à notre armée du Nord et, je crois, quatre vieux canons et deux de modèles récents. »

C'est dit d'un ton si aimable que seul un mauvais coucheur pourrait en prendre ombrage. Mais il va falloir jouer serré.

Le Quai d'Orsay a obtenu qu'une délégation syrienne profrançaise, conduite par Chekri Ghanem et Georges Samné, et une délégation libanaise de même orientation, menée par Daoud Ammoun, un maronite, mais comprenant aussi un Druze, un musulman et un grec-orthodoxe, soient entendues à leur tour par le Conseil suprême, les 13 et 15 février. Complication supplémentaire, un drame survient brusquement côté britannique. Le 16 février, Mark Sykes trouve la mort à Paris, victime parmi vingt-cinq millions d'autres d'une épidémie de grippe espagnole plus meurtrière que la guerre mondiale elle-même.

Trois jours de fièvres ont eu raison de cet électron libre de la diplomatie de son pays. Père de six enfants, le Derviche tourneur allait sur ses quarante ans. À un mois près, il ne les atteindra pas. Avec lui disparaît l'un des protagonistes du grand incendie qui s'allume au Moyen-Orient et ne s'éteindra pas de sitôt.

Un autre se profile déjà, il est vrai...

Avec sa barbe bien taillée et son canotier, le vicomte Robert de Caix de Saint-Amour est une des figures de proue du parti colonial. Il est né à Paris le 5 février 1869, mais son père possède des biens en Algérie.

Très marqué, comme tous les jeunes gens de son âge, par la défaite de 1870 face à la Prusse, Caix fait ses études à l'École libre des sciences politiques, fondée en 1871 par Émile Boutmy pour préparer le relèvement moral du pays vaincu. Et c'est précisément Boutmy qui, prenant le jeune homme en sympathie, le recommande, en février 1893, au *Journal des débats*, comme rédacteur au service étranger.

Institution séculaire, le *Journal des débats* exerce un pouvoir d'influence considérable sur la classe politique française.

Coup de chance en 1902, à Bangkok, quand il fait la connaissance de Philippe Berthelot. Fils du ministre des Affaires étrangères Marcelin Berthelot, Philippe a travaillé au cabinet de son père dès 1895. Les deux hommes sympathisent. Dès lors, leurs trajectoires vont suivre un cours parallèle.

En 1904, Berthelot crée le service Asie du Quai d'Orsay. En 1912, il devient chef du cabinet de Stéphen Pichon aux Affaires étrangères. Caix, lui, visite le Maroc, et se passionne pour le système de protectorat initié par le général Lyautey, dont il rencontre un des adjoints de confiance, Henri Gouraud.

Romantisme des grands espaces, courage physique, connaissance du terrain et préjugés de plomb : Gouraud est le prototype de l'officier colonial tel que Louis Gardel le ressuscitera, en 1980, dans son roman *Fort Saganne*.

Jeune saint-cyrien, il se porte volontaire pour l'Afrique malgré les réticences de son médecin de père. Fin avril 1895, il livre son premier combat aux Touareg. Le 27 février 1898, déjà capitaine, il dégage et sauve la garnison de Kong, en Côte-d'Ivoire, encerclée par les hommes du chef soudanais Samory Touré, farouche opposant à la pénétration coloniale française.

Le 29 septembre, Gouraud s'introduit, à la tête d'un petit commando, dans le campement de ce chef de guerre charismatique, qu'il capture sans tirer un seul coup de feu. En 1902, il défait les Touareg à Zanguébé et à Galma. Fin 1907, après avoir parcouru les confins algéro-marocains et rencontré Lyautey pour la première fois, le lieutenant-colonel Gouraud, commissaire du gouvernement général en Mauritanie, livre et gagne les combats de Tijoufar, Amatil et Hamdoum.

Le 2 mai 1911, voilà notre homme à Casablanca, sous les ordres de Lyautey. Le sultan Moulay Hafid est assiégé à Fez. Gouraud assure la sécurité du convoi de vivres et de munitions de la colonne qui dégage la ville.

L'année suivante, il brise un nouveau siège lors du combat de Hajra Kohiba. Chargé du commandement de la région de Fez avec les galons tout neufs de général de brigade, il fonde des postes, ouvre des routes, disperse, combat, réprime. Sous ses ordres, des unités dévouées corps et âme : Daugan et ses zouaves, Poeymirau, Pellegrin et leurs Marocains, Billotte et ses Sénégalais, Rollet et ses légionnaires.

Célibataire endurci pour qui la seule femme qui compte reste sa mère, Gouraud se tient toujours au premier rang. Pour les hommes de sa trempe, l'empire représente une fin en soi, et la colonisation, la plus belle des aventures.

Le contraire d'un intellectuel d'influence comme Caix. L'impression mutuelle n'est est pas moins bonne. De retour à Paris, Caix retrouve Berthelot, qui, en 1919, lui donne l'occasion de réintégrer le Quai d'Orsay. Caix en rêvait depuis la mauvaise grippe qui l'a écarté de la diplomatie pour l'orienter vers le journalisme. Et quelle meilleure occasion que ce jour d'avril où un autre de ses amis, Henri Brenier, le convoque au Quai ? L'homme du *Journal des débats* se retrouve face à Pichon et à Clemenceau.

« Il va falloir négocier avec les Britanniques pour sauver la situation de la France au Liban, lui lance le Tigre. Et c'est vous qui allez être chargé de cette tâche. »

Le choix de Clemenceau ne doit rien au hasard. Un jour où le Tigre se plaignait de n'être entouré que d'« imbéciles », c'est Henry Wickham Steed, le rédacteur en chef du *Times*, dont l'intérêt pour les affaires moyen-orientales dépasse le cadre du simple journalisme, qui lui a soufflé le nom de Caix.

Le 26 mars, déjà, Steed prend l'initiative de réunir trois représentants anglais : Lawrence ; Valentin Chirol, du *Times*, un ancien flirt de Gertrude Bell et Khatoun elle-même, fraîchement débarquée dans la capitale française pour y défendre le point de vue d'A. T. Wilson et de l'India Office et faire la connaissance du prince Fayçal.

Face à eux ce jour-là, six Français. Deux diplomates, Brenier et Sabatier d'Espeyran, et quatre journalistes, dont Caix. La rencontre a accouché d'un mémorandum supplémentaire attribuant, avec des nuances, la Syrie à la France et niant l'intérêt d'une commission d'enquête internationale.

« Vous allez traiter avec l'émir Fayçal ! » conclut Clemenceau d'un ton qui ne souffre pas de réplique.

Que sait Caix du prince ? Peu et beaucoup à la fois. Ses amis syrianistes ont tôt fait de lui brosser un portrait que les hommes du Quai d'Orsay vont compléter au fur et à mesure. Outre Lawrence, le prince dispose de conseillers arabes compétents tels Nouri Saïd ou Roustoum Haïdar, ancien élève de l'École libre des sciences politiques comme Caix, et parfait francophone. Haïdar qui, nonobstant les réticences de Lawrence, toujours prêt à s'octroyer le monopole du verbe, se fait entendre de plus en plus lors des séances de la conférence de la paix.

D'abord à l'hôtel Intercontinental, Fayçal et sa suite ont ensuite été relogés dans un hôtel particulier au 72, avenue du Bois-de-Boulogne. Le prince reçoit – l'écrivain Anatole France, par exemple. Il rencontre – l'ancien président du Conseil Aristide Briand, vieil ennemi de Clemenceau. Il est lui-même reçu – la comtesse de Clermont-Tonnerre, Noubar Pacha, président de la délégation arménienne, Wallace Westermann, et surtout le colonel House, éminence grise du président Wilson.

Entre le 10 et le 20 mars, il a voyagé dans l'est de la France, en Allemagne occupée et en Belgique, rencontré des militaires français – dont Gouraud une nouvelle fois –, américains et britanniques. À son retour, Haïdar et Hadi, tout joyeux, sont venus l'accueillir : Allenby est à Paris depuis la veille !

« Tâchez de découvrir ses intentions », a recommandé le prince à Haïdar.

Lawrence n'a pas été long à se présenter avenue du Bois-de-Boulogne. Oui, les nouvelles sont bonnes. Mieux, même ! Allenby n'a pas seulement déclaré qu'il serait absurde de découper la Syrie en zones à statuts différents, mais aussi que, la Syrie éprouvant une aversion profonde à l'égard de la France, toute tentative d'administration française directe aboutirait à un soulèvement. De la part du vainqueur de Jérusalem et de Damas, un avis aussi tranché va certainement compter beaucoup.

Un bonheur n'arrivant jamais seul, on apprend aussi que, malgré l'opposition plus ou moins franche des Britanniques et des Français, le Conseil suprême vient de décider l'envoi de la fameuse commission d'enquête internationale. Mais, le vendredi 22, la presse parisienne se déchaîne déjà contre le projet. Et le lendemain, trouvant le temps trop long sans résultat concret, le prince commence à parler d'un retour à Damas sous huitaine.

Lawrence, lui, doit quitter la capitale au même moment pour motif personnel : son père souffre d'une pneumonie consécutive à la grippe espagnole qui vient de tuer Sykes, et le malheureux ne va pas tarder à mourir.

Avant son départ, pressé par Steed, ravi de jouer les traits d'union franco-britanniques, le jeune colonel a néanmoins accepté de mettre son entregent au service d'une rencontre entre Clemenceau et Fayçal.

Ce face-à-face, il revient à Robert de Caix de le mettre sur pied, en exploitant l'absence de Lawrence, toujours en Angleterre pour raisons familiales...

Le 15 avril, bien décidé à arracher la décision après un premier tête-à-tête entre Fayçal et Clemenceau sans résultat autre qu'une démonstration de sympathie mutuelle, le journaliste-diplomate est reçu avenue du Bois-de-Boulogne. Fayçal et lui trouvent, ou du moins croient trouver, un terrain d'entente. Si la France reconnaît explicitement l'indépendance de la Syrie, celle-ci pourra accepter un mandat français au nom de la SDN.

« Il importe, Votre Altesse, que la commission d'enquête sache que nous sommes parvenus à un accord avant de se mettre en route, explique Caix, laissant transparaître l'inquiétude principale des Français. À nous de trouver la forme adéquate. Je propose de nous retrouver après-demain en un lieu de votre convenance pour mettre tout cela au point.

— Ici, si vous en êtes d'accord, monsieur de Caix. »

Dans l'intervalle, chacun consulte, Fayçal, son entourage, et Caix, le Quai d'Orsay. De sorte que, le 17 au matin, le vicomte arrive avec des propositions précises.

« Vous avez soulevé devant le président Clemenceau l'objection d'un possible changement de gouvernement à Paris. Nous l'avons prise en compte. Que diriez-vous d'un échange de lettres officielles entre vous deux ? »

Fayçal en accepte le principe. L'après-midi même, Caix, l'homme pressé de la diplomatie française, revient, porteur d'une lettre paraphée par le Tigre. Si Kaddour ben Ghabrit, qui l'accompagne, traduit le document. Tout en concédant à la France le statut de « puissance qualifiée » pour fournir les « conseillers nécessaires », il reconnaît noir sur blanc l'indépendance de la Syrie, « sous la forme d'une fédération d'autonomies locales répondant aux traditions et aux vœux des populations », formule restrictive qui laisse, entre autres, la porte ouverte à un régime spécial pour le Liban.

Fayçal s'en rend-il compte ? Oui, bien sûr. Mais, trop intelligent pour ne pas saisir le sens des mots, le prince l'est assez pour réaliser le rapport des forces. Il faut louvoyer, ne retenir des textes que ce qui arrange – ici, le mot « indépendance ». Et surtout, gagner du temps dans l'espoir que les Américains modifieront la donne avec leur commission d'enquête.

L'air très enthousiaste, le prince quitte la pièce pour rédiger sa réponse. En fait, c'est l'indécision, trait majeur de son caractère, qui prévaut. Et dire que Lawrence n'est même pas là pour dire ce que les Britanniques penseraient de tout ça !

Abd el-Hadi, en tout cas, a son opinion :

« La lettre n'apporte rien, Votre Altesse.

— Vous croyez ? »

284

Ébranlé, le prince consulte Haïdar et fait appeler Kadri. Leurs points de vue ne diffèrent pas de celui d'Hadi. Du coup, Fayçal, craignant une chausse-trape française, relit la lettre avec soin. Et là, le ton change :

« Conquête, tutelle, jeu, ils se moquent de nous, ils veulent qu'on leur confirme un droit de tutelle en fonction d'un droit dont ils sont convenus d'eux-mêmes avec les grandes puissances. Rien d'utile, dans cette lettre, mais beaucoup de nocif ! »

Tellement que Fayçal demande à Caix de repasser dans la soirée.

« Vous aurez ma réponse à vingt et une heures. »

Le moment venu, la réponse est encore retardée jusqu'au lendemain, entre onze heures et midi, heureux délai puisque le secrétaire personnel de Lloyd George se présente à son tour avenue du Bois-de-Boulogne.

« Le Premier ministre peut recevoir Votre Altesse demain, à dix heures quinze, si elle le souhaite. »

L'espoir renaît. Quand Caix se présente dans la soirée, Fayçal lui explique que la lettre serait trop « élastique », et fait le geste d'étirer un caoutchouc.

Quel hypocrite ! fulmine le diplomate. Il demande à récupérer le texte paraphé de la main du Tigre. La colère doit se lire sur le visage de Fayçal puisque Caix, piteux et arrogant à la fois, tente de justifier sa démarche :

« Quand une proposition n'est pas agréée dans des délais raisonnables, Votre Altesse, l'usage diplomatique veut qu'elle soit retirée. »

Craint-il pour la réputation du Tigre ? Veut-il seulement se couvrir à titre personnel, lui, et le Quai d'Orsay avec ?

L'entretien avec Lloyd George a bien lieu, mais il ne débouche que sur des exhortations à s'entendre avec la France.

« Rédigez une lettre à Clemenceau, Votre Altesse, et indiquez-lui clairement ce que vous voulez », finit par lâcher le Premier ministre britannique. Moins qu'un ordre, c'est plus qu'un conseil : Londres et Paris n'ont pas l'intention de se brouiller pour les beaux yeux des Hachémites.

Nouveau texte, donc nouveau délai. Fayçal et ses hommes s'attaquent à la rédaction du courrier. Dans la soirée, heureuse surprise, on apprend le retour de Lawrence. Sceptique de nature, Fayçal avait cru que son ami anglais profiterait du drame familial pour échapper à ses responsabilités au moment décisif. Nationalistes arabes purs et durs, Hadi et Haïdar s'en montrent moins satisfaits : ils craignent que Lawrence continue à traîner le prince sur des positions trop conciliantes.

« Je vais montrer votre lettre à Lloyd George », annonce le colonel.

Passe-t-il réellement à l'acte ? Le fait est qu'il prend le document et revient quelques heures plus tard, proposant d'en biffer deux paragraphes jugés superflus.

Il faut se remettre à l'ouvrage. À quinze heures trente, Hani remet la lettre en main propre à Caix, à son domicile de l'avenue de Tourville.

Le vicomte chausse ses lunettes, prend connaissance du texte et, très pincé, lance :

« Mais c'est incroyable, vous exigez toutes les concessions à la France sans en faire une seule ! Je refuse cette lettre. Je ne la montrerai même pas à M. Clemenceau, de peur qu'il ne la prenne pour un geste de rupture... ainsi la comprendrais-je moi-même. Si je ne pensais pas qu'elle provient de gens qui n'ont pas plus l'usage de la langue française que de la diplomatie, l'honnêteté me contraindrait de la lui présenter comme une fin de non-recevoir, et de prier le président de la considérer comme telle sans même qu'il ait à en prendre connaissance. »

Sur ce, il s'emploie à recopier le texte, affectant, il le dira plus tard, « d'y voir une sorte de phénomène à mettre dans une collection ».

Même en tenant compte de l'arrogance impériale, du sentiment bien ancré de la supériorité intellectuelle occidentale, voire du racisme pur et simple, quel facteur peut expliquer pareille attitude ? Le désir de provoquer un esclandre dont il serait le seul témoin côté français, peut-être, ce qui laisse entier le mystère des intentions réelles du Quai d'Orsay...

L'initiative personnelle, il est vrai, semble à la mode. Le même jour, Lawrence fait parvenir à Clemenceau une lettre plutôt bizarre, en anglais, langue que le Tigre maîtrise parfaitement. Il engage le président du Conseil à accepter le mot indépendance puisque « Fayçal et sa suite en sont fous », à nommer un gouverneur syrien de Beyrouth, comme dans les autres villes mais avec « des conseillers français, des officiers français », à donner une résidence beyrouthine d'été à Fayçal de sorte qu'il puisse s'y trouver « en contact quotidien avec le conseiller français en Syrie », à le pousser à réunir une assemblée représentative dont les délégués viendraient aussi bien de la zone sous influence française que de la partie arabe, etc.

« Ce que propose ce jeune homme me paraît fort bon », lance Clemenceau. Mais persuadé qu'il ne s'agit que d'un caprice, Caix décide de temporiser.

Fayçal, lui, n'a désormais de foi qu'en la commission d'enquête imposée par Wilson. Le 21 avril 1919, en fin d'après-midi, il rencontre le Tigre pour la deuxième fois. Après, les dés seront jetés, et il n'aura qu'à regagner Damas.

« Je vous remercie des sentiments exprimés dans votre lettre et je vous souhaite bon voyage », lance aimablement Clemenceau.

Fayçal s'incline, avec cette noblesse d'attitude qui constitue un de ses rares atouts diplomatiques. Quand il parle l'arabe, sa phrase aux amples sonorités se déroule, martelée, dans un rythme alterné. L'élocution est si parfaite, le geste si sobre, si précis, que l'oreille de Clemenceau, peu faite pour cette langue pourtant, suit sans difficulté le cours de la pensée princière. La traduction ne vient ensuite que comme une sorte de confirmation.

« Je n'ai exprimé qu'une partie de mes sentiments, et mon cœur en contient d'autres qu'il ne dévoile pas. »

Derrière son épaisse moustache blanche, le Tigre apprécie :

« Dans tous les cas, nous sommes, sur le principe, entièrement d'accord. J'espère que nos démarches ont été utiles, et que l'accord verra vraiment le jour sur le terrain.

— Si Dieu le veut, je signerai l'accord définitif sur ce bureau, ici, réplique le prince. Il apparaîtra bientôt que je tiendrai parole.

— Pour cela, je vous remercie, Altesse.

— Et moi, je vous prie de bien vouloir excuser les fautes que j'ai pu commettre jusqu'à aujourd'hui.

287

— Il n'est pas question de fautes. Vous n'êtes en rien fautif. J'ai de l'estime pour vous parce que vous êtes un homme qui travaille pour son pays. Cela a toujours été mon principe, comme peuvent en témoigner toutes les personnes présentes.

— Avant de vous dire adieu, insiste Fayçal, je vous prie de faire vite avec la commission.

— Je n'ai aucune information à son sujet.

— Et pourtant, M. de Caix m'a dit qu'elle partirait.

— En effet, concède Clemenceau, mais je suis si occupé. Tandis que je travaille à la question de la Sarre, comment puis-je penser à celle de Syrie ? »

Difficile d'être moins diplomate. De toute façon, l'entrevue ne s'éternisera pas. À vingt heures trente, un train attend Fayçal à la gare de Lyon ; il va rencontrer le pape Benoît XV au Vatican, en compagnie de son officier de liaison français, le colonel Toulat, et du capitaine Pisani.

Mais au Hedjaz, berceau des Hachémites et seul endroit au monde où ils règnent sans partage, un événement crucial est sur le point de survenir...

25

Médine se rend

« L'émir Ali a fait son entrée solennelle à La Mecque ce matin venant de Médine. Il a passé la nuit aux portes de la ville. Son convoi a été attaqué en cours de route par les Bédouins à Bir el-Hassan ; ils lui ont enlevé cinquante charges, d'aucuns disent ses papiers et son sabre.

« À dix heures, je me rends pour le saluer ainsi que Son Altesse l'émir Abdallah.

« Je fais visite à ce dernier, qui nous reçoit au milieu des Bédouins. L'émir Abdallah se lève à mon approche en s'écriant : "Que Dieu te fasse vivre, Ibrahim !" Et en m'entourant le cou de son bras droit, il m'embrasse sur la tempe. Ce salut, adressé en général aux Bédouins, est, dans ce milieu spécial et devant cette affluence, la plus grande marque d'une sympathie affectueuse.

« Puis l'émir nous entraîne rapidement à travers les corridors vers un cabinet secret. Il en ouvre rapidement la porte en disant :

« "Votre Altesse, émir Ali, je vous apporte un grand cadeau", et il me pousse dans les bras du prince héritier, qui m'étreint nerveusement pendant que l'émir Abdallah retourne à ses Bédouins. »

Qui narre en ces termes son pèlerinage de 1919 à La Mecque ? Et pourquoi ce capitaine français bénéficie-t-il d'un accueil aussi chaleureux de la part des Hachémites ?

La réponse à ces questions se trouve dans l'identité de l'auteur, le capitaine Laurent Depui, né en 1878 à Besançon. Les Hedjazi, qui l'ont vu à l'œuvre, pendant la guerre contre les Turcs, au sein de la colonne du prince Abdallah, connaissent cet officier sous son nom musulman de Cheik Ibrahim. Mais que savent-ils de son passé ? Peu de chose, et pourtant...

Après avoir opté pour l'infanterie coloniale au sortir de l'école militaire de Saint-Maixent, Depui est muté comme officier de renseignements sur la Côte française des Somalis. C'est là qu'il se convertit à l'islam. En octobre 1916, le Franc-Comtois combat à Verdun. L'année suivante, le colonel Brémond le recrute pour la mission militaire au Hedjaz.

Ajoutez à ce cursus déjà original une tendance prononcée à la mythomanie, et vous obtenez un personnage bien introduit chez les Hedjazi, pas toujours fiable mais en permanence aux aguets.

Cheik Ibrahim s'attribue des origines bédouines. Il serait le descendant de « Debaoui », un mamelouk hedjazi enrôlé volontaire dans les armées de Bonaparte, au temps de l'expédition d'Égypte. Sergent de voltigeurs installé en France et naturalisé français, son ancêtre aurait contracté mariage avec une autochtone.

« Depui en connaît un rayon en matière de mariage », ironisent ses camarades français de la mission militaire. Car, déjà époux d'une Franc-Comtoise, Cheik Ibrahim a pris une seconde femme à Djibouti et une troisième à Djeddah, comme la coutume musulmane, mais pas la loi française, le lui permet.

De la part de non-musulmans, la critique pourrait n'être que sectaire et rageuse. Mais, envoyé officiel de la France au Hedjaz pour les pèlerinages, et fondateur à La Mecque de l'Hôtellerie des pèlerins du Maghreb, l'Algérien Mohammed ben Saci se montre assez sceptique sur la profondeur des sentiments religieux du capitaine.

C'est aussi l'avis des officiers et sous-officiers instructeurs musulmans de la mission militaire. À leurs yeux d'hommes de foi sans ostentation, Depui, qui va partout, la longue barbe fleurie, la tête couverte d'un keffieh à la mode hedjazi et le chapelet d'ambre à la main lors des prières rituelles, en fait trop.

En ce mois de septembre 1919, le capitaine jouit pourtant d'un traitement de faveur, ici, à La Mecque. Et disons-le franchement : ce statut privilégié doit moins à la religion qu'à des considérations politiques. Ainsi, trois jours après son arrivée dans la ville sainte, le prince Ali prend le Franc-Comtois à part :

« C'est à un ami que je parle. Ah ! la France, la belle France que j'ai appris à connaître à Istanbul, et que j'aimerais tant visiter si les affaires publiques ne me retenaient pas auprès de mon père le malik, qui abat tant de besogne mais qui est si seul. Il n'y a personne pour le seconder, personne sur qui il puisse s'appuyer en toute confiance. Dès que je le pourrais, dans un mois et demi peut-être, je reviendrai de Médine et je reprendrai ma place à ses côtés comme conseiller. »

À Depui qui tente d'en savoir plus, le prince répond... en attaquant la politique syrienne de Paris, qu'il juge désastreuse :

« Pourquoi les Français remplacent-ils partout les fonctionnaires musulmans par des fonctionnaires chrétiens dans les villes purement musulmanes ? Il est mauvais de suivre cette politique tendancieuse. Tu sais combien j'aime la France, plus que tout autre pays, j'ai été peiné d'apprendre ces faits quand je me suis rendu en Syrie. Pourquoi ne pas poursuivre une politique d'union et de concorde ? Ne sommes-nous pas tous des alliés, et si nous, Arabes, perdons la France, nous serons facilement livrés *aux autres*. Pourquoi ne pas suivre les anciennes traditions ? »

Après ce détour syrien qui n'est sûrement pas le fruit du hasard, le prince a invité Depui à lui rendre visite à La Mecque :

« Viens, comme autrefois, aux heures libres, tu seras le bienvenu. »

Une semaine plus tard, c'est Mahmoud el-Kaissouni, le ministre hachémite de la Guerre au bord de la disgrâce, qui reçoit Cheik Ibrahim, très amical d'abord, très pessimiste ensuite :

« À son retour, le prince Ali voudrait reprendre avec lui le lieutenant Kernag. Et moi, j'aimerais pouvoir affecter le lieutenant Maachou au service de la caserne, où je lui confierais l'instruction au tir au fusil-mitrailleur. Comme ce sont des officiers français, il me faut votre accord.

— Vous l'avez. »

Un peu plus tard, cet officier égyptien de carrière se penche vers son interlocuteur pour se plaindre de la pénurie de cadres militaires valables qui le contraint à remplir lui-même tous les offices de commandement et d'administration dans les moindres détails :

« Les officiers chérifiens sont tout juste bons à parader et à toucher leur solde. Des ignares et des paresseux. Ils ne paraissent qu'au baisemain avec le malik et à la solde. Et moi, je dois tout faire. Je suis en même temps ministre de la Guerre, commandant de division et commandant d'unité... »

Un tableau qui explique pourquoi les princes multiplient les démonstrations de sympathie envers les Français : à l'heure des revers et des difficultés avec les Britanniques, ils ont besoin d'alliés. Car tout va mal au Hedjaz. Une étape de plus dans l'impitoyable conflit entre Séoudiens et Hachémites qui ne cesse de se durcir depuis l'année dernière...

Chaque jour plus certain qu'Ibn Séoud est devenu le véritable homme fort de la péninsule Arabique, St John Philby se trouve dans l'incapacité d'en persuader ses supérieurs britanniques. Ce n'est pourtant pas faute d'avoir essayé ! Mais, de retour au Caire suite à sa première mission auprès de l'émir wahhabite au début 1918, l'orientaliste s'est non seulement heurté à l'hostilité sourde des « indiscrets », furieux que le gouvernement des Indes braconne sur « leurs » terres, mais aussi à l'incompréhension de Reginald Wingate, le haut-commissaire de Sa Majesté en Égypte :

« Notre politique reste une politique chérifienne, Philby.

— Sir, vous me renvoyez auprès d'Ibn Séoud. Que dois-je lui dire ? Il espère dix mille fusils de notre part...

— ... qu'il ne manquera pas de retourner contre les Hachémites à la première occasion ! Faites-lui savoir qu'il peut garder les dix milles livres déjà versées : ce n'est pas un prêt mais un cadeau. Mais, pour les fusils, nous nous en tiendrons à mille. S'il attaque les Rachidi qui, bien qu'affaiblis, restent tout de même des alliés des Turcs, Séoud peut compter sur l'appui britannique. À condition de ne rien faire contre les chérifiens.

« — Je vois, sir. Vous lui demandez de travailler pour le roi du Hedjaz en liquidant ses adversaires... »

Wingate contemple son inférieur hiérarchique d'un air vaguement irrité. Ce pauvre garçon ne comprend pas la complexité de la politique impériale ! La Grande-Bretagne fait ce que qu'elle veut parce qu'elle sait ce qu'il faut faire...

Philby s'incline mais n'en pense pas moins. L'entretien avec le haut-commissaire vient confirmer sa piètre idée de l'establishment anglais : une bande d'individus englués dans leurs préjugés sociaux ou raciaux. Hypocrites et menteurs de surcroît, qui promettent tout à tout le monde : aux Français, aux Hachémites, aux Juifs, à Ibn Séoud...

C'est à désespérer. Même Gertrude Bell, sa vieille amie, qui lui débite des sermons épistolaires !

Déçu sans être étonné, Philby reprend la route pour le Nedjd. Une route qui passe par Bombay, puis Bassorah, où il apprend la mutation de Percy Cox et son remplacement par A. T. Wilson.

De Bagdad, A. T. lui fait justement parvenir un ordre de mission. C'est moins que le poste de représentant permanent de la Couronne à Riyad dont St John rêve et qui n'existe toujours pas, mais le moyen de protester ? Philby reprend son bâton de pèlerin. Après diverses tribulations, il parvient à rallier le camp d'Ibn Séoud, qui chasse sur les hauteurs de Dahna.

Ibn Séoud, un cerveau, un bras, une foi au service d'un rêve aussi démesuré que les étendues désertiques du Nedjd. À trente-sept ans, ce géant bâti en athlète – il mesure un peu plus de deux mètres – s'est forgé un caractère d'acier au milieu des pires vicissitudes.

La menace rachidi en 1891, quand Sélim, le gouverneur de Riyad, a tendu un piège mortel à son père, Abd-ur Rahman ibn Séoud. Feignant de répondre sans méfiance, avec tous les mâles de sa famille, à une invitation officielle du haut fonctionnaire, ce dernier a fait assassiner les gardes du palais à l'arme blanche, jeter leurs restes aux chiens, et a liquidé Sélim dans les pires souffrances.

L'errance pour la survie dans les sables du désert de Dahna ensuite, aux côtés des Mourrah, la tribu la plus primitive de l'Arabie. L'exil pendant cinq ans au Koweït, où son hôte, le cheik Moubarak es-Sabbag, maître de cette petite cité tout en haut du golfe Arabo-Persique, lui a appris l'art et la manière de négocier avec les Anglais et de s'en faire des amis contre les Turcs. La mort de sa première épouse, six mois après leur mariage.

Des malheurs, des drames. Mais jamais l'émir n'a renoncé à son grand projet. Il veut restaurer la maison Séoud qui, alliée depuis 1744 au grand prédicateur Mohammed ibn Abd el-Wahhab, tenant d'une version ultrarigoriste de l'islam sunnite, et à ses successeurs, fit trembler tout l'islam.

Les wahhabites ont conquis Médine, Taïef, La Mecque, Djeddah, Sanaa, Kerbala, Alep, menacé Damas, détruit les ex-voto et autres ornements « idolâtres » autour de la tombe du Prophète, interdit le trafic des amulettes et redonné à la Kaaba son statut de pierre sacrée pure et sans ornement.

Les armées de Séoud le Grand ont battu celles de Méhémet Ali, le Pacha d'Égypte, caressé l'idée d'une alliance avec Bonaparte avant de s'écrouler, victimes de la puissance ottomane et des manœuvres des Britanniques, déjà soucieux de sécuriser les communications de l'Inde.

La maison Séoud connaît un fragile renouveau, entre 1824 et 1891, avant de perdre sa capitale Riyad, aux mains des Rachidi. Sa troisième renaissance commence en 1902, quand le « serviteur du Bien-Aimé » reprend Riyad l'arme à la main. Il conquiert de même les quatre provinces centrales du Nedjd ; élimine, en les assoiffant, six bataillons ottomans lancés contre lui ; tombe en 1906 sur le vieil ennemi de sa famille, Ibn Mittab ibn Rachid, privé de ses protecteurs turcs, le bat à plate couture, le tue ; profite des guerres de succession au sein du clan Rachidi.

En 1912, Ibn Séoud crée les « frères du Croissant », les ikwans, un ordre de moines soldats de la foi, groupés en différents phalanstères selon qu'ils appartiennent à la tribu des Mouteïrs ou à celle des Ateibas.

Ces hommes vont devenir la plus redoutable armée de l'Arabie. À lui tout le Nedjd et bientôt, le Hasa, la bande côtière agricole sur le Golfe, habitée surtout par des chiites. Déjà, il lorgne sur le Hail, fief des Rachidi, et sur le Hedjaz. Deux contrées bien différentes. Beaucoup moins cosmopolite que le Hedjaz, avec ses villes côtières comme Djeddah, le Hail, que les Séoud et les Rachidi se disputent depuis près d'un siècle, est peuplé majoritairement de Bédouins Chammars.

Cette homogénéité tribale constitue la force de la dynastie des émirs Rachid, instaurée en 1836, mais sa faiblesse aussi. Alors qu'Hussein, d'une part, et Ibn Séoud, de l'autre, ont su fédérer des populations nomades ou sédentaires autrefois ennemies, les Rachidi s'en montrent incapables. C'est même le contraire : un clan familial, proie endémique des pires rivalités de personnes.

La marche séoudienne en avant et le combat contre les Hachémites ont connu certes quelques étapes humiliantes. Comme en 1910, quand les troupes du chérif de La Mecque ont capturé Saad, le frère préféré d'Ibn Séoud. L'émir wahhabite s'est vu contraint de passer sous les fourches caudines chérifiennes, et d'accepter, signe théorique de vassalité, le principe – mais le principe seulement – d'un tribut annuel à La Mecque.

C'est cet homme sûr de lui, mélange de force, de charisme et de ruse que St John Philby trouve une nouvelle fois en face de lui. Cet homme dont le fonctionnaire du Raj a signalé en vain à ses supérieurs la trempe de bâtisseur de royaume. Et quel malheur de venir à lui porteur de mauvaises nouvelles ! En public, l'accueil est excellent mais en privé, le climat se révèle plus froid.

« Que m'apportez-vous ? »

Tant bien que mal, Philby tente de s'expliquer. Mais que pourrait-il promettre en échange de l'entrée en guerre immédiate des wahhabites contre les Rachidi ? Pas grand-chose. Le « serviteur du Bien-Aimé » craint d'être humilié devant son peuple ; il sait que, dans les rangs des ikwans, beaucoup se refusent à admettre le partenariat avec les Britanniques infidèles. Si cet embryon d'alliance ne donnait aucun résultat concret, ce serait encore pire.

« Attaquez le Hail, et je vous remettrai le reliquat des sommes que j'ai apportées de Bagdad et cachées dans le désert par sécurité, soit vingt mille livres », propose Philby.

Ibn Séoud prend le temps de la réflexion. Les vingt mille livres comptent moins que le lien à maintenir avec la Grande-Bretagne. À n'importe quel prix ? Non :

« Nous sommes en plein ramadan, rappelle l'émir. Aucune action militaire n'est possible avant la fin officielle du jeûne. »

Vient enfin le jour de la fête du Sacrifice. La vie normale reprend, l'espoir renaît chez Philby, usé par les manifestations de haine dont il est l'objet, non pas d'Ibn Séoud, son ami, mais des wahhabites du rang, furieux de la présence d'un chrétien parmi eux.

L'émir rassemble les tribus.

« Ma décision est prise : nous allons faire la guerre ! »

Une ovation accueille ses propos. Mais quel désappointement quand le « serviteur du Bien-Aimé » désigne l'ennemi à combattre : pas les Hachémites qui multiplient pourtant les manifestations d'arrogance – Hussein aurait traité publiquement l'émir de « porc trichineux » – mais les Rachidi, affaiblis et peu agressifs…

« Est-ce pour faire plaisir aux Anglais, pour mériter leur or ? » s'aventurent certains chefs de la fraternité du Croissant.

Ibn Séoud devra déployer toute sa science de la dialectique pour persuader ses guerriers et leurs oulémas que la lutte pour la conquête du Hail ne constitue qu'une étape. La Mecque et Médine restent les objectifs suprêmes, souligne-t-il.

On le suit, on l'acclame à nouveau et, pour démontrer son indépendance envers la Grande-Bretagne, l'émir décide qu'il ne prendra pas personnellement la tête des opérations.

La décision comporte sa part de risque. Quand les ikwans se présentent devant les murs de Hail, l'ennemi repousse leurs assauts mal coordonnés. Les guerriers désappointés multiplient alors les rezzous contre les bergers chammars, en tuent quelques dizaines, s'emparent de mille cinq cents dromadaires, de moutons et de munitions.

Fin septembre 1918, ils regagnent Riyad en ordre dispersé. Ayant rendu compte à A. T. Wilson de ce demi-succès, Philby reçoit un message de Bagdad l'autorisant à convertir en allocation annuelle permanente les dix mille livres versées pour la campagne du Hail. Mais le 2 octobre, un nouveau sac de courrier lui parvient. La mission de St John est terminée. À lui d'avertir Ibn Séoud qu'on n'attend plus aucune action offensive de sa part, et de lui faire comprendre que l'envoi des mille nouveaux fusils promis est reporté sine die.

« Qui mettrait sa confiance en vous après un coup pareil ? éclate l'émir. Vous m'avez tourné en ridicule devant mon propre peuple... et si votre gouvernement refuse de changer sa politique, inutile de revenir. »

En gage d'amitié, il offre quand même à son hôte une épée d'honneur et un étalon blanc.

Vêtu à l'arabe, Philby s'incline :

« Avec l'aide de Dieu, ou tout se passera bien, ou je ne reviendrais pas en envoyé de la Grande-Bretagne. »

Mortifié de ce nouveau pas de clerc des représentants de son propre pays, St John reprend alors le chemin du Koweït, puis de Bagdad. À la fin 1918, il part pour l'Angleterre – son premier congé de longue durée depuis une décennie.

Dora, sa femme, l'attend au pays en compagnie de leur gamin, Kim, sept ans.

Tandis que Philby père et fils coulent des jours heureux, St John recevant même la médaille de compagnon de l'Order of British India des mains du roi George, 1919 commence mieux pour les Hachémites au Hedjaz qu'à la conférence parisienne de la paix.

Défendue par Fekri Pacha, Médine résiste depuis les débuts de la thawra. Rien ne semble faire fléchir le commandant ottoman. Même les armistices anglo-turc puis franco-turc, même la mission du capitaine Ziah, aide de camp du ministre de la Guerre, chargé d'intervenir pour qu'il se rende :

« Je suis responsable de la tombe du Prophète, répète le gouverneur de Médine. Je ne peux pas la rendre sans un ordre du sultan et calife. Le Prophète m'est apparu une nuit, et c'est lui qui me demande de continuer à me battre en son nom. »

Restent les officiers et les hommes de troupe, qui ne voient pas pourquoi leur chef met un tel point d'honneur à refuser la reddition, en dépit des ordres supérieurs. Certains prennent les devants comme les mille hommes des garnisons d'El Ouali, Bir Machi, Kaffirey et, plus près de Médine encore, de Bouait qui, le 5 janvier, mettent bas les armes.

Deux jours plus tard, le chef d'état-major de Fekri Pacha, le colonel Mouhieddine Bey, choisit de se rendre au prince Ali avec cinq de ses officiers et cent cinquante hommes du rang.

De plus en plus isolé, Fekri écrit alors une lettre à l'aîné des quatre frères hachémites. Son adjoint, le général turc Ali Nedjib Bey est en route pour négocier en son nom les termes d'une reddition.

« J'ai besoin de vous », téléphone le prince Ali à son frère Abdallah, qui assiège Djafr, à une petite vingtaine de kilomètres au nord-ouest de Médine.

En quelques heures, le scénario est au point. Fekri se rendra ; désarmés, ses hommes seront conduits sous bonne escorte jusqu'à la côte où ils pourront embarquer librement ; les officiers conserveront leurs bagages personnels.

Mais le lendemain, tout change. Enfermé dans la mosquée qui abrite les restes du prophète Mahomet, Fekri Pacha menace de faire sauter les munitions que ses hommes y ont entreposées.

À l'heure du repas, une explosion fait sursauter les deux frères.

« Ce scélérat a mis le feu à la mosquée ! s'écrie Ali. Pas un instant à perdre. Courez sur place et faites tout ce qu'il faut pour le prendre, quel qu'en soit le prix. »

Escorté par une petite troupe de fidèles, Abdallah s'empare au culot d'un petit poste de garde, et contacte Nedjib Bey. Lequel confirme l'attitude de son chef :

« Voulez-vous qu'un crime ait lieu dans la tombe du Prophète ? demande le général turc.

— Certainement pas, mais notre convention doit être exécutée. N'avez-vous donc pas de respect pour votre propre parole ? Rappelez-vous qu'à l'heure actuelle, c'est encore à un ennemi que vous parlez. Si les termes de notre accord d'hier ne sont pas suivis à la lettre, nous nous verrons contraints d'annihiler toutes vos forces à Médine.

— Donnez-moi une demi-heure de délai », supplie le général.

Trente minutes plus tard, le téléphone sonne. Nedjib Bey et ses officiers promettent que le lendemain matin à cinq heures, Fekri sortira de la mosquée, mort ou vif.

Nouveau coup de téléphone le jour dit, peu avant l'expiration de l'ultime délai.

« Fekri Pacha est sorti de la mosquée sans incident. Je vous l'envoie en voiture, escorté du général Sabri, annonce Nedjib Bey. Il sera là dans une heure et quart. »

Le chérif Charef accueille l'officier vaincu et le conduit jusqu'au quartier général d'Abdallah. Droit comme un i, le visage impassible barré d'une moustache grise, Fekri Pacha salue le prince en se frappant la poitrine à la mode des derviches.

« Nous vous connaissons comme un homme brave en temps de guerre et nous espérons que vous supporterez avec patience les infortunes de la défaite », lance aimablement Abdallah.

C'est beaucoup d'honneur pour un homme qui, aux premiers jours de la thawra, s'est distingué par un massacre sans nom dans le faubourg médinois d'Haouali, réduit sur son ordre à un champ de ruines.

Vient ensuite l'échange de cadeaux : une paire de jumelles pour Abdallah, et une montre en or pour Fekri.

Le lendemain matin, le défenseur de Médine monte dans une voiture pour Yenbo. Un destroyer britannique viendra l'y cherche pour le conduire au Caire.

Abdallah fait son entrée triomphale dans la ville sainte suivi, le 2 février, d'Ali.

Les jours des Ottomans en Arabie sont finis. C'est désormais le temps du grand règlement de comptes avec le « serviteur du Bien-Aimé »...

26

Adieu, Touraba

Pour les Hachémites et les wahhabites, le motif immédiat de la querelle a pour nom Kourma et Touraba, deux localités aux confins du Nedjd et du Hedjaz.

La polémique commence en 1914. Nommé depuis deux ans cheik de Kourma par le chérif Hussein, Khaled ibn Mansour ibn Loueyi aurait embrassé la foi wahhabite, assure la rumeur.

Si oui, c'est préoccupant. Kourma, au nord de l'oued Soubay, et Touraba, au sud dans l'oued Touraba qui le prolonge, contrôlent en effet les routes qui mènent de Riyad à Djeddah, à Taïef, ainsi qu'à La Mecque.

Deux ans plus tard, Hussein, inquiet, convoque Ibn Loueyi à La Mecque. Trouvant face à lui un fort gaillard au système pileux trop développé pour ne pas paraître suspect, il le somme de revenir sur-le-champ à l'orthodoxie sous peine d'emprisonnement.

Les geôles du chérif ont mauvaise réputation, mais Ibn Loueyi reste quand même de marbre. Déplorant la méfiance maladive de son père et convaincu de la loyauté du cheik, Abdallah intervient alors en sa faveur. Si bien qu'à la fin 1917, Loueyi, interné en plein air à l'oued Aïss, sera autorisé à regagner sa bonne ville de Kourma.

Le problème, c'est que le cheik est bel et bien un adepte du wahhabisme. Et que la population de l'oasis, majoritairement wahhabite, elle aussi, depuis de XIXᵉ siècle, le soutient.

« Rébellion inadmissible ! tonne le malik Hussein. Seule la tribu Boukoum m'est restée fidèle. Ses représentants me supplient de les protéger contre les ikwans. J'envoie mon armée les secourir. »

Avec l'âge, le patriarche hachémite se montre de plus en plus intransigeant, mais Ibn Séoud n'entend pas provoquer la Grande-Bretagne en attaquant ses ennemis hachémites de front. Il expédie même une lettre conciliante à Hussein, lequel la lui renverra sans même l'ouvrir.

Aux yeux du malik, la reddition de Médine apparaît comme le moyen de régler à son profit la « querelle de Kourma ». Les troupes qui assiégeaient la ville sainte sont désormais libres pour une offensive, la bonne après trois échecs successifs.

Ce qu'il explique sans détour à Abdallah, son fils vainqueur venu baiser la main paternelle à Achirah, au nord de leur résidence de Taïef.

« J'ai décidé de vous confier la direction de l'expédition punitive. Le chérif Chaker sera votre adjoint... »

Chaker a unse revanche à prendre sur les ikwans qui, en août dernier, ont exterminé sa troupe à Hannou, cent kilomètres à l'est de Kourma. Est-ce un motif suffisant pour lui confier pareille responsabilité, à lui qui, à l'époque, n'a pas su empêcher une bonne part de ses guerriers ateibas de passer à l'ennemi ?

Trois nuits durant, Abdallah tente de dissuader le roi d'entreprendre l'aventure sans préparation sérieuse. Comme tout le monde en Arabie, le prince a peur des ikwans. Quel guerrier, même courageux, ne craindrait pas ceux qui se rient de la mort, persuadés qu'en cas de décès au service de la cause, le paradis d'Allah leur est grand ouvert ?

Les combattants chérifiens sont épuisés par deux années et demie de guérilla, argue-t-il. Affronter les « frères du Croissant », hardis, féroces et bien adaptés au désert, serait tout autre chose que de harceler les Turcs, dénués de mobilité. De plus, ceux des Bédouins qui ne combattaient que pour l'or et l'argent ont déserté les rangs de l'armée hachémite. Il va falloir les rappeler, leur verser des primes...

301

« Le chérif Hamoud a été battu en juin 1918, laissant trente-huit morts sur le terrain, objecte enfin le prince.

— Dieu, réplique le malik, a placé Kourma sous mon autorité. Les habitants de l'oued Soubay me doivent allégeance. Il en va de mon honneur et de celui de notre famille. »

Abdallah esquisse une ultime tentative.

« Justement, ne pourrions-nous pas proposer à Ibn Séoud un échange ? Un membre de notre famille otage auprès de lui contre un membre de la sienne retenu par vous à La Mecque ?

— Inutile. J'ai déjà donné mon pardon public à ceux qui ont suivi Ibn Séoud par force et reconnaissent leur erreur. De même, j'ai écrit à Ibn Loueyi, lui accordant l'*aman* s'il faisait sa soumission. En vain. Écrivez à Ibn Séoud si vous le voulez, cela ne changera rien.

— Mais père...

— Quoi encore ? S'agit-il d'une opinion qui s'exprime ou d'une désobéissance aux ordres ? »

Monté sur sa jument blanche et accompagné du capitaine de spahis Raho, son aide de camp détaché par la mission militaire française à titre personnel, le prince regagne La Mecque. Il y rassemble ses troupes – mille réguliers encadrés par des officiers irakiens et syriens plus dix mille Bédouins ; treize canons et dix-sept mitrailleuses. Une force considérable si on considère que celles de Khaled ibn Mansour ibn Loueyi ne comptent pour l'heure que quelques centaines de combattants.

Le prince prend congé de sa famille. Épousée en 1904 à Istanbul, sa première femme, Musbah bint Nasser, lui a donné deux enfants : Haya et Talal. Sa seconde épouse, Suzdil Hanoum, une Turque d'origine circassienne rencontrée à Istanbul et qui l'a suivi au Hedjaz, un fils, Nayef, et une fille, Mounira.

Pour mettre toutes les chances de son côté, il prend soin de se retrancher à Badi, place bien approvisionnée en eau, au cœur du djebel Bakoum, où il convoque ses deux adjoints, le chérif Charef et l'émir Abdullah ibn Mohammed.

« Nous allons fortifier cette position de manière à contraindre l'ennemi à quitter la région ou à faire sa soumission, leur explique-t-il. Si les wahhabites attaquent, nous aurons l'avantage d'un plan de défense cohérent et d'un point d'eau situé dans nos lignes. »

C'est compter une fois de plus sans la détermination du malik. Un message paternel parvient bientôt au prince : accomplissez votre tâche sans délai.

Contraints et forcés, Abdallah et les deux émirs échafaudent un nouveau plan. D'abord occuper Touraba, à cinquante kilomètres au sud de Kourma. Consolider ensuite cette position, puis marcher vers la ville d'Ibn Loueyi et la réduire.

Le 21 mai 1919, Touraba et son fort de Ramadan sont pris. Abdallah fait aussitôt exécuter quelques notables de la ville, suspects de wahhabisme. Mais il oublie que, depuis les assauts chérifiens précédents, les ikwans ont pris l'habitude d'aller et de venir dans la petite cité, en fonction des besoins de la défense.

Les frères ont des yeux partout. Assez pour s'apercevoir que l'armée d'Abdallah bivouaque dans l'oasis voisine, sans mesures de sécurité adéquates. C'est tout juste si quelques hommes montent une garde à demi endormie devant les tentes.

Ce spectacle d'imprévoyance, le capitaine Raho, formé par l'armée française à de strictes pratiques militaires, le contemple effaré mais impuissant. Accablé, l'Oranais se retire sous sa tente, le sabre à portée de la main.

« Cette nuit, ne dormons que d'un œil », commande-t-il à son ordonnance.

« Allah est de notre côté ! s'écrie de son côté Loueyi quand on vient lui apprendre cette incroyable négligence de la part de ses ennemis. Nous allons marcher toute la nuit et les surprendre au petit matin. »

Le rebelle de Kourma a ses raisons : au fur et à mesure de l'avancée trop lente de l'armée chérifienne, les rangs de sa troupe se sont épaissis. Il dispose à présent de quelque trois mille cinq cents hommes.

« Sans attendre le seigneur Ibn Séoud ? objecte un de ses adjoints. On dit qu'il est en train de rassembler une armée de dix mille frères pour voler à notre secours.

— L'émir nous donnera raison ! Celui qui ne profite pas des fautes de l'adversaire est un grand criminel. Rappelez-vous que l'armée du Hachémite comprend un grand nombre d'Ateibas.

Je suis moi-même un Ateiba, et je sais qu'ils ne nous trahiront pas. Des émissaires sont déjà sur place, en train de parlementer avec leurs chefs. Et Ibn Séoud, que Dieu le bénisse, nous a envoyé, dans sa grande sagesse, Khaled ibn Homid, qui est également un Ateiba... »

Homid s'incline, comme d'ailleurs le Nedjdien Sultan ed-Din, un autre des cheiks dépêchés par Ibn Séoud en vue du combat qui s'annonce.

Pour penser une opération aussi audacieuse, il faut avoir la foi chevillée au corps. Pour l'entreprendre, plus encore.

Vers une heure du matin, le 25 mai, trois mille guerriers de Loueyi, armés jusqu'aux dents et scindés en groupes de combat, rampent vers le camp d'Abdallah, enveloppé dans le brouillard. Déjà, l'avant-garde égorge les sentinelles, fonce silencieusement d'une tente à l'autre, poignarde leurs occupants endormis. Le reste de la troupe suit.

Au signal convenu, les Ateibas de l'armée du fils de Malik ouvrent le feu sur les tentes des chefs hachémites. Cible principale, celle d'Abdallah essuie des tirs nourris.

Nuit d'épouvante qui, pour beaucoup d'hommes, sera la dernière. L'obscurité nourrit la peur, décuple la panique. Face à des adversaires surgis de nulle part avec poignards, épées et cimeterres, les mitrailleurs chérifiens perdent leur sang-froid, truffant leurs propres camarades de balles.

À l'exception des assaillants qui sont convenus à l'avance de cris de ralliement, nul ne sait plus qui est qui, qui protège qui, qui défend quoi. Partout du sang, des râles. Surpris en plein sommeil, les officiers, que leurs tentes plus richement ornées désignent comme cibles, n'ont pas le temps de sortir qu'ils sont déjà morts.

« Tue ! Tue ! » hurlent les ikwans en plein délire meurtrier.

Tue, tranche, découpe. Tombe sous leurs coups Abderrahmane ben Fouteiss, coupable de sacrilège aux yeux des wahhabites pour avoir tué cinquante soldats ottomans, en août 1916, pendant la prière, au djebel Eskara, près de Taïef, et d'avoir saccagé la maison de la chérifat Azza, fille d'Abd el-Mohalib, l'ancien émir turcophile de La Mecque. Déjà décapité, le corps de Ben Fouteiss sera découpé en morceaux.

Tombent Seïd Hilmi le Bagdadi, un ancien officier de l'armée ottomane ; Sami le Bagdadi ; Rachid ; Djemal ; les Drs Aissa, un Syrien, et Mohammed el-Habali.

Décapité aussi le chérif Ali ben Arid, qui assassina Hassan Khan en pleine rue à La Mecque, à la veille de la thawra. Décapités les chérifs Chanabra, Hazza Dahoui Nasser, Dahoui Djoud Allah – après la bataille, leurs têtes seront enfoncées sur des pointes de lance et promenées dans toute la ville. Mort Othman el-Yamani, l'iman et caissier d'Abdallah.

S'il est un homme que l'assaut du commando wahhabite n'a pas étonné, c'est bien Sidi Raho.

« Amène-moi mon cheval ! » crie-t-il à son ordonnance, jaillissant tout équipé de la tente.

Sur leurs montures, les deux compagnons d'armes se rangent fraternellement botte à botte, prêts au dernier baroud qui rend les guerriers légendaires chez eux, là-bas, en Algérie. Ils succombent sous le nombre, les ikwans les tuent, puis décapitent Raho. Ils promèneront aussi sa tête fichée au bout d'une pique.

Mort en héros pour une cause qui n'était pas la sienne, le spahi verra son courage mal récompensé. Deux ans après la disparition de son mari, sa veuve en sera toujours à réclamer une pension de la France, et, dans ses mémoires, jamais Abdallah ne fera mention de son aide de camp – le dernier combat du capitaine Raho rappelait sans doute trop de souvenirs humiliants à sa princière personne...

Car, contrairement à mille de ses soldats au moins et soixante-dix de leurs officiers, Abdallah a survécu, sauvé par le sacrifice de ses trente esclaves noirs. Les malheureux ont combattu jusqu'au dernier devant sa tente pendant que creusant un trou par-derrière, le prince s'enfuyait tête nue en chemise de nuit avec le chérif Charef.

À bride abattue, les deux chefs vaincus s'éloignent du charnier comme le font quelques favoris du prince, Sami le Bagdadi, Ibrahim er-Raoui et Mahmoud le Bagdadi, seuls officiers qui réussiront à sauver leur vie au prix de l'abandon de leurs hommes, ou Abdallah Pacha.

Partout, les soldats se débandent – l'armée se désagrège. Beaucoup mourront de faim, de soif ou victimes des pillards en tentant de regagner leurs tribus et leurs familles par leurs propres moyens.

Deux heures d'assaut, seize heures de massacre et un butin gigantesque. Les wahhabites ont pris tous les canons, toutes les mitrailleuses, cent caisses de grenades, quatre cents caisses de cartouches, cinq cents obus, trois cent soixante mulets, cinq cents chevaux, trois mille dromadaires de bât et deux mille appartenant à des guerriers morts. Quant aux chefs de l'expédition, ils ont abandonné une fortune à leurs vainqueurs : Abdallah a laissé quarante mille livres à titre personnel plus cent quarante mille livres confiées à Yamani pour la solde des hommes.

Ed-Din et Ibn Homid, les deux envoyés du « serviteur du Bien-Aimé » s'emparent de cet or, qui sera versé au trésor d'Ibn Séoud.

« Et moi, à titre de trophées, je garde les sabres et les poignards en or d'Abdallah ! proclame Ibn Loueyi. Les tapis et les services de table également.

— C'est justice, répondent les deux autres. L'émir sera satisfait de ton audace, fier de ton courage et heureux de ta fidélité. »

Ibn Séoud sera moins satisfait, sans doute, d'apprendre que le rebelle de Kourma, ivre de sa victoire et zigzaguant au milieu des amoncellements de cadavres, a fait rassembler ses prisonniers pour leur tenir ce langage :

« Sachez que je suis l'émir de La Mecque. Je n'ai pas de rancune contre qui que ce soit. Je ne m'immisce pas dans les questions de conscience. Je suis tolérant. J'en veux seulement à Hussein et à ses fils, que j'espère abattre d'ici peu et purifier ainsi les lieux saints. Je vous engage à ne pas me faire la guerre une seconde fois. Je compte faire mon entrée à La Mecque avant le pèlerinage, s'il plaît à Dieu. Allez l'annoncer au chérif et à Abdallah qui vient de s'enfuir aussi piteusement. »

Sur ce, il en fait libérer quelques dizaines afin qu'ils portent témoignage de la défaite. Les autres deviendront des esclaves. Quant aux morts, mépris suprême, on ne prendra pas la peine de les ensevelir.

Le discours du cheik vainqueur n'est pas seulement une déclaration de guerre aux Hachémites, mais aussi une déclaration d'indépendance vis-à-vis d'Ibn Séoud.

Grand politique, le leader wahhabite, qu'on attend sur place le lendemain, saura la prendre avec philosophie. Il connaît les hommes du désert, leur orgueil immense, et a toujours su composer à son profit.

Ce qui compte aujourd'hui, alors qu'il chevauche avec son armée, c'est que la route de La Mecque est grande ouverte...

Défait, hagard, Abdallah parvient épuisé à la ville sainte. Quelques autres fuyards lui tiennent compagnie et, dans les jours suivants, beaucoup d'autres arriveront. La nouvelle du désastre se répand comme une traînée de poudre parmi les citadins et, avec elle, une peur indicible. Le président de l'assemblée des notables de Taïef, Abd-el Kader Chibi, les cadis et les fonctionnaires que le roi avait dépêchés dans cette cité, la plus proche de Touraba, pour préparer l'annexion de l'oasis Soubay au royaume, refluent à La Mecque.

On apprend bientôt la chute d'Achirah. D'autres cités moins importantes tombent à leur tour. Les cavaliers wahhabites sont signalés un peu partout. À chaque fois, la panique décuple.

« Qui nous défendra ? »

Hussein n'a presque plus d'armée – quatre cents réguliers et quinze cents guerriers des tribus. Et, bien entendu, la garde bisha reste affectée à sa protection personnelle. Que pèserait-elle, d'ailleurs, face aux cohortes ikwans d'Ibn Séoud ?

Promu chef du bureau de recrutement, Abdallah Pacha, un des rares chefs rescapés du massacre de Touraba, tente d'établir des listes d'hommes entre vingt et trente-cinq ans, aptes à porter les armes. Ses efforts ne sont guère couronnés de succès. Pour improviser une armée, il faut des volontaires et de l'argent, denrées dont les chérifiens sont dépourvus. Les caisses sont vides et les candidats au baroud, rarissimes.

Le malik s'accroche à l'espoir de renforts envoyés de Syrie par Fayçal et Zaïed, mais les dissensions continuent de miner son camp. Ainsi le prince Abdallah pousse-t-il Sabri l'Irakien, qui ne s'est pourtant pas couvert de gloire à Touraba, au ministère de la Guerre. Kaissouni l'Égyptien résiste. On est loin, très loin d'une mobilisation générale...

Les Français de la mission militaire de Djeddah, que commande depuis le 16 avril un nouveau venu, le commandant Georges Catroux, qui fut, en 1916-1917, le compagnon de captivité d'un certain capitaine de Gaulle à la prison pour officiers d'Ingolstadt, ne sont pas assez nombreux pour intervenir directement. Le voudraient-ils que la politique de leur pays le leur interdirait.

« Je mettrai ma mission en état de combattre, répond Catroux à son homologue britannique Cyril Wilson, qui s'enquiert de ses intentions. Si je suis attaqué, soyez sûr que je riposterai, mais si les wahhabites respectent mon drapeau et mes immunités de représentant d'une puissance étrangère, je n'interviendrai pas. »

La planche de salut, la seule, ce sont les Britanniques avec leurs avions, leurs canons, leurs voitures blindées. Le malik appelle quasi quotidiennement le colonel Wilson à Djeddah, mais l'officier, lui aussi, refuse de mettre ses troupes à la disposition des chérifiens. De guerre lasse, il finira par convoquer Abdallah à la mission militaire britannique pour s'entendre répéter : « Vous êtes nos alliés, vous devez nous aider ! »

Londres, c'est vrai, n'entend pas laisser tomber les chérifiens. Il en va de l'existence même de la « solution hachémite ». Sur ordre d'Allenby, six appareils de la RAF atterrissent près de Djeddah, des autos blindées sont débarquées ostensiblement et des troupes du Soudan mobilisées.

On conjugue ces bruits de bottes avec les pressions diplomatiques. Un ultimatum prévient Ibn Séoud que, s'il ne retire pas ses forces du Hedjaz en général et de Kourma en particulier, le traité conclu en 1915 avec le Rocher de Brighton sera considéré comme nul et non avenu.

À tout hasard, tirons aussi St John Philby de ses vacances. Lui qui vient de dénicher une nouvelle école pour Kim, il est mandé d'urgence par le comité oriental, pour demain 28 mai.

Les 13 et 17 juin, lord Curzon préside les séances du comité où s'élabore la réaction anglaise. Même les représentants du Raj sont d'accord : la chute de La Mecque serait une « catastrophe incalculable ». Ibn Séoud ayant répondu qu'il retournerait dans son Nedjd sans faire d'histoires si Hussein cessait ses attaques, une issue honorable semble se profiler.

À Gertrude Bell, qui propose au comité oriental d'aller vers l'abdication d'Hussein, Curzon, exaspéré, confesse le 17 juin qu'il considérerait cette possibilité « non seulement sans appréhension mais même avec satisfaction ». Encore faudrait-il que l'intéressé soit d'accord...

Hésitante depuis le désastre de Touraba, la politique britannique commence à se préciser. Les wahhabites pourront garder Kourma et Touraba, mais devront se retirer des positions conquises plus à l'ouest. Qu'ils renoncent à leur promenade militaire vers La Mecque et, en échange, les Hachémites garantiront le libre accès de tous les musulmans – séoudiens inclus – au pèlerinage.

La cote est mal taillée tant elle favorise les chérifiens exsangues, mais il faut faire confiance au sens politique d'Ibn Séoud. St John se propose de jouer les intermédiaires.

« Je ne pourrai pas obtenir l'évacuation de Kourma, mais Touraba, peut-être... »

Gertrude Bell approuve. Connaissant Ibn Séoud pour l'avoir accueilli en novembre 1916 avec Percy Cox, elle mesure l'envergure du personnage. Et qui mieux que son vieil ami Philby pourrait lui inspirer confiance ?

St John s'envole donc pour Le Caire via Paris, Istres, Pise, Rome, Athènes et Héraklion où, par hasard, il croise Lawrence d'Arabie. Les deux hommes n'échangent que quelques mots, mais, contrairement à la légende, ils ne se détesteront jamais. Ce qui les réunit bien au-delà de ce qui les oppose, c'est le sentiment d'appartenir à une aristocratie de mérite qui ne doit son succès qu'à son audace et à sa connaissance du monde arabe.

À peine Philby débarque-t-il à Djeddah que les ennuis commencent. Pour montrer sa mauvaise humeur à ces alliés britanniques qui refusent de se battre pour lui et envoient en Arabie un suppôt notoire du chef wahhabite, le malik lui interdit une fois encore le passage par ses terres.

« Un tel voyage serait préjudiciable au prestige britannique. Je refuse l'arbitrage que me propose votre gouvernement. Ibn Séoud s'est permis de nommer des gouverneurs à Kourma et Touraba, c'est intolérable ! »

Sans doute le malik se sent-il plus fort depuis que des recruteurs envoyés au Yémen lui ont ramené cinq cents mercenaires, et qu'un contingent de cinquante-sept officiers et quatre cent quatre-vingt-cinq soldats mobilisés par Fayçal et Zaïed en Syrie est annoncé.

« Rembarquez nos avions ! » ordonne Allenby, en guise d'avertissement.

Philby quitte le Hedjaz la queue entre les jambes : sa mission n'a même pas commencé qu'elle est terminée. Mais Ibn Séoud, plein de bonne volonté, va répondre au Foreign Office qu'il est d'accord pour repousser son pèlerinage à La Mecque.

Sur le chemin du retour entre Port-Saïd et Marseille, à bord du transporteur de troupes anglais HMS *Teutonic*, Philby livre, en les enjolivant beaucoup (il prétend avoir arraché lui-même un accord à Ibn Séoud), des détails sur la politique britannique à un officier de liaison français auprès d'Allenby, le colonel de Méru.

Destinée à nuire à ses supérieurs hiérarchiques, cette attitude surprenante n'empêche pas ceux-ci de faire appel à ce subordonné si incommode en octobre 1919. Pour détendre encore plus un climat déjà apaisé par les concessions de l'émir wahhabite, le gouvernement de Sa Majesté propose à chaque famille, les Hachémites et la maison Séoud, de faire visiter la Grande-Bretagne à un membre de son choix.

À ce titre, Philby jouera les chaperons pour un des fils préférés d'Ibn Séoud, son futur successeur Fayçal ibn Abd el-Aziz ibn Séoud, âgé de quatorze ans. Et s'acquittera si bien de cette tâche qu'Ibn Séoud va demander officiellement aux Britanniques de protéger l'indépendance de son royaume, de reconduire leur allocation annuelle de dix mille livres, d'admettre le fait accompli du rattachement de Kourma et Touraba au Nedjd... et de nommer Philby agent politique de Sa Majesté à Riyad.

L'ensemble de ces questions est abordé par le comité oriental le 24 novembre. La politique anglaise reste « essentiellement » une politique chérifienne et Ibn Séoud n'est « pas aussi important que le chérif de La Mecque », mais le gouvernement de Sa Majesté a été ridiculisé par « l'entêtement de ce vieil homme » aux nerfs à fleur de peau. Le genre d'affront qui ne se pardonne pas aisément.

Le roi Hussein a déçu les Britanniques. En sera-t-il de même de ses fils, à commencer par Fayçal ?

QUATRIÈME PARTIE

LE RÊVE SE COGNE À LA RÉALITÉ : LES ROYAUMES PERDUS

27

Tumulte en Syrie

Qui aurait soupçonné la progression furieuse des ikwans aux frontières du Hedjaz, le 30 avril 1919, quand Fayçal, de retour d'Europe à bord d'un navire de guerre français, l'*Edgar Quinet*, débarquait à Beyrouth ?

Dans l'attente de la commission d'enquête internationale, le prince, une nouvelle fois porté en triomphe, multiplie les signes de sympathie à l'égard du général Hamelin, commandant en chef français au Levant depuis octobre 1918 et principal responsable en l'absence du haut-commissaire de la République, François Georges-Picot.

Le lendemain, 1er mai, sera jour de festivités. Dès le matin, les généraux Fane, plus haut gradé britannique sur place, et Hamelin rendent visite au prince. L'après-midi, c'est Fane qui le reçoit. Place des Canons, au cœur de Beyrouth, un thé est offert par la municipalité. La musique du 415e d'infanterie joue des airs entraînants, puis Fayçal, souriant, prononce quelques paroles aimables à l'égard de la France.

À l'issue de la cérémonie, un geste impérieux de sa main invite Hamelin à se placer à sa droite pour défiler avec lui devant la population.

Les choses sérieuses commencent vers dix-huit heures, quand le prince convie les officiers français dans le salon particulier de

313

sa résidence beyrouthine. Les politesses d'usage terminées, il prend à part Hamelin, le colonel Toulat, toujours attaché à sa personne en qualité d'officier de liaison et qu'il apprécie pour sa largesse d'esprit, ainsi qu'un traducteur, le lieutenant Saouli. S'ensuit une heure de conversation politique détendue.

« Quand je suis arrivé à Paris, souligne le prince, on me considérait comme un ennemi. On m'a même qualifié d'"Anglais" ».

Fayçal fait bien entendu allusion aux manœuvres de Jean Gout et du Quai d'Orsay. En sens contraire, il renouvelle ses déclarations de confiance à Clemenceau. Analysant les « malentendus » qui peuvent opposer musulmans et chrétiens, Français et nationalistes arabes, Hamelin et lui tentent ensemble de déminer le terrain :

« Chez nous, la politique est l'apanage des diplomates, les militaires ne font qu'appliquer les directives qu'ils reçoivent », explique Hamelin.

Un point de vue que Fayçal a bien du mal à saisir, lui qui se considère à la fois comme un chef de guerre, compagnon d'armes des Alliés, et un chef politique, partenaire des grandes chancelleries. De son séjour à Paris à Londres, le Hachémite a tiré beaucoup d'enseignements. Il n'en conserve pas moins une vision naïve du fonctionnement des sociétés occidentales :

« J'avais auprès de moi un officier tout jeune, le colonel Lawrence. C'est lui qui dirigeait l'opinion publique à Londres ; il n'attendait pas, lui, les instructions de son gouvernement. Il faisait à sa guise, et le gouvernement le suivait. »

C'est prêter un pouvoir démesuré à celui qui, loin de faire la pluie et le beau temps dans la capitale britannique, n'aidait la solution chérifienne à progresser qu'au prix d'une lutte de tous les jours contre les administrations impériales.

Le 3 mai, à six heures du matin, Fayçal prend, sans cérémonie, le train qui doit le conduire à Damas. Une foule déchaînée l'y attend. Elle reprend à tue-tête des slogans enflammés en faveur de l'unité de la Syrie arabe, Palestine comprise. Et le Hachémite de prôner, un peu à contretemps, la modération politique et le travail nécessaire pour reconstruire le pays...

314

De même le lendemain, où le prince reçoit les notables au sérail avant de parcourir les rues, flanqué du colonel Toulat, et d'assister à un grand banquet, multipliant les paroles apaisantes envers la France.

En privé, le prince se montre plus pugnace :

« L'indépendance se prend, elle ne se mendie pas. Quant aux conseillers techniques français, ils pourraient être utiles. À une condition : rester de simples employés de mon gouvernement, et non des décideurs... »

Comme beaucoup dans les élites syriennes, Fayçal craint un processus de « tunisification », analogue à celui qu'a connu ce pays du Maghreb – les Français commencent par donner des avis, puis imposent leurs vues avant de s'emparer des rouages de l'administration qu'ils ont eux-mêmes installée.

Qui oserait pourtant soutenir que, parée par le prince de toutes les vertus sous l'influence probable de Lawrence, la Grande-Bretagne s'est comportée différemment en Égypte ?

La politisation de l'accueil princier à Damas apparaît comme le fruit de l'action d'El Nadi El Arabi, le Club arabe, une des nouvelles organisations qui pullulent dans la capitale. Car, pendant ces quatre mois passés en Europe, Damas a bien changé. De quoi donner raison à Georges-Picot qui, dès le 25 janvier 1919, déclarait sans enthousiasme dans un de ses télégrammes au Quai d'Orsay : « Cette ville est bien réellement la capitale arabe, et les habitants de la Mésopotamie et de la Palestine y font entendre leur voix à l'égal des Syriens... »

Quel désarroi pour Zaïed quand son aîné lui a confié les clés de Damas fraîchement conquise, avant de partir négocier ce qui pouvait l'être à Paris ! Instaurer un pouvoir arabe pour la première fois depuis des siècles, la tâche semblait écrasante pour un jeune homme de vingt-deux ans à peine. Malgré ses efforts, Zaïed ne l'a remplie qu'imparfaitement, il s'en désole.

En dépit de la maigreur de ses effectifs – dix mille deux cents hommes de troupe et trois cent cinquante officiers en avril –, le détachement de Palestine-Syrie, rebaptisé troupes françaises du Levant, les TFL, s'est implanté partout dans la région côtière, dite « zone bleue » dans les accords Sykes-Picot : Beyrouth, Tyr, Saïda, Tripoli, Lattaquié.

En bordure de la Turquie, au nord, les TFL occupent la Cilicie. Des rixes parfois sanglantes ont opposé à plusieurs reprises des soldats de leur Légion arménienne, brûlant de venger les familles massacrées par les Ottomans pendant la guerre, à des militaires ou des habitants turcs de ce triangle compris entre le Taurus, l'Amanus et la mer Méditerranée.

Le plus sérieux de ces incidents a eu lieu à Alexandrette, dans la nuit du 16 au 17 février. Une bagarre entre Arméniens du 4e bataillon et tirailleurs dégénère : dix morts, de nombreux blessés, des maisons incendiées et pillées. Pour que le calme revienne, il faudra rien de moins que le débarquement de fusiliers marins, la dissolution du bataillon et la tenue d'un tribunal militaire.

Comme l'armée britannique, l'armée française subit les pressions de l'opinion publique, exigeant le retour au pays des soldats victorieux. Cela restreint d'autant les possibilités d'action des gouvernements et des états-majors. Résultat : les effectifs britanniques diminuent peu à peu, tandis que le nombre des Français n'augmente qu'au ralenti, chacune des deux armées s'efforçant de contrôler « sa » zone des accords Sykes-Picot.

Si l'intervention de Paris était restée circonscrite à la Cilicie, cela n'aurait guère gêné Zaïed. Mais les ambitions syriennes du Quai d'Orsay ont déjà mis le feu aux poudres.

À ce titre, le 29 décembre 1918 va se graver dans les mémoires...

« Nous avons, dans l'Empire turc, déclare ce jour-là le ministre des Affaires étrangères Stéphen Pichon devant la Chambre, des droits historiques à sauvegarder. Nous en avons en Syrie, au Liban, en Cilicie, en Palestine. Ils sont fondés sur des titres historiques, sur des accords, sur des contrats. Ils sont fondés aussi sur les aspirations et les vœux des populations qui, depuis longtemps, sont nos clientes. »

Les propos sans fard du ministre vont mettre un bon mois pour parvenir à Damas. Et là, tout explose. Le 1er février, Nessib el-Bekri, président du Club arabe, appelle ses compatriotes à protester dans la rue.

Rendez-vous le 20 ! Une nuée de propagandistes se répand dans tout le pays. Dénonçant les visées françaises, ils font signer des pétitions. De gré ou de force, surtout s'il s'agit de villages chrétiens. Au besoin, la gendarmerie chérifienne, en cours de formation, les appuie par des pressions physiques. Les récalcitrants sont considérés comme des traîtres...

Le 20, dans la capitale, les manifestants sont peu nombreux, moins d'un millier, mais d'autant plus pugnaces que leur démonstration a été interdite. Rassemblés devant l'hôtel de ville, ils demandent à remettre trois cent cinquante pétitions aux représentants français et alliés.

« Pas question, fait savoir le colonel Cousse. Si les habitants ont des doléances à exprimer, qu'ils les portent au gouverneur militaire, seule autorité locale admise par les Alliés. »

Reda Pacha er-Rikabi, qui agit en réalité comme un chef de gouvernement sous les ordres théoriques du prince Zaïed, s'empresse de recueillir les précieux documents et de les remettre à qui de droit. On se doute qu'il y prend un certain plaisir...

L'agitation s'étend. Le 28 février à Alep, elle débouche sur un véritable pogrom antiarménien. Meurtres, pillages, vols, on compte cinquante morts et cent blessés. Il faudra l'intervention énergique des Britanniques et d'Allenby, puis le remplacement du gouverneur par Djefar el-Askari, le beau-frère de Nouri Saïd et ancien commandant de l'armée arabe du Nord, pour que le climat se détende un peu.

Tout cela n'empêche pas les TFL de lancer à travers le Liban deux colonnes militaires chargées non pas de combattre, mais de montrer leur force, leurs armes, de contrer la « propagande chérifienne ». Bref, de mettre en œuvre ce qu'on désignera plus tard comme de l'action psychologique.

Plus cru, le Quai d'Orsay prône la pression financière directe. Les cent quarante mille livres égyptiennes mensuelles versées par Londres à Fayçal devraient l'être par Paris, croit-il. Un excellent moyen de contrôler le prince.

Si l'hostilité contre la France s'exprime avec tant de véhémence, c'est que les nationalistes arabes mènent une action politique intense dans l'espoir d'arracher l'indépendance à court terme...

La Fétah, cette société secrète un instant engloutie dans les remous de la thawra, s'est reconstituée dès la fin 1918, à Damas. La voilà qui trouve une nouvelle jeunesse. Non seulement elle pèse d'un poids considérable sur les décisions de Reda Pacha, un de ses pères fondateurs, mais encore elle exerce sur Zaïed une pression dont le jeune prince se passerait fort volontiers.

En majorité composée de Syriens, la Fétah place ses hommes un peu partout dans les embryons d'administration et d'armée chérifiennes que les Britanniques laissent se constituer, en dépit des protestations françaises. À ce titre, la société nationaliste se porte mieux que sa vieille rivale, le Pacte, qui, comme le fera plus tard le parti panarabe « unitaire », le Baas, a éclaté en deux branches distinctes voire opposées, El Ahad-Irak et El Ahad-Syrie.

Entre les officiers qui composent le Pacte en grande partie, les tensions ne cessent de s'aviver selon le pays d'origine. Les Syriens reprochent à leurs rivaux mésopotamiens de « coloniser » l'armée en construction : principal conseiller de Fayçal, Nouri Saïd, irakien ; chef d'état-major, Yacine el-Hachemi, irakien ; commandant de la garnison de Damas, Djamel Medfaï, irakien auquel succédera Abdallah Douleimi, un autre Irakien ; chef de la sécurité militaire, Ali Djaoudat el-Ayoubi, irakien ; commandants de division, Mouloud Moukhlis, irakien, et Ismaïl Hakki, irakien ; gouverneur militaire d'Amman, en Transjordanie, Rachid Medfaï, irakien (c'est lui qui, jadis, fit capoter le complot d'Ali l'Égyptien contre le prince Ali)...

Au sein du Club arabe, les membres de la Fétah sont fort nombreux. Conçu comme une association politico-culturelle destinée à défendre les valeurs arabes, le club a une existence publique. Soutenu par les autorités (Reda Pacha serait, dit-on, un de ses membres fondateurs), il essaime dans tout le pays. Un comité exécutif de quinze membres et un président tournant à rythme assez rapide le dirigent.

On a vu son rôle dans l'« affaire Pichon ». Comptant beaucoup de Palestiniens dans ses rangs, des Syriens bien entendu, mais peu d'Irakiens, le Club arabe s'inquiète en outre des visées britanniques sur la région de Jérusalem.

Dans la même veine mais avec une virulence moindre, ses adhérents dénoncent le projet d'État arménien défendu devant la conférence de la paix de Paris comme une manœuvre européenne à laquelle les musulmans doivent s'opposer, de façon à maintenir une passerelle entre la Turquie et le monde arabe libéré de sa tutelle.

Autant de prises de position maximalistes qui gênent la diplomatie fayçalienne, fondée sur la modération apparente à l'égard de la France et les bons rapports avec la Grande-Bretagne et les États-Unis.

Les membres du club n'ont guère apprécié le texte contresigné à Londres par Weizmann et, avec la réserve qu'on connaît, par le prince. Et ce, d'autant plus que les sionistes, exploitant leur avantage, présentent ce document comme un traité en bonne et due forme.

Sont parvenus, de même, à Damas, les échos de la position chaloupée du prince quand il était encore à Paris. Une fois, c'est un journaliste arabe du quotidien français le *Matin* qui croit comprendre que Fayçal ne serait pas défavorable au retour de la « nation juive » en Palestine, mais sous condition expresse qu'elle se plie à la loi de la majorité, qui reste arabe. Une autre, c'est Felix Frankfurter, un jeune sioniste diplômé de droit d'Harvard, qui reçoit une lettre. Écrite de la main de Lawrence et signée du prince, la missive évoque la « profonde sympathie » des Arabes, et notamment des mieux éduqués d'entre eux, envers le mouvement sioniste.

Pour l'instant, les membres du Club arabe font encore confiance au prince. Mais, loin des réalités syriennes, Fayçal, susurrent-ils, a peut-être tendance à se montrer trop conciliant.

Ses fluctuations tiennent, en fait, à deux séries de motifs.

Les premiers sont psychologiques, fruits de la personnalité autoritaire à l'extrême du roi Hussein. Exigeant une soumission totale de ses fils, le chérif a produit chez eux soit une attitude effacée, chez Ali, voire Zaïed, soit une posture à la fois indécise et résolue, chez Fayçal.

Indécise parce que le prince, séducteur facile à séduire, a tendance à donner raison au dernier qui vient de parler et, du coup, passe à tort pour un homme sans parole.

Résolue parce que, fût-ce de manière sinueuse, voire contournée, il poursuit toujours le même objectif : une nation arabe unie, dans sa diversité, sous un seul drapeau, celui des Hachémites.

C'est dans ce contexte politique et personnel qu'il faut comprendre ses rapports avec les sionistes. Élevé avec ses frères à Istanbul, dans l'atmosphère particulière de l'Empire ottoman, Fayçal ne voit aucun inconvénient à accorder une large autonomie aux Juifs de Palestine, comme aux Druzes de Syrie ou aux maronites du Liban. Dans la nation arabe dont il rêve, du Hedjaz à la Méditerranée, et tout spécialement dans la Grande Syrie dont il s'est adjugé par avance le trône, les Juifs de Palestine, peu nombreux en valeur relative même si l'immigration grossit leurs rangs, pèseraient d'un poids démographique limité. Pourquoi se priver de leur apport technique et culturel ? Pourquoi se brouiller avec la Grande-Bretagne, qui les soutient ?

C'est miser sur la certitude d'un succès hachémite, que l'histoire ne tardera pas à démentir. Et faire l'impasse sur le projet sioniste, qui ne consiste pas à édifier en Palestine un vague « centre » juif aux contours flous, mais un État souverain.

Loin de trahir la cause arabe comme l'en accuseront ses détracteurs, le prince l'identifie à la cause hachémite elle-même, et agit en conséquence. Comme il ramène, en toute sincérité là encore, la cause sioniste à une simple revendication culturelle et religieuse à faible contenu politique.

La sphère d'influence de la Fétah ne se résume pas à l'administration, à l'armée ou au Club arabe. Le 5 février 1919, c'est elle qui a porté sur les fonts baptismaux une nouvelle formation politique, le Parti de l'indépendance arabe, Hizb el-Istiqlal el-Arabi, fort de deux à trois mille membres, les istiqlalistes, de plus de vingt mille sympathisants, et dont le comité central est étroitement contrôlé par la société secrète.

Son programme : l'unité des pays arabes, l'instauration de gouvernements constitutionnels, un conseil central basé à Damas, des lois garantissant les droits de toutes les communautés dans le respect de leurs traditions religieuses respectives.

Comme Fayçal, le Parti de l'indépendance arabe admet la nécessité d'experts étrangers, mais contrairement à lui qui navigue à vue entre les exigences françaises et l'espoir d'un mandat britannique

contrebalancé par l'influence américaine, ces spécialistes provien-
dront « des nations les plus avancées du monde civilisé ».

Le Hizb el-Istiqlal regroupe les activistes de la jeune génération. Un conflit d'intérêt mais aussi d'âge oppose en effet les
éléments radicaux – Assad Daghir, Saïd Haïdar, les frères Bekri,
Zaki el-Tamini, Abd el-Kader el-Azmé, Faïez el-Chihabi,
Ahmed Kadri, Djamel Mardam, Choukri el-Kouwatli, Sélim
Abd-ur Rahman, Mohammed Izzat Darouaza –, aux notables
mieux installés et avant tout soucieux d'ordre et de calme qui se
doteront, mais en janvier 1920 seulement, de leur propre structure politique, le Parti national syrien.

On n'oubliera pas le Comité central syrien de Chekri
Ghanem et Georges Samné, toujours aussi antichérifien et surtout représenté en France. Ni, en sens inverse, le Parti de
l'union syrienne, créé fin décembre 1918 au Caire. S'y détachent
trois figures du nationalisme radical : Mohammed Rachid Reda,
l'intellectuel d'origine syrienne qui accusait autrefois la délégation française à La Mecque de vouloir voler la Pierre noire pour
le compte du musée du Louvre ; le Dr Chabandar, ancien directeur du service de santé de Damas, et Michel Louftallah, héritier
d'une riche famille immigrée en Égypte au milieu du XIXe siècle.
C'est dire si la vie politique syrienne s'est révélée à la fois riche
et contrastée sous l'éphémère direction du prince Zaïed.

Le retour de Fayçal vient simultanément la simplifier et la
compliquer...

Décidé à plier comme le roseau chaque fois qu'il le faudra,
mais pas une de plus, le prince place toujours ses espoirs dans la
commission internationale.

D'inspiration américaine, la Commission internationale sur
les mandats de Turquie, son nom officiel, a été formée peu
avant son départ de Paris.

Pas sans difficulté, vu la cascade de désistements qu'elle a
connue ! Tant que l'armée britannique n'avait pas fini de céder
la place syrienne à son homologue française, Clemenceau refusait
d'envoyer des commissaires. Les Français n'étaient pas là, donc
les Britanniques non plus. Et pour finir, Orlando, le président
du Conseil italien, décidait que, la France et la Grande-Bretagne

n'étant ni l'une ni l'autre représentées, son pays ne le serait pas non plus.

Seule opérationnelle dans ces conditions, la section américaine de la commission, nommée par le président Wilson, est dirigée par le Dr Henry King, un universitaire, et par Charles Crane, un industriel milliardaire, ancien ambassadeur des États-Unis en Chine, né comme lui en 1858.

Leur chef des experts sera le Pr Albert Lybyer, de l'université de l'Illinois, qu'assisteront George Montgomery, un pasteur, et le capitaine William Yale, qui a effectué deux séjours successifs avant-guerre dans l'Empire ottoman, pour le compte de la compagnie pétrolière Standard Oil of New York.

Ainsi voit-on les Américains associer l'idéalisme politique au sens bien compris des affaires. Quand le premier les pousse à fustiger les puissances coloniales anciennes au nom du principe des nationalités, le deuxième les incite à renifler toute source énergétique potentielle. Si ces deux éléments cohabitent au sein d'une même commission frappée au sceau de la conférence de la paix, qui s'en plaindrait du côté de Washington ?

Fayçal attend les commissaires de pied ferme, d'autant que ses entretiens du 16 mai, puis du 18 juin, avec Georges-Picot débouchent sur une impasse, à peine masquée par les déclarations d'amitié réciproque habituelles.

« Nous avons besoin d'une aide financière, d'instructeurs militaires, d'ingénieurs, de conseillers pour tous les secteurs de l'administration, admet le prince. Mais je ne veux pas que les fonctionnaires étrangers deviennent absorbants au point de créer une situation analogue à celle de l'Égypte ou de la Tunisie. »

Un point de vue compréhensible mais Fayçal, autant le dire, ne possède pas la stature de bâtisseur d'État d'un Mustapha Kemal ou, dût-on le vexer à mort, d'un Ibn Séoud.

Héritier des pratiques bédouines, son mode de gouvernement consiste à verser des sommes importantes de la main à la main aux chefs de tribu et à concéder des dégrèvements fiscaux chaque jour plus considérables.

À ce jeu, les caisses sont vides, au grand dam du ministre des Finances, Saïd Chouker Pacha. Des cent quarante mille livres britanniques de sa dotation, trente à quarante mille sont affectées à la liste civile du prince. La quasi-totalité du reste va à l'armée : quatre mille soldats et quatre mille gendarmes qu'encadrent... mille trois cents officiers, cohorte d'obligés hostiles les uns aux autres, selon qu'ils sont syriens ou irakiens.

Compte tenu de l'existence en Syrie d'une élite instruite capable de prendre l'administration en main, le problème ne se pose pas dans les mêmes termes qu'en Tunisie, répond Georges-Picot. Mais ce qui l'intéresse, lui, c'est le pouvoir des conseillers, qu'il veut réel.

Fayçal attaque directement le nœud du problème.

« De qui tiendront-ils ce pouvoir ?

— Les conseillers, répond le diplomate français, ne peuvent tenir leur pouvoir que du gouvernement syrien. Mais par une sorte de concession que l'État syrien donnerait au gouvernement qui les nommerait. »

Éjecté par la porte, le scénario égypto-tunisien rentre donc par la fenêtre. Le prince n'ignore par ailleurs rien du rôle du même Georges-Picot dans la récente décision du conseil administratif du Mont-Liban, lequel vient de proclamer, le 20 mai, une indépendance libanaise qui démembrerait son futur royaume...

Le 27, une réunion se tient dans la demeure damascène des Bekri. Fayçal s'y trouve pris sous le feu des durs du nationalisme.

« Les négociations avec la France sont difficiles à mener, argue-t-il. En Syrie, nous manquons d'hommes aux compétences administratives reconnues, cela donne du crédit aux arguments français. La seule possibilité, conclut-il, c'est de s'appuyer sur la Grande-Bretagne et d'espérer en la commission internationale. »

On l'écoute par respect pour sa personne, mais tous n'entendent pas.

Quelques-uns se bouchent même les oreilles quand il renouvelle son appel à créer une véritable armée nationale :

« Je vous avais demandé vingt mille hommes et vous n'avez même pas pu m'en fournir trois mille ! Pas un de ceux qui sont ici, tous jeunes et comptant parmi les plus patriotes, n'a voulu s'engager, alors que j'avais moi-même donné l'exemple... »

Fayçal conclut en souhaitant que tous se mobilisent pour impressionner la commission américaine, présente à Damas depuis deux jours.

Comme c'était prévisible, chacun des camps en présence a préparé cette arrivée en recrutant des partisans par tous les moyens possibles : promesses, terreur et corruption.

À Damas, le préfet de police hachémite, le général Haddad, alterne les unes et les autres. De même dans les campagnes, où les chefs bédouins sont instamment priés de remplir leur devoir national face aux enquêteurs américains.

Des lettres anonymes parviennent aux personnalités convoquées par la commission. On leur conseille de se prononcer sans équivoque en faveur de l'indépendance. « Si vous ne croyez pas devoir écouter ce conseil amical », précise le message, « faites votre dernière prière car votre sang ne tardera pas à couler. »

Les Français ne sont pas en reste. Comme ils dépensent sans compter, les offres de services viennent à eux. Ainsi Moudjem Bey ben Turky Bey Mehed, un des grands chefs de la tribu aneizé propose-t-il de demander à la commission le mandat français sur la Syrie moyennant un million de francs, et surtout la garantie de continuer à mener sa vie nomade. Un accord en ce sens est passé avec le lieutenant Pilley, l'officier de liaison français à Alep. Mais il ne profitera guère à Moudjem Bey, arrêté le lendemain de son audition par la gendarmerie chérifienne en gare de Homs, remis aux Britanniques sous l'accusation de « vol avec violence », hué, menacé, transféré à Damas et finalement libéré sur ordre d'Allenby, cédant aux pressions de Georges-Picot, en échange du rappel de Pilley.

De leur côté, les nationalistes ne font aucun cadeau à la France. L'un d'entre eux, Ali Béchir Boukamel, ouvre le feu sur le contre-amiral Mornet, nouveau commandant de la division navale de Syrie, et le blesse au ventre. Son aide de camp, l'enseigne de vaisseau Guiet, a le bras traversé...

La tournée de la commission commence à Damas avec lâchers de tracts istiqlalistes demandant « l'indépendance ou la mort » ; réception par le maire, le cadi, le mufti ainsi que divers oulémas. Un premier dîner avec Fayçal et le général Haddad. Puis, à l'invitation de Fayçal, une soirée orientale qui fera forte impression sur Crane et King. Pour finir, une soirée à l'européenne, toujours en présence du prince.

Deux événements vont marquer son séjour damascène de neuf jours. L'annonce de la signature du traité de paix de Versailles n'est pas le moins important. Elle marque la fin officielle de la guerre en Europe, mais pas au Moyen-Orient, où il faudra attendre le 10 août 1920 pour qu'intervienne le traité de Sèvres, mettant fin aux hostilités avec l'Empire ottoman, texte de capitulation que la résistance acharnée de Mustapha Kemal va d'ailleurs transformer en chiffon de papier.

Moins marquante en Occident mais beaucoup plus dans le monde arabe, la réunion du Congrès national syrien, le 2 juillet, constitue le second de ces événements. Une initiative des nationalistes encadrés par la Fétah. Cent vingt personnalités de la grande Syrie ont été invitées. La représentation libanaise y est faible, au motif, entre autres, des pressions françaises : quatorze délégués sur un peu plus de quatre-vingts effectivement présents. Celle de la Transjordanie aussi, avec ses trois délégués seulement. Mais la Palestine, forte de quatorze délégués, fait plus que de la figuration.

Les congressistes votent une série de résolutions qui rejettent aussi bien les accords Sykes-Picot que la déclaration Balfour. Ils refusent la tutelle politique d'une puissance étrangère prévue par la toute jeune Société des nations sous la forme des « mandats ». Seule la présence de conseillers américains ou britanniques sera admise, préviennent-ils. Pour finir, le congrès désigne Fayçal comme le souverain attendu par le peuple syrien.

Le « programme de Damas » est né. Parallèlement, une poignée de délégués irakiens, presque tous officiers issus pour moitié de la branche irakienne du Pacte, dont un seul musulman chiite et un seul chrétien, créent, à Damas encore, un Congrès national irakien.

Dans l'après-midi du 3 juillet, quinze délégués du Congrès national syrien dont sept membres de la Fétah, pas moins, alors qu'ils sont minoritaires au sein de l'assemblée, viennent exposer leurs points de vue aux commissaires.

Avant d'embarquer le 21, à Mersine, sur l'USS *Hazelwood*, ceux-ci vont parcourir le pays à marche forcée : un peu plus de trois semaines pour visiter trente-six villes ! De quoi douter non de leur bonne foi, mais de la précision de leur travail dont les conclusions, conformes – heureux hasard – aux vœux du président Wilson et du colonel House, étaient acquises d'avance.

Mille huit cent soixante-trois pétitions, chiffre officiel, ont été recueillies en Palestine et en Syrie. Mille cinq cents demandent une Syrie unitaire, dont mille trois cent soixante-dix, influencées par les istiqlalistes, se prononcent en faveur de l'indépendance dans des termes voisins du programme de Damas. Parmi ces dernières, mille deux cent soixante-dix-huit appellent de leurs vœux un royaume constitutionnel décentralisé. Mille cent vingt-neuf souhaitent l'aide américaine, l'aide britannique arrivant en second choix et l'aide française bonne troisième, très loin derrière, sauf au Liban où les résultats sont inversés.

Mille trois cent cinquante refus du programme sioniste ont été enregistrés dont, sans surprise, une grande partie en Palestine même.

Pour la Syrie, la commission distingue quatre possibilités : indépendance immédiate ou indépendance sous mandat soit américain, soit britannique, soit français. Mais, complication supplémentaire, il faut compter avec l'indépendantisme libanais profrançais, majoritaire au Liban même.

La majorité des musulmans verrait sous un jour favorable les États-Unis comme une puissance anticolonialiste de principe capable d'exercer le mandat de la SDN, engouement qui risque d'embarrasser Washington, guère soucieux d'une épreuve de force avec Londres.

Tandis que nos braves délégués retournent en France rédiger leurs conclusions à l'usage de la conférence de la paix, chacun, en Syrie, commence à fourbir ses armes...

28

Gouraud débarque

« L'émir Fayçal se prépare à quitter Damas vers le 15 août, et à se rendre à Paris pour reprendre les négociations relatives au mandat de Syrie.

« Jusqu'à ces derniers jours, la perspective de ces négociations ne se présentait pas très favorablement : alors qu'un accord franco-britannique préalable, mettant l'émir en présence d'une situation nette, l'eût obligé à passer par les conditions que nous lui imposions, il compte au contraire jouer de la rivalité des deux puissances alliées, exaltée par le zèle des fonctionnaires britanniques locaux, pour nous contraindre à ces marchandages dont il attend les meilleurs résultats au point de vue de sa situation personnelle.

« L'émir est généralement dépeint, par les Français qui l'ont approché, comme un homme intelligent, probe, entièrement dépourvu de fanatisme, mais extrêmement ambitieux. Il comprend l'utilité d'une tutelle étrangère pour la Syrie ; il aurait même dit : "Il faut être un traître ou un fou pour feindre de croire que notre pays peut se gouverner lui-même !". Mais son idée est que cette tutelle doit revêtir la forme d'une aide payée et non pas d'un protectorat qui le priverait de son indépendance. Actuellement, il lutte pour se maintenir en position de traiter de puissance à puissance ; c'est ce qui explique pourquoi il a favorisé le développement d'un parti hostile à la France. »

Bien intéressant, le rapport du voyage en Syrie du commandant Auroux, du 29 juin au 25 juillet 1919. Car, comme ses supérieurs hiérarchiques Cousse et Toulat, il fait partie de ces officiers français perspicaces qui, fût-ce à travers des lunettes déformantes, ont pressenti la force du nationalisme arabe.

« En résumé, conclut Auroux, Fayçal, que l'on a considéré en France comme notre homme, celui qui sera l'agent de notre politique, n'est, pour le moment, ni souple ni dans notre main. »

Difficile de contredire l'officier à l'heure où le prince annonce un deuxième séjour en Europe, et où le ton commence à monter, ici, entre Français et nationalistes, et là-bas, entre Français et Britanniques...

Débarqué à Marseille le 17 septembre, Fayçal ne s'attarde pas sur le sol de France. Le 19, le voici déjà au 10, Downing Street, où il rencontre Lloyd George qu'accompagnent lord Curzon et Allenby. Et là, premier coup de massue :

« Nous sommes parvenus à un accord avec les Français. Tout est résumé dans cet aide-mémoire ; prenez-en connaissance... »

Daté du 13 septembre, le document anticipe l'attribution de la Palestine et de l'Irak à la Grande-Bretagne, celle de la Syrie à la France. Le prince tombe des nues. L'idée d'un mandat américain est donc écartée.

« À partir de maintenant, la moitié de vos subsides mensuels seront versés par Paris. C'est à la France qu'il faudra vous adresser pour obtenir une assistance. »

Que faire, à part rédiger une lettre au Premier ministre britannique, rejetant l'arrangement franco-britannique comme contraire à « l'idéal de la Société des nations » et à « l'honneur national » ? Dans un geste de mauvaise humeur, Fayçal refuse d'abord de rencontrer Allenby pour discuter des modalités techniques, puis se reprend et accepte.

En proie à une grave dépression personnelle, Lawrence, retraité à Oxford, informe lord Curzon qu'il se tient à sa disposition pour arrondir les angles avec le prince. Aucune suite ne sera donnée à cette proposition mais Ken Cornwallis et David Stirling, qui fut le compagnon de Lawrence à bord de la Rolls-Royce

Blue Mist au moment de la prise de Damas, sont déjà à pied d'œuvre.

Logés, comme Fayçal, à l'hôtel Carlton, les deux officiers arabophones tentent d'infléchir sa position. Venu à Londres dans un but similaire, William Yale, l'expert en pétrole de la commission d'enquête internationale, ne sera pas plus heureux.

Le 29 octobre, Fayçal gagne Paris en espérant ne pas être avalé tout cru par l'ogre français. Deux jours plus tard, le prince rencontre Clemenceau, décidé à mener l'affaire tambour battant. Ne vient-il pas de désigner Gouraud comme haut-commissaire de la République en Syrie et en Cilicie, et commandant en chef des troupes françaises du Levant ? Le colonel Toulat et Philippe Berthelot, l'ancien mentor de Robert de Caix, qui dirige les affaires politiques et commerciales au Quai d'Orsay, assistent à l'entretien.

« Avant de parler du général Gouraud, demande Fayçal, pathétique, j'aimerais savoir si le président du Conseil me considère comme un ami ou un ennemi ?

— Je suis un homme qui dit ce qu'il pense », répond Clemenceau, qui dépeint – en l'exagérant – sa consternation le jour où il a appris que le prince aurait préféré un mandat britannique…

Écartant d'un geste Si Kaddour ben Ghabrit, le traducteur, Fayçal commence à s'exprimer en français. Clemenceau rit. Le climat se détend un peu.

« Je vous remercie de vos déclarations, conclut le prince. Je ne voudrais pas abuser de votre temps précieux. Vous avez certainement d'autres affaires à traiter. »

Mais, avant de quitter la pièce, il se retourne.

« Dans le cas où un accord ne serait pas conclu entre nous, je serais obligé de partir rapidement, n'ayant plus aucune raison de rester à Paris… »

Des raisons, il en trouve quand même assez pour poursuivre, ou plutôt entamer, les négociations avec Berthelot. Louis Massignon, que nous avions laissé avec Lawrence au moment de l'entrée d'Allenby à Jérusalem, s'associe volontiers à l'affaire. Pour le prince, c'est plutôt une bonne chose dans la mesure où l'orientaliste connaît et respecte le monde musulman. L'idée d'une commission rassemblant un représentant français, un arabe et un britannique roule sur le tapis.

A-t-elle un grand avenir, le 21 novembre, à l'heure où Gouraud débarque à Beyrouth ?

Le général a été amputé d'un bras quand il commandait le corps expéditionnaire français aux Dardanelles. Un drame aussi stupide que la guerre elle-même. Le 30 juin 1915, il sort de son poste de commandement pour visiter les blessés. Un obus turc le broie littéralement : deux jambes brisées, l'œil et le bras droit perdus.

Mais l'homme reste ce qu'il a toujours été : un guerrier. À peine rétabli, il effectue une mission en Italie auprès du roi Victor-Emmanuel III, et prend, le 11 décembre 1915, le commandement de la 4ᵉ armée sur le front de Champagne. Ministre de la Guerre à la fin de l'année suivante, Lvautey lui demande d'assurer son intérim au Maroc. Gouraud retrouve ensuite sa 4ᵉ armée, brise, le 25 juillet 1918, une des dernières offensives allemandes lors de la deuxième bataille de la Marne ; contre-attaque ; franchit la Meuse entre Sedan et Mézières ; entre à Strasbourg, où il remettra la plaque de grand officier de la Légion d'honneur à Fayçal.

C'est là qu'un ordre du ministère vient le chercher. Une mission, une de plus : la Syrie...

Le cérémonial de l'arrivée du nouveau haut-commissaire a été réglé dans les moindres détails. À son arrivée, Gouraud parcourt les rues de Beyrouth sur son cheval, Gris-vêtu. Salves d'artillerie, défilé militaire place des Canons, réception au vieux sérail, retraite militaire à vingt heures et, le lendemain, réception des corps constitués et des délégations des villes, puis grande fête au parc des Princes. De Paris, où les négociations franco-chérifiennes jouent les prolongations, un télégramme signé Clemenceau lui parvient le 23 novembre. Un arrangement provisoire avec Fayçal est intervenu. Tandis que les troupes régulières chérifiennes s'en retireront, ne laissant sur place que leur gendarmerie, les Français surseoiront à l'occupation de la plaine de la Bekaa. Par ailleurs, on demande au général de transmettre au prince Zaïed, qui exerce toujours l'intérim hachémite à Damas, un télégramme de son frère.

L'accord n'est guère du goût du manchot. Encore moins de celui de Robert de Caix, qui accompagne Gouraud comme secrétaire général du haut-commissariat. L'officier, catholique fervent, et le haut fonctionnaire, agnostique, forment un duo pour le moins étrange. S'il ignore tout de la Syrie, Gouraud connaît l'islam soudanais et marocain. Caix, lui, ne connaît ni l'un ni l'autre, et n'appréhende le Moyen-Orient qu'à travers le prisme déformant du « syrianisme ».

Doutant de la sincérité de Fayçal, dont il attribue les positions conciliantes au seul fait que les Britanniques ont commencé à le lâcher, le général déclare inadéquat le versement immédiat des subsides que la France doit au prince, en application des accords de partage des dépenses moitié-moitié avec la Grande-Bretagne. Et non moins grave la renonciation à la Bekaa qu'on lui demande.

« Toute entente avec l'émir Fayçal nous garantit une *position de droit* incontestable en Syrie, répond Clemenceau, et cela n'a pas de prix. » Les Arabes étant « incapables à suivre une politique nationale » et l'indiscipline étant « inhérente à leur race » (aussi peu colonialiste soit-il, le Tigre n'en charrie pas moins les préjugés de l'époque), comment pourraient-ils nouer une alliance antioccidentale avec les Turcs kémalistes ? Gouraud n'a plus qu'à obéir, à verser l'argent, à faire parvenir le télégramme à Zaïed et à exécuter l'accord provisoire sur la Bekaa.

Pendant ce temps, Clemenceau, et surtout Berthelot, continuent à travailler le prince au corps. Abandonné des Britanniques, ne pourrait-il pas céder un peu plus de terrain ?

Pas si simple quand, soumis à d'autres pressions, celles de son entourage, et peu désireux de devenir aux yeux du monde arabe celui qui se sera couché devant les Français, Fayçal renâcle.

Le prince n'ignore pas que, sous prétexte de problèmes de santé, son frère Abdallah a expédié à Paris un de ses hommes de confiance, ce colonel Ibrahim er-Raoui qui ne s'est pas couvert de gloire le soir de la bataille de Touraba. Pour le surveiller, à coup sûr.

Peut-être a-t-il appris qu'au Hedjaz, Ali et Abdallah multiplient les rodomontades dans l'espoir de faire oublier le désastre face à Ibn Loueyi. Le 11 octobre, par exemple, ses deux aînés se sont mis en route pour Taïef à la tête de la prétendue « division syrienne » – deux cent trente fantassins recrutés de plus ou moins bon gré, plus quatre-vingt-quinze artilleurs servant quatre canons de 75 et six mitrailleuses. Il s'agissait, paraît-il, de venger les morts de Touraba. En fait, d'une démonstration sans lendemain à usage interne.

Sait-il que Mohammed Faouzi el-Azmé, que Georges-Picot présentait à Allenby comme le plus qualifié pour remplacer cet insupportable nationaliste de Reda Pacha à la tête de l'administration de la zone chérifienne de Syrie, est décédé subitement de mort naturelle à Damas, le 14 novembre, privant les Français d'une carte potentielle ? Sans doute : le décès n'a rien de secret.

On peut en revanche douter que le prince soit au courant de l'ordre confidentiel n° 1331. Son propre chef d'état-major général, Yacine el-Hachemi, y donne la consigne de préparer l'armée pour faire « prochainement la guerre à un grand gouvernement ».

Entre retrait anglais, exigences françaises et intransigeance nationaliste, le sentier est étroit. Le prince continue à se battre par la voie diplomatique, la seule praticable. Partagé entre les ordres de son gouvernement et sa sympathie envers la cause arabe, Massignon se retrouve dans la même situation inconfortable que Lawrence voici peu. Moins que lui, tout de même, parce que homme à se plier plus volontiers aux consignes...

Face à Berthelot, Fayçal met la question palestinienne sur le tapis :

« Nous avons, nous les Arabes, un traité avec les Britanniques qui stipule la création par la Grande-Bretagne d'un gouvernement arabe en Palestine. Nous ne pouvons pas déloger les Britanniques de Palestine, et nous n'accepterons jamais qu'elle soit offerte aux sionistes. Je voudrais savoir quelle aide la France peut nous fournir dans ce domaine. »

L'homme du Quai, qui n'a toujours pas digéré la manière dont les Britanniques se sont assis sur l'internationalisation des Lieux saints, surenchérit, quitte à désavouer le Tigre :

« Nous partageons les sentiments de Votre Excellence envers la Palestine. Hélas, notre position à l'égard des Britanniques est très délicate pour l'instant, car Clemenceau n'a pas su leur résister. Nous allons tout tenter avec votre aide pour que la Palestine fasse partie de la Syrie et que les Lieux saints soient internationalisés », ajoute le diplomate.

Courant décembre, un projet d'accord franco-fayçalien commence à se dessiner. La majorité des personnes de l'entourage princier semblent s'y résigner, non sans déchirements. Et ce, d'autant plus, qu'une lettre comminatoire du malik Hussein avertit son fils de ne rien décider seul.

En échange de la promesse assez vague de faire admettre la Syrie à la SDN et de la reconnaissance de l'arabe comme langue officielle, le projet d'accord prévoit le mandat français, l'instauration d'un régime constitutionnel, l'indépendance du Liban.

Il ne s'agit néanmoins que de « principes généraux », le texte définitif ne pouvant être validé qu'après un séjour du prince en Syrie, puis son retour en France, avant d'être transmis à la SDN. Avant de s'engager définitivement, Fayçal veut en effet consulter les responsables syriens et arabes.

Le 6 janvier, dans l'après-midi, Fayçal et Roustoum Haïdar s'en vont rencontrer le Tigre. Clemenceau et le prince apposent leurs paraphes en bas du document, qui porte le titre explicite d'« accord provisoire ». Mais à peine l'encre est-elle sèche qu'un malentendu apparaît. Fayçal, dont on sait la répugnance à adopter des positions tranchées, considère en effet le texte comme un document de travail qui ne l'engage en rien tant qu'il n'est pas ratifié officiellement. Mais les Français, eux, voient l'accord provisoire comme un quasi-traité[1].

N'ayant plus rien à faire à Paris et inquiet des développements de la situation à Damas, Fayçal boucle ses bagages. Avant

---

1. L'accord provisoire Fayçal-Clemenceau a suscité après coup de nombreuses polémiques, beaucoup d'historiens arabes prétendant qu'il n'a jamais été signé par le prince. Au plan technique, le débat est tranché depuis que Gérard D. Khoury a retrouvé dans les archives et publié le fac-similé du document, qui comporte bien les signatures de Fayçal et de Clemenceau (cf. Gérard D. Khoury, *La France et l'Orient arabe, naissance du Liban moderne 1914-1920*, Paris, Armand Colin, 1993).(*N.d.A.*)

de quitter la capitale, il propose à Massignon de l'accompagner. Mais l'orientaliste, qui s'apprête à entrer au Collège de France, décline poliment l'offre. Une occasion manquée, une de plus...

Le 16 janvier, le prince regagne Damas.

Comme prévu, il commence par consulter les notables. Mais l'atmosphère a changé. De chaleureuse, elle s'est faite glaciale. Les rumeurs vont bon train. On accuse le prince d'avoir trahi, et il a bien du mal à se défendre, le 22, devant le Club arabe.

Ce qu'il veut ? Restaurer « nos gloires passées ». Personne dans les pays arabes n'acceptera d'être soumis à quelque puissance étrangère que ce soit. Depuis un an, on n'a fait que parler, ça suffit. Maintenant, il appelle la nation à agir.

« Je sollicite à nouveau votre confiance pour moi et pour le gouvernement », conclut-il.

On applaudit la majesté de son discours, pas son contenu.

Fayçal est sous surveillance, et il le sait. Une nouvelle structure a émergé, le Comité de défense nationale où se distingue Kamel el-Kassab, ancien directeur d'école damascène et pionnier de la thawra.

De retour d'exil au Hedjaz puis en Égypte, Kassab a rencontré Fayçal quelques jours avant que ce dernier reparte en Europe pour son second séjour. Le prince lui a demandé de lever un mouvement qui transforme le pays en une nation en armes.

Épaulé par l'incontournable Fétah, Kassab s'est acquitté de sa tâche tant et si bien que le Comité de défense nationale apparaît comme un véritable centre de contre-pouvoir. Fort de vingt-sept membres, son comité central travaille en liaison étroite avec le chef d'état-major, le général Yacine el-Hachemi, qui a fait distribuer en sous-main quelque cinq mille fusils aux militants nationalistes.

L'ex-chef d'état-major devrait-on dire car, le 22 novembre 1919, quatre jours avant le départ des dernières troupes britanniques de Syrie, Hachemi, attiré au quartier général britannique sous prétexte d'une tasse de thé, a été purement et simplement arrêté, puis mis en résidence surveillée au Caire. Le suspectant de contacts avec la guérilla kémaliste turque, de plus en plus active en Cilicie, Allenby lui reproche son aide cachée à ses compatriotes des mouvements nationalistes d'Irak. Depuis, le sort du chef d'état-major reste en suspens. Les Britanniques voudraient s'en débarrasser en l'expédiant en France, mais Gouraud le trouve trop dangereux...

L'œuvre d'Hachemi, que le prince a promis au Club arabe de faire revenir, n'en demeure pas moins importante. À défaut de mobilisation massive des Syriens, l'Irakien de Damas a constitué une petite armée chérifienne : trois régions militaires, l'une à Damas, l'autre à Alep, au nord, et la troisième à Deraa, au sud ; quatre bataillons d'infanterie avec leurs compagnies de mitrailleuses, huit batteries d'artillerie, onze escadrons de cavalerie.

La région est redevenue un champ de bataille. Au nord, en Cilicie, les nationalistes turcs, rangés sous le drapeau de Mustapha Kemal, mènent chaque jour la vie dure aux Français. Moins nombreux et moins organisés, leurs homologues arabes font régner l'insécurité dans certains secteurs. Avec l'aval du prince Zaïed, et bientôt de son frère Fayçal, la gendarmerie chérifienne leur prête volontiers main-forte.

Début janvier, une colonne française qui opérait vers Mtelleh, à dix kilomètres au sud de Djedeideh, est attaquée par un millier de Bédouins : on compte soixante morts, blessés ou disparus. Le même jour, le commandant Rochas et son ordonnance sont enlevés dans la Bekaa par la troupe armée d'un chef chérifien local, qui réclame une rançon de deux mille livres égyptiennes.

« Pas question ! » s'étrangle Gouraud.

Un message verbal de sa part parvient au prince Zaïed. Si les deux Français ne sont pas libérés rapidement, ses troupes agiront en conséquence. Deux jours après, on les retrouve indemnes, mais la région du Merdjaoui, aux portes du Liban, reste aux mains de deux autres chefs rebelles, Nouri Chalaan et Mahmoud el-Faour.

« Les incidents de la Bekaa sont fomentés par Zaïed lui-même, suite à l'arrivée en Syrie d'Hamed Bey el-Toblack, un des officiers qui ont accompagné Fayçal à Paris », souffle un informateur chérifien à Gouraud.

Dans un contexte aussi troublé, Fayçal peut-il faire autre chose que naviguer à vue ? Dénué d'ambition personnelle, Zaïed constitue certes pour lui un véritable soutien. Mais que penser des menées de leurs frères et de leur père ? Abdallah s'est proposé sans vergogne au commandant Catroux, toujours chef de la mission militaire française au Hedjaz, pour remplacer Fayçal comme négociateur à Paris et représentant du malik à Damas.

« Je suis un modéré, explique-t-il. Je sais bien que les Arabes ne sont pas mûrs pour se gouverner eux-mêmes et que, pour l'instant, il leur faut une tutelle. »

Partout, des émissaires de La Mecque répandent des consignes de durcissement. À Alep, les services de renseignements français du capitaine Roussel repèrent Safyed ed-Din et Esseyid Zeine, porteurs d'une lettre du malik au gouverneur Djefar el-Askari, le beau-frère de Nouri Saïd, appelant à l'unité musulmane contre la France.

Peu après le coup de poignard d'Abdallah dans le dos de Fayçal, le texte d'un télégramme d'Hussein est rendu public par la presse damascène. Le roi déclare qu'il ne saurait « reconnaître aucun traité, même accepté par Fayçal, qui porterait la moindre atteinte aux droits des pays arabes à une indépendance entière et absolue ».

On comprend que le moral ne soit pas au beau fixe dans la résidence du prince désavoué par les siens, une grande maison turque de deux étages dans le quartier européen d'Es Salhiyé. Seuls les cyprès et les arbres fruitiers du petit jardin y apportent une touche de gaieté.

Gouraud, de son côté, ne décolère pas. Formé à l'école de Lyautey, il s'était fait une idée précise de ses rapports avec Fayçal, mais celui-ci se montre trop peu accommodant pour un jeu de ce genre.

Nouveaux incidents antifrançais à la fin du mois : près d'Alexandrette, la colonne légère du colonel de Bieuvre est assaillie à El Hammam par les six cents chérifiens d'Ahmed Bey et de Souraya Bey, lieutenant dans l'armée syrienne. Munis de mitrailleuses et manœuvrant « à l'européenne », les assaillants brandissent le drapeau hachémite. L'attaque échoue au prix d'un dur combat. Poussant jusqu'au petit poste d'El Hammam, la colonne y découvre les corps mutilés du chef de poste, le lieutenant de Lonlay, et d'un de ses hommes. On leur a coupé un bras et une oreille...

« Souraya Bey appartient bien à mon armée », concède Fayçal, gêné mais impuissant.

D'autres rebelles se signalent à l'attention des Français, tels Ahmed Meriouid au sud de la Bekaa ou l'émir Mahmoud el-Faour dans la banlieue même de Damas. Un cadre de la gendarmerie chérifienne, Soubri Bey Kbadra, est même soupçonné d'avoir organisé l'attaque du pont du Litani, au sud-est de Nabatiyeh, avec l'aide du capitaine Toufik. Bilan : cinq tués et trois blessés français.

Fayçal tente d'organiser quelques contre-feux. Il demande à Nessib et à Faouzi el-Bekri de mettre sur pied une formation politique modérée « pour que les partis extrémistes ne restent pas seuls dans le domaine de l'action nationale ».

Ce sera le Parti syrien national, regroupement de notables dont certains proviennent, comme les frères Bekri, de la Fétah. Il voit le jour à Damas le 25 janvier. Le lendemain, Fayçal charge Zaïed de former un nouveau gouvernement.

Sans doute est-ce un peu tard pour jouer la carte de la modération, dans cette Syrie du début 1920 en proie à la grande illusion du tout est possible.

Et de fait, les nationalistes les plus extrêmes ne tarderont pas à reprendre la main...

29

Les cent jours de Fayçal Ier

« Nous, membres de ce congrès comme représentants de la nation syrienne, proclamons unanimement l'indépendance de notre pays, la Syrie, dans ses frontières naturelles... Et nous avons choisi son excellence l'émir Fayçal, fils de Sa Majesté le roi Hussein... comme roi constitutionnel de Syrie avec le titre de Sa Majesté Fayçal Ier. Et par conséquent, nous décrétons la fin des gouvernements militaires dans les trois zones d'occupation, qui seront remplacés par une monarchie constitutionnelle. »

Pour la Fétah, le Parti de l'indépendance arabe, le Comité pour la défense nationale, le Club arabe, pour tous les nationalistes, ce 7 mars 1920 s'annonce comme un jour de gloire.

En mettant Fayçal au défi de monter sur le trône, ils comptent forcer du même coup les portes de l'indépendance. Gouraud va être furieux ? Tant mieux ! Plus dure sera la crise avec les Français, et plus le monarque se verra contraint d'aligner ses positions sur celles des radicaux.

Grande occasion aussi pour leurs trente-neuf camarades du Congrès national irakien qui, réunis dans la maison damascène de Nouri Saïd, « créent » un second royaume dans leur pays, dont ils attribuent la couronne à Abdallah.

Les modérés sont balayés. Le lendemain, vers trois heures de l'après-midi, du haut du balcon de l'hôtel de ville de Damas,

Mohammed Izzat Darouaza, le secrétaire général de la Fétah, proclame Fayçal ibn Hussein souverain du « royaume uni de Syrie », qui s'étend en principe au Liban et à la Palestine.

Sous les vivats de la foule, on tire des centaines de cartouches en l'air. Le nouveau drapeau syrien est hissé : le même que celui du Hedjaz hachémite avec une étoile blanche supplémentaire sur le rectangle rouge.

Le président du Congrès irakien, Toufik el-Souwaidi, officialise ensuite la naissance du royaume d'Irak et la désignation d'Abdallah comme son souverain.

Ce deuxième roi hachémite du 7 mars n'est pas à Damas, et encore moins à Bagdad. Dès l'annonce de sa désignation, il a foncé au Caire, dans l'espoir d'arracher l'aval d'Allenby. Mais de cette démarche précipitée, Abdallah ne tirera rien de mieux que la grand-croix du Most Excellent Order of the British Empire, prestigieuse mais moins qu'un trône...

C'est que le vaincu de Touraba ne fait pas l'unanimité. D'accord, une fois n'est pas coutume, sur le rejet qu'entraînerait chez les populations locales son accession au trône, Gertrude Bell et A. T. Wilson s'y opposent, par exemple, avec fermeté.

Quant à Lawrence, qui tente de reprendre vie en écrivant ses mémoires, *Les Sept Piliers de la sagesse*, on sait qu'il n'a jamais aimé Abdallah, même si ce dernier fait, à ses yeux, partie intégrante de la solution hachémite.

Et puis quand même, Touraba... une armée mal conduite... une négligence inconcevable... des milliers d'hommes massacrés... une fuite en chemise de nuit !

Seul des deux frères, Fayçal se trouve en position d'occuper le trône qu'on lui a si généreusement attribué. Mais en France, tout a changé le 20 janvier, avec la chute du gouvernement Clemenceau. Le nouveau président du Conseil, Alexandre Millerand, entend poursuivre la politique de son prédécesseur et le dit. Mais, sans le charisme du Tigre, comment pourrait-il s'imposer au lobby « syrianiste » ? Pour en avoir le cœur net, Fayçal Ier envoie l'indispensable Nouri Saïd à Paris, porteur d'une lettre à Millerand.

Il ne faut pas oublier les indépendantistes libanais profrançais, toujours majoritaires au Liban mais minoritaires dans l'ensemble syrien. La peur d'un mécanisme d'absorption y tenaille les chrétiens. Druzes et alaouites aussi qui, craignant pour leurs franchises traditionnelles, ont refusé de participer aux travaux du Congrès national syrien.

Fayçal s'enorgueillit d'être un chef de guerre, mais ne peut déjà plus compter sur la seule force armée. Combiner l'action diplomatique, la propagande et la guérilla larvée ? Ce serait conforme au tempérament syrien, plus politique que militaire, comme au sien propre. A-t-il d'autre choix d'ailleurs ?

Les jours suivants le verront déployer une frénésie diplomatique comparable à celle de son aîné Abdallah au moment du couronnement d'Hussein « roi des Arabes ». Fayçal Ier expédie lettres individualisées et câbles au président Wilson, à lord Curzon, aux généraux Allenby et Gouraud. L'amitié et la coopération du nouvel État leur sont acquises, conclut-il.

Des bouteilles à la mer sans résultat tangible. Curzon répond que le Congrès national syrien n'a aucune légitimité aux yeux de la Grande-Bretagne. Quant à Millerand, il câble à Lloyd George que le gouvernement français verrait comme un geste « inamical » toute forme de reconnaissance de la royauté hachémite en Syrie.

Paris déploie simultanément beaucoup d'énergie pour accélérer le processus d'indépendance libanaise.

Le 22 mars, Millerand reçoit les délégués libanais favorables à l'indépendance sous tutelle française.

Fayçal est libre d'agir comme il le veut, souligne-t-il. Mais parlant de la déclaration qui en fait le roi de Syrie, il laisse tomber ce jugement :

« Cela n'est que de l'encre sur du papier. »

Sous-entendu, qu'on déchirera aussitôt que possible. À l'heure où le président du Conseil tient ces propos, cela fait déjà quatre jours qu'en réponse à une question de l'honorable membre du Parlement anglais William Ormsby-Gore, l'ancien du Bureau arabe qui, en janvier 1918, accompagnait Weizmann à Akaba pour sa première rencontre avec Fayçal, Lloyd George, a déclaré aux Communes :

« Il apparaît que l'émir Fayçal a été proclamé roi d'une Syrie incluant, semble-t-il, la Palestine par un congrès de Damas... Comme il est évident que le futur de ces territoires qui ont été conquis sur l'Empire ottoman ne saurait être déterminé que par les Alliés qui sont à présent réunis par une conférence rassemblée à cette fin, l'émir Fayçal a été informé par les Britanniques et les Français qu'ils ne peuvent reconnaître cette manière de procéder. L'émir a été invité à venir en Europe pour statuer sur ce cas. »

Des propos qui ne laissent guère d'espoir. Et ce n'est pas la nomination officielle de Reda Pacha er-Rikabi comme Premier ministre du nouvel État qui peut améliorer le climat. Avec les Français surtout...

Au moment de son arrivée à Beyrouth, à son retour de Paris, Fayçal a brièvement rencontré Saïd Haïdar (à ne pas confondre avec son secrétaire personnel, Roustoum Haïdar), figure de proue des istiqlalistes du Parti de l'indépendance arabe, et Badi Bagdache, un haut gradé de l'armée syrienne bien introduit en Turquie. Missionnés par son propre frère Zaïed, les deux hommes devaient tenter de nouer des contacts avec Mustapha Kemal.

« Abandonnez votre projet et revenez à Damas », leur avait demandé le prince avant de se reprendre.

Or Haïdar et Bagdache ont réussi, jetant les bases d'une alliance antioccidentale entre nationalistes arabes et nationalistes turcs. Le bruit courra même d'un traité secret de vingt et un articles liant Fayçal à Mustapha Kemal par l'entremise du cheik Abd el-Kader el-Mouzaffer.

En Cilicie, des groupes d'irréguliers kémalistes, les tchétés, encadrés par des officiers de l'armée turque, mènent la vie dure aux Français. Des embuscades sont tendues, des convois attaqués, des sabotages de voies ferrées commis.

En février, l'évacuation de la ville de Marache tourne au drame. La colonne française, que retardent près de deux mille Arméniens qui se sont joints à elle pour échapper aux Turcs, opère une retraite dans des conditions épouvantables.

« J'ai assisté à un défilé qui rappelle la retraite de Russie, sous les rafales redoublées, la route disparaissant dans la nuit tombante sous cinquante centimètres de neige, l'ouragan effaçant les traces des premiers éléments, officiers et hommes épuisés, trébuchants, animaux couverts de glace et affamés, Arméniens de tous âges mêlés à la troupe, blessés aux pieds, sur chevaux, mulets et voitures... une douzaine d'hommes sont morts à l'arrivée ou dans la nuit, surtout des Sénégalais. Il est arrivé 1 200 Arméniens, le reste est mort en route », écrit le général Dufieux, commandant la division de Cilicie qui accueille les rescapés, le 14 février, à Islahié.

Cet affrontement, le premier d'une telle ampleur, entre troupes françaises du Levant et nationalistes turcs en appelle d'autres. En avril, la situation se dégrade encore. Les avant-postes de Mersine sont attaqués. Parti de Yénidsé, un train blindé tente d'atteindre Bozanti assiégé ; il échoue car la voie est coupée.

Bombardé par l'artillerie turque, Bozanti ne tient que par une garnison forte de douze officiers, sept cent cinquante sous-officiers et hommes de troupe. Fin mai, son chef, le commandant Mesnil, tente de briser l'encerclement. Mais, saignée à blanc – près de quatre cents hommes manquants –, la troupe doit déposer les armes.

Avant que les unités régulières du vainqueur turc, le commandant Senane, ne soient parvenues à contrôler la situation, des dizaines de blessés supplémentaires sont massacrés par les tchétés...

La propagande kémaliste parle de libérer Damas et d'unir les musulmans contre les Français qui, privés de l'appui britannique, ne parviendront pas à résister. Pendant ce temps, Gouraud se désespère de voir ses troupes prises en tenaille entre Turcs et irréguliers prochérifiens, moins agressifs que les tchétés, mais qui contribuent à disperser les effectifs français.

Des renforts lui parviennent, certes, mais au compte-gouttes. Demandée à la mi-mars, une division supplémentaire ne débarquera que deux mois plus tard...

Une trêve franco-turque intervient du 30 mai au 19 juin. Plus ou moins respectée côté tchétés, elle permet aux deux adversaires de reprendre leur souffle.

342

Avant que les opérations reprennent sur le front de la Cilicie, Gouraud précise sa tactique. Comme chef militaire, la position inconfortable de ses troupes, prises entre deux fronts, kémaliste et chérifien, lui donne des sueurs froides. Mais comme chef politique, il se félicite de la conférence de San Remo, où, le 25 avril, la Société des Nations a officialisé les mandats français sur la Syrie et britanniques sur la Palestine et l'Irak. Au moins, les choses sont-elles désormais claires, et il faut être ce rêveur de Fayçal pour croire encore au miracle. Avec ou sans lui, la France régnera de Beyrouth à Damas et à Alep.

Robert de Caix se frotte les mains. Il ne lui reste qu'à démanteler le peu qui reste du projet d'accord Clemenceau-Fayçal. Une intransigeance qu'affermissent les rapports personnels mitigés entre Philippe Berthelot et Alexandre Millerand qui, écartant Stéphen Pichon, s'est adjugé la conduite des Affaires étrangères.

Toujours rivé à la ligne Clemenceau, Berthelot n'a plus l'influence d'antan. Et la mise à l'écart de son ancien mentor fait bien les affaires de Caix, maître de la politique syrienne côté français.

Ses thèses « syrianistes » d'administration directe progressent d'autant mieux que l'autorité de Fayçal, surtout morale, ne suffit ni à freiner les ardeurs nationalistes ni à inspirer confiance à Gouraud. Ainsi, le jeune roi passe-t-il pour un mou aux yeux des sociétés secrètes panarabes, et pour un fourbe à ceux du chef des troupes françaises du Levant. Le climat politique s'en ressent, et Caix profite de chaque opportunité pour pousser ses pions.

Ce durcissement français, le colonel Toulat le sent et le déplore. Dès avril, l'officier signalait à Gouraud à quel point « l'opposition antifrançaise » exploitait certaines de ses décisions. Pour ne citer qu'elle, l'interdiction aux chefs religieux musulmans de Beyrouth d'invoquer pour Fayçal le titre de roi, lors de la prière dans les mosquées. Guère plus heureuses, les mises en garde de Gouraud contre l'installation du drapeau syrien sur l'immeuble des officiers de liaison chérifiens à Beyrouth.

Le haut-commissaire prend note des observations de Toulat, mais ne change pas sa ligne d'un iota. De même, quand Ali

Djaoudat el-Ayoubi, du Pacte, le prévient confidentiellement que les officiers irakiens de l'armée de Fayçal veulent regagner leur pays pour le défendre contre les Britanniques.

« Une simple manœuvre pour nous dresser contre les Britanniques », décrète Gouraud. Du coup, il classe le dossier.

Son idée à lui, qui tient beaucoup à l'influence de Caix et qu'approuve le contre-amiral Mornet, patron de la division navale, c'est de « liquider » au plus vite, et par la force, le problème hachémite en Syrie. On retournera ensuite le gros des troupes françaises du Levant contre les kémalistes, plus dangereux au plan militaire. D'ores et déjà, le haut-commissaire a dressé les plans d'une démonstration de force antichérifienne.

Le cours des événements va lui faciliter la tâche...

Le 9 juillet 1920, Nouri Saïd est à Beyrouth. Il vient discuter avec Gouraud les conditions du voyage de Fayçal à Paris, prévu par l'accord provisoire paraphé avec Clemenceau et rendu urgent par San Remo.

« Nous ne pouvons autoriser l'émir à se rendre en France tant qu'il n'aura pas accepté nos exigences », répond, hautain, le haut-commissaire.

Le lendemain, le Conseil administratif du Liban, organisme sous tutelle française, est convoqué chez son président, Habib Saad. Certains membres du conseil, c'est de notoriété publique, ont conservé des liens avec les partisans de Fayçal. Gouraud entend mettre fin à cet état de choses.

Dans la journée, un barrage français intercepte sur une route libanaise les automobiles transportant cinq personnalités du conseil : Khalil Akl ; Mahmoud Mahsen ; Souleiman Canaan ; Fouad Abd el-Malik et Mohammed el-Husseini. Tous étaient en route pour Damas, où ils comptaient proclamer leur allégeance au roi Fayçal. On les met aussitôt sous bonne garde.

Le soir même, vers vingt-deux heures, le lieutenant-colonel Nieger se rend chez Habib Saad. Bien renseigné, l'officier met en état d'arrestation quatre autres délégués du Conseil administratif : Saad, qui ne partage visiblement pas les sentiments profrançais de son frère ; le patriarche maronite Elias-Pierre Hoyek ; Elias Chouèri et Mahmoud Djoumblatt.

Le lendemain, Joseph Brendy les rejoint sous les verrous. Vient ensuite le tour de l'émir druze Amine Arslan.

« Les dix hommes ont avoué ! » claironnent les Français. Quarante mille livres leur auraient été versées, prix d'achat de leur passage avec armes et bagages dans les rangs fayçaliens...

La réalité est plus complexe, les sommes – moins considérables – étant destinées à divers frais de voyage. Mais la démonstration de puissance des autorités françaises ne peut qu'accroître la tension. Fayçal, en effet, se voit contraint de réagir.

Le 11, les frères Bekri et d'autres notables modérés, Ata el-Ayoubi, Fekri el-Baroudy, l'aide de camp du roi, Taher el-Djezaïri, un membre du clan des descendants d'Abd el-Kader, Hakki el-Azmé et les frères Chamdine tentent de lancer un comité démocrate prônant une ligne conciliante avec les Français.

Mais dans les jours qui suivent, des missives de menace émanant d'un mystérieux comité révolutionnaire, « L'Œil vigilant », leur parviennent. Ils doivent soit stopper leurs activités, soit verser dix mille livres à l'emprunt national syrien. Sinon, la mort les attend...

Le 14 juillet, exploitant son avantage, le général Gouraud, qui vient – signe des temps – de passer en revue ses troupes sénégalaises dans la petite localité montagnarde d'Aïn Sofar, expédie au roi un ultimatum dont les termes ont été arrêtés avec les services de Millerand.

Ils sont draconiens.

Les Syriens devront abandonner aux Français le contrôle total de la ligne de chemin de fer Rayak-Alep, qui permet de ravitailler les troupes de Cilicie. La surveillance des gares de Rayak, Baalbek, Homs, Hama et Alep leur sera confiée.

La conscription doit être abolie sur-le-champ, les effectifs de l'armée syrienne retombant au niveau qui était le leur en décembre.

Le mandat français sur le pays fera l'objet d'une reconnaissance formelle explicite. Les rebelles devront être châtiés. Sûr de lui – il vient de recevoir des renforts –, le haut-commissaire fixe une date limite, le 18 juillet.

Fayçal, qui a déjà envoyé Nouri Chalaan demander en vain à Mahmoud el-Faour de stopper sa guérilla antifrançaise, convoque dans sa capitale les chefs des tribus arabes prêtes à faire la guerre.

En visite à Damas, le frère aîné du roi, Ali, peut constater à quel point la température est en train de monter. On proclame l'état de siège, la loi martiale est rétablie. De retour d'exil, Yacine el-Hachemi prend le commandement de l'armée en remplacement de Djamel el-Elchi, que les chérifiens soupçonnaient de duplicité.

Youssef Azni devient son chef d'état-major. L'armée est mobilisée, on fait appel à des volontaires. Des émissaires, enfin, sont envoyés aux tribus aneizés du Djoulan ou du Hauran : à quelles conditions accepteraient-elles de fournir des contingents ?

Le 16 juillet sera une journée décisive. Le roi, qui vient d'apprendre l'arrivée en ville de Djefar el-Askari, le beau-frère de Nouri, réunit ministres et conseillers. Compte tenu de la grande misère militaire du royaume, le général Hachemi, responsable de la Défense, prêche pour la temporisation.

« Je ne suis pas certain que nous pourrions tenir ne serait-ce que deux heures. Cinquante obus par canon… quarante cartouches par mitrailleuse… même pas deux cents balles par fusil ! Les Français contrôlent les ports de la côte, et les Britanniques, ceux de Palestine. Qui viendrait nous secourir ? »

De quoi provoquer la colère du colonel Youssef Bey el-Azmé, un des membres les plus actifs de la Fétah. Aide de camp du ministre de la Guerre turc, Youssef Bey joua autrefois un double jeu très dangereux. Aujourd'hui, il entend se battre au grand jour.

Laissant parler sa détestation de ces Français arrogants côtoyés à Beyrouth au temps où il était officier de liaison syrien auprès des alliés occidentaux, l'irascible colonel toise son supérieur hiérarchique :

« L'armée peut parfaitement défendre le pays. Yacine Bey l'en croit incapable ? Moi, si. Je sollicite le privilège de la conduire au combat à sa place. Que Votre Majesté l'ordonne, et je conduirai les hommes au combat, et nous vaincrons… »

La rivalité personnelle entre les deux officiers recoupe une querelle de sociétés secrètes entre la Fétah et le Pacte, dont Hachemi est issu.

En son for intérieur, le roi donne bien entendu raison au prudent général. D'un autre côté, à accepter trop facilement le diktat français, les Hachémites risquent de perdre tout crédit ici, à Damas. Et quelle honte si l'on en venait à le taxer de mollesse, voire de trahison...

Fayçal s'incline donc, confiant le destin militaire du jeune royaume à Youssef Bey. Une décision qui ne dissipe pas la méfiance. Ainsi, le tout nouveau ministre de la Défense soupçonne-t-il son propre souverain d'ourdir des plans de fuite. En sens inverse, l'entourage de Fayçal s'inquiète de la surenchère du Parti de l'indépendance arabe. Ses éléments les plus extrémistes n'appellent-ils pas ouvertement de leurs vœux une junte militaire de salut public ? Et pire, n'en désignent-ils pas déjà le futur président... Youssef Bey el-Azmé lui-même ?

Dans cette ambiance délétère, le colonel-ministre livre son plan : une ligne de fortifications inexpugnables près du village de Madjar Ansar, à mi-chemin de Beyrouth, d'où viendront les Français, et de Damas, qu'il faut sauver à tout prix.

Fayçal se déclare d'accord avec ce dispositif. Il n'en espère pas moins un arrangement de dernière heure. Tout autre, on s'en doute, est le point de vue de Kamel el-Kassab, la tête du Comité de défense nationale. Dans la soirée, il s'adresse à la foule :

« Gouraud veut-il gouverner à sa guise ce pays ? Ô vents qui soufflez sur les pays arabes, portez à Gouraud les sentiments de la nation et dites-lui que nous n'accepterons pas le mandat d'une puissance étrangère tant qu'il y aura en nous une goutte de sang.

« Accepterons-nous le déshonneur ? Accepterons-nous que nos sentiments religieux soient blessés et bafoués comme à Beyrouth ? Jamais ! Mort au lâche... »

Dans la journée du 19, le colonel Toulat et Fekri el-Baroudy transmettent la réponse de Fayçal au haut-commissaire. Le roi semble s'incliner. Gouraud exige une confirmation. Celle qui parvient par télégramme dans la journée du 20 ne le satisfait pas.

N'ayant rien reçu, le 20 à minuit, la division du général Goybet quitte sa base de la région de Beyrouth. Objectif : Damas. Mais le lendemain matin, à dix heures, trois télégrammes de Cousse atterrissent sur le bureau du haut-commissaire, au petit sérail de Beyrouth. Ils donnaient toute satisfaction à Gouraud, mais un sabotage en a retardé l'acheminement.

« Les troupes gravissent depuis neuf heures les pentes de l'Anti-Liban », câble en retour le général manchot. « Il ne m'est plus possible d'arrêter la marche. »

L'assertion laisse sceptique : depuis quand les commandants en chef ne peuvent-ils interrompre les mouvements de leurs unités ? Gouraud, en fait, ne veut ni faire baisser la pression sur les épaules du roi ni risquer de perdre lui-même la face.

Les troupes françaises, précise-t-il, n'entreront pas à Damas si elles ne rencontrent aucune résistance, et si Alep et les gares désignées dans son ultimatum peuvent être occupées sans effusion de sang.

En fin de compte, seule l'épée pourra mettre les adversaires d'accord. En ce mois de juillet 1920, elle porte le nom de Victor Goybet...

Lyonnais réputé pour son excellente résistance physique, ses qualités équestres, ses dons de grimpeur et son épaisse moustache, Goybet, général de brigade depuis mars 1919, a fêté son cinquante-quatrième anniversaire voilà six semaines tout juste.

Ancien du 2e Bureau de l'armée des frontières, le général parle italien couramment, ce qui lui a valu deux périodes de commandement successives au 13e, puis au 30e bataillon de chasseurs alpins.

Vient la Grande Guerre. Dans la forêt d'Apremont, le 7 décembre 1914, une balle ennemie lui sectionne trois doigts de la main gauche. À peine guéri, Goybet reprend du service. Ensuite, ce sera Verdun puis, le 25 février 1920, la mise à disposition de l'armée du Levant. Et aujourd'hui, la mission que lui a confiée Gouraud.

Pour traverser la chaîne montagneuse de l'Anti-Liban en direction de Damas, la division Goybet – biffins français, spahis marocains, tirailleurs algériens ou sénégalais – a dû suer sang et eau. Aux voitures, aux chars légers Renault FT 17, aux automitrailleuses et à l'artillerie de campagne, le relatif confort de la route. Aux autres, les pistes de montagne, les pentes aux escarpements traîtres, les cailloux qui blessent les pieds. Et pour tous, le soleil, la chaleur étouffante, la soif.

Sans coup férir, les Français occupent Madjar Ansar le 21. Gouraud ayant expédié un nouvel ultimatum à Fayçal assorti d'un court délai de réflexion, ils recommencent ensuite à progresser vers Aïn Djedeïdé, le temps de refaire leurs réserves en eau potable.

« Le gouvernement syrien est prêt à relever le gant, confie Baroudy à Toulat. Si la France reste inflexible, il y aura la guerre. »

Les deux officiers sont à Aley, où ils viennent d'arracher un nouveau délai par échange de télégrammes avec Gouraud.

Damas est en état d'effervescence. Les demeures des leaders politiques, le prince Zaïed, Kamel el-Kassab, Reda Pacha er-Rikabi, Abd-ur Rahman Pacha el-Youssef, abritent réunion sur réunion. Des cavaliers couverts d'armes blanches galopent sur les places de la capitale, poussant des cris de guerre. Posture guerrière imitée par les manifestants des faubourgs populaires. En proie à la fièvre patriotique, les citadins scandent, bras levés vers le ciel :

« Fayçal, nous n'avons pas peur des Français, nous combattrons pour toi. »

Parmi les grandes familles de notables, l'enthousiasme semble moins grand. Ceux qui n'ont pas voulu se battre contre les Turcs n'ont aucune intention d'affronter les Français. Quand les chérifiens demandent deux cents chevaux à la municipalité, ils n'en obtiennent pas l'ombre d'un...

Fayçal réunit dans une mosquée les notables et les chefs du Comité de défense nationale, du Parti de l'indépendance arabe, du Parti syrien national, du Club arabe. Dans une ambiance survoltée, il leur lit les conditions posées par Gouraud. Un tollé s'ensuit.

« Réfléchissez, lance le monarque, et vous prendrez ensuite des décisions ! Quoi que vous fassiez, je suis avec vous. Si vous voulez la paix, nous ferons la paix ; si vous voulez la guerre, nous ferons la guerre...

— La guerre ! La guerre ! scande l'assistance. Le feu plutôt que le déshonneur ! La mort plutôt que la servitude ! »

Fayçal écarte les bras.

« C'est à vous qu'il appartient de décider... Mais la guerre exige des hommes et de l'argent. Êtes-vous prêts à en offrir ? »

Derechef, la foule se met à crier :

« Nous sacrifierons nos biens pour la patrie !

— Vivent les Arabes !

— Vive l'indépendance ! »

Le roi hoche la tête.

« Allons au bureau de recrutement pour nous inscrire. »

Un homme sur dix seulement le suit. Un sourire triste se forme sur les lèvres de Fayçal. Damas ne sera pas un Stalingrad avant la lettre...

Le 22 juillet, Gouraud, de plus en plus impatient, resserre le nœud coulant par le biais d'une note posant des conditions supplémentaires et indiquant une nouvelle date butoir, irrévocable celle-là : le lendemain à minuit.

Mais, dans la soirée du 23, des nouvelles irritantes lui parviennent. Quatre cents combattants chérifiens ont tenté une attaque-surprise vers Tell Kââla.

« Le baroud est pour bientôt », se félicite Gouraud. Son prétexte, il le tient avec cet assaut raté !

Le non de Fayçal parvient au haut-commissaire vers trois heures du matin le 24 juillet. Le souverain hachémite refuse d'aller toujours plus loin dans la voie des concessions.

À Goybet et à Azmé de jouer.

« Nous n'avons que quinze canons disparates, quarante mitrailleuses de tous calibres », constate le colonel-ministre chérifien.

Les Bédouins, certes, ont répondu à l'appel : trois cents méharistes hedjazi bardés de cartouchières, prêts à en découdre comme autrefois dans le désert. Mais les autres...

Youssef Bey regarde en soupirant les civils damascènes. Avec pour seule arme la bonne volonté des néophytes, ils creusent des tranchées, entassent des blocs de rochers. Ces braves gens font preuve de courage, mais leur valeur militaire, elle, avoisine le zéro. Citadins n'ayant jamais connu le feu, où auraient-ils appris à se battre ? Comment connaîtraient-ils l'art et la manière de battre la campagne ? Le sifflement même des balles leur est étranger…

Côté français aussi, on évalue la situation. Le terrain, d'abord. Jumelles au cou, le chef de la colonne, Goybet, tente d'en discerner les contours. L'oued presque à sec et la route se partagent le mince défilé qui mène au petit ruisseau d'El Tequieh. Une centaine de mètres plus haut, des rochers les surmontent à pic. Excellents postes de tir pour des snipers embusqués. Or certains Hedjazi sont, il le sait, d'extraordinaires tireurs…

Dominant de toute sa taille l'extrémité du défilé, une crête très haute marque l'entrée dans l'inconnu. Pas tout à fait quand même car les avions de l'escadrille n° 8 ont survolé le théâtre des futures opérations. Depuis cette éminence, on a vue sur un bon kilomètre de route, viennent-ils d'apprendre à leur chef. Les Arabes y ont creusé des tranchées, ménagé des abris.

« Maudit défilé, grommelle le chasseur alpin. Impossible de déployer ma batterie de 75 pour couvrir les biffins, elle serait prise aussitôt sous le feu. » Heureusement, les 155 et même les 65 ont une portée suffisante. Pas de mortiers, évidemment : c'est toujours quand on a besoin d'eux qu'ils manquent à l'appel. Mais bon, ils font défaut à Youssef Bey aussi. Aucun « marmitage » à craindre, ça équilibre…

Le Français dresse mentalement son plan de bataille :

« D'Auzac va attaquer de front avec ses deux bataillons de tirailleurs algériens, ses deux autres de Sénégalais. Plus ses tanks, naturellement, nos bons vieux Renault : vingt-deux millimètres de blindage à la tourelle, seize à l'avant. Et huit sur le toit, utile protection contre les tirs en surplomb. D'Auzac, c'est du costaud, comme ses chars. Lui percera au centre, et les spahis, eux, fonceront sur la gauche pour tourner l'adversaire et le prendre à revers. S'ils font des prisonniers, au moins pourront-ils les interroger dans leur langue. Encore que l'arabe d'ici soit, paraît-il, bien différent de celui du Maroc… »

À six heures trente ce 24 juillet, l'ordre d'assaut est donné. Mais comme toujours à la guerre, rien ne se passe comme prévu. Sur la route, les chars et leur compagnie d'accompagnement du 415ᵉ commencent bien à gravir les pentes dans un cliquetis de chenilles, mais le colonel Youssef Bey, intraitable, prend la tête d'une furieuse contre-attaque qui les bloque sur place. À gauche, trois compagnies françaises subissent un sort analogue. À droite, ça ne vaut guère mieux : un bataillon qui ne progresse pas. À l'extrême droite, enfin, c'est encore pire : trois compagnies de plus clouées au sol par l'artillerie arabe.

Reste l'aviation. Rien de mieux pour bombarder, mitrailler les positions adverses. Renseigner, surtout, sur le déroulement des combats et les positions respectives de ses protagonistes. Bonne nouvelle à l'extrême sud : les spahis commencent à gravir les pentes qui surmontent le Sahrat ed-Dimes. Plus loin, les aviateurs distinguent les méharistes qui se replient. Mais dans le défilé, on continue à piétiner...

Pas pour longtemps : Goybet a tranché. Il jette la réserve du 11ᵉ tirailleurs sénégalais sur le côté gauche de la route. Et cette fois, ça avance ! Vers dix heures trente, voilà la première ligne de défense syrienne prise d'assaut à la grenade et à la baïonnette. Youssef Bey, lui, refuse malgré tout de reculer. Les mines posées sur la route n'ont pas sauté ? Pas question de céder le terrain pour autant...

« Tire de plein fouet sur les tanks », ordonne-t-il à un de ses artilleurs.

Les Renault ? Mais ils sont à cent mètres à peine ! Un de leurs équipages repère le colonel-ministre à son uniforme rutilant. Longue rafale de mitrailleuse : Youssef Bey s'effondre. Touché à la tête et à la poitrine, il meurt sur le coup. Cet adversaire guidé par l'esprit de sacrifice « n'était certes pas à négliger » comme l'écrira Goybet à ses chefs. Hommage d'un professionnel de la guerre à un autre, moins chanceux, rien de plus : il est en effet très improbable que l'officier de chasseurs alpins ait compris les raisons panarabes de son adversaire...

Le colonel Youssef Bey a honoré la cause qu'il voulait défendre. En vain pourtant car, en une demi-heure, l'armée de Fayçal lâche prise. Elle s'enfuit, abandonnant canons et mitrailleuses sur le terrain.

La bataille s'achève. Côté arabe, elle a fait plusieurs centaines de victimes. Côté français, quarante-deux tués dont trois officiers, cent cinquante-cinq blessés et quatorze disparus.

Ce n'était ni Verdun ni la Somme, le combat de Khan Meissaloun. Le chemin de Damas, pas le Chemin des Dames. Assez de fer et de feu quand même pour abréger ce songe des Mille et Une Nuits : un grand royaume arabe unifié sous la houlette hachémite.

La défaite consommée, Nouri Saïd, qu'accompagne le colonel Cousse, vient négocier avec les vainqueurs les conditions de leur entrée dans Damas.

Fayçal tente de s'accrocher, mais rien à faire : Gouraud lui intime l'ordre de partir. Refaisant, mais en sens inverse, son parcours d'octobre 1918, voilà le monarque déchu dans le train pour Deraa.

Baisse-t-il les bras ? Pas encore. Sur place, Fayçal tente d'organiser la résistance. Pour qu'il quitte enfin la Syrie pour la Palestine et Haïfa, il faudra que Gouraud menace de bombarder Deraa par les airs.

Le 7, le haut-commissaire français fait son entrée dans l'ancienne capitale omeyade hostile et silencieuse. Sans crainte de heurter les Damascènes, il présente la victoire de ses hommes comme la revanche des croisés sur Saladin, puis prend ses quartiers dans l'ancienne résidence de Fayçal Iᵉʳ.

La Syrie sera bel et bien un mandat français...

30

Tempête sur l'Irak

« Seriez-vous disposé à monter sur le trône de Mésopotamie, Votre Altesse ? »

Avant de risquer la question, Ken Cornwallis, mandaté par le Foreign Office, son nouvel employeur, a retourné sept fois sa langue dans sa bouche, ce 7 janvier 1921, à l'Hyde Park Hotel de Londres. Prudence compréhensible quand on sait que Cornwallis ne s'adresse pas à Abdallah, le candidat hachémite officiel à la royauté irakienne, mais à son frère cadet Fayçal !

Le roi déchu de Syrie prend l'air du monsieur qui se demande pourquoi le ciel lui tombe sur la tête.

« Je n'ai jamais mis ma candidature en avant, murmure-t-il, parce que mon père le roi Hussein veut qu'Abdallah aille en Mésopotamie et que le peuple croirait que je travaille à ma propre gloire, et pas à celle de ma nation... »

La formule est noble mais la surprise du troisième fils d'Hussein, plutôt feinte. Voici six mois, ne confiait-il pas à Abd ul-Malik, le représentant du royaume du Hedjaz au Caire, que si le gouvernement britannique avait besoin de lui en Irak, il était prêt à assumer ses responsabilités ?

Depuis son départ forcé de Damas, le roi déchu de Syrie a vogué d'humiliation en humiliation. Replié en Palestine dans l'espoir d'un miracle, il a d'abord vu le gouvernement britannique prendre ses distances sous la pression de Gouraud.

Ensuite, l'Égypte l'a accueilli avec son entourage. Mais l'ex-roi voulait-il gagner l'Europe pour y plaider sa cause ? Les Français ont freiné des quatre fers. Plusieurs journées de tractations avant qu'on le laisse partir pour l'Italie, où il a débarqué le 25 août 1920. Et d'autres jours, plus longs encore, dans un hôtel des bords du lac de Côme, puis à Milan.

Déjà étroits, les liens avec Nouri Saïd allaient sortir renforcés de ce nouvel exil. Le noble hedjazi, fine silhouette portant avec élégance le complet-veston, et le fils de fonctionnaire irakien, si frêle dans son costume européen, ont déroulé à l'envers le film des années glorieuses. Que d'espoirs déçus, d'efforts gâchés, que de promesses trahies !

La Grande-Bretagne restait la seule branche à laquelle se raccrocher. Pas toujours fiable, mais quelle autre ? C'est vers Londres qu'il a fallu se tourner encore. Londres où Gabriel Haddad, l'ancien préfet de police de Damas, a défendu de son mieux la cause de l'ex-roi en liaison avec Lawrence.

Les fils du dialogue avec l'Angleterre se sont renoués, mais, soucieux de ménager les Français, le Foreign Office a refusé la venue de Fayçal. Un jour c'était oui, le lendemain non.

Le feu vert s'allume seulement en novembre 1920. Conçu pour semer les agents français accrochés aux basques du Hachémite, un circuit européen compliqué permet à Fayçal de poser le pied sur le sol anglais le 2 décembre.

Le vent semble enfin tourner. Le 4, le roi George reçoit en personne son hôte arabe. Grâce à Lawrence, Fayçal noue des contacts avec le gratin parlementaire britannique. C'est qu'on a terriblement besoin de lui...

L'Angleterre a voulu l'Irak, elle l'a. Mais ici, à peine a-t-on résolu un problème qu'un autre surgit dans la foulée du premier.

Ce pays semble fait de contradictions. Rivalités religieuses féroces entre les musulmans sunnites, minoritaires, et chiites qui, par-delà les siècles, gardent l'œil rivé sur leurs trois villes-sanctuaires les plus sacrées : Nadjaf, Kerbala et Kazimain, dans les faubourgs de Bagdad. Survivances chrétiennes et influence juive à Bagdad, siège d'une des plus importantes communautés israélites du Moyen-Orient – presque le tiers de la population de la capitale. Conflits nationaux avec les Kurdes, qui n'ont de cesse que d'arracher leur autonomie voire leur indépendance. Guerres tribales.

Comme si cela ne suffisait pas, la Mésopotamie se caractérise par une propension marquée aux révoltes sociales. Dès le VIe siècle avant Jésus-Christ, les esclaves prennent les armes contre leurs maîtres. Ils appellent au partage des terres, c'est la jacquerie marzak. Les rois perses de la dynastie sassanide*, qui règne alors sur le pays, la noient dans le sang.

Mais le ferment contestataire n'est pas mort. Après l'irruption musulmane, il va se greffer sur l'islam chiite, issu des parties les plus déshéritées de la population. Au IXe siècle de notre ère, les zendjs, esclaves noirs déportés de Zanzibar, se révoltent au nom d'un monde plus juste. En 868, ils se choisissent un chef, « Ali-le-Voilé », un prédicateur, Rachid Kurmati, et forment un gouvernement insurrectionnel.

Les voilà maîtres de Bassorah d'abord, de tout l'Irak du sud ensuite. À l'abri des marécages, les zendjs se bâtissent une capitale, « L'Élue ». Leurs raids menacent Bagdad. Quinze ans d'expéditions armées seront nécessaires pour en venir à bout. Ali-le-Voilé est décapité, sa tête rapportée à Bagdad. S'ensuit une répression épouvantable : tortures, décapitations, pendaisons. Mais le germe, là encore, n'a pas disparu.

Kurmati, le prédicateur des zendjs, était un partisan de Hamdan Karmat, chef ismaélien – une des tendances minoritaires de l'islam chiite – de la région de Koufa. Pour les karmates, la vérité religieuse se confond avec l'égalité sociale. D'abord organisés en cellules secrètes, ces irréductibles lèvent à nouveau l'étendard de la révolte en 903. Leurs terrains d'action ? La Syrie – ils assiégeront en vain Damas – et l'Irak – partis de Koufa, ils manqueront prendre Bagdad. Il faudra quatre ans pour que, écrasés, les karmates émigrent dans d'autres parties du monde arabe, laissant une profonde empreinte sur la Mésopotamie.

En 1258, les Mongols saccagent Bagdad, capitale des pères de la prospérité irakienne, les califes abbassides. Trois siècles plus tard, les Ottomans annexent la Mésopotamie. Mais la Sublime Porte sait que, ici, mieux vaut compter avec la pulsion rebelle. Elle va jeter le lest nécessaire, son autorité ne s'exerçant jamais de manière pressante.

L'Irak est considéré comme une marche de l'empire, non comme une colonie. Dans les trois provinces de Bagdad, Bassorah et Mossoul, les sultans d'Istanbul mettent en place une forme d'administration très souple. Surtout sunnites, à l'image des Turcs, les élites irakiennes sont associées aux prises de décision. Mais les chiites, les juifs, les chrétiens disposent aussi d'assemblées représentatives, et les Kurdes, pareillement.

Reste qu'il faut toujours compter avec l'instinct rebelle des Irakiens. En avril 1915, la population chiite de Nadjaf met à profit les premiers revers militaires turcs pour instaurer une sorte de république autonome, qui survivra jusqu'à l'arrivée des troupes britanniques.

À en croire la déclaration du vainqueur de Bagdad, Systematic Joe Maude, œuvre du fantasque Mark Sykes, les Britanniques n'arrivent pas en conquérants mais en amis de la cause arabe. L'illusion tombe pourtant quand A. T. Wilson prend les rênes à Bagdad, en remplacement de Percy Cox.

Hors de l'administration par la couronne britannique, point de salut. En foi de quoi, A. T., commissaire civil, dissout les conseils municipaux élus hérités de l'ère turque et les remplace par des officiers politiques anglais qui travailleront sans intermédiaire avec les chefs de tribu et les seigneurs ruraux.

La bonne idée de supprimer le peu de démocratie locale qui existait jusque-là ! Ce qui devait arriver arrive donc, en commençant par les régions chiites.

À Nadjaf, l'Association de la renaissance islamique, forte d'une centaine de religieux, se propose de lancer la révolte contre la présence britannique. Son comité secret a tissé des liens étroits avec les tribus des zones environnantes. Il passe à l'acte le 19 mars 1918, quand le capitaine Marshall, officier politique dans la ville sainte, est assassiné. Presque aussitôt, la ville se soulève sous la direction de chefs d'îlot désignés à l'avance.

Prévenu, le supérieur hiérarchique de Marshall, le lieutenant-colonel Balfour, arrive à marche forcée de Koufa. Il fait ouvrir le feu sur les insurgés, dont deux sont tués, ordonne qu'on encercle la ville. La réponse britannique à l'insurrection sera le blocus : ni vivres ni eau.

« Mes conditions, les voici, explique le colonel aux oulémas réunis le 23. Les dirigeants de l'insurrection nous seront remis ; cinquante mille livres sterling or ou l'équivalent, versés en qualité de dédommagement ; mille fusils rendus à nos troupes par quartier de Nadjaf ; cent Nadjafi que nous désignerons pour être déportés en Inde. »

La réponse étant négative, le blocus se poursuit, malgré l'appel à l'amnistie lancé le 25 par dix-neuf religieux.

Le lendemain, les dernières troupes ottomanes assiégées dans Ramadi capitulent. La brigade du général Sanders devient disponible. De ce fait, le 7 avril, elle s'empare des hauteurs qui dominent Nadjaf et parachève le blocus.

Dans la ville affamée, la situation sanitaire s'aggrave de jour en jour. Le soulèvement général qu'espérait l'Association pour la renaissance islamique a fait long feu. Il ne reste plus qu'à se rendre. Le 4 mai, l'armée lève le siège. Treize dirigeants de la révolte sont condamnés à mort par une cour militaire britannique. Cent soixante-dix autres seront exilés en Inde.

Le 30 mai, les condamnés sont pendus à Koufa devant une assemblée de religieux et de chefs de tribu, conduits de force sur le lieu du supplice.

« Les exécutions ont eu un profond effet à travers la Mésopotamie, spécialement parmi les hommes des tribus », se félicite Wilson, certain d'avoir agi à bon escient.

Vous avez dit aveuglément ? Quand le comité oriental demande, fin 1918, au commissaire civil d'organiser un plébiscite pour savoir ce que les Irakiens penseraient d'un royaume arabe sous magistère britannique, la consultation, rondement menée, donne en janvier 1919, des résultats faits sur mesure pour A. T.

Tout le monde se montre, paraît-il, d'accord pour que la Grande-Bretagne exerce son contrôle. Pour le nom de l'éventuel souverain, par contraste, c'est la cacophonie. Si Abdallah ne fait pas l'unanimité, Fayçal ne rassemble guère plus de suffrages. S'ajoutent par ailleurs la candidature d'Ibn Séoud, qui n'espère

rien mais s'aligne pour le principe, et celles de personnalités irakiennes comme Hadi el-Oumri, de Mossoul, Taleb Pacha, de
Bassorah, ou encore le cheik Khazal, porteur des espoirs chiites
qui finira par se désister en faveur de Fayçal.

Les troubles reprennent de plus belle. Au Kurdistan cette
fois. Désigné comme administrateur de la région de Soulei-
manyé par les autorités britanniques, le cheik Mahmoud Barzindji, un grand seigneur féodal du cru, s'empresse d'ouvrir un
second front. En mai 1919, le cheik Mahmoud proclame l'indépendance de sa région, parle même de se proclamer « roi du
Kurdistan », accès de mégalomanie qui lui vaut l'hostilité des
autres chefs de clan : a-t-on déjà vu les Kurdes se ranger sous
une bannière unique ?

S'ensuit une expédition militaire britannique. C'est qu'outre
les gisements de pétrole de Mossoul, repérés dès 1908 par un
ingénieur français, Tassart, mais cédés sans contrepartie dix ans
après par Clemenceau à Lloyd George, la Grande-Bretagne
possède un deuxième motif pour s'accrocher : le rôle de contrepoids du pays kurde pour limiter l'influence chiite.

Le cheik Mahmoud Barzindji capturé, A. T. décide donc, une
fois n'est pas coutume, d'accorder au Kurdistan un régime de
semi-liberté. Bien lui en prend : un incendie s'éteint.

Un autre s'allume déjà ailleurs. En décembre 1919, plusieurs
centaines de Bédouins, appuyés en sous-main par Zaïed, le frère
cadet d'Abdallah et de Fayçal, lancent un raid contre Dayr Az
Zaour, ville voisine de l'Euphrate, aux frontières imprécises de
la Syrie et de l'Irak.

Acclamés par les citadins, les assaillants veulent remplacer le
gouverneur arabe, trop complaisant, par un nationaliste bon
teint, Ramadan el-Challach. Ils mettent le feu aux bâtiments
publics. L'explosion d'un dépôt de carburant imprudemment
détruit va tuer trente d'entre eux...

Des combats opposent bientôt les Bédouins à la petite garnison britannique. Peu après, Challach fait son entrée dans la
ville et proclame l'indépendance de la zone. Il faudra l'intervention
de Djefar el-Askari, alors gouverneur chérifien d'Alep, et le pilonnage de deux appareils de la RAF pour qu'un semblant de calme
revienne.

De quoi conforter le ministre anglais de la Guerre et de l'Air, Winston Churchill, qui voit le recours à l'aviation d'assaut comme une recette miracle. Les raids de la RAF pourraient, croit-il, diminuer les frais trop élevés de la présence en Irak : vingt et un million de livres prévus pour cette année 1920.

A. T. triomphe. À tort, car Mouloud Moukhlis, nouveau gouverneur de Dayr Az Zaour nommé à l'instigation d'Askari, s'emploie à encourager les guérillas bédouines. Membre fondateur du Pacte, Moukhlis est ce vieux combattant de la thawra qui, au moment de l'offensive chérifienne manquée sur Maan d'avril 1918, faisait circuler une pétition demandant le départ des militaires britanniques de l'armée hachémite du Nord. Il va mener la vie dure au lieutenant-colonel Leachman, l'officier politique anglais.

Mécontentement chiite, mécontentement kurde, agitation aux frontières, cela fait tout de même beaucoup. Mais Wilson s'intéresse surtout aux élites sunnites urbaines et aux chefs des tribus bédouines, qu'on peut, estime-t-il, gagner plus facilement.

Autant dire que la grande révolte de 1920, coup de tonnerre dans un ciel prétendument serein, va le prendre de court...

Fait incroyable, ils ont mis entre parenthèses leurs querelles séculaires. Chiites des tribus ou des quartiers pauvres urbains et classes moyennes sunnites des villes tombent d'accord sur une série d'actions simultanées contre l'occupant anglais.

Les hommes des sociétés secrètes nationalistes ont quelque responsabilité dans cette ébauche d'union sacrée. La branche irakienne du Pacte est en effet très implantée à Mossoul, berceau de la société, ainsi qu'à Bagdad. Mais il faut aussi compter sur les chiites et leurs théologiens du rang le plus élevé, les moujtahids*.

Voyez Haras el-Istiqlal, la Garde de l'indépendance. Présidé par Mohammed es-Sadr, de la ville sainte de Kazimain, ce mouvement clandestin étend ses ramifications dans les quartiers de Bagdad acquis à l'islam chiite. D'où son rôle de passerelle entre les communautés musulmanes hier ennemies, aujourd'hui alliées.

En mars 1920, l'ayatollah Mohammed Taki Chirazi, de Kerbala, partisan de l'alliance entre chiites et sunnites contre les

Britanniques, lance une fatwa assimilant le service de l'administration britannique à un acte contraire à l'islam.

Quinze jours plus tard, une rencontre secrète a lieu à Nadjaf. Appuyés par Chirazi, oulémas et chefs de tribu décident de préparer l'insurrection. Des liens sont établis avec la Garde de l'indépendance et une réunion se tient en présence de Mohammed es-Sadr et de délégués de Kerbala.

Bientôt, les moujtahids mettent à profit les prêches d'après-ramadan pour appeler à la révolte contre les infidèles. Les cérémonies de célébration de la naissance de Mahomet et celles, spécifiques aux chiites, du martyre de son petit-fils, Hussein, tombent de surcroît à la même date, hasard du calendrier qui va permettre d'organiser, à Bagdad notamment, des manifestations devant les mosquées.

Pour déjouer la police et l'armée britanniques, les manifestants sont convoqués à partir du 13 mai devant des édifices religieux et dans des quartiers qui diffèrent chaque jour. Le 19, le moujtahid Mohammed es-Sadr et l'ouléma sunnite Ahmed Daoud conduisent une foule de Bagdadis qui conspue les « croisés britanniques » et leurs « espions ».

Malgré les menaces du nouveau gouverneur britannique de la capitale, Frank Balfour, et de nombreuses mises sous les verrous, les manifestations se prolongent. Dans la capitale, elles tournent aux appels enflammés à Abdallah, promu candidat du parti indépendantiste. Mais pas dans les villes saintes chiites, où le prestige des Hachémites reste bas.

Le 3 juin, A. T. Wilson, débordé, prévient Londres que la situation en Irak est « pire qu'à n'importe quel autre moment depuis le début de la guerre ».

Bien vu. Le lendemain, les tribus chammars entrent en dissidence, clamant qu'Abdallah serait en marche pour Bagdad afin de s'y faire proclamer roi.

« Tuez tous les Anglais ! » clament les insurgés.

Joignant le geste à la parole, ils en abattent six, dont deux officiers, les capitaines Stuart et Barlow.

« Ah, ils veulent la guerre ! rugit A. T. Ouvrez le feu à la mitrailleuse, arrêtez les rebelles et emprisonnez leurs chefs. Les villages insurgés seront détruits maison par maison, et nous interdirons qu'ils soient reconstruits. »

Les Britanniques arrêtent le fils aîné de l'ayatollah Chirazi, Mohammed Reda, coupable d'avoir organisé une manifestation de masse dans la cour du mausolée d'Hussein, un des plus hauts lieux de l'islam chiite.

S'ils comptaient décourager les insurgés, ils se trompent. L'incarcération du fils de l'ayatollah provoque, dès le 30, l'entrée en lice de la tribu belliqueuse des Zoualim, au sud-est de Nadjaf. Et par réaction en chaîne, celle de tous les Bédouins chiites du moyen Euphrate à partir de la mi-juillet. Un processus insurrectionnel qui n'échappe pas aux observateurs...

« Le gouvernement que nous avons installé est de type britannique, et sa langue est l'anglais. Il y a donc quatre cent cinquante agents d'exécution pour le faire marcher, et pas un seul responsable irakien [...] Les quatre-vingt mille soldats que nous avons là-bas sont occupés à des tâches policières et non pas à garder les frontières. Ils tiennent le peuple sous le joug [...] Être privés du privilège de partager la défense et l'administration est très irritant pour les Irakiens éduqués [...] Ils ont attendu et bien accueilli la nouvelle de notre mandat [...] Maintenant, ils sont en train de cesser de croire en nos bonnes intentions. »

Il ne mâche pas ses mots, T. E. Lawrence, dans ce courrier au rédacteur en chef du quotidien britannique le *Times*, daté du 22 juillet 1920, deux jours avant la bataille de Khan Meissaloun qui va mettre fin aux espoirs syriens de Fayçal.

Et que dire de cet article publié dans l'*Observer* du 8 août 1920 ? Qu'il peint un tableau plus sombre encore : « Le peuple anglais a été pris, en Irak, dans un piège dont il sera difficile de sortir avec dignité et honneur [...] Combien de temps encore laisserons-nous sacrifier des millions de livres, des milliers de soldats de l'Empire britannique et des dizaines de milliers d'Arabes au nom d'une forme d'administration coloniale qui ne peut profiter qu'à ses administrateurs ? »

Le cri de rage d'un homme qui craint qu'entre intransigeance française en Syrie et impéritie wilsonnienne en Irak, la solution hachémite s'écroule dans la rancœur.

La révolte irakienne bat en effet son plein. Seule en viendra à bout une répression impitoyable, menée, entre autres, par la RAF. Les aviateurs britanniques n'hésitent pas à larguer sur les insurgés ce gaz moutarde qui fit tant de ravages sur le front européen pendant la guerre mondiale. Pourquoi se gêneraient-ils, puisque Winston Churchill, leur ministre, écrivait dès mai 1919, à propos des rebelles irakiens : « Je suis très favorable à l'usage de gaz empoisonné contre les tribus non civilisées… la perte de vies devrait en être réduite au minimum. Inutile de se servir uniquement des gaz les plus mortels : on peut en utiliser certains autres qui provoquent un sérieux inconfort et permet-traient de répandre une bonne dose de terreur sans avoir d'effets permanents graves sur ceux qu'ils sont susceptibles de toucher » ?

Sur terre comme dans les airs, l'Irak d'A. T. Wilson vire au cauchemar : près de neuf mille tués et blessés côté arabe pour cinq cents et autant de prisonniers ou disparus côté britan-nique ! Mais l'aéroplane constitue, c'est vrai, une arme efficace. Les renforts terrestres qui affluent, aussi – en juin, leurs effectifs grimperont jusqu'à cent mille hommes, en provenance essen-tiellement de l'armée des Indes.

Militairement, la situation finit par s'améliorer à partir de septembre, avec la reconquête des régions au nord, à l'ouest et à l'est de Bagdad qui permettent l'isolement de la zone du moyen Euphrate. Trop disparates, trop mal coordonnés, insuffisam-ment armés, les cent cinquante mille insurgés de 1920 ont perdu la partie.

Reste à panser les plaies. Ce virage sur l'aile digne d'un as de la RAF porte un nom : Percy Cox, rappelé en catastrophe dès octobre 1920. Limogé, Wilson quitte la fonction publique pour « pantoufler » au sein de l'Anglo-Persian Oil Company, société rachetée par l'État britannique en 1914 qui exploite les pétroles d'Iran et lorgne sur les gisements de naphte irakiens.

Un changement de style plus qu'un bouleversement politique. Partisan d'un « self-government » arabe (mais « de façade », précise-t-il dans ses correspondances à Londres), Cox charge un notable bagdadi, Mohammed el-Kailani, de former un cabinet autochtone, le Conseil d'État, premier gouvernement arabe en Irak depuis le sac de la capitale par les Mongols.

Gertrude Bell s'en réjouit. Elle a retrouvé son Rocher de Brighton, souplesse et intelligence au service de la fermeté. Déjà, Khatoun renoue avec son vieil ami St John Philby. Arrivé en catastrophe à Bagdad en août, ce partisan affirmé mais solitaire de la solution séoudienne va devenir l'adjoint masculin de Cox.

Il faut faire naître un Irak nouveau, plus économique pour la couronne britannique...

31

Le protocole du Caire

« J'affirme sans la moindre hésitation que je soutiens la monarchie et le rétablissement du roi Fayçal sur son trône. Vous, nos frères syriens, devez diriger vos propres affaires, et posséder votre propre pays. Nous sommes prêts à verser notre sang pour vous, et je pense que nous avons fourni par le passé suffisamment de preuves de loyauté à votre race et à votre pays en nous exposant au danger. »

Humilié à Touraba, exilé intérieur à La Mecque, on le croyait sorti par la petite porte du jeu diplomatique. Et voilà que ce 5 décembre 1920, le prince Abdallah trouve le moyen d'y entrer par la fenêtre.

Depuis Maan, ville de Transjordanie qui fait en théorie partie du Hedjaz, son appel à la révolte des Syriens résonne à la manière d'une résurrection.

Une initiative qui doit tout à la subtilité du prince. Du fin fond de son Hedjaz, Abdallah a su percevoir le sens caché des événements : après la perte du trône de Syrie, le vent tournait et en Irak, c'est lui qui risquait de faire les frais de la redistribution des cartes anglaises.

Le prétexte Fayçal frise l'imposture. Mais pour s'infiltrer en Transjordanie, première phase de l'opération retour sur le devant de la scène, pas de meilleur choix. Longue bande de terre de quatre-vingt-dix mille mètres carrés qui s'allonge en bordure de la vallée du Jourdain entre Akaba, au sud, et Irbid, au nord, la Transjordanie vit en effet dans un flou politique propice.

Deux cent cinquante mille personnes peuplent cette contrée frontalière de déserts qui se suivent mais ne se ressemblent jamais. Une grosse moitié de sédentaires répartis dans deux cents villages et une douzaine de villes, toutes petites. Le reste, des Bédouins des tribus : Haoueitat Ibn Djazi ou Ibn Nedjd au sud ; Béni Atiya et Béni Sakr au centre ; Adouan, Béni Khalid ou Béni Hassan au nord.

En théorie, la Transjordanie se rattache au royaume du Hedjaz. Mais, trop éloignée de La Mecque, le malik Hussein n'y possède aucun relais. Aux limites méridionales de la région, c'est plutôt l'influence d'Ibn Séoud qui se fait sentir au travers de tribus wahhabites comme les Mouteïrs*. Quant au nord transjordanien, on peut soit le rattacher à la Syrie, soit à la Palestine mais son statut définitif reste encore matière à discussion chez les Britanniques...

Depuis longtemps, sir Herbert Samuel, le haut-commissaire anglais à Jérusalem, demande le rattachement de la Transjordanie à sa zone. Tellement que les Arabes le soupçonnent de vouloir ouvrir de nouvelles terres à la colonisation juive. L'an dernier déjà, ce sympathisant sioniste espérait y installer soixante-dix mille israélites du Caucase.

Samuel est juif, et, au contraire de son cousin Edwin Montagu, le secrétaire d'État pour l'Inde, très réservé sur les projets de fondation d'un État hébreu, il fait montre d'un enthousiasme pour la cause sioniste qui frôle l'exubérance.

Trop au goût de l'état-major du Caire, dont l'État hébreu n'a jamais été la tasse de thé. Les militaires ont arraché un statut spécifique pour la Transjordanie. La contrée sera divisée en trois mini-« royaumes », fiefs d'agents politiques établis l'un à Kérak, les deux autres à Amman et à Ajloun.

À Kérak, l'officier en poste n'est autre qu'Alec Kirkbride, que nous avons vu, jeune lieutenant, marcher aux côtés de Lawrence sur Damas en octobre 1918. Pour le différencier de son frère Alan, en fonction, lui, à Es Salt, leurs amis le surnomment « Kirk ».

La marche d'Abdallah vers la Transjordanie, ventre mou de l'appareil impérial britannique au Moyen-Orient, commence le 27 septembre 1920, quand les quelques centaines de Bédouins hedjazi encadrés par d'ex-officiers irakiens de l'armée arabe du Nord qui constituent son escorte quittent La Mecque sur leurs dromadaires.

L'expédition mobilise des figures majeures de la thawra comme le chérif Chaker, compagnon d'infortune de Touraba, ou le chérif Harithi.

Le 21 novembre, la petite troupe, rejointe en chemin de fer par Abdallah et son entourage, plante ses tentes à Maan, qui connut autrefois un des échecs les plus cuisants de l'armée du Nord. Forte du bon accueil des populations locales, elle s'y installe. Mais Abdallah, s'il affiche des intentions belliqueuses, comme dans sa déclaration du 5 décembre, n'a en fait pas la moindre intention d'en découdre avec les hommes de Gouraud. Entre impérialismes français et britanniques rivaux, c'est un fief qu'il vient se tailler.

Trois mois ne seront pas de trop pour obtenir le ralliement des cheiks des tribus bédouines et se bombarder « vice-roi de Syrie », régent à la place de Fayçal, empêché.

Malgré ses appels aux membres du Congrès national syrien et aux anciens de l'armée fayçalienne, le prince ne dispose pourtant que d'une force militaire insignifiante à l'aune de celles d'Allenby ou de Gouraud : trois cents à quatre cents hommes et six mitrailleuses. Et ses moyens financiers sont si réduits que beaucoup de politiciens syriens, surtout sensibles à cet aspect des choses, refusent de le suivre. D'autres lui proposent des plans de propagande mirifiques mais payants, et très chers...

Reconnu comme émir de Kérak par Kirkbride, qui exerce pour sa part les improbables fonctions de « conseiller du gouvernement de Moab », Abdallah quitte Maan le 1er mars par le train.

Amman, bourg de deux à trois mille habitants où le chérif Harithi l'a précédé en qualité d'éclaireur, lui réserve un accueil chaleureux, de même qu'Ajloun. Le prince en appelle sans complexe à la « solidarité musulmane pour lutter contre les colonisateurs français coupables d'avoir sapé le trône édifié par les

Syriens sur une politique de rapprochement et d'amitié entre les peuples ».

Il était temps, car les Britanniques pressent le pas...

Le premier janvier 1921, Winston Churchill s'est vu désigner par Lloyd George comme son nouveau ministre des Colonies en remplacement de lord Milner.

Même s'il en a déjà l'étoffe, Churchill n'est pas encore ce « Vieux Lion » qui, en 1940, transformera l'Angleterre en citadelle du monde libre. Il porte le poids du désastre des Dardanelles. C'était son idée, et faute d'une préparation suffisante, le débarquement aux portes d'Istanbul s'est transformé en cauchemar pour l'Anzac.

L'homme, pourtant, semble indestructible. Il est revenu sur la scène comme ministre de l'Air puis, dans le cadre de la restructuration générale du dispositif impérial britannique, comme ministre des Colonies.

Sa feuille de route est précise :

« Notre présence outre-mer coûte trop cher, sir Winston. Réduisez-la à un niveau admissible. En temps de guerre, l'opinion a accepté par patriotisme le matraquage fiscal. Mais la paix revenue, elle ne veut plus de morts inutiles. Débrouillez-vous pour trouver des solutions sans compromettre les intérêts fondamentaux de l'empire.

— Et quand prendrai-je mes fonctions ?

— Le 15 février mais, vous connaissant, il est évident que vous n'attendrez pas jusque-là... »

Une politique coloniale à l'économie, cela peut se traduire par le recours systématique aux appareils de la RAF, voire aux gaz de combat, pour liquider les insurrections régionales. Mais c'est avant tout tirer le meilleur parti de cette ressource dont le pays dispose heureusement encore : la matière grise.

Churchill ne connaît pas grand-chose aux affaires moyen-orientales, et le reconnaît volontiers. Sans attendre d'occuper officiellement son bureau ministériel, il commence donc à mobiliser la poignée de spécialistes déjà identifiés.

Prenez Lawrence, le « roi sans couronne d'Arabie » comme le surnomme désormais la presse. Un héros solitaire selon le cœur de Churchill, d'où la perméabilité du ministre à l'argumentaire de la solution hachémite en général, et de Fayçal en particulier. Conseiller officieux, Lawrence a eu tôt fait de désigner ses anciens supérieurs hiérarchiques du temps de la thawra, Pierce Joyce et Ken Cornwallis, comme des experts incontournables.

L'interminable guérilla administrative entre Foreign Office, India Office, War Office et état-major du Caire semble enfin gelée. C'est la formule la plus logique qui va prévaloir : un département du Moyen-Orient pour imposer enfin une politique cohérente dans cette région.

« Accepteriez-vous d'en prendre la tête ? » demande Churchill à Arthur Hirtzel, qui, fidèle aux vues antichérifiennes du gouvernement des Indes, décline l'offre.

La place échoit à John Evelyn Shuckburgh. Chaud partisan d'A. T. Wilson autrefois, ce haut fonctionnaire de l'India Office a changé d'avis au vu des résultats désastreux de son champion.

« C'est Fayçal qu'il nous faut à Bagdad, et personne d'autre. Surtout pas Abdallah ! » précise Churchill.

Shuckburgh se plie sans difficulté au modus operandi churchilien. Une valse à trois temps : Lawrence, qui n'a aucune fonction officielle, propose, appuyé à distance par Gertrude Bell, le ministre suit et le département du Moyen-Orient exécute...

Comme conseiller du ministère pour les questions d'Irak, sir Winston jette son dévolu sur Reader Bullard. Arabophone, cet ancien du service consulaire du Levant, interprète de turc puis consul à Trébizonde et Erzerum, est entré dans l'entourage de Percy Cox pendant ses années de guerre en Mésopotamie.

Un temps gouverneur de Bagdad, Bullard ne montre pas un enthousiasme débordant envers Fayçal. Le paradoxe veut en effet que, sur la quinzaine de fonctionnaires du département du Moyen-Orient, seul Hubert Young, désigné sur la recommandation de Lawrence comme son responsable administratif et politique, se soit prononcé d'emblée en faveur du troisième fils du malik Hussein. Mais qui s'opposerait aux intuitions de sir Winston ?

L'équipe du Moyen-Orient va s'adjoindre quelques fortes personnalités comme le colonel Meinertzhagen ou Forbes Adam, du Foreign Office. Mais, en Irak même, les analyses de Percy Cox et Gertrude Bell diffèrent.

Depuis sa première rencontre avec Fayçal à Damas, Khatoun est tombée sous son charme de Fayçal, et voit en lui l'homme du destin. Sir Percy, qui n'a aucune connaissance personnelle du clan hachémite, note pour sa part qu'« Abdallah, d'après ce que je sais, est moins compétent mais plus amical ».

Tant de circonspection irrite Churchill. Le lendemain même de la rencontre entre Fayçal et Cornwallis à l'Hyde Park Hotel, une deuxième se tient le 8 janvier dans la propriété de campagne de lord Winterton. Lawrence y côtoie Ormsby-Gore et Winterton lui-même.

Épaulés par un nouveau venu, l'Anglo-Irlandais Walter Guiness, député conservateur du Suffolk et, pendant la guerre, lieutenant-colonel aux Dardanelles, les trois vieux routiers de la thawra vont mener cinq heures de rang le siège de Fayçal. Lequel, à court de fausses pudeurs, finit par accepter de recevoir des mains britanniques le royaume d'Irak, en lieu et place de son frère !

Les jeux sont faits. Le 15, le ministre câble à Percy Cox cette liste de questions :

« Pensez-vous que Fayçal est le meilleur homme et l'homme qu'il faut ? À défaut, préférez-vous Abdallah à toute personnalité locale ? Avez-vous mis en avant le nom de Fayçal parce que vous considérez que c'est lui le meilleur homme sur le long terme ou comme un expédient de dernier recours dans l'espoir de réduire rapidement nos garnisons sur place ? Si vous êtes réellement convaincu que Fayçal est nécessaire, pouvez-vous vous assurer qu'il sera choisi localement ? »

C'est Fayçal qu'on veut. À Cox de faire avaler la pilule hachémite aux Irakiens.

Par la grâce du Colonial Office, la couronne d'Irak était virtuellement sur la tête de son frère[1]. En jouant quitte ou double en Transjordanie, au risque de mécontenter le Colonial Office, le deuxième fils d'Hussein n'a donc rien perdu qui ne le fût déjà.

---

1. Façon occidentale de parler car, en pays arabe, les rois n'en portent pas... (N.d.A.)

De fait, le département du Moyen-Orient va tenir sous peu une réunion décisive...

Trente-neuf hommes pour une seule femme. Longue robe de soie, étole de vison et chapeau à fleurs, Gertrude Bell déteint sans déteindre dans ce milieu masculin.

Sous la houlette de Winston Churchill, tout ce que l'Empire britannique compte de spécialistes du Moyen-Orient converge à partir du samedi 12 mars 1921 vers l'hôtel Semiramis du Caire, siège d'une conférence qui doit déterminer la politique impériale pour les années à venir.

Autour du ministre des Colonies, une foule de têtes connues : Allenby, haut-commissaire en Égypte ; John Shuckburgh, chef du tout nouveau département du Moyen-Orient. Plus tard, Herbert Samuel à la tête de la délégation de Palestine, assisté de son secrétaire civil Wyndham Deedes, qui, inspecteur au ministère ottoman de l'Intérieur avant 1914, parle turc presque aussi bien que Mustapha Kemal.

Les salons de l'hôtel Semiramis vont même accueillir A. T. Wilson, représentant de l'Anglo-Persian Oil Company. Un mélange des genres entre économie et politique qui ne choque personne dans la mesure où, ici, chacun n'a en tête que la prospérité de l'Empire.

Beaucoup de Britanniques donc, mais peu d'Arabes. Pour l'Irak, seuls ont été conviés Djefar el-Askari, ministre de la Défense du Conseil d'État, le gouvernement « arabe » sous contrôle britannique, et son homologue des Finances, Sassoun Effendi Eskail, un notable juif probritannique. Mais leur collègue Sayed Taleb, ministre de l'Intérieur, s'est vu écarter d'office par Cox et Khatoun. Chef d'une des vingt grandes familles qui tiennent l'Irak, ce nationaliste montrait trop de tiédeur envers Fayçal...

Comment imposer le candidat hachémite de la Grande-Bretagne ? La tâche semble d'autant plus surhumaine qu'après la révolte de l'année précédente, on ne saurait dépasser certaines limites en matière de recours à la force armée.

« La solution, c'est la Royal Air Force, insiste Churchill. Quelques escadrilles et deux ou trois pelotons d'autos blindées feront respecter la volonté impériale plus efficacement que des régiments entiers de lanciers. »

Autre pomme de discorde, Abdallah. Passe encore que celui-là soit parvenu à s'imposer en Transjordanie : la fortune, après tout, sourit aux audacieux. Mais ce qui chagrine sir Samuel, c'est le risque que la constitution de l'émirat de Transjordanie vienne gêner la mise en place du Foyer national juif prévu par la déclaration Balfour. Un mémorandum signé à la fin février par Shuckburgh, Lawrence et Young présente toutefois la difficulté comme aplanie, pour peu que le Foyer national juif se limite à la rive occidentale du Jourdain, et la Transjordanie à sa rive orientale.

Outre Paris, défavorable à la constitution de deux entités hachémites, l'une à Bagdad avec Fayçal, et l'autre à Amman avec Abdallah, il faut tenir compte des wahhabites. Un simple regard sur les cartes géographiques montre qu'Ibn Séoud posséderait, dans ce cas de figure, trois bonnes raisons de s'estimer victime d'un encerclement : le Hedjaz toujours aux mains du malik Hussein et de son aîné Ali à l'est ; la Transjordanie et l'Irak au nord.

« Portons son indemnité annuelle à cent mille livres », tranche Churchill.

Cox reste sceptique. Le « serviteur du Bien-Aimé » n'est pas homme à se contenter d'un peu d'argent supplémentaire...

Au Caire, on travaille beaucoup, mais on trouve aussi le temps de se distraire. Churchill pose à dos de dromadaire devant le sphinx de Gizeh. Immédiatement à sa gauche, Khatoun et Lawrence, saisis pour la postérité sur le même cliché que le ministre des Colonies.

L'hôtel Semiramis se remplit à nouveau pour les séances finales. Connu sous le nom de « protocole du Caire », le relevé des conclusions de la conférence fait, entre autres, de Fayçal le futur roi d'Irak.

On bute quand même toujours sur l'obstacle Abdallah. Résolu à faire sauter ce dernier verrou, Churchill boucle ses valises pour Jérusalem, où il parvient le 26 mars. Dans l'intervalle, on a envoyé Lawrence à Es Salt. Il ramènera Abdallah en auto-mobile.

Au palais du gouvernement, le vaste hospice que les Alle-mands ont bâti avant-guerre sur le mont des Oliviers, Deedes, Samuel, Young et Lawrence entourent Churchill.

En échange de la fin de toute revendication d'Abdallah sur le trône d'Irak, un accord intervient sur le problème transjorda-nien. Pendant une période probatoire de six mois, la région sera constituée en une principauté autonome, dont le fils d'Hussein deviendra l'émir.

« Mais pas d'action antifrançaise ou antisioniste, insistent les Britanniques.

— D'accord, si mon émirat reste vierge de toute présence militaire britannique, réplique Abdallah.

— C'est convenu. À titre d'aide financière, nous vous verse-rons cinq mille livres annuelles. »

Le prince tique, il espérait plus. Mais à quoi bon demander la lune ?

Churchill, lui, enfonce le clou :

« Soyons clair, Votre Altesse. Dans la mesure où vous ferez tout ce qui sera en votre pouvoir pour atteindre les objectifs que nous venons de définir ensemble, le gouvernement de Sa Majesté ne peut en aucun cas garantir que l'affaire aboutira selon vos désirs. »

La Grande-Bretagne exige beaucoup, paie peu et ne s'engage pas pour l'avenir...

32

La dame de Bagdad

Si Nouri Saïd, revenu d'Italie en éclaireur, n'avait pris la précaution de distiller quelques messages d'avertissement, Fayçal serait tombé de haut : l'accueil des Irakiens, ceux de Bassorah en tout cas, est de glace.

Ici, personne ne veut de lui. Rien à voir avec la folie qui régnait dans les rues de Damas, quand chacun voulait voir, acclamer, embrasser le tout nouveau souverain hachémite.

Au fur et à mesure que le cortège officiel monte en train vers Bagdad, chaque gare semble désaffectée, quais vides et salles d'attente désertes. Une poignée de notables commis d'office, et encore.

Le doute commence à envahir Fayçal...

« Que pensez-vous de mes chances ? » demande-t-il à St John Philby, chargé par Percy Cox de baliser, étape par étape, le terrain du prétendant au trône jusqu'à Bagdad.

À l'image de cet interlocuteur malcommode, la réponse sera franche, mais brutale :

« Cela dépendra beaucoup de votre attitude. Si tant est que le peuple en général ait une position politique, celle-ci tient en un seul mot – indépendance. La rébellion s'est déclenchée et a été menée dans ce seul but. Elle a été interrompue face à l'annonce d'un changement de politique en faveur de l'indépendance par

374

le gouvernement britannique. À présent, si vous avez l'intention de fonder votre campagne sur le fait que vous êtes le candidat désigné du gouvernement britannique, je pense que vos chances seront extrêmement minces. D'un autre côté, si vous déclarez que vous sollicitez le suffrage populaire en tant que champion de l'indépendance totale, je suis persuadé que vous aurez plus de chances que n'importe qui. »

Philby, on le sait, surprend toujours son monde. À plus forte raison quand il se met à expliquer au prétendant qu'à son avis, la monarchie ne convient pas à l'Irak ! Un régime républicain serait mieux indiqué, paraît-il...

Fayçal parvient à Bagdad le 29 juin. Un détour par Kerbala et Nadjaf, les villes saintes chiites, a décalé le calendrier établi par Cox, de sorte que le haut-commissaire et les notables qui forment le comité d'accueil arrivent en avance à la gare.

Au cœur de l'été, il fait très chaud.

« Demandez à Fayçal d'attendre le soir pour sa réception officielle », ordonne sir Percy.

Quelques heures de répit que le futur roi et son chaperon, Ken Cornwallis, mettront à profit pour visiter la ville. Depuis sa prise par les Mongols, sept siècles plus tôt, la cité n'a plus joué le rôle de capitale. Impossible de la confondre avec une grande ville moderne. Peu de palais ou de grands bâtiments susceptibles d'abriter des administrations étoffées.

Sur le Tigre, trois longs ponts de bateaux – ils étaient cinq aux derniers temps des califes abbassides. Les maisons de brique en boue séchée manquent totalement de confort. Les rues non pavées sont couvertes de poussière. Quant aux conditions sanitaires, il suffit de rappeler que le conquérant anglais de Bagdad, Systematic Joe Maude, y a péri du choléra pour avoir ingurgité un verre de lait contaminé.

Quelques grandes familles de riches commerçants et de dignitaires religieux règnent sur la capitale. La classe moyenne, musulmans sunnites ou juifs, est peu nombreuse. Le peuple, lui, vit dans une pauvreté frappante.

Mais la séduction, ce don de Dieu, n'a jamais manqué à Fayçal. Le candidat au trône saura s'en faire une arme ici, sur les bords du Tigre. Si la province a fait grise mine au nouveau venu, la capitale lui montre un visage plus avenant. L'accueil des élites se révèle aussi bon que celui des quartiers populaires. Après tant de désillusions, c'est la première bonne surprise.

Conscients de l'importance de la protection britannique et sans doute informés des rencontres du prétendant avec Weizmann, les Juifs de Bagdad lui réservent une réception chaleureuse dans la résidence officielle du grand rabbin. Les dirigeants des communautés chrétiennes de la capitale y assistent, ainsi que tous les ministres arabes et pas mal de notables musulmans.

Va-t-on, comme s'illusionne Gertrude Bell au soir de ce jour, vers un « mélange détonnant » de toutes les religions, un Irak unitaire multiconfessionnel ?

Pas vraiment puisque Percy Cox, et Khatoun elle-même, ont fixé la stratégie anglaise dans le pays.

Elle tient en trois points, ceux-là mêmes que reprendra Saddam Hussein après son accession au pouvoir, un demi-siècle plus tard.

Un, on confine les Kurdes dans les régions montagneuses afin qu'ils servent de tampon avec la Turquie.

Deux, on assied le gouvernement central sur la minorité sunnite.

Trois, on réprime de temps à autre les chiites et, au besoin, on n'hésite pas à expulser leurs moujtahids récalcitrants vers l'Iran...

Le 30 juin, Fayçal et son entourage rencontrent Khatoun à Falloudjah, où ils sont allés ensemble solliciter le ralliement des tribus chiites rivales, les Aneizés, acquis à la Grande-Bretagne, et les Doulaim, qui lui sont hostiles.

Dans l'ombre, Gertrude a manigancé toute l'affaire avec Fahad Bey ibn Hadhldhal, vieille figure aristocratique aneizé qui, sur ses conseils, ralliait le camp anglais en 1917.

Fayçal se tient sous une vaste tente noire, entouré de centaines de cavaliers et de chameliers des tribus dont on ne sait trop si elles sont amies ou ennemies. Quand la Ford de Khatoun et de Fahad Bey s'arrête, le prétendant sort accueillir ses visiteurs, splendide dans sa longue robe blanche et sa cape sombre. Il les invite à prendre place, elle à son côté gauche et lui à son côté droit, puis s'assied à son tour. Et c'est toujours assis qu'il se lance dans un vibrant discours :

« Frères ! Mon monde est le vôtre, et je vous parle de frère à frères, d'ami à amis et non comme un roi s'adressant à ses sujets. Pour vous, je ne suis pas un étranger. Mes paroles, vous pouvez les écouter en toute confiance. Comme je vous sais des Arabes et des Bédouins, je viens à vous et, depuis quatre ans, jamais je ne me suis trouvé en pareille compagnie dans un endroit comme celui-ci. »

Un coup de poing sur la table ponctue la suite de son exhortation, que les hommes des tribus suivent avec passion. Orateur de grande classe, le candidat du trône est dans son élément quand il s'adresse à la foule :

« Ô Arabes, êtes-vous en paix les uns avec les autres ?

— Oui ! Oui ! C'est la vérité, par Dieu !

— De ce jour et de cette heure, tout Bédouin qui portera la main sur un autre Bédouin sera responsable devant moi. Je siégerai parmi vous, avec les cheiks des tribus comme conseil. J'ai mes droits sur vous parce que je suis votre seigneur.

— Oui ! crie la foule. Par Dieu, c'est la vérité !

— Et nos droits à nous ? s'inquiète quand même un Bédouin à la barbe grise.

— Vos droits, vous les avez comme sujets, et c'est ma tâche de les préserver. »

Fahad Bey et Ali Souleiman, le chef des Doulaim, s'avancent alors pour le serment d'allégeance.

Khatoun contemple la scène. Cette cérémonie, c'est son œuvre. Mais pas son chef-d'œuvre, elle en est consciente, le chemin restant long avant le triomphe de la solution hachémite ici, en Irak.

En ces années 1920 naissantes, quelle aventure plus passionnante pour une fille de maître de forges du Yorkshire que l'édification d'un royaume ?

Cet intermède du 2 août 1921, c'est Khatoun qui en a eu l'idée. L'érudite se sent dans son élément ici, à Ctésiphon. À trente-cinq kilomètres à peine de Bagdad, l'ancienne résidence d'hiver des rois parthes, qui régnèrent jusqu'en 226 avant Jésus-Christ sur ce qui n'était pas encore l'Irak, se résume à quelques ruines. Mais quelle splendeur, quelle charge émotionnelle !

De l'autre côté du Tigre, d'autres vestiges, celle de Séleucie. Car ainsi va l'histoire : Séleucie du Tigre fut abandonnée au profit de Ctésiphon qui, prise et saccagée trois fois par les Romains, devait céder à son tour la place de capitale à Bagdad, construite avec les pierres des deux cités déchues.

Tisfoun, disent les Arabes qui désignent les ruines jumelles de Ctésiphon et de Séleucie comme El Madaïn – « Les Villes ».

Des villes et des batailles.

C'est Orodès, de la famille régnante perse des Arsacides, qui fonde Ctésiphon.

C'est le général Suréna qui bat l'armée romaine, décapitant Crassus en 53 avant Jésus-Christ au sud d'Édesse – Ourfa de son nom arabe.

Rival de l'Empire romain en Orient, l'Empire perse est séparé de son ennemi par le Tigre et l'Euphrate. La Mésopotamie devient de ce fait le champ clos de leur querelle. Celle-ci redouble sous la dynastie des Sassanides, successeurs des Arsacides. En 363, marchant sur les traces de Trajan et de Vérus, l'empereur Julien l'Apostat bat l'armée du Sassanide Chapour II sous les murs de Ctésiphon.

Mahomet fait triompher l'islam. Cinq ans après la mort du Prophète, en 637, les Arabes parviennent devant Ctésiphon. Après deux mois de siège, ils l'arrachent à Yezderdjed III, dernier des rois sassanides. Tisfoun vaincue se vide alors de ses habitants.

Deux siècles après ce succès retentissant, le deuxième calife abbasside, El Mansour, fonde Bagdad, qu'on bâtira avec les pierres d'El Madaïn. « Les Villes » ne sont plus que de somptueux vestiges sur lesquels flotte le parfum de l'oubli.

Le nom de Ctésiphon ne disparaît pourtant pas des tablettes. En décembre 1915, c'est encore là que la 6e division de l'armée des Indes, commandée par le général Townshend, marchant sur Bagdad, va se casser les dents sur les tranchées ottomanes. Battant en retraite vers Kut-el-Amara, elle capitulera, on le sait, en avril 1916, après cent quarante-sept jours de siège. Un épisode que Gertrude connaît bien : c'est à cette occasion qu'elle a renoué avec Lawrence, envoyé par le Bureau arabe dans le vain espoir de corrompre les officiers ottomans avant que la défaite des armes britanniques devienne inévitable.

En tant qu'archéologue, Khatoun a visité El Madaïn pour la première fois en 1909. Sa passion pour ce haut lieu n'est donc pas nouvelle. Elle entend la faire partager à Fayçal comme un élément de son éducation de roi. Cours d'histoire ? De majesté plutôt. Élevé à Istanbul puis à La Mecque avec d'autres préoccupations et d'autres références, Fayçal connaît si peu le passé du pays qu'il veut diriger.

Gertrude parcourt les ruines. Face aux décombres de son palais, elle raconte qui fut Chosroès Ier, roi sassanide conquérant du Yémen. À grand renfort de gestes et de phrases, elle convoque les armées parthes, les cohortes venues de La Mecque au nom d'Allah. A-t-elle déjà en tête le musée d'Archéologie de Bagdad qui, avec Fayçal lui-même, sera son chef-d'œuvre ?

De cette journée initiatique à Ctésiphon ne reste aujourd'hui qu'une photo : celle d'un pique-nique près des ruines où Khatoun, accroupie, en robe, le chapeau sur la tête et un collier autour du cou, pose, seule femme au milieu de sept hommes dont Fayçal en uniforme.

Une photo et une lettre à son père et à sa belle-mère.

« Fayçal m'a promis un régiment dans l'armée arabe – le *Khatoun's Own* [...] Nouri Saïd a même proposé que j'aie un corps d'armée. Ô père, n'est-ce pas merveilleux. Parfois, je pense que je vis dans un rêve. »

S'engage de ce jour entre Gertrude et Fayçal un jeu de séduction mutuel, le monarque déployant son charme naturel et l'Anglaise, abusant de l'avantage que confère, en pays arabe, le fait d'être une femme capable d'arpenter le désert, parlant parfaitement ses langues et dialectes, fréquentant intellectuels et cheiks, possédant leur culture.

Khatoun fut-elle amoureuse de Fayçal ? Ne sondant pas les reins et les cœurs, nous n'en savons rien. Peut-être finit-elle par souffrir d'une sorte de complexe de Pygmalion envers le roi qu'elle avait si largement contribué à façonner. Mais le plus probable, c'est que cette amazone, malheureuse dans sa vie affective, aura mué les jeux du pouvoir en une forme distanciée d'érotisme : Lawrence à la vie sexuelle mutilée n'a pas agi autrement, après tout.

Des rapports complexes et ambigus qui, en tout état de cause, ne dépasseront jamais le cap d'une sorte d'amitié amoureuse, fascinée et intéressée à la fois.

Fayçal était pourtant un homme à femmes. Parmi ses innombrables conquêtes, l'une compte déjà plus que les autres : Anita, fille d'un diplomate britannique rencontrée au Caire. Pour l'heure, elle ronge son frein en Égypte, s'inquiétant d'une promesse sans lendemain peut-être : le prétendant a juré de la faire venir à Bagdad, mais seulement après qu'il aura été intronisé. Fayçal ne veut pas que la rumeur de Bagdad transforme leur liaison en preuve supplémentaire d'allégeance à la Grande-Bretagne.

Sœur jumelle de la première épouse d'Abdallah, son épouse et cousine, Houzeima bint Nasser, sera, en bonne logique familiale, destinée à donner confiance au peuple irakien, la première à le rejoindre avec son fils Ghazi et leurs trois filles, l'aînée Azza, sa sœur Rajha et la cadette Rafia. À titre provisoire, la famille royale va s'installer dans une maison ancienne près de la porte nord de Bagdad.

Mais politique d'abord…

Le 23 août 1921, après un référendum bidon monté de main de maître par Percy Cox et Khatoun – 96 % de oui –, il est temps de passer au dernier acte, celui du couronnement.

Tôt le matin, avant les grandes chaleurs, Cox, le général Haldane, Mahmoud el-Kailani, fils de la plus haute autorité proprement irakienne de Bagdad, et Hussein Hafnan, le président du Conseil d'État, viennent chercher Fayçal dans sa demeure pour le conduire à la citadelle. En uniforme, coiffé du casque léger à pointe, réglementaire autrefois dans son armée de Syrie, le bientôt roi les attend en compagnie de son aide de camp, Tachine Kadri, qui le suit depuis Paris et Damas.

Dix-huit heures approchent. L'assistance est triée sur le volet – on n'entre dans la citadelle que sur carton d'invitation. Un dais couvert de tapis a été érigé, et c'est sur des tapis aussi que le cortège s'avance. Un trône construit à la hâte sur le modèle de celui de Westminster avec un bois d'emballage dont la marque publicitaire encore visible, Asahi Beer, traduit la destination commerciale et l'origine japonaise, a été disposé, ainsi que des chaises.

Sa casquette de général vissée sur le crâne au-dessus de sa blanche moustache, de son pantalon de cavalier et de ses bottes lustrées, le commandant en chef Aylmer Haldane se tient immobile. Blancs aussi, l'uniforme et la casquette de haut-commissaire de Percy Cox. Un pas en arrière se profile l'interminable silhouette de Ken Cornwallis, coiffé d'un casque colonial en liège, Kadri et deux officiers irakiens en uniforme.

Face à eux, les invités dont les trois premiers rangs sont entièrement britanniques, moitié hommes en casque colonial ou casquette militaire, moitié femmes coiffées de couvre-chefs en paille. Craignant des mouvements de foule hostiles, beaucoup de notables bagdadis n'ont pas été conviés, précaution incompréhensible puisque, rappelons-le, 96 % des Irakiens seraient favorables au Hachémite...

La proclamation du haut-commissaire est lue en arabe par Sayed Hussein Afnan, le secrétaire du Conseil des ministres. Fayçal lit, de même, une réponse préparée à l'avance pour éviter le moindre couac. Mais la fanfare vend quand même la mèche en entonnant le *God Save the King*, dont on croit savoir qu'il est l'hymne officiel certes, mais à Londres ! Heureusement, un drapeau irakien sans ressemblance avec l'Union Jack a été dessiné.

On hisse les couleurs. La garde d'honneur du 1er bataillon du Dorsetshire Regiment présente les armes. Les artilleurs tirent les vingt et un coups de canon traditionnels.

Au premier rang de l'assistance dressée au cri de « Vive le roi ! », Gertrude Bell. « L'Irak rassemblé du nord au sud pour la première fois de son histoire, songe-t-elle, les larmes aux yeux. Et tout ça, grâce à sir Percy et à moi. » Son regard croise celui du monarque. Elle lui fait un petit salut.

Fayçal Ier, descendant du Prophète, fils d'Hussein, malik du Hedjaz, vient d'être proclamé souverain du « pays des Arabes ».

Voici les Béni Hachem de nouveau à la tête de deux royaumes.

De trois bientôt, si les plans d'Abdallah devaient être couronnés de succès...

33

L'émir qui voulait être roi

Pour des gendarmes, ils sont drôlement mal fagotés, s'est étonné le commandant Catroux quand l'automobile personnelle du haut-commissaire Gouraud, une Marmon décapotable, a dépassé les quatre cavaliers.

« Qu'est-ce qui cloche ? s'interroge l'officier, plus curieux qu'inquiet. Leurs Mauser sont bien en bandoulière... Ah, je vois : les uniformes n'ont pas la netteté habituelle de ceux de nos gendarmes syriens. Il faudra faire une enquête, prendre des sanctions... »

Ce qui survient l'instant d'après est à vrai dire beaucoup plus grave qu'un simple problème disciplinaire. À peine la Marmon a-t-elle franchi le virage que les quatre cavaliers, de faux gendarmes recrutés par Ahmed Méroued, un nationaliste syrien réfugié dans le nord de la Transjordanie, ouvrent le feu. Dissimulé sous un petit pont, un complice les appuie.

Dès la première décharge, le lieutenant Branet, qui se trouvait à main droite du chauffeur, bascule sur la route, une balle en pleine tête. Hakki Bey el-Azem, le gouverneur de Damas, création sur mesure des Français, est légèrement blessé. Trois balles fouettent la manche gauche vide de Gouraud.

« On nous tire dessus, vous avez une carabine devant vous », remarque le général, d'un ton à peine altéré.

Le problème, ce sont les munitions. La carabine n'est pas chargée et Catroux, peu familier de la voiture du haut-commissaire, ignore où on range les balles. Chercher ? Pas le temps. La seule chance, c'est d'accélérer la manœuvre.

« Vas-y, mon garçon, et à toute allure ! » ordonne le commandant au chauffeur.

Déjà, la Marmon est hors de portée des agresseurs. Elle gagne le prochain poste de surveillance. Dans la ligne médiane de la carrosserie, à cinquante centimètres au-dessus de la banquette à peine, on va trouver quatorze points d'impact.

« Vous avez sauvé la vie de ma sœur, car elle aurait été assise dans la trajectoire », constate Gouraud.

Sauver, oui, puisque, arguant du fait que les Syriens toléreraient mal la présence de femmes dans une voiture officielle, Catroux a obtenu que Marie-Thérèse Gouraud et sa cousine, Mlle de Longuemare, voyagent dans un autre véhicule.

Reste qu'Ahmed Méroued, qui faisait pister Gouraud depuis des jours par ses hommes, a eu l'audace de tenter d'assassiner le haut-commissaire. Et que les cinq agresseurs, s'ils ont raté leur coup, ce jour de juin 1921, sur la route de Kuneitra, vont échapper aux recherches pour trouver, eux aussi, asile en Transjordanie...

Gouraud ne cherche jamais midi à quatorze heures. En tolérant Abdallah qui lui-même autorise les actions des nationalistes, les Britanniques trahissent la fraternité d'armes franco-britannique de la Grande Guerre. S'ils veulent démontrer le contraire, ils n'ont qu'à livrer Méroued.

Eux voient au contraire les choses sous l'angle de la complexité. Des embêtements, disons.

Difficultés en Palestine puisque, en raison du mandat arraché de haute lutte à la Société des nations, la Grande-Bretagne s'est annexé la responsabilité de Jérusalem. Or, compte tenu de l'antagonisme qui monte entre communautés, ponctué de graves incidents avec morts et blessés, Herbert Samuel ne croit plus à une entente arabo-juive autour du projet sioniste.

Sir Herbert se sent attaqué sur deux fronts.

Côté juif, il craint le débordement de Haïm Weizmann et des sionistes « raisonnables » par la gauche d'inspiration marxiste, divisée en plusieurs groupes où se détache la puissante figure de David Ben Gourion.

Côté arabe, il constate un durcissement symétrique. Musulmans, largement majoritaires, ou chrétiens, les Arabes de Palestine commencent en effet à comprendre que les Juifs, de plus en plus nombreux, sont là pour longtemps. En réponse, ils développent un mouvement protestataire.

Pour parer au danger, les Britanniques comptent sur les grandes familles palestiniennes, vastes clans de plusieurs centaines de personnes aux ramifications multiples disposant d'un poids religieux et politique considérable, assorti d'un patrimoine économique d'importance.

Cette carte perd toutefois de sa valeur le jour où un trentenaire plein de feu, Amine el-Husseini (Hadj* Amine, c'est-à-dire Amine le pèlerin puisqu'il a effectué le pèlerinage de La Mecque), prend la tête des contestataires.

La légitimité qu'apporte ce nouveau venu se veut religieuse. Au Caire, Hadj Amine fut un des élèves du prestigieux Mohammed Rachid Reda. Politique aussi car, jusqu'à la fin 1919, Amine a participé à l'administration du royaume syrien de Fayçal.

Elle est surtout clanique. Avec leurs rivaux de toujours, les Dadjani, les Khalidi, les Nachachibi, les Husseini sont l'une des quatre familles les plus puissantes de Palestine.

Son passé plaide pour le contestataire. À Damas, Hadj Amine, très actif au sein du Club arabe, fut l'un des adjoints du général Haddad à la préfecture de police chérifienne. De retour à Jérusalem, il se lance dans l'action antisioniste. En avril 1920, des incidents particulièrement violents entre Arabes et Juifs lui valent un nouvel exil en Transjordanie d'abord, puis en Syrie d'où Gouraud ne l'extrade pas, réponse du berger français à la bergère britannique.

Herbert Samuel, qui refuse l'amnistie à Hadj Amine, se souvient que Ronald Storrs, toujours gouverneur de Jérusalem, milite pour qu'on donne des gages aux Arabes.

« Faute de quoi, explique l'ancien secrétaire oriental du Caire, ils seraient fondés à nous croire partiaux. »

Sensible à l'argument, le haut-commissaire finit par autoriser le retour de l'exilé, accueilli comme un héros.

Le fait que le demi-frère aîné d'Amine, Kamel el-Husseini, remplisse les fonctions de grand mufti de Jérusalem ne paraît pas étranger à l'attitude conciliante de Samuel. Habilité à délivrer des fatwas, le mufti, expert reconnu des questions juridiques musulmanes, un peu comparable au patriarche des chrétiens orthodoxes, constitue de ce fait une personnalité de poids au sein de sa communauté.

En fait, le pardon de sir Herbert relève d'une évolution plus générale de la politique coloniale britannique. La solution hachémite prime, qui suppose de ménager l'opinion arabe, très montée contre les Juifs, et implique donc certains reculs par rapport à la déclaration Balfour.

Quand Kamel el-Husseini meurt le 21 mars 1921, en pleine conférence du Caire, Samuel, qui, en tant que haut-commissaire, a la haute main sur la nomination du grand mufti, décide de rencontrer son demi-frère.

« Les troubles de l'an passé étaient spontanés, assure Hadj Amine, tout sourire. Si le gouvernement prend des précautions raisonnables, je suis sûr qu'ils ne se reproduiront pas. »

« Voilà un homme plaisant, dont seuls nous séparaient quelques malentendus. » Conquis, sir Herbert demande à Storrs d'assurer l'élection de Hadj Amine. Favorable aux Hachémites et aux Britanniques mais hostile aux Husseini, le maire de Jérusalem, un Nachachibi, accepte de retirer son candidat. Fatale erreur : jamais la lutte entre les deux clans ennemis n'atteindra des sommets plus élevés qu'au cours des décennies suivantes...

Abdallah, l'émir autoproclamé de Transjordanie, va être le deuxième bénéficiaire de la politique churchillienne.

Tenu en principe à un « stage probatoire » de six mois, on lui autorise déjà certains écarts, comme la protection accordée un temps à Ahmed Méroued, l'organisateur de l'attentat contre le chef des troupes françaises du Levant.

Une autre figure de proue du nationalisme syrien, Ibrahim Hanano, guérillero de la région d'Alep, voit sa petite troupe accrochée par les hommes de Gouraud, le 14 juillet 1921. Il cherche refuge en Transjordanie puis en Palestine, où les autorités mandataires l'arrêtent le 2 septembre avant de le remettre aux Français.

C'est la colère. L'émeute secoue Amman. Conduite par Aouda Abou Taya, le vainqueur d'Akaba, la foule prend un officier britannique, Frederick Peake, en otage. Seule pourra le tirer d'affaire l'intervention personnelle de Fouad Salem, un de ses anciens adjoints, condamné à mort... pour avoir attaqué un poste en Syrie et tué quatorze soldats français.

Peake Bey, début 1918, luttait dans les rangs de l'armée du Nord. Depuis, ce caractère de cochon a joué les administrateurs à Akaba et pris le commandement de l'Egyptian Camel Corps pour la Palestine.

Après la dissolution de cette unité, le vieux baroudeur bifurque encore, prenant des responsabilités dans la police britannique de Palestine.

« Que diriez-vous d'un poste en Transjordanie ? »

C'est une idée. À Amman, le lieutenant-colonel Peake remplace le capitaine Brunton, qui, avec son adjoint, le lieutenant Loufti, a formé une petite phalange de policiers et d'ex-soldats arabes de l'armée ottomane, la force de gendarmerie de réserve. Pour lui, le pain est déjà sur la planche...

Excédé par ses tirades républicaines et sa détestation de l'establishment britannique, Percy Cox brûlait de se débarrasser de Philby. Un télégramme dont il s'ouvre à l'intéressé lui en offre l'occasion :

« La place de représentant britannique en Transjordanie est vacante. Si elle vous convient, allez rencontrer l'émir Abdallah et Lawrence, qui est déjà sur place. Ensuite, vous vous rendrez à Jérusalem auprès de sir Herbert Samuel, puis vous irez à Londres où Churchill vous recevra. »

Qui a repêché St John, cette fois ? Lawrence, comme St John le pense ? Hubert Young, qui, nonobstant une méfiance tenace, l'a signalé au Colonial Office comme un homme dont il fallait quand même utiliser les compétences ? L'essentiel, c'est que l'ami d'Ibn Séoud, miraculé de la bureaucratie impériale, tire à nouveau son épingle du jeu.

Le voici à Amman, fin novembre 1921.

« Abdallah a débarqué ici sans invitation, lui explique Lawrence. Mais on doit reconnaître qu'il tient à peu près la barre. Pas seul, évidemment. Peake se charge de la partie militaire ; à vous le travail politique et administratif. Surveillez en particulier la manière dont Abdallah dépense les fonds que nous lui dispensons. Cent cinquante mille livres par an tout de même... Je vais vous conduire à sa tente, ajoute Lawrence. Vous vous ferez une opinion par vous-même. »

Surprise, elle est d'emblée assez bonne. Quand il le veut, Abdallah sait se montrer d'un charme extraordinaire. Vaniteux de nature, Philby se montre sensible à son accueil.

Pour lui comme pour Abdallah, l'horizon s'éclaircit. Désormais, Herbert Samuel écarte toute idée d'administration britannique en Transjordanie. Quant à Lawrence, il a changé radicalement d'avis à propos de l'émir, facteur régional de stabilité.

Philby s'entend à merveille avec Peake qui l'héberge les premiers temps dans sa belle maison, proche du théâtre romain.

Entouré de ses collaborateurs préférés : le Druze Edil Arslan, ancien de la Fétah qui dirige le secrétariat privé, et Chaoukat Hamid, aide de camp principal, l'émir multiplie les démonstrations de sympathie envers le représentant britannique.

« J'apprécie votre loyauté envers Ibn Séoud. Montrez la même à mon égard, et ma reconnaissance vous est acquise. »

Selon le vœu de Lawrence, Philby tente de freiner la prodigalité financière de l'émir qui, péché mignon des Hachémites, confond sa cassette avec celle de Londres. Mais comment le persuader de tenir ses dépenses à jour selon les méthodes de la comptabilité publique anglaise quand on se paie soi-même sur la bête ? Se jugeant mal rémunéré, l'officier politique en chef à Amman a en effet pris l'habitude de détourner à son profit une petite partie des sommes destinées à Abdallah.

Pacifiques et mêmes amicaux, ses rapports avec l'émir virent quelquefois à l'orage. Par exemple, à propos de la nouvelle mosquée...

Ancienne Philadelphia des rois d'Égypte, des empereurs romains puis byzantins, Amman, bourg de quelques milliers d'âmes sur le haut plateau du Moab, a périclité sous la domination arabe. Or son nouveau souverain veut en faire sa capitale.

La ville possède une mosquée au minaret de style byzantin datant du XIVe siècle, mais l'émir la juge indigne de ses projets de grandeur. Par politesse, il soumet les plans du nouvel édifice religieux à Philby. Lequel, manifestant une égale bonne volonté, détermine la direction exacte de La Mecque au moyen d'instruments précis.

Tout va pour le mieux jusqu'au matin où l'officier politique en chef découvre que les démolisseurs ont, sur ordre d'Abdallah, rasé le minaret ancien.

« C'est du vandalisme ! s'indigne Philby, sortant de ses gonds.

— Pour les affaires islamiques, je suis seul juge », réplique l'émir.

Comme l'Anglais insiste, l'Arabe lui jette au visage :

« Et qui me punira ? »

La vengeance de Philby va prendre la forme d'un rapport incendiaire. « Inapte à l'exercice du pouvoir despotique dont il jouit sous le présent régime », Abdallah semble avoir oublié « qu'une assemblée représentative était une condition essentielle à la reconnaissance de notre part de l'indépendance sous sa direction ».

L'officier politique demande toute latitude pour rafraîchir la mémoire à Abdallah. « Faites, répond le Colonial Office, mais avec ménagement, nous suivons l'affaire... »

Le 3 octobre 1922, l'émir de Transjordanie quitte Amman pour Londres, où il doit conférer avec les responsables aux affaires coloniales. Philby l'accompagne ainsi que le Premier ministre, Ali Reda er-Rikabi. Abdallah a nommé son cousin, le chérif Chaker, Premier ministre par intérim assisté par un Palestinien de Naplouse, Ibrahim Hachem.

Le 13 octobre, l'hôte de marque est accueilli à la gare Victoria avec des honneurs « semi-royaux ». De ses entretiens avec les Britanniques, il attend la reconnaissance officielle de l'indépendance par la Grande-Bretagne et l'admission de son émirat à la Société des nations.

En matière financière aussi, Abdallah place la barre très haut : de nouvelles subventions britanniques dont une de cent mille livres destinée aux travaux publics.

Entre l'arrivée de Churchill au ministère des Colonies et la conférence du Caire, le timing des premiers mois de son implantation en Transjordanie fut une merveille d'horlogerie : quand il s'agit de fixer un calendrier, l'émir se montre très avisé d'ordinaire. Mais cette fois, il a bien mal choisi la date de son déplacement. À peine les discussions commencent-elles avec Bertie Clayton à l'hôtel Carlton, que, victime d'une appendicite, Churchill sort du jeu.

Abdallah peut-il se tourner vers Lawrence ? Encore moins. Depuis deux mois, l'ex-« roi sans couronne d'Arabie », cherchant dans l'anonymat la paix de son âme tourmentée, s'est transformé en « John Hume Ross », deuxième classe de la RAF sans le moindre pouvoir sur les événements du Moyen-Orient.

Pour aggraver le tout, le gouvernement Lloyd George tombe le 19 octobre.

« La Grande-Bretagne n'a aucune intention de bouleverser sa politique arabe », rassure Clayton, qui suit à la lettre les instructions de Young et du département du Moyen-Orient.

Londres n'a aucune intention de laisser choir le trône d'Irak ou l'émirat de Transjordanie. Le non-dit, c'est qu'il en va différemment du Hedjaz. Le gouvernement britannique l'a certes reconnu comme royaume indépendant, mais il n'entend plus soutenir les Hachémites contre Ibn Séoud.

« Dans une lettre récente, le roi Hussein parle des wahhabites avec une grande appréhension », précise Reader Bullard, ancien conseiller de Churchill pour les questions irakiennes arrivé à Djeddah le 15 juin, en qualité de consul de Grande-Bretagne, dans son rapport mensuel d'octobre.

« Le Hedjaz, ajoute le diplomate, a peur d'Ibn Séoud, mais il a atteint le stade de désespoir où il serait prêt à échanger le règne de Hussein contre celui de n'importe qui. C'est exaspérant de réaliser que ce que tout le monde espère à La Mecque et à Djeddah (excepté le roi lui-même et peut-être les experts des douanes) est le retour des Turcs. »

Le consul brosse le tableau accablant d'un régime en bout de course qui ne tient que par sa police politique omniprésente et sa justice expéditive. La chute du royaume chérifien est inéluctable, ont déjà tranché le Colonial Office et le Foreign Office. Percy Cox devra tout faire pour se rapprocher d'Ibn Séoud.

Au vu de l'insistance de Bertie Clayton à définir avec lui les frontières entre la Transjordanie et le Hedjaz, Abdallah a-t-il senti le revirement anglais ? Le fait est qu'il temporise, arguant de la nécessité d'une discussion préalable avec son père.

Mais voyez comme c'est bizarre : pour l'Irak, nul besoin d'une rencontre en tête à tête avec Fayçal. Clayton et Abdallah s'accordent facilement sur un tracé frontalier, de même que pour la Syrie et la Palestine. Pour faire plaisir à Bertie, l'émir accepte même de céder l'oasis de Djaouf à Ibn Séoud.

En échange d'une augmentation substantielle de la subvention britannique à la Transjordanie et du montant de sa liste civile, l'émir accepte la formation d'une force de police et de gendarmerie unifiée sous le commandement de Peake Bey, maître de tous les organes de sécurité du pays.

On finit par parler indépendance, la revendication numéro un. Le département du Moyen-Orient veut bien d'une promesse, mais verbale de préférence. Le 28 octobre, Clayton s'exécute. Si l'émir dote, comme il en a exprimé le désir, son fief transjordanien d'une constitution et d'une assemblée représentative, le pays pourra être indépendant ; la Grande-Bretagne soutiendra alors sa candidature à la Société des nations.

Trop orgueilleux pour admettre un simple haut-commissaire comme interlocuteur, surtout un haut-commissaire juif comme Herbert Samuel, Abdallah demande que son émirat soit détaché administrativement de la Palestine mais se déclare d'accord pour rencontrer Haïm Weizmann, qui en a fait la demande.

« D'accord pour prendre la déclaration Balfour en compte, mais à deux conditions, répond en substance Abdallah à son interlocuteur. La première, c'est que vous usiez de votre influence auprès des Britanniques pour qu'ils reconnaissent mon émirat comme un État souverain.

— Et la seconde ?

— C'est que vous, sionistes, preniez en considération mon plan de royaume commun de Transjordanie et de Palestine où Juifs et Arabes jouiront des mêmes droits. En vertu des traditions accueillantes de l'islam, j'accorderai aux Juifs un statut d'autonomie. C'est ainsi que je conçois la déclaration Balfour. »

Lui peut-être. Mais, fidèle au projet sioniste, Weizmann veut bâtir un État hébreu, et non une simple entité autonome sous tutelle arabe.

Échange de vues sans aucun engagement de l'émir, diront les partisans des Hachémites.

Pourparlers dans la continuité de ceux d'Akaba, répondront les sionistes. C'est la version que Weizmann s'empresse de diffuser auprès de ses amis britanniques.

Le 9 novembre, Abdallah rencontre une dernière fois Clayton. Bertie et Reda er-Rikabi, décide-t-on, peaufineront ensemble les derniers détails de l'accord.

Le 14 novembre, Abdallah quitte Londres le cœur léger. Il voulait être roi. C'est maintenant certain, il finira par le devenir.

S'il survit...

Est-ce l'effet de leur victoire de Touraba qui a si bien terni la réputation militaire d'Abdallah ? La haine religieuse ? L'appât du gain ? Les guerriers séoudiens ne cessent de razzier les sujets bédouins de l'émir, presque la moitié de la population, qui nomadisent sur le sol de la Transjordanie.

Difficile de dire si les auteurs des raids échappent à l'autorité d'Ibn Séoud ou, au contraire, s'ils suivent ses directives. Le fait est qu'entre les royaumes hachémites du Hedjaz ou d'Irak et la Transjordanie, l'émir wahhabite assure craindre une attaque chérifienne sur ses frontières du nord et de l'ouest. Et que, concurremment, il ne rêve que d'anéantir cette maison des Hachem aux prétentions exorbitantes.

À tout prendre, ce n'est pas plus mal que ses ikwans montrent de temps à autre à ces idolâtres qui doit être le seigneur du monde arabe : un défenseur de la vraie foi, pas des aristocrates abâtardis, incapables de défendre leurs tribus.

Les rezzous se multiplient donc contre les nomades du sud de la Transjordanie et de l'Irak. D'autant que le fer de lance de la cause séoudienne, l'irascible tribu des Mouteïrs, voue, comme les Aneizés du Nedjd, une détestation ancestrale aux Béni Sakr de Transjordanie et de Syrie, ralliés très tôt à la thawra, comme aux Rouallah, branche syrienne des Aneizés.

En juillet 1922, les ikwans traversent la voie de chemin de fer à quinze kilomètres à peine d'Amman. Surprenant les Béni Sakr, ils en égorgent quarante-cinq, et seule la crainte d'être bombardés par un appareil de la RAF maraudant dans le secteur les contraint au repli. Les Béni Sakr qui les pourchassent, avides de venger les leurs, en tuent quelques-uns et s'emparent de leurs bannières vert et blanc clamant haut et fort la devise musulmane : « Il n'y a de Dieu que Dieu, et Mahomet est son prophète. » Car c'est au nom de la vraie foi que les ikwans combattent ceux qu'ils considèrent comme des semi-infidèles idolâtres et dégénérés.

Début 1923, un autre commando wahhabite tue quatre ouvriers du chemin de fer au sud d'Amman. Un cinquième parvient à prendre la fuite. Deux voitures blindées britanniques coupent la route des Séoudiens à l'oued Sirhan. Deux seront exécutés sur place, onze autres fusillés après jugement par une cour martiale transjordanienne.

Ce raid de reconnaissance n'était qu'un prélude à l'invasion des cavaliers séoudiens, Aneizés du Nedjd pour la plupart, qui, l'année suivante, en août 1924, foncent sur Amman qu'ils approchent à moins de vingt kilomètres.

Les envahisseurs sont quatre mille. Aux ordres du cheik Aouad el-Douaibi, une moitié doit attaquer au nord pendant que l'autre, commandée par le cheik Nahdi ibn Nouhair, percera à l'ouest.

Arc-boutés autour de leurs villages parfois construits en brique et en argile, les Béni Sakr leur résistent. Combats singuliers de héros s'interpellant individuellement, comme le faisaient autrefois les Grecs, hurlant leurs cris de guerre, chevaux qui hennissent, dromadaires qui renâclent en grognassant : ce fut, dit-on, la dernière bataille authentiquement bédouine de l'histoire.

Plus féroce que les combats d'autrefois qui ne visaient pas la destruction totale de l'ennemi, faudrait-il ajouter. Comme s'ils sentaient confusément la fin d'un monde et la naissance d'un autre, chacun des deux camps redouble de cruauté. Maisons ou tentes qui brûlent, nuages de poussière, tourbillons de fumée. Par sa résistance acharnée, le cheik Dirdah sauve ses villageois béni sakr au prix de nombreuses vies ennemies. Ailleurs, les ikwans l'emportent et c'est le massacre, le pillage.

Qui l'emportera ? L'affrontement reste indécis jusqu'à l'apparition de l'avion de reconnaissance convoqué par Peake Bey. Comme chaque matin, l'officier britannique sous contrat avec l'émirat de Transjordanie sortait à cheval prendre un peu d'exercice dans les faubourgs d'Amman quand des femmes béni sakr de Teneib se jetèrent à ses pieds.

« Les wahhabites attaquent notre village, ils tuent tout le monde. »

Peake Bey a tourné la tête dans la direction que ces malheureuses lui indiquaient. Au loin, des tourbillons de fumée, des nuages de poussière.

« Ne perdez pas confiance, nos appareils vont les arrêter ! » dit Peake, indigné de l'insolence et de la sauvagerie des Séoudiens.

Et il galope jusqu'au poste de la RAF de Djiza, à quelques kilomètres au sud de Teneib.

La bombe que largue l'appareil tue autant de Béni Sakr que d'Aneizés, mais l'effet psychologique est là. Si les ikwans ne craignent aucun être humain, ils ont très peur des grands oiseaux mécaniques qui peuvent tuer à distance les plus vaillants guerriers. Churchill serait ravi : ses thèses sont en train de prendre corps sur le terrain...

Par ordre du ministre des Colonies, soucieux d'éviter les querelles de préséance entre armées de terre et de l'air, les forces mécaniques d'intervention ont été regroupées sous un même pavillon, celui de la RAF. Crachant le feu, quatre autos blindées font irruption sur le champ de bataille. Il n'en fallait pas moins pour que les ikwans renoncent. Ils se retirent, abandonnant les cadavres des leurs. Sept mille morts contre deux mille cinq cents Béni Sakr, dénombreront certains. Disons un millier de victimes en tout pour les deux camps, quantité impressionnante si on la rapporte à la population transjordanienne d'alors – moins de trois cent mille hommes, femmes et enfants. Et six cents prisonniers ikwans d'après les estimations anglaises.

La logique des tribus étant ce qu'elle est, les Béni Sakr doivent laver leur honneur dans le sang et venger leurs morts. De Es Salt, le cheik Mithghal lance un raid qui, pour des raisons obscures, vise un groupe d'Aneizés qui nomadisent en Irak, à sept cent cinquante kilomètres de là, et non dans le Nedjd. Les Béni Sakr tuent cinq d'entre eux, dont leur chef, le cheik Ibn Hathal et volent leurs dromadaires. Pour des motifs tout aussi imprécis, le commando des vengeurs bifurque ensuite vers la Syrie pour s'en prendre à des Rouallah. Lesquels, ayant fait alliance avec les Séoudiens, reçoivent le renfort d'un parti important de guerriers wahhabites. Le contre-raid ikwan aboutit à la perte de cinquante Béni Sakr. Des hommes mais aussi des femmes et des enfants. Assassiner des non-combattants, la pratique était jusque-là rare chez les Bédouins, où l'on se battait pour survivre plus que pour tuer. Extrémisme et fanatisme sont passés par là...

CINQUIÈME PARTIE

LE RÊVE S'ÉVANOUIT :
LE TEMPS DES ÉCHECS

34

Un roi chute, deux rois meurent

Dès qu'ils ont appris la nouvelle, les Bagdadis se sont rués hors de chez eux, les hommes dans les rues et les femmes sur les toits et les balcons, vêtues de noir, le visage caché par leurs voiles.

Le désespoir est à son apogée.

« Nous n'avons plus de roi ! Que Dieu l'accueille dans son paradis, lui qui descendait du Prophète... »

Malade, épuisé par les dissensions politiques internes, détruit par le décès de sa compagne anglaise, Anita, démoralisé par le massacre de certains de ses sujets chrétiens, Fayçal Ier d'Irak vient de perdre la vie à Berne, où il était parti se reposer une semaine plus tôt.

Tout s'est passé très simplement. Le jeudi 7 septembre 1933, le roi fait une excursion en auto à Interlaken avec Victorine Sadik, sa maîtresse égyptienne.

« Mon cœur bat trop vite », se plaint-il de retour à l'hôtel, vers dix-neuf heures.

On appelle un médecin.

« Artériosclérose », diagnostique l'homme de l'art.

Il fait une injection au souverain, ordonne qu'une infirmière reste à son chevet.

À zéro heure trente le vendredi, Fayçal, de plus en plus souffrant, demande qu'on fasse venir les trois proches qui l'accompagnent : son frère aîné Ali, son secrétaire Roustoum Haïdar, et Nouri Saïd. Mais quand les trois hommes se présentent, c'est déjà trop tard. Fayçal ibn Hussein, troisième fils du chérif de La Mecque, roi de Syrie puis d'Irak, a cessé de vivre.

Après qu'un navire de guerre britannique l'a convoyée jusqu'à Haïfa, c'est un avion de la RAF qui rapporte sa dépouille à Bagdad.

À l'extérieur de l'aéroport, une foule au bord de la folie ébranle les barrages. On ouvre l'avant de l'appareil. Le cercueil fourni par les pompes funèbres helvétiques apparaît. Cris et larmes redoublent : une atmosphère de fin du monde.

Huit officiers supérieurs soulèvent le cercueil, le placent sur leurs épaules. Mais il est lourd, terriblement lourd : du bois massif. Quand les hauts gradés irakiens commencent à fléchir, des Anglais de la RAF, plus jeunes, viennent à leur aide : l'image symbole d'un État sous tutelle, malgré la fin officielle du mandat.

Posé sur une prolonge d'artillerie, le cercueil entame le trajet de onze kilomètres qui mène au mausolée royal. Mais, au milieu d'une foule vouée tout entière aux rites de la mort, il faudra des heures pour atteindre l'édifice. Hurlant leur chagrin, les femmes se tordent les mains, s'arrachent les cheveux. On pourrait croire qu'elles viennent de perdre un enfant, un mari, un père.

Douze années plus tôt, une froide hostilité accueillait le futur roi, candidat de la Grande-Bretagne. Voici une semaine encore, on ne parlait que de son abdication. Et là, c'est tout un peuple qui communie.

Évanouis, les reproches de la rue. Sa décennie de liaison avec Anita ? Hier une demi-trahison, aujourd'hui un péché véniel. L'influence politique d'une autre Anglaise, Gertrude Bell ? Une ruse d'homme d'État. Les relations trop chaleureuses avec les hauts-commissaires Percy Cox puis Bertie Clayton, et pour finir, sir Henry Dobbs ? Des concessions nécessaires. Les quatre traités anglo-irakiens ? Un recul tactique. La proximité avec les « yeux de Londres » à Bagdad, Ken Cornwallis, « conseiller » du ministère de l'Intérieur irakien, et Pierce Joyce, chef de la mission militaire britannique ? La fraternité d'armes entre compagnons de la thawra.

Absous, les complets veston en lieu et place des robes arabes traditionnelles. Chassés des mémoires, les uniformes militaires made in London, avec leurs galons et leurs dorures. Amnistiées, les soirées mondaines où se pressaient lords et ladies. Oubliés, le tennis, les parties de bridge, le golf.

Qui, parmi les rares initiés, se hasarderait à rappeler que la fragile santé royale servait tous les étés ou presque de prétexte à des défoulements inavouables en Europe ? En ces occasions, Fayçal, en galante compagnie souvent, se cachait sous le faux nom de « prince Oussama ».

Et puisqu'on passe l'éponge, plus un mot de son médecin personnel, Harry Sinderson dit « Sinbad ». Plus l'ombre d'une critique contre Miss Lucie Smith, la nurse chargée d'éduquer les princesses Azza, Rajha et Rafia comme de vraies aristocrates britanniques. Plus un mot sur les études de son fils Ghazi à Harrow, premier héritier d'un souverain arabe à s'angliciser ainsi dans cette public school emblématique.

Ne subsistent que le chagrin, le souvenir, la légende. Combien – qui ne s'y trouvaient pas –, prétendront avoir vu Fayçal galoper aux côtés de son frère Ali sous le feu des canons turcs devant Médine ? Combien exalteront ses succès de chef de guerre d'El Ouedj à Maan en passant par Akaba ? Combien diront l'accueil délirant des foules damascènes ? Le baroud sans espoir de Khan Meissaloun ? Combien transfigureront la montée de Bassorah à Bagdad, voici douze ans, en marche triomphale ?

Douze ans, un siècle ! Le fils d'Hussein avait fini par devenir un symbole de ténacité, de résistance, d'espoir. Les nationalistes le trouvaient trop conciliant ? Aujourd'hui, ils ne veulent se souvenir que de celui qui a restauré l'honneur arabe. Les irré-ductibles palestiniens lui reprochaient ses rencontres avec Weizmann ? Ils ne voient plus en lui que le bon musulman qui, peu avant sa mort, avait donné au grand mufti de Jérusalem son accord pour la tenue à Bagdad d'un congrès islamique.

Douze ans, oui. Et une cascade d'événements qui expliquent l'affliction populaire déconcertante de ce jour de septembre à Bagdad...

De la décennie 1923-1933, l'histoire retiendra qu'elle fut moins spectaculaire que celle qui l'a précédée, mais aussi décisive pour l'avenir du monde arabe.

En mars 1924, la visite d'Hussein à Amman, capitale de son fils Abdallah, marque une date clé. Comme le Parlement turc vient d'abolir le califat, le roi du Hedjaz croit pouvoir claironner que cette fonction prestigieuse lui revient de droit.

Un pas, mais vers le précipice. Comment Ibn Séoud, pétri de foi wahhabite, ne se verrait-il pas contraint d'en finir avec les Béni Hachem ?

Dès lors, tout s'accélère. En juin, le concile des oulémas wahhabites à Riyad décide la guerre. En septembre, une armée conduite par Khaled ibn Loueyi, le vainqueur de Touraba, et par Sultan ibn Bidjad ibn Houmaid, important cheik ateiba, parent d'Ibn Séoud, s'ébranle vers Taïef. Et cette fois, plus question de céder devant les menaces britanniques. Ibn Séoud a d'ailleurs renoncé de lui-même à la subvention que lui versait la Couronne.

À la tête d'une armée hedjazi démoralisée par le souvenir du massacre de Touraba, Ali, l'aîné des quatre frères hachémites, tente bien d'enrayer le flot. Mais, privé du soutien des tribus locales, passées en masse aux Séoudiens, le voilà contraint de faire retraite sur Hada, à trente kilomètres au nord-ouest. Bidjad, Loueyi et leurs ikwans s'emparent de Taïef, la mettent au supplice – trois jours de tueries et de pillage qui glacent d'effroi tout le Hedjaz.

Quelques sujets indiens de l'Empire britannique ont péri sous le poignard des guerriers wahhabites. Londres et Bombay s'indignent. La Couronne va-t-elle réagir, envoyer des automitrailleuses, des avions de la RAF, comme elle vient encore de le faire en Transjordanie le mois dernier, quand Ibn Séoud lançait ses Aneizés à l'assaut des Béni Sakr ?

« Hussein a joué avec le feu, décrète le Colonial Office. Nos intérêts vitaux ne sont pas menacés. Grâce au sacrifice de feu le capitaine Shakespear et à l'habileté de Percy Cox, nous entretenons des relations de longue date avec Ibn Séoud. Le moment est venu de les mettre à profit. »

En conséquence, la Grande-Bretagne reconnaît le fait accompli sous réserve que les sujets britanniques cessent d'être massacrés, et la route de La Mecque, garantie aux pèlerins venus des Indes.

Ibn Séoud donne son accord. Lui vivant, aucun bon musulman ne se verra interdire l'accès à la ville sainte.

Le 6 octobre, lâché par les notables mecquois, Hussein abdique en faveur de son fils Ali. À trois semaines près, son règne n'aura duré que huit ans.

L'ex-roi ne part pas les mains vides. La douzaine de voitures à moteur disponibles au Hedjaz lui appartiennent. On y entasse le reliquat des trésors accumulés au cours des siècles grâce à la rente des pèlerins et aux six millions de livres sterling or des Britanniques.

À Djeddah, les cheminées du yacht royal, un antique vapeur de la mer Rouge, sont déjà sous pression. Les esclaves transfèrent la cargaison à bord. En signe de défi, on hisse une dernière fois le drapeau hachémite. Flanqué de deux caboteurs rouillés, le yacht royal gagne ensuite Akaba.

Ibn Séoud menaçant de lancer un raid si son vieil ennemi reste sur place, Abdallah demande aux Britanniques l'autorisation de l'installer à Amman. C'est non, alors, le 17 juin 1925, Hussein part pour Chypre.

Le malik déchu s'établit dans une petite villa de Nicosie avec sa troisième femme, la Turque Adila Kanoum, ses trois filles, et quelques domestiques. Son plus jeune fils, Zaïed, le dernier des quatre frères, va l'aider lors de ses fréquents passages à rompre la monotonie des jours. Ils commentent ensemble les versets du Coran.

Traités comme des membres de la famille, deux magnifiques pur-sang arabes et une jument, Zahra, qu'on laisse déambuler à sa guise dans la maison, viennent égayer les dernières années de l'ancien chérif, ruiné par des aigrefins.

Et Ronald Storrs, son seul ami. L'ancien secrétaire oriental a été muté en 1926, à Chypre, comme gouverneur. Pour se changer les idées, il se rend de temps à autre auprès d'Hussein. Ensemble, les deux hommes évoquent les souvenirs communs, leur première rencontre de 1916 à Djeddah, la thawra, l'effondrement ottoman. Ô les beaux jours...

En 1930, Hussein est victime d'une attaque qui manque de l'emporter. Fayçal, roi d'Irak, et Abdallah, émir de Transjordanie, gagnent Chypre pour se trouver à son côté. Déjà le vieil homme – il a soixante-dix-huit ans – commence à perdre la tête.

« Si vous m'aviez fait ça au Hedjaz, hurle-t-il, sortant brusquement du coma pour reconnaître ses fils, je vous aurais coupé la main ! »

On n'en saura pas plus car Hussein se redresse sans un mot, s'affale sur son médecin, lui passe les bras autour du cou et l'étreint chaudement.

Le temps s'est écoulé. Suffisamment pour que la Grande-Bretagne, sans craindre de représailles séoudiennes, puisse lever l'interdiction d'émigrer en Transjordanie dont elle l'avait frappé.

Oublié d'un monde arabe dont il voulait devenir le leader, le chérif de La Mecque meurt dans le palais d'Abdallah à Amman, le 4 juin 1931. Transporté à Jérusalem, son corps sera enterré en bordure de l'esplanade des Mosquées, le troisième lieu saint de l'islam. C'est le grand mufti de la ville sainte, Hadj Amine el-Husseini, qui, très respectueux envers la personne du défunt, a réglé les détails de la cérémonie.

Ibn Séoud accueille la nouvelle dans l'indifférence. La bataille du Hedjaz est déjà gagnée pour lui...

Le 14 octobre 1924, les wahhabites, vêtus de blanc tels des pèlerins mais en armes, font leur entrée à La Mecque dans un ordre impressionnant. Ibn Séoud a décidé d'épargner à la cité le sort tragique de Taïef.

Coup sur coup, Médine, Yenbo, El Ouedj tombent entre ses mains. Seule Djeddah, cerné de toute part, lui échappe encore. C'est là qu'Ali, nouveau roi du Hedjaz, s'est retranché pour l'ultime combat, sous la protection de Bédouins fidèles et de dockers turcs transformés à la hâte en soldats.

Début novembre, la ville-port abandonnée de tous voit débarquer un visiteur inattendu.

Menacé de licenciement par Herbert Samuel, dont les services ont intercepté la correspondance secrète que, en toute déloyauté, l'officier politique en chef à Amman entretenait avec Ibn Séoud, St John Philby a quitté de lui-même la fonction publique en avril 1924. Un départ « volontaire » qui lui permettait d'éviter une autre découverte, celle de ses détournements de fonds.

À l'heure où Ibn Séoud triomphe, il y a tout de même de quoi rager. Alors il rage, St John. Et pour gagner sa vie et celle des siens, il s'est associé à un homme d'affaires londonien, Remy Fisher. Les deux hommes estiment que les expérimentations agricoles en pays chaud pourraient rapporter gros.

Cet ambitieux projet n'empêche pas Philby d'en nourrir un autre. À Londres, il a contacté le représentant d'Ali, lui proposant de jouer les intermédiaires entre Ibn Séoud et Ali. Le diplomate n'avait malheureusement pas un penny à lui proposer. Jamais à court d'idées dès qu'il s'agit d'argent, l'ancien haut fonctionnaire a alors contacté une de ses vieilles connaissances, l'exploratrice Rosita Forbes.

Très en avance sur son temps, cette femme de trente-cinq ans parvient à financer ses expéditions dans le désert par des livres à succès. Philby n'a eu aucun mal à la convaincre qu'en faisant cause commune, ils pourraient découvrir les déserts de l'Arabie du sud, encore vierges aux Occidentaux. Comme elle-même n'a aucun mal à persuader lord Burnham, le directeur du prestigieux *Daily Telegraph*, de financer l'expédition à hauteur de quatre mille livres.

Et voilà donc Philby qui débarque à Djeddah la bouche en cœur.

« Mais vous n'avez aucune mission officielle ! » s'étrangle Reader Bullard. Bien qu'ancien condisciple de St John à Cambridge, le consul s'empresse d'informer Ali du caractère marginal de sa démarche.

Invité par Ibn Séoud à quitter le Hedjaz sain et sauf pour éviter un bain de sang, l'aîné des Hachémites voit la chose sous un autre jour. Cet Anglais tombé du ciel porte peut-être en lui la clé d'une issue honorable.

Deux camps partagent alors les défenseurs de la ville. Autour de l'ancien commandant de la région militaire de Damas au moment de la bataille de Khan Meissaloun, Tahsin el-Fakir, dépêché par Abdallah, les durs estiment qu'une résistance acharnée découragera les ikwans, aussi inexpérimentés dans la guerre de position qu'ils sont maîtres de la guerre de rezzous.

D'autres, comme Fouad el-Khateb, ministère des Affaires étrangères d'Ali, espèrent au contraire trouver un terrain d'entente avec les Séoudiens.

Philby demande par lettre à Ibn Loueyi, le chef des assiégeants, l'ouverture de négociations.

« Vous recevrez bientôt une réponse d'Ibn Séoud », répond le vainqueur de Touraba. Mais il exige toujours le départ d'Ali.

Philby a surestimé son pouvoir, rien ne vient. Ou plutôt si, une crise de dysenterie. Soulagé, Reader Bullard s'empresse d'évacuer le patient anglais sur l'hôpital d'Aden.

Que peut encore faire Ali ? Ce n'est pas Cherikov, ancien de la garde impériale tsariste qui, larguant ses bombes à trois mille mètres d'altitude d'un des trois DH 9 hachémites pour soixante livres sterling par mois, pourrait faire basculer le destin.

Reste la mer, où les Britanniques règnent en maîtres. Par Akaba, quelques renforts parviennent à Tahain Pacha, chef de la maigre garnison de Djeddah. Quelques Druzes de Syrie attirés par l'appât du gain, quelques Transjordaniens envoyés par Abdallah. On parle de faire venir Peake Bey, devenu Peake Pacha depuis qu'il a été promu général, mais Londres refuse d'abattre une carte aussi précieuse dans son jeu moyen-oriental.

Nauras Bey, un ingénieur militaire turc, a remarquablement bien fortifié la ville, mais la garnison s'épuise. Tahsin Pacha a beau remplacer Tahain Pacha, personne ne croit au miracle.

Du coup, on sauve les meubles. Le 5 juin 1925, Ali attribue à son frère Abdallah les districts de Maan et d'Akaba : la Transjordanie dispose enfin de l'accès à la mer qui lui manquait. Précaution supplémentaire, la limite officielle entre l'émirat hachémite et la Palestine est fixée du sud de la mer Morte à quatre kilomètres d'Akaba. Mêmes éléments le 2 novembre, quand Abdallah, Ali et les Britanniques arrêtent la frontière entre la Transjordanie et le Nedjd : elle part de trois kilomètres au sud d'Akaba...

Les ikwans concentrent de nouvelles forces pour l'assaut final. À quoi bon vouer les défenseurs de Djeddah au massacre ? Déjà, les morts de faim – plusieurs milliers de victimes – jonchent les rues. Revenu de son propre chef en Arabie où il rencontre Ibn Séoud le 28 novembre, Philby n'y joue aucun rôle sinon, croit-on mais ce n'est pas prouvé, en dévoilant à l'émir du Nedjd quelques détails sur les fortifications de la ville assiégée.

« Les Béni Hachem ont perdu la partie, mais je ne m'acharnerai pas sur les malheureux qui ont épousé leur cause par ignorance, fait savoir Ibn Séoud. Qu'Ali renonce officiellement au trône et quitte Djeddah, et j'accorderai le pardon à ses hommes. »

Le 22 décembre, le deuxième et dernier roi chérifien du Hedjaz abdique à son tour. Un sloop britannique, le *Cornflower*, l'emporte jusqu'à Bassorah.

Le roi déchu se réfugie à la cour de son frère Fayçal, qui, en guise de lot de consolation, lui confiera l'administration de la zone de Naamaniyah, au sud de Bagdad.

Trois semaines après le départ d'Ali, Ibn Séoud est proclamé roi du Hedjaz. Depuis la prise de Riyad, il lui aura fallu un quart de siècle pour ruiner le rêve d'Hussein...

En Irak aussi, 1924 s'est révélée une année cruciale. Forte de quatre-vingt-huit élus au scrutin à deux degrés, dont six pour les chrétiens et six pour les Juifs, la Chambre des députés se met en place.

Désignée par les seuls votants masculins à raison de vingt mille électeurs environ par parlementaire, aristocrates, notables ou chefs de tribu, l'assemblée ratifie un premier traité avec la Grande-Bretagne. Le sénat de vingt membres nommés par le roi pareillement.

Des formations politiques ont émergé. Le Parti national de Djefar About-Timman, un chiite ; le Parti du peuple de Yacine el-Hachemi, l'ancien ministre de la Défense de Fayçal à Damas, bête noire des Britanniques en son temps ; le Parti progressiste de l'ancien Premier ministre Abd el-Mouhsin es-Sadoun.

1930 voit une redistribution générale des cartes.

À l'extérieur, la diplomatie britannique réussit à organiser l'inconcevable : le face-à-face entre Fayçal et Ibn Séoud les 22, 23 et 24 février à bord d'un navire de guerre anglais, le HMS *Lupin*.

Un an plus tôt, la RAF, shérif du Moyen-Orient, aidait Séoud et son armée à en finir avec les ikwans en révolte ouverte contre leur émir qu'ils jugeaient trop modéré. Prélude à la fondation de l'Arabie Séoudite, la bataille de Sibilla, bain de sang des rebelles moutëirs à cent cinquante kilomètres au nord de Riyad, réglait à jamais la question du pouvoir dans l'île des Arabes.

Dieu a tranché, décident les deux monarques. À quoi bon perpétuer des querelles dépassées ? On ne s'embrasse pas parce que l'honneur l'interdit. Mais on négocie, on fixe les frontières définitives des deux États et on décrète que la géopolitique arabe commande d'entretenir des relations correctes.

En mars, Nouri Saïd devient chef d'un gouvernement où son beau-frère, Djefar el-Askari, occupe le fauteuil de ministre de la Défense. Le 30 juin, il paraphe le quatrième traité anglo-irakien, prélude à l'abolition du mandat. Un an plus tard, il lance le parti du Pacte, réminiscence de la vieille société secrète panarabe devenue mythique.

Nouri Saïd et le roi partagent le même rêve : bâtir une armée irakienne assez puissante pour devenir la force militaire principale du Moyen-Orient.

Plus que guerrier, le projet est politique. Les deux hommes voient leur future armée de conscrits comme la pierre de touche du nouvel État. La Grande-Bretagne, où on a enfin compris que le système des États semi-indépendants associés coûte moins cher que l'administration coloniale directe, accepte tout en se ménageant un droit de regard.

C'est qu'il y a concurrence. Par l'odeur de l'or noir alléchés, les Américains commencent à pointer leur nez. Chef de leur mission militaire, le colonel William Eddy, d'origine libanaise, parle couramment treize langues, dont l'arabe, le français et l'arménien, et invite fréquemment ses « amis anglais » à de longues parties de poker. La crosse du pistolet dépassant de ses vêtements, Nouri Saïd se joint parfois à ces soirées.

La tâche d'organisation d'une armée nationale n'en est qu'à ses débuts, car il ne s'agit pas seulement de faire accepter l'idée aux protecteurs britanniques, mais aussi aux chiites et aux Kurdes, qui voient dans toute formation militaire permanente une force de répression comme l'était autrefois celle des Ottomans.

Peut-on leur donner tort ? À plusieurs reprises, la RAF a écrasé les insurrections kurdes de cheik Mahmoud ou de Mullah Mustapha Barzani. La dernière fois en septembre 1930, où, pilonnés par l'aviation anglaise, les rebelles ont été pris en tenaille par deux colonnes hachémites.

« L'armée irakienne agissait sous son propre commandement, pratiquement pour la première fois, se félicite la puissance mandataire dans son rapport annuel à la Société des nations. Un seul officier britannique était attaché à chacune des deux colonnes, alors qu'ils étaient huit dans les opérations précédentes. Tous les observateurs sont d'accord sur le fait que l'armée a beaucoup progressé en efficacité, particulièrement dans les techniques de combat en zone montagneuse. »

Signée avec la Grande-Bretagne, une convention militaire prévoit la prise en charge progressive de leur défense par les Irakiens. La RAF continuera néanmoins à disposer à son gré de deux bases dans le pays, dont Habbaniyah, à l'ouest de Bagdad.

Retenez ce nom, Habbaniyah. Et par la même occasion, celui-là : Baba Guergour...

Les événements décisifs ont eu lieu en octobre 1927. Une première fois à Kai-a-Rah le 13. Une deuxième, surtout, à Baba Guergour, près de Kirkouk.

Là, le 15, vers trois heures du matin, une gigantesque source de naphte jaillit de quatre cent soixante-quinze mètres de profondeur. La pression est telle que l'or noir monte à une quinzaine de mètres au-dessus du derrick. Des éclats de rocher sont projetés tout autour, la région aspergée de pétrole. Partout, des gaz toxiques. Les villages voisins sont menacés. Pelles en main, des centaines de volontaires des tribus voisines tentent de bâtir une digue pour arrêter le flot qui menace Kirkouk. Huit jours et demi seront nécessaires pour prendre enfin le contrôle du puits.

À cette époque où nul ne parle d'écologie, le jaillissement de Baba Guergour paraît un prodige. Les habitants de la région, des Kurdes en grande majorité, s'inquiètent. On parle de forces maléfiques, on rappelle que les troupes d'Alexandre le Grand auraient été arrêtées ici par un mur de feu à base de naphte.

Trente-deux autres puits d'une richesse exceptionnelle seront découverts en Irak les mois suivants. L'or noir ne révolutionne pas seulement la manière de vivre de l'humanité, il confirme Londres dans sa politique irakienne : mainmise souple fondée sur l'économie des moyens.

Le Foreign Office peut féliciter Nouri Saïd pour l'accord conclu en 1926 avec Mustapha Kemal. Mettant fin à l'épineuse « question de Mossoul », le traité tripartite anglo-turco-irakien du 5 juin 1926 a stabilisé les frontières. Moyennant l'emprunt dont son pays a cruellement besoin et dix pour cent des revenus pétroliers pendant un quart de siècle, Mustapha Kemal a abandonné toute revendication sur les zones de naphte.

Les dix pour cent turcs seront versés par l'Iraq Petroleum Company, une société qui, depuis mars 1925, possède « le droit exclusif d'explorer, prospecter, creuser, extraire et rendre naturel au commerce le pétrole, le naphte, les gaz naturels et le droit d'enlever et de vendre les produits indiqués ci-dessus ».

Pour concrétiser les termes de l'accord, rien de mieux qu'un professionnel. Ingénieur des mines arménien chargé par les Ottomans d'une enquête – déjà – sur l'existence de gisements d'hydrocarbures en Mésopotamie, Calouste Gulbenkian s'est enfui à Londres en 1896 pour échapper aux pogroms. Depuis le compromis de 1914 qui a porté la Turkish Petroleum Company sur les fonts baptismaux, ce sujet anglais par naturalisation a hérité du sobriquet de « Monsieur 5 % » – le montant des parts de la société toute neuve obtenu en échange de ses bons offices.

C'est l'intermédiaire rêvé pour rapprocher le point de vue des Britanniques, des Français et de Walter Teagle, le patron de la Standard Oil of New Jersey qui lorgne sur les pétroles d'Irak.

« Monsieur 5 % » se met à l'œuvre. En juin 1928, un embryon d'accord se dégage à l'hôtel des Thermes, à Ostende.

Le 31 juillet 1928, enfin, un group agreement est signé à Londres entre les compagnies pétrolières anglo-américaines : un petit quart des parts pour l'Anglo-Persian Oil Company britannique et le même pourcentage pour la Royal Dutch Shell, anglo-hollandaise, le conglomérat américain Near East, et la Compagnie française des pétroles, future société Total. Les cinq pour cent restants reviennent, comme de juste, à Gulbenkian.

À lui aussi le privilège de tracer les limites de la zone où chacun des actionnaires de l'IPC ne pourra opérer sans l'accord des autres.

« Qu'on m'apporte une carte du Moyen-Orient », exige le petit homme plein d'énergie.

Il la déplie sur la table devant les actionnaires de l'IPC.

« Voilà l'Empire ottoman tel que je l'ai connu en 1914. Si quelqu'un s'estime mieux informé, qu'il me corrige. »

Sur ce, « Monsieur 5 % » empoigne un crayon rouge et trace une ligne autour de la zone centrale, du sud de la péninsule Arabique au nord de la Turquie. À l'exception de l'Iran, chasse gardée britannique, et du Koweït, convoité par les Américains, les grandes régions pétrolifères de cette région du monde s'y trouvent incluses.

« À l'intérieur de ces frontières, martèle Gulbenkian, aucun des actionnaires de l'IPC n'entreprendra d'opération de forage ou d'exploitation sans accord préalable avec les autres ? »

La « ligne rouge » est née. Avec elle, le Moyen-Orient entre dans une nouvelle phase de son histoire...

Le 3 octobre 1932 voit s'accomplir un rêve : l'Irak entre à la Société des nations.

« Nouri Pacha, je vais vous demander un grand sacrifice, lance Fayçal peu après. Restez dans le gouvernement, mais renoncez au poste de Premier ministre. Nous devons rallier les adversaires du traité avec la Grande-Bretagne, et je souhaite proposer la responsabilité du cabinet à un des dirigeants de l'Ikha. »

Haussement d'épaules du général, qui n'a jamais caché son dédain pour les hommes de l'Ikha, un parti d'opposition.

« Ce sont des jusqu'au-boutistes, Votre Altesse. Ils vont refuser. »

Fayçal sourit en caressant sa barbe.

« Je le pense aussi. Mais le fait d'avoir été pressentis flattera leur vanité. Vous, vous irez aux Affaires étrangères. »

Comme prévu, les chefs de l'Ikha refusent l'offre royale. Un politicien conciliateur, Nadji Chaoukat, va former le cabinet de transition dans l'attente des prochaines législatives.

Six mois plus tard, c'est le blocage. Incapable de gouverner, le Premier ministre donne sa démission. Le roi désigne alors un membre de l'Ikha, Rachid Ali el-Kailani.

Petit de taille mais grand par sa lignée familiale, ce juge bagdadi de quarante et un ans a exercé peu de temps au sein d'un tribunal avant de s'orienter vers la politique. Ministre de la Justice en 1924, puis de l'Intérieur entre 1925 et 1928, il possède une sérieuse expérience gouvernementale. Assez pour comprendre la différence entre ce qu'on clame en public et ce qu'on fait.

« Le traité avec la Grande-Bretagne ne me convient pas plus qu'à vous. C'était le mieux que nous pouvions obtenir, explique Fayçal. Si vous prenez la tête du cabinet, ne le remettez pas en question. »

Kailani accepte le marché, mais, en regard de son intransigeance de façade, la politique modérée de l'Ikha ne tarde pas à lui valoir de dures controverses avec ses alliés du Parti national. C'est un gouvernement affaibli que Fayçal quitte le 3 juin pour la Belgique, où il doit effectuer une visite d'État. Le 20, il est à Londres avec trois de ses ministres, Nouri Saïd, Yacine el-Hachemi et Roustoum Haïdar.

Le 22, la visite officielle est terminée. Fayçal, épuisé, prend quelques jours de repos dans un hôtel. Il envisage même – déjà – de se retirer un temps en Suisse pour reconstituer ses forces.

Hélas, d'inquiétantes nouvelles lui parviennent d'Irak. Pour redorer son blason en l'absence du roi, le gouvernement a lancé une vague de répression contre les assyriens*, des chrétiens de rite nestorien, très marginal, rescapés des pogroms ottomans.

Dans cette politique de la matraque, Kailani voit l'opportunité de serrer autour de lui les rangs des « vrais Irakiens ». Les assyriens ont servi d'auxiliaires aux Britanniques et, jusqu'en

1925, leurs effectifs dépassaient ceux de l'armée : ils représentent le parfait bouc émissaire.

Démobilisés, les assyriens demandent le droit de conserver leurs armes pour protéger leurs familles. On leur refuse, arguant de la raison d'État. Mais quelle raison d'État dans un pays où toutes les communautés sont armées ? Alors ils campent sur leurs positions.

Kailani croit qu'une simple démonstration de force de l'armée suffira. Mais, à jouer le jeu de la xénophobie, on est toujours débordé par plus xénophobe que soi. Le chef de la région militaire de Mossoul, Bakr Sidqi el-Askari, lance ses hommes à l'assaut des assyriens. Un massacre : soixante villages incendiés, six cents morts dont trois cents assassinés à la mitrailleuse pour le seul bourg de Simel, des milliers de déportés.

Fayçal ne conçoit pas la royauté sans tolérance. Malgré sa fatigue, il précipite son retour à Bagdad. Le 2 août, le voilà dans sa capitale. Mais il est déjà trop tard. Acclamé comme le sauveur de la nation, Bakr Sidqi vient d'être promu général. La rue est en ébullition. Les plus excités demandent qu'on en finisse avec les assyriens.

« Une manipulation de l'Ikha, grogne Nouri Saïd. En plus, il fait une chaleur effrayante. »

La situation devient incontrôlable. La foule scande le nom de l'émir Ghazi, fils du roi âgé maintenant de vingt et un ans, celui de Bakr Sidqi, ceux des ministres mais pas le nom de Fayçal ! Le 2 septembre, exténué, le souverain quitte brusquement l'Irak pour la Suisse. On sait qu'il n'y survivra même pas une semaine.

Un mort de plus parmi les rescapés de la thawra...

35

Une moto sur le bas-côté

Mille centimètres cubes de cylindrée : ça dépote, une Brough Superior SS 100 ! Ce matin, notre homme s'est rendu au bureau de poste du camp militaire voisin pour expédier un paquet de livres à son ancien copain de chambrée « Jock » Chambers, et un télégramme invitant Henry Williamson, un nouvel ami écrivain, à déjeuner le mardi suivant.

Une petite pointe de vitesse pour le retour ? Seules trois descentes marquent cette route presque rectiligne ; un vrai motard peut s'y lâcher un peu. Coup d'accélérateur. Le moteur ronfle, la Brough dépasse les soixante kilomètres/heure. Et soudain, en face, ces deux gamins sur leurs vélos...

Ce 13 mai 1935, en fin de matinée, Thomas Edward Lawrence, tentant d'éviter les jeunes cyclistes, dérape sur le bas-côté pour y tomber dans le coma. Six jours après, il meurt.

Le 21, on l'enterre. Parmi les six amis qui portent les cordons du poêle, Ronald Storrs et Skinface Newcombe. Winston Churchill, très ému, et Alan Dawnay l'accompagneront également à sa dernière demeure.

Il ne reste de ce personnage hors norme, démissionnaire de la RAF depuis le 1er mars, qu'une légende, celle du « roi sans couronne d'Arabie », un mystère, celui de l'homme d'action, et une œuvre littéraire, dont le très approximatif *Sept Piliers de la sagesse*, étonnante collection de vrais-faux souvenirs, constitue la clé de voûte.

Retiré depuis douze ans dans une vie militaire quasi monastique, s'intéressait-il encore au Moyen-Orient nouveau qu'il avait contribué à faire éclore ? aux développements de la solution hachémite, son œuvre en si grande partie ? au destin, tout simplement, de ses compagnons de lutte ?

Nul ne sait par exemple si le héros occidental de la guerre du désert, alors simple tankiste, avait eu vent de la mort d'Aouda Abou Taya. Le stratège de la prise d'Akaba s'est éteint le 22 juillet 1924 à Amman, plus fidèle que jamais à la cause hachémite.

Avec Aouda disparaissait un des chefs de tribu les plus loyaux du pays. Organisées par le chérif Chaker, ses funérailles rassemblèrent quantité de cheiks, la totalité des membres du gouvernement, des centaines d'anonymes, mais ni Henry Cox, successeur de Philby au poste d'officier politique en chef, ni Peake Pacha.

Qu'a donc pensé Gertrude Bell d'une pareille maladresse ? Elle aussi a trouvé la mort. Le 11 juillet 1926, trois jours avant le cinquante-huitième anniversaire de Khatoun, il faisait particulièrement chaud. De retour de sa baignade quotidienne, épuisée, la dame de Bagdad s'est couchée dans l'après-midi :

« J'ai besoin de tranquillité ; que personne ne me dérange. Réveillez-moi demain matin sur le coup des huit heures… »

Suicide ? Overdose ? Le lendemain, elle gisait à côté de son flacon de somnifères bouchon ouvert. Le Dr Dunlop, de l'hôpital royal de Bagdad, a conclu à l'empoisonnement par excès de barbituriques.

« Khatoun était une combattante ; elle mérite des funérailles militaires », tranche Ali, l'ex-roi du Hedjaz, qui assure la régence en l'absence de son frère Fayçal.

Des obsèques nationales. Le temple est plein à craquer. Après l'office, on place le cercueil, recouvert d'un drapeau britannique et d'un drapeau irakien, dans une ambulance. Suit tout ce qui compte à Bagdad : les membres du gouvernement, les hommes et les femmes du clan hachémite, le haut-commissaire Henry Dobbs et les autres officiels britanniques présents, civils et militaires. Des soldats en grand uniforme encadrent le cortège sous les yeux d'une foule considérable d'où nul cri hostile ne jaillit.

Le cimetière britannique de la capitale sera la dernière demeure de cette femme au parcours exceptionnel. À la demande personnelle du roi Fayçal, une salle va porter son nom, dès 1927, au Musée archéologique de Bagdad. Son seul enfant, celui qu'elle a conçu et porté sur les fonts baptismaux. Dans huit décennies, Saddam Hussein à peine renversé, les pillards voleront beaucoup des plus belles pièces de ce haut lieu de préservation, sous l'œil indifférent de GI venus « reformater » le Moyen-Orient selon les plans de dirigeants dont aucun ne possédera ne serait-ce que le dixième de sa connaissance du pays. L'impérialisme anglais avait ses tares, au moins était-il l'œuvre de gens qui savaient où leurs soldats auraient à mettre les pieds...

Le commandant David Hogarth était de ceux-là. Un an et demi après Gertrude Bell, le 6 novembre 1927, l'ancien chef du Bureau arabe, retourné à ses chères études, rencontre lui aussi la mort pendant son sommeil. À Oxford, cette fois, sans barbital et sans mystère. Le commander avait soixante-cinq ans, âge avancé pour un agent secret mais très raisonnable pour un professeur.

Autre architecte de la politique moyen-orientale de son pays, Bertie Clayton, haut-commissaire britannique, est décédé à Bagdad le 11 septembre 1929, peu après s'être prononcé en faveur de l'admission de l'Irak à la Société des nations. Sans l'appui constant de cet homme discret mais efficace, la thawra n'aurait peut-être été qu'un feu de paille et le destin des Hachémites, tout autre.

Arthur James Balfour le suivra dans la mort le 19 mars 1930 à Fisher's Hill, la propriété de son frère. Le père de la déclaration qui porte son nom devant l'histoire est enterré dans son lieu de naissance, Whittingehame. Aucune personnalité arabe n'est jamais venue s'incliner sur sa tombe, et chacun comprend pourquoi.

Amiral de la flotte dès décembre 1917, Rosy Wemyss, dont les navires furent si utiles au succès de la révolte arabe, a

« pantouflé » en 1929 comme directeur de Cable and Wireless Company et de British Oil Development Company. Il s'est éteint le 24 mai 1933, à Cannes, où il résidait une partie de l'année.

L'amiral disparu, la roue de la mort continue sa noria. Le remplaçant de Bertie Clayton à Bagdad, sir Henry Dobbs, rend son dernier souffle le 30 mai 1934 dans sa propriété familiale de Cappoquin. Sa mission irakienne aura duré six ans. Il fut de ceux qui ont contribué à préparer la fin du mandat et l'avènement d'une forme plus raffinée de la fameuse solution hachémite.

Cette forme, le chérif Chaker, le cousin de l'émir Abdallah, en fut, côté arabe, l'une des chevilles ouvrières. Au fil des années, ce grand connaisseur des fils du désert, président du bureau de contrôle des Bédouins, s'était mué en juge de paix des querelles intertribales. C'est lui qui rencontrait les cheiks ennemis, rapprochait leurs points de vue, établissait le barème des punitions pour les actes délictueux.

Que de soulèvements évités grâce à sa dialectique tenace, de collecteurs d'impôts sauvés, de poignards demeurés au fourreau, de balles jamais tirées ! Sans lui, Abdallah n'aurait pu s'imposer. Mais il est mort le 8 décembre 1934.

Le 19 mai 1935, c'est donc le tour de Lawrence. Le « roi sans couronne d'Arabie » disparaît la même année qu'Ali, l'aîné des Hachémites.

Depuis la perte de Djeddah, l'ultime défenseur du Hedjaz des Béni Hachem vivait dans l'ombre de son frère Fayçal. Et même dans l'ombre tout court dont cet homme, plus porté sur la religion que sur l'action politique, ne sortait qu'en de rares circonstances pour exercer la régence, comme lors des obsèques de Gertrude Bell.

Qui présidera aux siennes ? Son neveu, le roi Ghazi, héritier de Fayçal, a prévu une cérémonie grandiose. Le corps de l'aîné du clan descendra le Tigre en bateau jusqu'au mausolée royal, dans les faubourgs de Bagdad. Des chalands mortuaires voilés de noir et chargés de pleureuses doivent l'accompagner. Sur les rives, les maisons seront drapées de noir elles aussi. Calquant leur pas sur sa lente progression, des milliers de piétons suivront le cortège fluvial.

Des soldats, enfin, seront postés à intervalles réguliers. Au passage du cercueil, ils devront tourner le canon de leurs fusils vers le sol en signe de deuil.

Dieu, hélas, ne l'entend pas de cette oreille. Pour son adorateur si pieux, il a prévu une autre fin. Le vent se lève sur Bagdad. Bientôt, le pire orage de sable de la décennie secoue la capitale, ruinant les plans funéraires du jeune roi Ghazi. Du convoi de chalands, plus question. À travers les rues balayées de particules sableuses, des milliers de femmes voilées suivent le cercueil. Une fin sans éclat pour celui qui avait rêvé de gloire dans les pas de son père, le chérif de La Mecque...

La camarde épargne tout de même quelques têtes familières.

Nessib Bekri : Lawrence en avait dit tant de mal que la mort accidentelle du « roi sans couronne d'Arabie » ne l'a guère plongé dans l'affliction. Au contraire de tant de ses camarades de lutte, le Syrien n'a pas suivi Fayçal après son expulsion de Damas. Député du Bloc national, formation politique où se sont regroupées d'autres personnalités en lutte contre la présence française, Bekri sera de tous les grands combats pour l'indépendance.

En Irak, Djamel Medfaï, fondateur du Pacte, a déjà dirigé le gouvernement deux fois. Déserteur de l'armée ottomane pendant la Grande Guerre, il s'était rallié à l'armée chérifienne à Akaba pour en devenir le chef de l'artillerie. Ancien chef de la garnison de Damas sous Fayçal, cet Irakien regagne ensuite son pays, dirige le diwan* royal avant de former son premier cabinet en novembre 1933.

Autre ancien du Pacte, Ali Djaoudat le suit, croirait-on, pas à pas. Chef à son tour du diwan royal, puis Premier ministre en août 1934, après la chute du deuxième cabinet Medfaï, il ne perdra son poste qu'en octobre 1935. Quant à Roustoum Haïdar, il demeure, comme Nouri Saïd, Djefar el-Askari et Yacine el-Hachemi, tous anciens Premiers ministres, un acteur de premier plan de la scène politique irakienne.

Voilà pour les protagonistes arabes les plus éminents de la thawra. Beaucoup de serviteurs de l'Empire britannique survivent également.

Vicomte de Megiddo, Allenby a pris sa retraite. Président depuis 1930 de l'Association nationale des cadets, le conquérant de Jérusalem se voue désormais à sa passion pour l'ornithologie – il a même installé une volière dans son petit jardin londonien.

Après avoir rendu un ultime service à la couronne britannique, sous la forme d'un protocole d'accord avec Ibn Séoud, Percy Cox quitte l'Irak le 4 mai 1923. Retiré, il préside aux destinées du Comité du mont Everest et de la prestigieuse Royal Geographical Society.

Grande figure de la franc-maçonnerie anglaise, Arthur McMahon, qui échangea autrefois des lettres si décisives avec le chérif Hussein, préside pour sa part le conseil national de la Young Men's Christian Association et celui de l'Amicale de l'Empire britannique.

John Schuckburgh a cessé de diriger le département du Moyen-Orient en 1926, quand ce service ad hoc a été dissous. Depuis 1931, il occupe un poste taillé pour lui, celui de secrétaire d'État adjoint.

Son ancien bras droit, Hubert Young, l'homme que Lawrence présenta à Fayçal pendant la révolte arabe comme son remplaçant possible en cas de malheur, a été secrétaire colonial à Gibraltar jusqu'en 1929, conseiller du haut-commissaire britannique à Bagdad et ministre plénipotentiaire de la Grande-Bretagne dans la capitale irakienne en octobre-novembre 1932. Il est pour l'heure gouverneur de la Rhodésie du Nord.

Herbert Samuel abandonne en 1925 ses fonctions de haut-commissaire en Palestine pour devenir président du Parti libéral. Député de Darwen en 1929, il sera un des grands artisans du « gouvernement national » de coalition avec les élus dissidents du Labour de l'été 1931. L'année suivante, les libéraux quittent le gouvernement. Secrétaire d'État à l'Intérieur, Samuel démissionne. Un mois après l'accident qui a coûté la vie à Lawrence, il perd son ancien siège de Darwen.

Jamais plus il ne croisera Edward Turnour dans les couloirs de la maison du Parlement. Sous-secrétaire d'État pour l'Inde jusqu'en 1929, le sixième comte Winterton est de ceux – rares – qui appuient Winston Churchill dans sa volonté de barrer la route à Hitler, que beaucoup voient encore comme un dictateur

« à l'ancienne ». Marié depuis 1924 à la fille d'un baron, quelqu'un de son monde, il ne considère plus la thawra que comme un vague souvenir.

Marié aussi, mais en 1923, à la veuve d'un lieutenant-colonel, Ronald Storrs quitte d'abord Jérusalem pour Chypre, où nous l'avons vu renouer avec le malik Hussein. S'éloignant du Moyen-Orient, il devient ensuite gouverneur de la Rhodésie du Nord puis, malade, se retire en 1934, cédant sa place à Hubert Young. Médite-t-il déjà ses futurs mémoires, *Orientations*, qui ne paraîtront toutefois qu'en 1937 ? C'est probable.

Recyclé dans les affaires pétrolières, A. T. Wilson quitte en 1926 l'Iran, où il résidait depuis cinq ans comme directeur résident de l'Anglo-Persian Oil Company. Élu au Parlement en 1931 dans le Hertfordshire, il siège aux Communes sur les bancs conservateurs.

Harry Chauvel, le stratège de la prise de Damas en octobre 1918, est retourné vivre en Australie. Inspecteur général puis, à partir de 1923, chef de l'état-major général, il jouit depuis cinq ans d'une retraite bien méritée.

On ne peut pas en dire autant de Walter Francis Stirling, qui accompagnait Lawrence à bord de leur Rolls-Royce, la *Blue Mist*, au moment de l'entrée à Damas. Officier politique au Caire puis gouverneur du Sinaï, l'ancien du Royal Dublin Fusiliers quitte le service public en 1923 pour devenir conseiller personnel d'un riche propriétaire albanais, Ahmed Bey Zogu, qu'il suit à Tirana cinq ans plus tard, quand ce dernier devient roi sous le nom de Zog Ier. Menacé de mort à la fois par les Italiens et par les Yougoslaves, Stirling regagne l'Angleterre en 1931 et esquisse une carrière dans les milieux de la production cinématographique.

Bien qu'il n'ait fait, comme Stirling, qu'une courte apparition dans notre histoire, peut-être le lecteur se souvient-il de Leonard Woolley ? Revenu à ses premières amours archéologiques, l'ancien du Bureau arabe vient de publier *The Development of Sumerian Art*. Parmi ses lecteurs, peu savent que, vingt ans plus tôt, en 1916, Woolley voyait son navire drossé sur les côtes. Capturé, l'archéologue restera deux ans emprisonné chez les

Turcs avant de retrouver Karkemish, mais sans Lawrence cette fois.

En 1922, c'est dans les ruines de l'antique cité sumérienne d'Our qu'il s'installe pour douze années de fouilles acharnées qui mettront au jour un vaste sanctuaire consacré au dieu de la Lune, ainsi que l'Ekishnugal, le « Temple de grande lumière ».

Lors d'un passage à Bagdad avec sa femme Katherine, Woolley fait, en 1930, la connaissance d'une romancière divorcée, une certaine Agatha Christie. Invitée sur leur chantier, elle rencontre le bras droit de Woolley, Max Mallowan. Coup de foudre : ils se marient...

Ken Cornwallis a servi treize ans comme mentor du ministère de l'Intérieur à Bagdad. Après la mort de Fayçal, le nouveau roi, Ghazi, jugeant qu'il n'a plus rien à tirer d'un « homme d'État âgé » de cinquante-deux ans, met fin à ses fonctions en mai 1935, le mois de la mort de Lawrence. Ken réintègre la haute fonction publique anglaise. Mais c'est un coriace, il reviendra...

Plus heureux, Alec Kirkbride est toujours résident britannique à Amman, où il s'entend fort bien avec Abdallah de Transjordanie.

Retourné à la diplomatie, Reader Bullard exerce les fonctions de consul au Maroc, qui lui permettent de pratiquer l'arabe.

Flanqué de six officiers britanniques, Peake Pacha commande la Légion arabe qui, après beaucoup de péripéties, a accompli sa mue, de la minuscule « patrouille du désert » à une troupe de mille deux cents hommes.

Parlerons-nous de Haïm Weizmann ?

Écarté de la présidence de l'Organisation sioniste mondiale, son nom revient sur la sellette cette année 1935, décidément fertile en événements. À Lucerne, David Ben Gourion est élu président de l'exécutif sioniste et de l'Agence juive mais, devant les congressistes, le leader de la droite « révisionniste » du mouvement, Zeev Jabotinsky, met Weizmann en accusation pour une interview donnée à un journaliste britannique et jugée conciliante.

Ben Gourion choisit alors de demander au chimiste de redevenir président de l'Organisation sioniste mondiale.

Côté français aussi, le temps a fait ses ravages.

Gouraud cesse ses fonctions de haut-commissaire et de commandant supérieur des troupes françaises du Levant le 8 mai 1923. Il devient gouverneur militaire de Paris le 3 septembre, membre du Conseil supérieur de la guerre. La seule chose qui l'angoisse, c'est la limite d'âge : la barre s'abattra inexorablement en 1937.

Fort de ses appuis parisiens, Robert de Caix espérait bien lui succéder. Mais non, c'est le général Weygand qu'on désigne. Amer et malade, Caix regagne la France. En le nommant représentant accrédité de la France à la Commission des mandats de la Société des nations, poste qu'il occupe toujours en cette année 1935, le Quai d'Orsay lui a quand même déniché un lot de consolation enviable...

Promu général en 1923, retiré en 1928, Édouard Brémond a réglé ses comptes dès 1931, avec son *Hedjaz dans la guerre mondiale*.

Reconverti au Maroc comme officier des affaires indigènes, Rosario Pisani regagne son Constantinois natal avec le grade de commandant, pour y commander le parc d'artillerie.

Renvoyé du Hedjaz par Catroux, le dernier chef de la mission militaire auprès du malik Hussein, « Cheik Ibrahim » Depui, n'en a pas moins poursuivi sa carrière dans les services spéciaux de l'armée du Levant.

Homme de confiance de Gouraud mais partisan d'une politique plus libérale, Catroux lui-même a démissionné de son poste en 1923, faute d'obtenir les crédits indispensables. Promu général de division le 11 mai 1935, deux jours avant l'accident mortel de Lawrence, il quitte à nouveau l'Afrique du Nord pour la métropole.

Remarié après la mort de Jeanne Dupré à Cyprienne Xerri, la veuve d'un camarade tombé sur le front de Champagne, Chérif Cadi cumule ses fonctions d'officier avec une activité éditoriale. Auteur de *Terre d'islam* en 1926, journaliste à *La Voix des indigènes*, il rêve de concilier attachement à sa patrie d'adoption et progrès de ses frères algériens, s'attirant les foudres conjuguées des colonialistes et des nationalistes.

Professeur au Collège de France, titulaire de la chaire de sociologie musulmane, Louis Massignon, toujours fasciné par le monde arabe, l'Orient et l'islam, est devenu l'universitaire français le plus en vue dans ce domaine. Mais sa voix, comme celle de Chérif Cadi, prêche surtout dans le désert, métaphore qui plairait sans doute à ce chrétien mystique...

L'islam, Philby a fini par s'y convertir. Installé à Djeddah en 1926, ses diverses tentatives commerciales n'ont guère connu de succès. Barbu, vêtu d'une robe arabe, il se rapproche en revanche d'Ibn Séoud.

En 1928, notre homme est au Caire, où il plaide sans résultat en faveur de la reconnaissance de l'émir par les États-Unis. Il se souvient alors que Charles Crane, l'ancien coprésident de la fameuse commission King-Crane d'enquête américaine sur le Moyen-Orient, ne jure que par le monde arabe.

Viendrait-il à Djeddah, toujours ouverte aux infidèles, rencontrer Ibn Séoud ?

C'est non, hélas. Crane préfère le Yémen.

En août 1930, sa conversion ouvre à Philby les portes de La Mecque, et, plus précisément, celle du conseil privé d'Ibn Séoud. Deux fois par jour, sauf le vendredi, on s'y réunit autour de l'émir pour parler des problèmes de l'État.

Il a laissé sa femme, Dora, toujours en Angleterre. À elle de se débrouiller pour le financement des études de leur fils. Excellent élève, Kim promet beaucoup. Chacune des nombreuses lettres de St John est pour lui l'occasion de mépriser un peu plus les tares de l'establishment britannique et de nourrir l'espoir d'une société meilleure. Comme son père, mais en plus extrémiste, il est séduit par les idées socialistes.

Un jour qu'il chasse avec Ibn Séoud, St John s'enhardit à évoquer les ressources du sous-sol arabe. Que l'émir cesse d'interdire l'accès de son pays aux sociétés pétrolifères, et des prospecteurs de métier pourraient montrer leur intérêt.

« Oh, Philby, s'écrie Ibn Séoud, si quelqu'un m'offrait un million de livres, je lui accorderai volontiers toutes les concessions qu'il pourrait me demander.

— Les pétroliers demanderont certainement à prospecter d'abord », rétorque St John.

En février 1931, Crane débarque à Djeddah sur sa demande. Il rencontre Ibn Séoud à plusieurs reprises, refuse d'acheter une concession mais promet d'envoyer à la rescousse un génie de la prospection, son compatriote Karl Twitchell.

Et St John ? Personne n'est jamais parvenu à le convaincre de se taire. Même Ibn Séoud, surpris sans doute de le voir abandonner son conseil privé en avril 1931 pour protester contre la manière dont l'Arabie est administrée ! Ce qui n'empêche pas l'Anglais, concessionnaire Ford, représentant des machines à coudre Singer et des produits pétroliers de la Socony Vacuum, ancêtre de la firme Mobil, de connaître une aisance qui contraste avec la frugalité des années de vaches maigres.

Cartographe, botaniste, naturaliste, il peut se livrer aux explorations qui l'ont toujours passionné.

En avril 1932, Philby est reçu à Londres par la Royal Geographical Society, où son ancien supérieur en Irak, Percy Cox, est déjà influent. Au menu, puisqu'il s'agit d'un dîner : l'exposé de ses découvertes dans les déserts arabiques, et notamment de sa traversée du Rub el-Khali.

St John profite de l'occasion pour se rendre à Cambridge passer trois jours avec son fils. Comme lui étudiant à Trinity College, Kim fréquente une bande d'hurluberlus qui proclament leur adhésion au communisme.

De retour à Londres, St John reçoit une lettre du consul-général des États-Unis, Albert Halstead, lui proposant de rencontrer « l'honorable Francis Loomis, ancien sous-secrétaire d'État ».

L'explorateur décline. Mais Halstead revient à la charge tant et si bien que, le 7 juillet, Loomis et Philby déjeunent ensemble chez Simpson. Et là, ce n'est pas de désert dont on parle, mais de pétrole. L'ancien sous-secrétaire d'État est en effet conseiller de la Standard Oil of California, la Socal, laquelle aimerait savoir ce qu'il y a sous le sable.

« Pourriez-vous nous organiser une rencontre avec le roi ? » s'enquiert l'Américain.

Le hasard faisant bien les choses – pour la Socal du moins – Loomis, de retour aux États-Unis, y fait la connaissance de Twitchell.

« Ibn Séoud est à court d'argent, confirme l'ingénieur. Contactez-le.

— Et vous, accepteriez-vous de retourner en Arabie pour la Socal ? »

En février 1933, Karl et Nona Twitchell, accompagnés du négociateur de la compagnie, l'avocat californien Lloyd Hamilton, et de sa femme Airy, débarquent à Djeddah.

Il est temps car l'Anglo-Persian Oil Company, l'APOC, et l'Irak Petroleum Company, l'IPC, viennent enfin de se rendre compte que l'Arabie Séoudite pourrait bien regorger d'or noir. Pas par hasard : pour faire monter les enchères au profit d'Ibn Séoud, c'est Philby lui-même qui les a averties des visées américaines...

Le négociateur de l'IPC n'est autre que Stephen Hemsley Longrigg, éminent connaisseur du monde arabe qui fut, dans les débuts du règne de Fayçal en Irak, un des adjoints de Ken Cornwallis. Mais il arrive tard, bien tard.

« Que diriez-vous de devenir notre représentant ici ? » demande Longrigg à Philby.

Le problème, c'est que St John a déjà fait son choix. Et que Longrigg, mis en confiance, lui confie, entre compatriotes, que l'IPC n'a pas la moindre intention d'exploiter les gisements séoudiens potentiels. L'important, c'est de barrer la route aux Américains. Avec la crise économique mondiale et le brut au-dessous de dix cents le baril, on serait stupide de mettre de nouvelles quantités sur le marché...

St John tient enfin l'occasion de se venger de ces fichus snobs de l'aristocratie anglaise ! Courant chez Ibn Séoud, il lui révèle le pot aux roses.

« Mais s'ils me versent de l'argent, quelle différence ? répond le roi.

— Comme leur intention n'est pas d'exploiter les gisements, ils vous en donneront le moins possible. Je connais les Anglais : ces fourbes ne pensent qu'à vous rouler. Les Américains, eux, sont prêts à mettre le prix... »

Victime d'un trachome, Ibn Séoud n'a plus qu'un œil valide. Mais là, il voit très bien le tableau. Philby a raison : ces Anglais sans parole ont toujours préféré Hussein ; Fayçal d'Irak touche les royalties du pétrole et pas lui, le conquérant de Riyad et de La Mecque ! Ce scandale doit cesser.

Au fil de longues négociations, un protocole d'accord entre le royaume et la Socal est élaboré par Hamilton et Abdallah Souleiman, le ministre séoudien des Finances.

Le 23 mai 1933, Souleiman lit ce document. Excédé de la multitude des détails techniques, Ibn Séoud se penche vers Philby :

« Qu'en penses-tu ?

— C'est l'accord le plus avantageux que vous puissiez obtenir, Sire.

— Très bien, dit le roi à Souleiman. Ayez confiance en Dieu et signez. »

Six jours plus tard, c'est chose faite.

St John vient d'offrir aux Américains la clé des champs pétrolifères du royaume. Pour parachever la légende noire des Philby, vers dans le fruit de l'establishment britannique, son fils Kim n'est pas loin de sauter le pas qui sépare les sympathies communistes de l'entrée dans les services secrets de Staline, dont il deviendra sous peu l'un des plus grands agents...

36

L'année où tout a commencé

Ils veulent venger leur chef, abattu l'année précédente par l'armée anglaise.

Syrien d'origine, ancien étudiant de l'université el-Azhar du Caire, le cheik Azzedine el-Kassam, menacé d'arrestation par les Français, était venu trouver refuge en Palestine. Imam* de la mosquée d'Haïfa, ce fondamentaliste de choc se fixait d'emblée un objectif dont il ne devait jamais dévier : la guerre sainte contre les Juifs et les Britanniques.

En décembre 1932, son groupe armé, la Main noire, passait pour la première fois à l'action. Elle attaquait Nahalal, une colonie juive voisine de Nazareth. Lancée contre la maisonnette d'une famille de colons, les Ya'akobi, une bombe tuait leur petit garçon. Moshé Dayan, dix-huit ans, un voisin, membre de la Haganah*, la milice juive semi-clandestine, songeait à des représailles...

Repoussé par le grand mufti Hadj Amine el-Husseini, soucieux de préserver ses bonnes relations avec l'administration britannique et de réserver l'option militaire à son neveu Abd el-Kader, créateur d'un groupe armé rival, la Société de la guerre sainte, Azzedine regagnait la montagne de Djénine avec une petite centaine de « cheiks barbus ». Cerné par les Britanniques, combattant jusqu'à la mort, il allait poser l'acte fondateur de la résistance armée palestinienne.

Et voilà que son nom resurgit ce 15 avril 1936. Les rescapés de la Main noire n'ont pas désarmé. Près de Toulkarem, leur barrage stoppe une camionnette qui transporte des poulets au marché de Tel-Aviv. Ses deux occupants sont juifs ; on les abat de sang-froid.

C'est la montée aux extrêmes. Le 17, aux premières heures du jour, deux ouvriers arabes d'une orangeraie voisine de Jaffa sont tués. Leurs assassins, de jeunes Juifs, appartiennent à la Haganah Bet, un groupe clandestin né d'une scission « révisionniste » de la Haganah après la rupture entre Zeev Jabotinsky et Ben Gourion...

La surenchère meurtrière n'affecte pas seulement le camp juif. Les Nachachibi, qui ne pensent qu'à déborder le clan rival, les Husseini, poussent les Palestiniens dans la voie de l'affrontement.

Le 19, la rumeur court les rues de Jaffa : une femme et trois travailleurs arabes auraient été assassinés à Tel-Aviv. Hussein Fekri el-Nachachibi, le neveu du chef de clan, n'est pas étranger à cette information. Et guère moins aux émeutes qu'elle déclenche. On compte neuf morts et une soixantaine de blessés israélites ; deux des manifestants arabes ont été abattus par un policier. Affolés, les Juifs quittent la ville par centaines pour se réfugier à Tel-Aviv

Côté arabe, l'unité politique s'instaure aussi sous l'égide des chefs du Parti de l'indépendance arabe, les istiqlalistes, dont le plus éminent n'est autre qu'Aouni Abd el-Hadi, ancien de la Fétah et, on s'en souvient, proche collaborateur de Fayçal Ier pendant les négociations avec Clemenceau. Par la suite, il s'est rapproché d'Abdallah, mais sans en devenir un client.

Les istiqlalistes se sont fixé pour objectif la réintégration de la Palestine dans une Grande Syrie libérée des Français. Mais, pour l'heure, c'est l'urgence qui dicte sa loi. Unitaires pour deux, pour cinq, pour dix, les partisans d'Abd el-Hadi se déclarent prêts à coopérer avec les grands seigneurs palestiniens qu'ils abhorrent pourtant.

Preuve tangible de la volonté de rassemblement, le Haut comité arabe est créé le 25 avril. Fruit d'un savant dosage entre clans, il se fixe la tâche de coordonner la grève générale contre l'immigration sioniste. À ses dix membres de donner au mouvement tous les prolongements politiques possibles.

Sortant enfin de sa réserve, le grand mufti prend la présidence du Haut comité arabe. Siège à ses côtés, pour le Parti de la Palestine arabe, Djemal el-Husseini, son propre cousin. Rabegh el-Nachachibi représente le Parti de la défense nationale ; Fekri el-Khalidi, le Parti de la réforme ; Aouni Abd el-Hadi, le Parti de l'indépendance ; Abd el-Latif Salaah, le Parti du bloc national ; Yakoub el-Ghoussein, le Congrès arabe de la jeunesse. Deux chrétiens, Alfred Rock, proche des Husseini, et Yakoub Ferradj, son équivalent auprès des Nachachibi, se sont joints à eux. Ahmed Hilmi Abd el-Baki complète la dizaine.

La grève, mais quelle grève ? Ici, méfions-nous des comparaisons abusives. La grève générale palestinienne qui commence à Naplouse et à Jaffa, avant de s'étendre à Jérusalem, n'a rien à voir avec les débrayages ouvriers que va bientôt connaître la France, après la victoire électorale du Front populaire.

Rurale autant qu'urbaine, insurrection par à-coups et non mouvement revendicatif, elle mobilise, de gré ou de force, aussi bien les petits commerçants, qui ferment leurs échoppes, que les dockers ou les travailleurs agricoles, qui croisent les bras.

Du boycott des produits anglais ou juifs, on passe à la désobéissance civile. Au travers de groupes comme la Main noire ou la Société de la guerre sainte, la grève prend enfin la forme d'actions armées : barrages sur les routes, coupures de fils télégraphiques, sabotages des voies de chemin de fer. Attentats individuels, embuscades et attaques de colonies juives sont nombreux, mais la violence débute déjà à la base, quand les Arabes récalcitrants sont menacés de mort, battus, voire assassinés...

Abdallah n'a jamais renoncé à son rêve de grand royaume arabe unitaire. Il s'interroge. Y aurait-il un bénéfice à tirer de cette radicalisation qui embarrasse tant la puissance mandataire ? Et si oui, n'est-il pas le mieux placé ? Hachémite, il appartient à un clan renommé. Surtout, quel autre souverain arabe peut se targuer d'entretenir de bonnes relations avec les Britanniques et, en même temps, des passerelles avec les Juifs ?

Le 30, il écrit au haut-commissaire anglais pour la Palestine et la Transjordanie, Arthur Wauchope, afin de lui faire part de son trouble.

Wauchope n'a pas oublié la façon dont le fils du malik Hussein imposa autrefois son émirat à la couronne britannique. Mais, soldat blanchi sous le harnais, il sait aussi d'expérience qu'il ne faut pas mépriser les guérillas. Et s'il l'oubliait, sa jambe meurtrie serait là pour le lui rappeler : le 11 décembre 1899, à Margersfontein, la division à laquelle il appartenait a été taillée en pièces par des irréguliers boers, les Blancs d'Afrique du Sud d'origine hollandaise…

Wauchope a l'esprit pratique. Sans répondre directement à la missive de l'émir, il demande au Colonial Office d'augmenter les sommes qu'on lui alloue.

Abdallah, lui, revient à la charge. Nouvelle lettre au haut-commissaire le 22 mai avec un nouvel argument : ne négligez pas l'opinion arabe, persuadée que le gouvernement britannique serait sous la coupe des Juifs.

« Je suis en liaison constante avec le Comité des dix, souligne l'émir. J'ai rencontré Aouni Abd el-Hadi et Djemal el-Husseini, lesquels m'ont remercié de mes efforts au nom du Comité. Les Dix et d'autres notables palestiniens seraient heureux de coopérer avec le gouvernement pour trouver une solution acceptable… »

Est-ce suffisant pour convaincre Wauchope ? Le haut-commissaire sait que depuis une semaine, les dix ont franchi un nouveau pas en appelant les Palestiniens à refuser de payer taxes et impôts. Lui-même s'apprête, vieille technique répressive britannique, à créer un camp d'internement sans jugement en plein désert du Sinaï et à faire venir des renforts d'Égypte.

Peut-il vraiment croire, comme Abdallah le laisse entendre, que le Haut comité arabe verrait d'un bon œil l'arrivée de la commission d'enquête annoncée quatre jours plus tôt par le gouvernement de Sa Majesté ?

Abdallah se tourne alors vers les Juifs. Ses relations avec eux sont anciennes. En 1924, le président de l'exécutif sioniste de

Palestine, le colonel Frederick Kisch, de nationalité britannique, s'est rendu une première fois à Amman.

« Je suis prêt à donner certaines terres aux Juifs pourvu qu'ils entrent par la porte et ne cherchent pas à faire des brèches dans les murs, leur déclarait le malik Hussein, hôte de son fils dans la capitale transjordanienne.

— Je l'ai dit à Haïm Weizmann, surenchérissait Abdallah, mon attitude est amicale. Malheureusement, il apparaît que les actes des sionistes sont moins positifs que leurs paroles. Je me demande si vous n'avez pas des projets cachés... »

À grand renfort de promesses, Kisch s'était employé à le rassurer. Sans parvenir à dissiper sa méfiance, moins grande pourtant que celle de certains membres du Conseil législatif transjordanien, l'assemblée nationale.

Admise par l'émir à faire entendre sa voix pour complaire aux Britanniques, l'opposition ne s'en est jamais privée. En juin 1929, un de ses principaux leaders, Chams ed-Din Sami, mettait en accusation le Premier ministre, Hassan Khaled Abou el-Houda, au motif de la concession accordée à la Palestine Electric Corporation et à son président, Pinhas Rutenberg.

« Le drapeau sioniste est hissé sur l'usine à chaque fête juive », lançait-il...

Ingénieur d'origine ukrainienne évadé de la Russie bolchevik pour cause de socialisme modéré, Rutenberg ne cachait en effet pas ses convictions. Quant à la Palestine Electric Corporation, maître d'œuvre de l'aménagement hydroélectrique des eaux du Jourdain, difficile de prétendre qu'elle ne jouait pas un rôle stratégique.

Houda avait beau faire valoir que la concession accordée en 1926 à cette société était le fait de l'ancien haut-commissaire britannique en Palestine, Herbert Samuel, pas de l'émirat transjordanien alors privé de souveraineté, il sortait plutôt mal de la polémique. Sami avait mis le doigt sur le point sensible : la dépendance du gouvernement transjordanien envers les Britanniques.

Les liens, malgré tout, n'étaient pas coupés. En février 1931, Kisch revenait à Amman. L'accueillait une nouvelle fois Hussein, roi sans royaume depuis la prise de Djeddah par Ibn Séoud. Hussein qui délivrait encore quelques belles paroles tandis qu'Abdallah, plus politique, posait le problème carrément :

« Le conflit entre Arabes et Juifs n'est bon pour personne. Il faut lui trouver une solution compatible avec l'aspiration arabe à l'unité. »

Saisissant la perche, Kisch proposait d'envoyer un ophtalmologiste juif soigner la cataracte du malik Hussein tandis qu'Abdallah envisageait de confier la santé de son fils, Talal, à un praticien israélite de Jérusalem.

Diplomatie du stéthoscope, elle en vaut bien d'autres. Kisch était remplacé par Victor Haïm Arlosoroff. D'origine allemande, ce jeune militant relançait les contacts avec la Transjordanie. En mars 1932, il était reçu par Abdallah dans son modeste palais de Raghadan.

Moshé Shertok, coresponsable du département politique de l'Agence juive avec Ben Gourion, accompagnait Arlosoroff. Et, une fois encore, on parlait coopération économique sans sortir de l'ambiguïté : État hébreu en Palestine ou entité juive jouissant d'une certaine autonomie au sein d'un royaume hachémite unifié ?

En juin 1933, Arlosoroff meurt, assassiné sur une plage de Tel-Aviv. Jamais élucidé, le crime n'interrompt pas les relations entre les sionistes et Abdallah.

Un an plus tard, alors que l'émir s'apprête à gagner Londres dans le cadre d'un voyage officiel, il charge son homme de confiance, Mohammed el-Ounsi, de proposer aux sionistes un plan en quatre points : unité de la Palestine et de la Transjordanie sous son sceptre ; reconnaissance du mandat britannique par les Arabes, y compris de ses clauses de garantie pour les Juifs ; création de deux parlements séparés, un pour l'État juif, l'autre pour l'État arabe, avec deux Premiers ministres soumis à l'autorité d'Abdallah ; accord global entre Arabes et Juifs sur les quotas d'immigration et les ventes de terre.

Ounsi rencontre Moshé Shertok.

« Ultérieurement, la Syrie, débarrassée du joug français, pourrait se joindre au royaume », explique-t-il, dévoilant le fond de la pensée d'Abdallah.

Shertok prend note mais ne s'engage en rien. Ounsi, lui, reçoit séparément deux délégations palestiniennes, l'une composée de membres du clan Husseini, l'autre de Nachachibi. À chacune, il livre une version expurgée du plan d'Abdallah.

Pour l'émir de Transjordanie, jouer les intermédiaires, c'est mentir à tout le monde dans l'espoir de rapprocher les points de vue à son profit...

Le jeu devient difficile quand l'intensification de la grève provoque un chassé-croisé entre les deux plus grandes familles palestiniennes. Très impliqués à l'origine, les Nachachibi craignent à présent des débordements populaires.

Brûlant de prendre la tête du mouvement national palestinien qu'ils voient se dessiner, le grand mufti et les Husseini poussent, en sens inverse, à la radicalisation du mouvement, position en flèche qui inquiète les autres grandes familles mais leur vaut les suffrages des classes les plus pauvres.

Le 7 juin, Abdallah, agréé enfin comme intermédiaire par Wauchope, reçoit trois émissaires du Haut comité arabe. Chef-d'œuvre d'équilibre entre clans, la délégation palestinienne se compose du grand mufti, de Rabegh el-Nachachibi et de Fekri el-Khalidi.

« Au début, la grève était une réaction saine et positive, dit en substance l'émir. Mais elle se prolonge de façon préjudiciable. Londres va envoyer une commission d'enquête, il ne faut pas que les Arabes paraissent comme des extrémistes, ce qui donnerait la part belle aux Juifs. Stoppez la grève en signe de bonne volonté et, moi, je me charge de négocier avec les Britanniques le gel de l'immigration sioniste. Pensez aux prisonniers politiques, nous pourrions obtenir leur élargissement... »

Favorable à cette solution, Rabegh el-Nachachibi n'ose pas trop le dire. Si, tout de même, un peu... Mais le grand mufti proteste : arrêter la grève, c'est capituler en rase campagne. Et pour la commission d'enquête, pas question !

En dépit des politesses de rigueur, l'entrevue débouche – c'était prévisible – sur un constat d'échec.

« Abdallah s'est démasqué comme un ami des Juifs, et les Nachachibi, comme de vulgaires traîtres à sa botte ! » écume Hadj Amine à son retour à Jérusalem.

La ligne qui le sépare de l'émir est en train de se muer en ligne de sang. De partisan de Fayçal, le grand mufti s'est transformé en ennemi juré de son frère...

Lors de leur entrevue du 7 juin, Abdallah s'est bien gardé de confier à ses interlocuteurs les contacts épistolaires de son délégué, Mohammed el-Ounsi, avec Shertok. Une dissimulation qui se révèle d'ailleurs préférable, car la puissance du mouvement de grève contraint bientôt l'émir de Transjordanie à durcir ses positions.

« L'immigration sioniste doit cesser », proclame-t-il.

Un raidissement propre à contrarier des pourparlers qui n'en sont d'ailleurs pas vraiment. Ni Abdallah ni ses interlocuteurs sionistes, qui récusent ses projets, ne tiennent à coucher sur le papier quelque texte que ce soit. On verra au coup par coup, en fonction des circonstances.

L'émir suit par ailleurs avec attention d'autres contacts, ceux de Moussa el-Alami, personnalité palestinienne jouissant de la confiance de Wauchope et de la neutralité bienveillante des nationalistes, avec Pinhas Rutenberg. Mais là encore, les points de vue restent trop éloignés pour qu'un accord puisse intervenir.

C'est l'impasse. Le 12 juillet, alors que la grève va sur ses cent jours, Ibn Séoud sort du bois, ou plutôt du désert. Par lettre, le roi d'Arabie propose qu'Abdallah et lui s'associent au roi Ghazi, successeur de Fayçal sur le trône d'Irak, et à l'imam Yayia du Yémen pour créer un front uni des chefs d'État arabes. Permettant la fin honorable de la grève, l'initiative faciliterait la mission de la commission royale d'enquête, dont le souverain wahhabite espère qu'elle se montrera sensible aux arguments arabes.

On imagine dans quelle disposition d'esprit Abdallah accueille cette missive de l'homme qui l'a humilié à Touraba. Mais deux décennies lui ont appris la souplesse.

Plus large que celle qu'envisageait Abdallah le 7 juin devant les trois délégués du Haut comité arabe, l'initiative d'Ibn Séoud ne fait que contrarier les projets de l'émir. C'est à la Transjordanie, et à elle seule, qu'il appartient d'arbitrer entre Palestiniens, Juifs et Britanniques. Pas à un condominium de chefs d'État dont les plus puissants, ceux d'Arabie Séoudite et d'Irak, ne manqueraient pas de tirer la couverture à eux.

La grève, elle, se durcit. Le 27 juillet, les insurgés lancent des assauts contre six postes britanniques. Deux jours plus tard, le nouveau secrétaire d'État aux Colonies, William Ormsby-Gore, livre, imperturbable, la liste des membres de la commission royale. Ancien sous-secrétaire d'État à la guerre, en 1919, sous Churchill, puis secrétaire d'État à l'Inde, son président, William Robert Wellesley, comte Peel, n'aura pas trop de son humour légendaire et d'une connaissance des hommes acquise dans la fonction publique comme à la Barclays Bank pour remplir sa mission...

Le 4 août, Abdallah reçoit les dix du Haut comité arabe, les maires arabes des grandes villes et vingt-six notables.

Faut-il accepter le principe de la commission d'enquête ou la refuser ? Suivi par les Nachachibi, de moins en moins autonomes, l'émir prône bien entendu la conciliation tandis que, derrière le grand mufti, Husseini et istiqlalistes se prononcent en faveur de la poursuite de la révolte.

Les deux clans palestiniens sont désormais à couteaux tirés. Et quand on parle de couteaux : déjà, les Nachachibi sont menacés de mort...

« Allez à Jérusalem, ordonne l'émir à Ibrahim Hachim, son nouveau Premier ministre. Faites tout ce qui est en votre pouvoir pour entamer une désescalade. »

De retour les mains vides à Amman, Hachim dresse ce constat réaliste :

« Les possédants sont pour la fin de la grève parce qu'ils craignent pour leurs biens. Mais la population, elle, n'est pas mûre. »

Nouveau venu, Nouri Saïd bouleverse alors une configuration déjà complexe. Jouissant de la confiance des Britanniques et d'un prestige certain chez les Arabes, le ministre des Affaires étrangères irakien voudrait se faire agréer comme arbitre par toutes les parties.

Considérant la petite Transjordanie avec suffisance, il en vient à imaginer un front hachémite qu'il téléguiderait.

Abdallah a flairé le piège.

— Je ne suis pas en mesure de participer au déjeuner proposé avec vous-même et Nouri Pacha à Jérusalem le 21 août, fait-il répondre à Wauchope. D'ailleurs, à quel titre le Pacha voudrait-il intervenir dans les affaires palestiniennes ?

— Simple affaire de courtoisie, répond, patelin, le haut-commissaire... Nouri Saïd passait par Jérusalem, et il voulait rendre service. »

L'émir finit par rencontrer le ministre des Affaires étrangères de son neveu Ghazi le 24.

Sans surprise, Nouri propose que les souverains d'Irak et de Transjordanie unissent leurs efforts pour convaincre les Palestiniens de cesser la grève et d'accepter la commission d'enquête, en échange de leurs bons offices auprès des Britanniques.

Ce plan, Abdallah le repousse. Laisser un ou des États arabes s'impliquer dans les affaires des Palestiniens, ce serait reconnaître que, lui, roi de Transjordanie, n'est pas le seul qualifié pour parler en leur nom. Pourquoi renoncer à sa revendication de toujours sur Jérusalem ?

Quel soufflet, le 31 août, quand le Haut comité arabe reconnaît Nouri Pacha comme interlocuteur autorisé ! Une fois n'est pas coutume, un compromis est survenu entre Husseini et Nachachibi.

Le moment est venu pour un nouvel acteur de pénétrer, l'arme au poing, sur le champ de mines de Palestine.

Faouzi ed-Din el-Kaukji est né en 1887 à Tripoli, en Syrie. Breveté, comme Nouri Saïd, de l'École de guerre d'Istanbul, il a servi comme officier de cavalerie dans l'armée ottomane pendant la Grande Guerre, ne rompant les rangs qu'après la prise de Damas. Chef d'escadron dans l'armée de Fayçal, Kaukji, accepte, après Khan Meissaloun, les offres des Français. Tout en conspirant la nuit contre eux, il passe le jour à leur service. Ils le font chevalier de la Légion d'honneur. En octobre 1925, cet as du double jeu jette enfin le masque, prend la ville de Hama à la tête de cinq cents rebelles. Battu, exilé, conseiller militaire dans la nouvelle armée d'Ibn Séoud puis professeur à l'académie militaire de Bagdad, il continue à nourrir les plus grandes ambitions politiques.

Sert-il, par tactique, plusieurs maîtres à la fois ? C'est possible. Les Séoudiens, dit-on, paieraient une partie de la solde de ses hommes. Des combattants qui, par ailleurs, n'ont pu être recrutés en Transjordanie sans l'accord tacite des autorités, et bénéficieraient de sympathies très agissantes au sein de l'armée irakienne.

Le 3 septembre, Kaukji livre un premier combat aux Britanniques. Trois avions de la RAF sont abattus. Une victoire qui, transfigurée par la rumeur, fait vite de lui un héros.

Contraint par la pression militaire britannique de diviser ses forces en petits détachements mobiles aussi insaisissables que possible, le Syrien va gagner un surnom dans l'affaire. Eu égard à ses cheveux d'un roux flamboyant, les Britanniques l'appellent désormais le « Mouron rouge » par analogie avec un personnage de la baronne romancière Orczy.

La lutte armée relancée, la médiation entreprise par Nouri Saïd risque de perdre beaucoup de son intérêt.

Les événements dramatiques d'Irak vont d'ailleurs lui porter le coup fatal...

Des officiers qui mettent leurs unités en mouvement vers la capitale sans ordre de leurs supérieurs, des aviateurs qui larguent sur Bagdad une pluie de tracts exigeant un changement de gouvernement, c'est la réalité, ce 29 octobre 1936, au matin.

En apprenant la nouvelle, le sang de Djefar Pacha el-Askari n'a fait qu'un tour. De sa propre initiative, l'ancien chef militaire de l'armée de Fayçal au temps de la thawra a ordonné au commandant de la force blindée de l'attendre en un endroit précis ; à son homologue de l'artillerie de gagner Bagdad au plus vite mais de ne rien faire sans consigne de son ministre ; et à Abd el-Latif Nouri, le commandant de la 1re division, de stopper net tout mouvement en attendant leur rencontre.

Des instructions contradictoires dont le ministre de la Défense est le seul à connaître la logique, si elle existe. C'est ensuite que Djefar daigne répondre à la convocation du roi. Après avoir rencontré l'ambassadeur de Grande-Bretagne, l'Écossais Archibald Clark Kerr, Ghazi Ier réunit en effet ses principaux ministres à Kasr el-Zouhour, le « palais des Fleurs ». Outre l'ambassadeur, il y a là le chef du gouvernement, Yacine el-Hachemi, et Nouri Saïd, dans un état de grande excitation. En charge de l'Intérieur, Rachid Ali el-Kailani a préféré rester à son ministère pour donner des instructions aux gouverneurs provinciaux.

Djefar Pacha sent à nouveau son sang bouillir. Prétendre lui dicter sa conduite, il n'en revient toujours pas ! Et l'un de ses subordonnés, en plus, le général Bakr Sidqi – qui, en massacrant allégrement les assyriens, protégés des Britanniques, en 1933, à la veille de la mort du roi Fayçal, s'est taillé à bon compte une réputation de « sauveur de l'unité nationale ».

Stratège du coup de force, Bakr Sidqi a noué une alliance secrète avec un comité d'intellectuels radicalisés, le groupe El Ahali (le Peuple), et avec Hekmat Souleiman, l'ancien ministre de l'Intérieur. Les comploteurs exigent le limogeage d'Hachemi, coupable d'avoir longtemps préféré son frère, Taha, à Bakr Sidqi comme chef d'état-major général.

Ces hommes ne sont pas les seuls à stigmatiser le népotisme du Premier ministre, ses méthodes autoritaires et ses manières cauteleuses. Mais, au-delà, ils entendent régir à leur profit les destinées de l'Irak.

Ce poste de chef d'état-major tant convoité, Bakr a fini par l'arracher au début du mois. Et a tôt fait de franchir le Rubicon. Pour encercler Bagdad, rien de mieux que les manœuvres prévues de longue date à proximité de la capitale. Tôt dans la matinée, quelques appareils de la petite aviation irakienne – trois escadrilles – ont largué une pluie de tracts enjoignant le roi de dissoudre le gouvernement et de nommer Hekmat Souleiman Premier ministre. Afin que nul n'ignore l'identité du nouveau maître du pays, ils étaient signés Bakr Sidqi el-Askari, « chef de la Force nationale de réforme »...

Une force à laquelle Hekmat Souleiman servira de masque. Dès qu'il a entendu les avions survoler Bagdad, il s'est rendu au palais remettre, comme convenu, en main propre, au roi, une lettre signée de Bakr Sidqi et de son adjoint Abd el-Latif Nouri, que Djefar Pacha croit à tort récupérable.

Assorti des formules traditionnelles d'allégeance à la personne du souverain, le texte s'achève sur un ultimatum : afin de « sauver le pays », Ghazi doit déposer Yacine el-Hachemi dans les trois heures, et désigner un cabinet de « fils sincères de la nation » sous la direction de Hekmat Souleiman.

Craignant toutefois d'être arrêté, Hekmat se contente de remettre le document à Roustoum Haïdar, le chef du diwan royal. Il déguerpit ensuite sans demander son reste...

Erreur tactique ? Peut-être. Bakr Sidqi tablait sur une entrevue du roi avec son ancien ministre. L'architecte du coup de force compte en effet sur la faiblesse de Ghazi, souverain trop anxieux de sa popularité pour s'opposer de front à un général couvert de « gloire ».

Ce que les Irakiens aiment chez le fils de Fayçal, c'est sa réputation de nationaliste intransigeant, en guerre larvée avec les Britanniques. Que ladite réputation soit quelque peu usurpée comme en témoigne la présence de Kerr aux délibérations du mini-Conseil des ministres réuni d'urgence ne change rien à l'affaire. Dans ce royaume où le jeunisme commence à faire des ravages, l'ambassadeur possède, il est vrai, un atout : la beauté de sa femme Maria Teresa, une Chilienne épousée en 1929 quand elle n'avait que dix-neuf ans et lui, quarante-sept.

Ghazi aussi est jeune et beau. Il porte des uniformes chamarrés mais passe en toute simplicité ses nuits avec sa femme et cousine, la reine Aliya, fille de son défunt oncle Ali, et leur garçon Fayçal, né l'année précédente, dans un petit pavillon privé plutôt qu'au palais des Fleurs, ce bâtiment surchargé de tourelles et de balcons demeurant réservé à la conduite des affaires du pays.

On l'aime donc, ce roi féru de techniques modernes, et lui, il aime qu'on l'aime. Comme il apprécie d'être constamment entouré de jeunes officiers qui brillent plus par leur anglophobie que par leurs compétences militaires. Rares sont désormais les responsables qui ont combattu pendant la Grande Guerre et la révolte arabe comme Djefar Pacha, son beau-frère Nouri Saïd, Mouloud Moukhlis. Ou même, à la rigueur, Yacine el-Hachemi, bien que ce membre fondateur du Pacte ait servi jusqu'aux derniers jours dans les rangs ottomans avant de se mettre à la disposition de Fayçal et d'en devenir – déjà – un des ministres.

Fan d'automobiles, Ghazi en possède plusieurs, toutes très rapides. La seule modification qu'il s'est autorisé à apporter au palais des Fleurs, bâti après la mort de Fayçal sur les plans que ce dernier avait voulu, ç'a été de construire un garage.

L'aviation le fascine tout autant. Une passion contractée dès l'adolescence, au moment de son premier vol. Depuis, Ghazi ne cesse d'en redemander. Lors des escapades aériennes qu'il affectionne, un malheureux Bédouin a déjà été tué et un pilote blessé.

Le goût du roi pour les aéroplanes contamine ses propres amis. Parmi eux, Sabah, le fils de Nouri Saïd. Pour épater son souverain, ce jeune pilote militaire, formé par la RAF en Angleterre, est passé sous le pont Fayçal aux commandes de son appareil.

« C'est une folie, l'ont mis en garde son père et sa mère. Un jour, tu y laisseras la vie. »

Bien entendu, Sabah n'a pas écouté. En décembre 1935, alors qu'il tentait une acrobatie plus extravagante encore que d'habitude, son appareil s'est crashé devant Ghazi. Bilan : une main blessée, une jambe cassée et un séjour en hôpital, à Londres, dont le jeune cascadeur est revenu pour épouser la très belle Ismet, fille d'un notable du Caire. Et chez Nouri, un motif supplémentaire d'en vouloir à ce jeune souverain, né semble-t-il pour pousser les autres à la faute...

Ajoutez à l'engouement royal pour les choses mécaniques une propension aux plaisanteries les plus absurdes – des batteries électriques branchées, par exemple, sur les objets les plus banals du palais, de façon à envoyer quelques petites « châtaignes » aux visiteurs non avertis ; une peur panique de finir comme son père qui confine à l'hypocondrie – Ghazi exige à tout propos qu'un médecin tâte son pouls – ; l'attitude faussement martiale d'un jeune homme qui n'a jamais combattu mais porte en permanence deux revolvers, un de chaque côté, et vous comprendrez pourquoi Bakr Sidqi pense avoir affaire à un adversaire inconsistant.

C'est d'ailleurs pourquoi le général putschiste a couché sur le papier cet ultimatum insultant qu'Hekmat Souleiman n'a pas osé délivrer en main propre, contrairement au plan des conjurés.

N'ayant reçu aucune réponse à onze heures trente, expiration de l'ultimatum, une petite escadrille commandée par l'autre affidé militaire de Bakr Sidqi, Mohammed Ali Djaouad, lance quatre bombes de vingt livres devant le Conseil des ministres, la maison du Parlement, le bureau de poste voisin de la maison de Yacine el-Hachemi et la dernière, par erreur, dans le Tigre. Elles feront sept victimes mais le général putschiste n'est pas à un mort près...

« Donnez-moi une lettre pour Bakr Sidqi, Votre Majesté, et je la lui porterai en personne », demande Djefar el-Askari à Ghazi, une fois la réunion au palais des Fleurs achevée. Le ministre croit dur comme fer en sa popularité parmi les militaires : cette armée à laquelle ils appartiennent et qui sort aujourd'hui de la légalité, n'en est-il pas le père ? Tels des enfants coupables, les officiers ne tarderont pas à baisser pavillon face à lui...

Sans mesurer le risque couru par Djefar, le roi s'exécute. Mais Bakr Sidqi possède des complicités partout. À peine Djefar a-t-il quitté le palais des Fleurs en direction de Bakouba qu'un message lui parvient.

« Je comprends tout, maintenant ! éclate le bourreau des assyriens. Ces ordres qui partaient dans tous les sens, c'était pour désorganiser notre mouvement et semer la confusion. Maintenant, ce fou compte sur son prestige personnel pour nous convaincre de capituler... »

Et si tout se détraquait, si Djefar, pas si fou, parvenait à désamorcer le coup de force par sa seule présence ? Une perspective insupportable. Rageur, Bakr tape du poing sur la table.

« Djefar Pacha perd la raison. Il en sera pour ses frais. Qui, parmi vous, est volontaire pour en finir avec lui ? »

Les officiers présents baissent la tête. Obéir à leur chef d'état-major est une chose, assassiner le ministre de la Défense, un héros de la guerre avec les Turcs puis contre eux, fidèle de toujours des Hachémites, en est une autre.

« Je vois, ricane Bakr, on a peur ! Eh bien, puisqu'il n'y a pas de volontaires, je vais les désigner d'office. Toi, toi, toi et toi... »

Son doigt désigne successivement quatre officiers.

« Vous partez immédiatement, et n'oubliez pas les cartouches... »

Le quatuor s'exécute. À quelques kilomètres au nord-ouest de Bagdad, il stoppe la voiture de Djefar. Inconscient du danger, le ministre sort du véhicule.

« Que se passe-t-il ?

— Rien, mon général. Nous sommes là pour vous conduire en toute sécurité au quartier général du général Bakr. »

Sans méfiance, il les suit. On l'entraîne sur une route isolée, à deux pas du canal d'Ouaziriyah. Tremblants, les quatre officiers sortent alors leurs armes de poing et font feu.

Djefar Pacha el-Askari s'écroule. Laissant son corps sur le bas-côté, les assassins s'éloignent, pas fiers d'eux.

Exfiltré par la RAF avec sa femme et son fils dans des conditions dignes d'un film de James Bond, Nouri Saïd échappe de justesse au destin tragique de son beau-frère. En Égypte, il retrouve les deux garçons de Djefar, Ziad et Nezar el-Askari, élèves au Victoria College d'Alexandrie, et tente de rétablir une vie familiale plus ou moins normale.

À bout de forces, Yacine el-Hachemi remet sa démission au roi.

Vers dix-sept heures, les premières unités de l'armée pénètrent dans Bagdad sans coup férir. Derrière la façade réformiste et moderniste qui ne tardera pas à se craqueler, c'est une dictature militaire qui s'ébauche...

37

Deux fers au feu de Sa Majesté

En temps de paix, chaque nouvel officier du génie de l'armée britannique, les Royal Engineers, écope de deux ans de formation à la base-dépôt des « RE » de Chatham.

Pour John Bagot Glubb, fils unique d'un major des Engineers, cette période probatoire va se trouver notablement raccourcie.

Il ne s'agit pas de piston, mais de guerre mondiale. En avril 1915, ce garçon, qui vient tout juste de fêter son dix-huitième anniversaire, se voit en effet muté sur le front de France au sein d'une compagnie de campagne des « RE ».

À lui les tranchées, les éclats d'obus. La dernière de ses trois blessures manque de tuer Glubb et afflige son visage rond et jovial d'une vilaine cicatrice à la joue.

Vient ensuite la paix, soit, dans son cas, le retour à la morne existence de Chatham. Quand on a connu les montées d'adrénaline et la fraternité des armes, la vie de caserne, c'est plutôt déprimant.

On demande des volontaires pour l'Irak, où l'insurrection bat son plein. Sa candidature acceptée, Glubb embarque sur un cargo hors d'âge en compagnie de trois cent cinquante autres officiers désœuvrés. Mais le temps que nos durs à cuire parviennent à destination, la révolte a baissé d'intensité et la RAF se voit promue force de frappe numéro un des Britanniques au Moyen-Orient.

Les avions permettent de réagir avec rapidité. Encore faut-il des hommes au sol pour leur dire où et qui frapper. Un travail de connaissance des réalités locales qui incombe à des agents de renseignements qualifiés, les Special Service Officers.

Les supérieurs de Glubb ont remarqué son vif intérêt pour la langue et les coutumes arabes.

« Un poste de SSO, ça vous tente ? »

Et comment ! En mai 1922, voilà notre homme posté auprès des Mountafik, une tribu du sud irakien. Six mois après, il atterrit à Ramadi, fief d'une autre confédération, les Doulaim, ralliée à Fayçal par Khatoun Bell, comme nous l'avons vu plus haut.

Dès cette époque, l'obsession bureaucratique de tout codifier, même et surtout l'incodifiable, contamine l'administration du tout jeune État irakien, composée pour l'essentiel de lettrés des villes sans expérience du désert.

Difficile d'empêcher les attaques des tribus bédouines entre elles ? Les fonctionnaires de Fayçal accouchent d'une solution pour le moins originale : les raids tribaux seront tolérés à condition qu'ils ne visent pas les non-Bédouins, cultivateurs, marchands, voyageurs !

Les officiels poussent le formalisme au point d'éditer en arabe *Règles pour les raiders*, un manuel bourré de paragraphes, de sous-paragraphes et de consignes astucieuses comme celle de signaler aux postes de police le mobile de l'action, son objectif, ses modalités...

De retour dans la zone mountafik à l'été 1923, Glubb sera à même de constater le résultat : un désordre tribal plus grand que jamais. Heureusement, l'absurde catéchisme administratif est aboli et les raids entre tribus interdits. Jusqu'en 1926, date à laquelle il quitte officiellement l'armée anglaise pour passer au service du roi Fayçal, sa tâche en sera facilitée.

Le plus grand danger provient désormais des Mouteïrs de Fayçal el-Daouich, encore proche d'Ibn Séoud. Passant outre les règles bédouines qui régissent depuis des éternités les conflits tribaux (les vraies, pas celles de l'administration de Bagdad), les ikwans tuent gens et bêtes pour terroriser et assouvir des haines religieuses.

Ces rezzous sanglants atteignent leur paroxysme en Irak à la fin 1927 et au début 1928.

Pour la RAF, les choses sont aussi simples et nettes que sur une ligne de front de la Grande Guerre. D'un côté, il y a les militaires qui protègent et de l'autre, les civils qu'il convient de regrouper dans des endroits précis où ils échapperont à la vindicte des wahhabites.

« Les Bédouins n'ont rien à voir avec des civils d'Europe, objecte Glubb, ce sont des combattants. Redonnons-leur la fierté d'affronter l'ennemi. »

Et de proposer une forme alternative d'autodéfense adaptée aux réalités locales :

« Il faut créer des détachements mobiles qui se déplaceront en même temps que les tribus, de façon à les aider en cas de rezzou, mais sans se substituer à elles. »

À l'issue d'une correspondance interminable avec le ministère de l'Intérieur de Bagdad, employeur officiel de Glubb comme « inspecteur d'administration », l'officier arrache, en septembre 1928, la création du corps de chameliers du désert du sud, fort de soixante-dix hommes montés sur des dromadaires, trente mitrailleurs montés sur huit antiques camionnettes et quatre camions Ford plus modernes.

C'est à la tête de cette maigre troupe que, mobilisant les Bédouins, il va repousser les assauts des ikwans de Daouich, d'autant plus furieux qu'à présent, Ibn Séoud, soucieux de respecter les accords internationaux sur les frontières, les réprouve.

En mars 1929, les Mouteïrs rebelles sont écrasés par l'armée d'Ibn Séoud à Sibilla. Mais, commandée par le cheik Nayef ibn Histlain, une autre tribu, les Adjmans, continue à lui tenir tête. Les Mouteïrs survivants s'enhardissent. C'est pour subir les assauts de Harbs, une confédération fidèle à Ibn Séoud. Les rebelles passent alors la frontière, cherchant à se réfugier... en Irak.

Qu'en faire ? Des négociations épistolaires s'engagent entre John Glubb et Ibn Séoud. Après moult péripéties, un accord intervient le 29 janvier.

La maestria dont Glubb a fait preuve contre les rezzous ikwans, son aisance à se mouvoir dans le milieu si particulier des tribus bédouines attirent sur lui l'attention d'Abdallah de Transjordanie. L'émir l'invite à Amman. Avant de partir, l'ancien des Royal Engineers est reçu par Fayçal, qui le décore de l'ordre des Deux-Rivières.

« On peut obtenir n'importe quoi des Bédouins si on fait appel à leur sens de l'honneur, lui glisse le roi en guise de conseil. Mais si on leur donne de l'argent, on tire vers le bas toute relation avec eux... »

Glubb approuve : c'est aussi son avis. En novembre 1930, accompagné par une poignée de fidèles, il quitte l'Irak pour passer au service d'Abdallah.

Reflet d'une situation politique tordue, la dualité militaire règne alors en Transjordanie.

Tenir les tribus en respect, c'est en principe l'affaire de la Trans-Jordan Frontier Force, qui dépend directement du haut-commissaire en Palestine, à Jérusalem. Créée en 1926 à partir des restes de la gendarmerie de Palestine, elle rassemble des éléments hétéroclites, dont bien peu sont transjordaniens, et bédouins, encore moins. Résultat : une efficacité douteuse.

Pire encore : la montée en puissance de la TJFF tend à réduire la Légion arabe, toujours commandée par Frederick Peake alias Peake Pacha, à une simple unité de maintien de l'ordre.

Glubb ne mâche pas ses mots :

« La TJFF ? Une aberration. Pour maintenir l'ordre et la sécurité dans les régions bédouines, recrutons des Bédouins... »

Ce discours, Abdallah est tout disposé à l'entendre. À quarante-huit ans, il n'a jamais coupé le lien avec les coutumes nomades. Vêtu de la robe traditionnelle, au contraire de son frère Fayçal, sauf les jours où il apparaît en uniforme militaire, l'émir a fait monter une tente dans le jardin de son palais de Raghadan. C'est là qu'il se retire à la moindre occasion, pour méditer et se reposer.

« Vous aurez carte blanche, lance-t-il à Glubb. Les Bédouins ne suivent que les hommes d'honneur, ils vous suivront donc. »

Où ? Dans la patrouille du désert, dont Glubb prend le commandement. Partie intégrante de la Légion arabe, cette nouvelle unité ne comportera, outre son chef, que des Bédouins des tribus nomades ou semi-nomades.

Au départ, ils ne sont qu'une poignée. Mais, au contraire d'un Lawrence dont il partage la connaissance de l'arabe et la fascination à l'égard du monde bédouin, Glubb n'est pas un rêveur, mais un esprit pratique. Ce qui compte, c'est que les choses avancent. Ses effectifs renforcés, la patrouille du désert fait désormais partie du paysage transjordanien. Ce qui ne l'empêche pas, au contraire, de se trouver confrontée au problème de la grève en Palestine...

Prenant son travail au sérieux, la commission Peel a beaucoup auditionné.

Côté arabe, le Haut comité a finalement accepté de faire valoir son point de vue. Mais ce sont ses éléments les plus extrêmes, notamment Hadj Amine el-Husseini et Aouni Abd el-Hadi, qui ont comparu. Pour faire de la Palestine l'équivalent de l'Alsace-Lorraine pour la France : un territoire sur lequel il était impossible de transiger.

Les Allemands veulent chasser les Juifs d'Allemagne, et les Juifs veulent chasser les Arabes de Palestine, a expliqué Hadi. Parallèle choquant aujourd'hui, mais beaucoup moins à cette époque où, loin d'imaginer ce qui sera plus tard la solution finale, on croit que les nazis persécutent les Juifs allemands, en assassinent même un certain nombre, mais sans projet d'extermination systématique.

« Une Palestine arabe indépendante garantirait les droits de toutes les minorités », conclu Aouni Abd el-Hadi. Sous-entendu : des Juifs aussi, mais pas plus que des autres.

Quant au grand mufti, interrogé par lord Peel qui lui demandait si, à son avis, les quatre cent mille Juifs présents dans le pays pouvaient être assimilés, digérés, il a répondu « non », sans ajouter le moindre commentaire. Personne ne s'y est trompé. Surtout pas Wauchope, qui commence à se demander s'il ne faut pas mettre Hadj Amine et ses amis sous les verrous comme préalable à toute discussion.

Maintenant une multitude de contacts dans et hors de la commission royale, Weizmann a en revanche montré, une fois encore, l'étendue de son entregent. Les Arabes, a argué le président de l'Organisation sioniste mondiale, ont obtenu trois États à eux à l'issue de la Grande Guerre, les Juifs peuvent bien avoir le leur.

Trois États arabes vraiment ? L'Irak, c'est certain. Mais la Transjordanie ? Les sionistes, qui rêvent de s'y implanter, persistent à la considérer comme un morceau de la Palestine. La Syrie ? La présenter comme un État indépendant a tout de l'abus de langage. Le Liban ? De même, à cette différence près que Weizmann envisage très sérieusement une alliance avec les chrétiens maronites qui, craignant l'expansion démographique des musulmans, pourraient accueillir une forte population juive, selon lui.

Mettant l'accent sur les périls que courent les Juifs d'Europe à l'heure de la montée en puissance hitlérienne, son argumentation vise d'abord à bloquer le projet du Colonial Office qui veut découper la Palestine en un certain nombre de cantons s'inspirant du modèle suisse.

Le 7 juillet 1937, la commission Peel rend son rapport. Elle préconise la division de la Palestine en trois parties. À Jérusalem, les lieux saints des trois religions juive, chrétienne et musulmane resteraient sous un régime mandataire. Dans le reste du pays, la partition entre un État arabe et un petit État juif de cinq mille kilomètres carrés. Bien sûr, des échanges de terre et de population sont à prévoir pour que la Palestine future ne ressemble pas à une peau de léopard. Mais avec un peu de bonne volonté, on peut y arriver...

Weizmann, tout de suite, et Ben Gourion, après avoir hésité, se prononcent en faveur du partage. Après des débats houleux, ils parviennent à faire prévaloir ce point de vue au congrès sioniste de Zurich. Rien n'est gravé dans le marbre, expliquent-ils : une fois constitué, l'État hébreu pourra s'étendre géographiquement.

Le grand mufti et le Haut comité arabe, eux, refusent le partage, malgré les exhortations d'Abdallah, prêchant au nom du réalisme... et de ses intérêts propres. L'émir n'a toujours pas renoncé au projet d'union Transjordanie-Palestine sous son sceptre.

La grève ruinait les Palestiniens mais pas leurs adversaires juifs ; par décision du Haut comité arabe, elle a été arrêtée le 10 octobre 1936. Mais, comme le craignait Wauchope, la fin du mouvement n'a fait qu'accélérer sa transformation en guérilla.

Une résistance armée à deux têtes qu'opposent une rivalité politique autant qu'un conflit de personnes. D'un côté, la guérilla de la Société de la guerre sainte, créée deux ans plus tôt par Abd el-Kader Husseini, le neveu du grand mufti, authentique Palestinien doublé d'un excellent chef de guerre. Et de l'autre, celle du Mouron rouge, le Syrien Faouzi el-Kaukji, en excellents termes avec l'Arabie Séoudite, l'Irak hachémite du roi Ghazi Ier et, fût-ce au prix de quelques contorsions de part et d'autre, avec la Transjordanie d'Abdallah.

La Société de la guerre sainte entend favoriser l'émergence d'un nationalisme proprement palestinien, objectif central du grand mufti. La guérilla de Kaukji, se situe, elle, dans une démarche de prise en charge collective des intérêts palestiniens par les États arabes. Mais, comme les rapports personnels du Mouron rouge avec la mouvance Husseini sont plutôt bons, la fraternité des armes masque l'opposition des deux théories, nationalisme palestinien d'un côté, Palestine sous assistance arabe de l'autre.

La spécialité de Kaukji, c'est le sabotage du pipe-line de l'Iraq Petroleum Company qui dessert les raffineries de Haïfa.

Un casus belli pour la puissance mandataire anglaise.

Apparaît alors en Palestine un officier britannique plus atypique encore que John Glubb...

La bible dans une main, le revolver dans l'autre, voici le capitaine Wingate. Un fou ou un génie, selon les points de vue, chef d'un escadron de la mort ou « Lawrence de Judée ».

Fils d'un colonel écossais, Orde Charles Wingate a vu le jour aux Indes, le 26 février 1903. Protestants portés sur le puritanisme, ses parents ont donné à ce rouquin pas très costaud, comme à ses six frères et sœurs, une stricte éducation rythmée par la lecture du Livre saint.

Breveté de l'Académie militaire royale de Woolwich, c'est un bon boxeur, un excellent nageur et un tireur d'élite.

Les animaux le passionnent aussi, oiseaux sauvages comme chevaux qu'il monte comme personne. Jeune homme cultivé, il connaît sur le bout des doigts le passé médiéval de la France. Comme Lawrence au même âge, à ceci près que les fortifications l'intéressent moins que les attaques en rase campagne...

« Apprenez les langues étrangères », lui conseille son oncle paternel, Reginald Wingate qui, gouverneur du Soudan, a joué le rôle que l'on sait dans les débuts de la thawra.

Pourquoi non ? Orde Charles suit les cours d'arabe de l'École des études orientales de Londres. À l'automne 1927, il arpente le Soudan à ses frais, finançant ses expéditions et autres parties de chasse par des prix de concours hippiques, de courses de chevaux et de courses... de bicyclettes !

Use-t-il du piston pour se faire muter, en 1928, à la Sudan Defence Force ? Possible, mais dans ce cas, pourquoi se retrouver cinq années de rang au diable vauvert – en l'occurrence, la frontière éthiopienne où il attrape la malaria ?

De retour en Angleterre, Wingate fait la connaissance de la très belle Lorna Paterson, compatriote écossaise du comté d'Aberdeen. Les yeux bleu outre-mer du jeune officier sauront séduire les yeux noirs de la jeune femme. Il épouse sa brunette en février 1935. Mais, comme Glubb dix ans plus tôt, il s'ennuie, et Lorna aussi.

Apprenant qu'on cherche un officier de renseignements pour la Palestine, Wingate postule. La Terre sainte, quoi de plus fascinant pour un esprit religieux comme le sien. La foi de ses parents reste intacte, en effet, qui le brûle et l'attire vers Jérusalem.

Voilà pour la Bible. Mais, en général, le revolver ne fait partie de l'équipement de l'officier d'artillerie qu'à titre réglementaire. Or, Wingate, esprit aussi entier qu'on l'imagine, ne se contente pas d'établir son poste de commandement à l'hôtel Savoy d'Haïfa, où il reçoit ses visiteurs sur des sofas à ras du sol, une bouteille de whisky posée sur le côté. Il parcourt la Terre sainte, et, juxtaposant les lectures bibliques avec la visite des villages arabes et des colonies juives, apprend à en connaître la topographie comme personne.

« Il y a ce type, ce Mouron rouge, qui nous pose des problèmes, lui font savoir ses supérieurs. Saboter les oléoducs, ce n'est plus de jeu... »

Compris. Chef « Intelligence » au grand quartier général au bout de quatre mois, le voilà qui déménage à Jérusalem avec Lorna.

Weizmann, qui le rencontre à la Maison du gouvernement, tombe sous le charme. Et lui, Wingate, tombe sous le charme du sionisme, dont il perçoit l'aspect religieux beaucoup plus que l'aspect politique.

Considère-t-il les jeunes Juifs des kibboutzim, les colonies sionistes de gauche où la vie collective fait loi, comme les héritiers légitimes des Hébreux d'autrefois ? Comme des combattants d'élite potentiels, en tout cas.

Après les avoir tenus à l'écart, l'administration britannique, furieuse de la multiplication des embuscades et des attentats arabes, enrôle plusieurs milliers d'israélites dans des unités de gendarmerie et de police auxiliaire en uniforme. Le projet de Wingate est encore plus radical : là où il ne s'agissait que de défendre, il faudra prendre l'offensive, attaquer à outrance. Opérant à partir des kibboutzi, des auxiliaires juifs encadrés par quelques officiers et sous-officiers britanniques volontaires mèneront la vie dure aux Arabes. Leurs objectifs : les villages d'où partent les attaques rebelles. Leur mode d'action : les attaques de commando nocturnes, qui feront passer la peur d'un camp à l'autre. Leurs armes : la grenade, la baïonnette, le poignard.

L'idéal, selon lui, serait de mobiliser les hommes de la Haganah. Mais, craignant l'aventure, les chefs de cette milice sioniste de gauche refusent. Alors Wingate, en uniforme britannique, rend visite à Moshé Shertok. À l'issue d'une entrevue houleuse, le représentant de l'Agence juive, ébranlé mais pas convaincu, demande à réfléchir. Le lendemain, il donne son accord...

Reste à obtenir celui du général Wavell, le commandant en chef britannique, et de Wauchope. Obnubilés par le risque de rupture de l'approvisionnement pétrolier, les deux généraux acceptent ce changement de cap radical qui, comme au temps de la déclaration Balfour, fait à nouveau de la Grande-Bretagne l'alliée du sionisme. Et tant pis pour les sentiments de la majorité des officiers de Sa Majesté, plutôt favorable aux Arabes même si leurs actions armées l'exaspèrent.

Les Special Night Squads, « escouades spéciales de nuit » sont nées. Malgré la faiblesse de sa constitution physique, l'Écossais en prend la tête. Au sens littéral du terme, puisque le commandement d'attaque n'est plus « À l'assaut » mais « Suivez-moi ».

La guerre des deux rouquins, Kaukji d'un côté, Wingate de l'autre, a commencé. Instructeur de la Haganah du secteur de Nahalal, son village qui fut, on s'en souvient, une des premières cibles des « cheiks barbus », et, en même temps, agent de la police de Palestine avec une solde de huit livres par mois, Moshé Dayan ne tarde pas à voir son nouveau chef à l'œuvre.

Dans son hébreu sommaire, l'Écossais commence par exposer le plan d'une attaque-surprise sur le village arabe de Mahloul, à quelques kilomètres de Shimron. Dayan et ses hommes se regardent, ahuris : jusqu'à présent, ils se bornaient à essayer de défendre les villages juifs.

« Il faut aller les chercher chez eux, insiste Wingate. Quelques bons coups de commando, et la trouille changera de camp. »

Une marche de nuit par les crêtes conduit l'Écossais, Dayan et leurs hommes près du village « ennemi ».

« On se divise en deux groupes, ordonne l'Écossais. Cent mètres de distance, pas plus. Comme ça, si des types sortent, on les prendra en tirs croisés. »

Cette nuit-là, nul homme armé ne quitte Mahloul. Mais le ton est donné. Une logique implacable : un Arabe qui sort la nuit, c'est forcément un terroriste, et un terroriste, ça se tue.

Alors les escouades spéciales de nuit, composées de célibataires uniquement, tuent, et pas seulement des terroristes. Leurs raids sèment, comme prévu, la terreur chez l'adversaire. Mais qui sont au juste les adversaires : les hommes armés ? les hommes tout court ? les adolescents ? Difficile de faire la différence, la nuit.

Si la guérilla palestinienne a radicalisé la guerre, la contre-guérilla anglo-juive de Wingate et de son adjoint Dayan la hausse ainsi d'un cran.

L'Écossais prend tout de même soin de ne pas attaquer les villages inféodés aux Nachachibi, où ont été organisés des groupes d'autodéfense contre les hommes du Mouron rouge, et surtout ceux d'Abd el-Kader el-Husseini. Car l'offensive rebelle ne fait évidemment pas l'unanimité.

Deux cent cinquante Transjordaniens ayant rejoint les groupes de guérilla, Abdallah mobilise la Légion arabe pour protéger son émirat où les sabotages et les attaques de bâtiments officiels se multiplient. Une tâche de maintien de l'ordre dont les soldats de l'émir s'acquittent le cœur serré car, dans le conflit entre Juifs et Arabes, leurs sympathies vont bien entendu aux Arabes.

Dans le nord transjordanien, on crée aussi des groupes villageois d'autodéfense. La rumeur assure qu'ils opèrent en coordination étroite avec leurs homologues nachachibi, que commande Fekri Abd el-Hadi et que patronne Fekri el-Nachachibi. On n'en serait guère étonné, le clan palestinien ennemi des Husseini faisant désormais cause commune avec l'émir.

Quand elle s'appuie sur des renseignements précis, la méthode Wingate est efficace à court terme. La preuve : les sabotages de l'oléoduc diminuent, puis cessent. À son passif toutefois, la multiplication des raids punitifs contre les villages arabes soupçonnés d'héberger des terroristes. L'Écossais a beau citer la Bible à tour de bras, les hommes des escouades spéciales de nuit finissent par douter qu'il puisse exister des Arabes innocents. C'est alors toute une population villageoise qui sombre dans la peur des représailles collectives.

En décembre 1938, Wingate, stupéfait, apprend que sa hiérarchie militaire le met en congé d'office : il a trop bien réussi, le pipe-line est en sécurité, le Mouron rouge se voit contraint à la prudence. Dépité, il regagne l'Angleterre en mai 1939. Histoire de lui remettre les idées en place, on affecte le Lawrence de Judée, artilleur de formation, à la défense antiaérienne.

À nouveau sur le terrain en 1941, Orde Charles Wingate entre en vainqueur à Addis-Abeba à la tête d'une troupe hétéroclite mais efficace de guerriers éthiopiens, soudanais, et d'officiers anglais. Dès juin 1942, il passe en Extrême-Orient et utilise une méthode de guerre non conventionnelle contre les Japonais, en Birmanie. En août 1943, Winston Churchill, fasciné, l'emmène au Québec exposer ses conceptions hétérodoxes à Roosevelt.

« Pouvez-vous m'aider à reconquérir la Birmanie ? lui demande lord Louis Mountbatten, chef des opérations antijaponaises combinées. Je vous nomme major-général et vous donne des effectifs équivalents à ceux d'une division. »

Flanqué de son officier de renseignements, le colonel Steve Wood, l'Écossais crée une unité de guérilla qui nomadise dans la jungle, les « Chindits ». Le 24 mars 1944, le bombardier qui le conduisait vers un de ses commandos, pris dans un orage tropical, s'écrase dans la jungle.

Ainsi meurt le Lawrence de Judée, qui a légué à la Haganah, et plus tard à l'armée israélienne, un héritage contrasté : le goût de l'action de commando et la volonté de semer à tout prix la terreur chez l'adversaire, combattant ou non.

Un processus de « brutalisation » qui va peser sur l'interminable conflit du Moyen-Orient et que Moshé Dayan, commandant en chef, puis ministre de la Défense d'Israël, ne reniera jamais.

C'est vrai qu'en cette fin des années 1930, la brutalité s'empare de nombreux pays de la région. Et, comme on l'a vu, l'Irak n'échappe pas à cette règle, lui qui a inauguré avec Bakr Sidqi l'ère des coups d'État militaires...

38

Sous le signe du « Carré d'or »

Quatre colonels de l'armée irakienne qu'on a surnommés le « Carré d'or ». Panarabes militants, ils sont hérissés par la tutelle britannique. Ces officiers rebelles sont issus des classes moyennes, voire de couches plus pauvres encore. Passés de l'obéissance à la colère, de la colère à l'immixtion politique, de l'immixtion politique à la spirale des complots, ils ont pour nom Salah ed-Din es-Sabbagh ou Kamel Chahib, commandant la 1e et la 3e division ; Mahmoud Salmane, chef des forces aériennes ; et Fehmi Saïd, responsable des unités blindées.

Farouche adversaire de Bakr Sidqi, le Carré d'or va s'allier à Nouri Saïd. Partisan d'un patriotisme proprement irakien par opposition au nationalisme arabe, Bakr était devenu l'homme à abattre, comme lui-même avait fait assassiner Djefar el-Askari.

L'heure sonne quand le dictateur décide de représenter le royaume hachémite d'Irak aux prochaines manœuvres de l'armée turque. Des plans d'attentat sont dressés dans la fièvre par Aziz Yamoulki, exécuteur des basses œuvres du clan des Sept, un groupe clandestin d'officiers où Fehmi Saïd représente le Carré d'or.

Le 10 août 1937, Bakr quitte Bagdad et, le lendemain, son vieux complice aviateur, le major Mohammed Ali Djaouad, le rejoint à l'aéroport de Mossoul.

« Les hôtels de la ville sont bondés, fait-on savoir aux deux officiers.

— J'ai besoin de repos, restons ici, à l'aéroport », tranche Bakr.

Mais à peine Djaouad et les autres membres de l'entourage ont-ils commencé à s'installer qu'un simple soldat, Ali Tafallari, se plante face au général et l'abat de deux coups de feu.

« À l'assassin ! » hurle Djaouad.

Il tombe sur-le-champ, exécuté aussi froidement que son chef.

Le jeune roi Ghazi Ier a les complications en horreur. Pour détendre l'atmosphère, il choisit de révoquer son Premier ministre, Hekmat Souleiman, au profit de Djamel Medfaï.

Nouri Pacha va-t-il rentrer de son exil égyptien ? Par mesure de précaution, Fatima, son épouse, le précède à Bagdad. Pour apprendre qu'on vient de retrouver le cadavre de son frère Djefar, et que Medfaï veut lui organiser des obsèques solennelles au mausolée royal.

Nouri finit donc par réintégrer le bercail. Mais ses relations avec le roi, dont il désapprouve la vie privée, ne tardent pas à redevenir mauvaises.

Après des débuts de règne à l'enseigne d'une famille unie, Ghazi a pris ses distances avec sa femme, Aliya. Il lui préfère de joyeuses soirées en compagnie de jeunes officiers sans cervelle mais à la forte prestance.

« Le roi n'aime pas les femmes, c'est un homosexuel, croient savoir les uns.

— Un efféminé en tout cas », nuancent les autres.

Des rumeurs qui n'entament guère son capital de sympathie. Beaucoup d'Irakiens se reconnaissent dans ce jeune souverain sportif et plein d'allant. Surtout ceux, nombreux, qui le créditent de menées antibritanniques souterraines. Même le scandale causé deux ans plus tôt par sa sœur aînée, la princesse Azza qui, tombée raide dingue d'un serveur de restaurant grec, s'est enfuie à son bras en abjurant la religion musulmane, lui a été pardonné.

Nouri se montre moins indulgent. Par ses caprices d'enfant gâté et son inconsistance politique, le jeune souverain serait en train de dilapider l'héritage de Fayçal.

Du coup, l'ancien de la thawra esquisse un rapprochement avec la reine Aliya. Épouse délaissée et fille d'Ali, l'aîné des quatre frères hachémites, la jeune femme a deux bonnes raisons de voir dans le Pacha un homme attaché, comme elle, au devenir de la dynastie.

Ghazi éloigne le gêneur en le nommant ambassadeur au Caire. C'est mal connaître Nouri, qui commence à conspirer à distance avec les officiers hostiles à Medfaï, ceux du Carré d'or notamment. Son homme lige à Bagdad sera le général Taha el-Hachemi, frère de l'ancien Premier ministre renversé par Bakr Sidqi.

Avant tout accord avec les militaires, il faut jeter du lest.

« À l'avenir, assure Nouri, aucun changement de gouvernement n'interviendra sans consultation préalable de l'armée. »

Dans la bouche d'un homme qui, depuis 1936, n'a cessé de dénoncer la politisation galopante du corps des officiers, le propos a quelque chose de déconcertant. Il suffit pourtant à convaincre les quatre colonels du Carré d'or.

En novembre 1937, Nouri regagne Bagdad. Tout est prêt pour un troisième coup d'État, le sien. Mais l'ambassadeur britannique, Maurice Peterson, évite de se commettre.

En mars 1938, Nouri revient sur la sellette en dénonçant un complot à Ghazi et à Peterson. Groupés autour de Hekmat Souleiman, des civils et surtout des militaires voudraient renverser le roi pour le remplacer par son oncle, le prince Abdulillah.

Vérité ? Montage ? Tout est possible dans ce pays où un complot chasse l'autre. En juin, un ami de Ghazi qui l'attendait à l'extérieur du palais royal a été trouvé sans vie.

« Mort accidentelle, il s'est tué en manipulant son revolver », a conclu un expert en police scientifique. Mais comme il était anglais, beaucoup ne l'ont pas cru.

Le roi savait qu'Aliya considérait le défunt comme un compagnon de débauche de son mari. Il craint désormais qu'elle ne fomente un autre attentat, mais contre lui, cette fois.

Le 25 décembre 1938, Nouri et ses associés contraignent Djemal Medfaï à la démission. Bien sûr, le Pacha le remplace.

Les militaires ont exigé sa nomination, son entregent a fait le reste.

La guerre avec Ghazi Ier peut reprendre. Et pas à fleurets mouchetés puisque Nouri propose aussitôt aux Britanniques, qui le repoussent... un plan visant à détrôner le souverain !

Son argument maître : Ghazi manifesterait des penchants personnels et politiques inquiétants...

Qui pourrait arracher l'Égypte, la Transjordanie, l'Irak, le Koweït à la tutelle anglaise, et l'Afrique du Nord, la Syrie et le Liban à la colonisation française ? En cette fin des années 1930, beaucoup, au Moyen-Orient, tournent leurs regards vers l'Allemagne.

Le phénomène n'est pas nouveau. Au tout début du XXe siècle déjà, avant la dislocation de l'Empire ottoman, le baron Max von Oppenheim mettait en œuvre la politique moyen-orientale de son pays. Représentant pour la région de la Wilhelmstrasse, le ministère allemand des Affaires étrangères, cet amoureux du monde musulman avait formé un solide noyau d'hommes d'action, de savants, d'aventuriers et d'explorateurs qui valaient bien les « indiscrets ». Et tenté, en vain, de gagner l'émir Fayçal à ses plans.

Le baron Max ambitionnait de soulever les musulmans, du monde arabe à l'Afghanistan, contre les Britanniques, et ceux du Maghreb, contre les Français. Mais comment entraîner les Arabes quand on marchait main dans la main avec les Turcs ? Ne subsiste de cette époque qu'une collection de faits d'armes débouchant sur l'échec final.

Quelques rescapés tout de même. Parmi eux, l'ambassadeur allemand à Bagdad, le Dr Fritz Grobba. Un personnage qui compte, et pas seulement en matière de diplomatie classique.

Né le 10 juillet 1886 à Gartz, près de Stettin, Grobba était avocat à Jérusalem, en 1914, époque où le baron Max peaufinait son projet d'insurrection antibritannique.

Parlant l'anglais, le français, le turc et l'arabe, on le retrouve en janvier 1916, au sein de l'état-major allemand auprès de l'armée ottomane.

Officier d'ordonnance du colonel puis général Kress von Kressenstein, le chef des conseillers militaires allemands de l'armée ottomane sur le front de Palestine, Grobba entre, après la guerre, à la section Orient de la Wilhelmstrasse. D'abord en poste à Kaboul, l'arabisant rejoint Bagdad dès 1932.

Sa mission n'a pas changé : encourager tout mouvement de rébellion contre la Grande-Bretagne. La nouveauté, c'est la politique de Hitler au Moyen-Orient, qui heurte beaucoup d'Arabes tant elle leur paraît favorable au sionisme.

En 1933, Berlin conclut en effet avec l'Agence juive le pacte Haavara (« Transfert » en hébreu). Moyennant un assouplissement du boycott économique international de l'Allemagne et le versement de sommes d'argent exorbitantes, cet accord prévoit le départ des Juifs d'Allemagne vers la Palestine.

Du point de vue sioniste, ce pacte s'apparente à une négociation avec le diable et, du point de vue nazi, à l'obsession de « purifier » au meilleur compte possible l'Allemagne de ses israélites puisque la solution finale, l'extermination, n'est pas encore à l'ordre du jour.

Si l'accord est secret, ses conséquences sur le terrain sont évidentes. En favorisant l'arrivée des Juifs allemands en Terre sainte, Haavara va à l'encontre des intérêts des Palestiniens. Et, du même coup, de la popularité dont Berlin bénéficie au Moyen-Orient.

Assez pour gêner Grobba qui, à l'instar des autres spécialistes des questions arabes à la Wilhelmstrasse, n'a rien d'un nazi.

« Hitler conduira l'Allemagne à la ruine », confie-t-il, dès 1936, à Nouri Saïd, qui n'en revient pas d'une telle imprudence.

Le diplomate rage de se trouver à nouveau dans une position impossible. Pendant la Grande Guerre, il s'agissait de pousser les Arabes sous la bannière d'une Allemagne alliée de l'Empire ottoman. Et maintenant, on doit les convaincre de la bienveillance allemande alors que Berlin encourage l'immigration juive en Palestine...

Grobba renâcle tant et si bien que la Wilhelmstrasse finit par le rappeler. Pendant son absence, le Pr Julius Jordan, employé au Musée national d'archéologie et créateur de la section de Bagdad du parti nazi, prend la main, plutôt mal que bien.

Neuf mois plus tard, Grobba reprend ses fonctions dans la capitale irakienne. Mais, chapitré par ses supérieurs, l'homme a changé et, désormais, il applique les consignes sans aucun état d'âme.

Une enquête sur les ventes d'armes allemandes à l'armée irakienne débouche sur Salah ed-Din, un des quatre colonels du Carré d'or. Convoqué par le ministre de la Défense, Taha el-Hachemi, celui-ci délivre, pour seule explication, un rire tonitruant.

« C'est quand même moi, le ministre ! » proteste Hachemi, impuissant. Et contrairement à la légende d'un Nouri Saïd inflexible dans son antinazisme, le Premier ministre ne sévit pas : le Carré d'or fait désormais la loi dans l'armée.

La majeure partie des Bagdadis brûlent de se débarrasser des Britanniques. Leurs sympathies vont au IIIe Reich, paré de toutes les vertus. *Mein Kampf*, le livre-programme de Hitler, part comme des petits pains en éditions populaires. Peu se rendent compte que, dans l'échelle raciste des nazis, les Arabes, « espèce inférieure », sont situés à peine un barreau au-dessus des Juifs. Beaucoup regrettent en revanche la prudence de Hitler, lequel ne manifeste aucune intention d'en découdre avec l'Empire britannique.

Le roi Ghazi partage l'engouement de ses sujets pour l'Allemagne. En décembre 1937, Baldur von Schirach, le chef de la Jeunesse hitlérienne, a effectué une tournée de propagande dans la région : Bagdad, Damas, Téhéran puis Ankara.

L'occasion pour ce mini-Führer d'évoquer la « similitude de la renaissance arabe et du réveil raciste allemand ».

Celle, aussi, de rencontrer le souverain et de lui suggérer qu'une délégation du mouvement de jeunesse nationaliste, El Foutouah, se rende l'année suivante à Nuremberg pour le congrès du NSDAP. Et tel sera effectivement le cas pour une trentaine de jeunes Irakiens, en septembre 1938.

Des techniciens allemands ont installé dans le palais royal un émetteur radio, d'où Ghazi, dénonçant la conjuration anglo-sioniste en Palestine, lance des appels enflammés à l'unité des Arabes ainsi qu'au retour du Koweït, protectorat anglais, dans le sein de la mère patrie irakienne.

Des déclarations de nature à inquiéter l'ambassadeur Peterson et son successeur à partir de mars 1939, Basil Wilson. Et au moins autant le secrétaire oriental et chef des services de renseignements de l'ambassade, Vyvyan Holt. Ses fiches font état de l'éclosion des mouvements nationalistes antibritanniques au Moyen-Orient et d'un développement de leurs contacts avec les émissaires allemands.

Dans ce contexte troublé, un crash automobile vient apporter un élément dramatique supplémentaire...

Dans la soirée du 3 avril 1939, la voiture de sport du roi Ghazi, lancée à vive allure, dérape et s'écrase contre un poteau électrique. Victime de fractures multiples du crâne, le souverain décède quelques heures plus tard.

Accident comme l'assurent les enquêteurs ? Sabotage ? Attentat comme pourraient le laisser supposer les faibles dégâts infligés au véhicule et la disparition de ses deux autres passagers, les techniciens radio du palais Abd Saad et Ali ben Abdallah ? Pour la rue bagdadi, la troisième hypothèse est la bonne et les coupables, tout désignés :

« Les Britanniques ont assassiné Ghazi, disent les uns.

— Avec la complicité de la reine Aliya, de son frère Abdulillah et de Nouri Saïd, complètent d'autres. »

On parle de complot mais aussi de vengeance. Des émeutes éclatent. À Mossoul, la foule se rassemble à côté de la gare, devant le consulat britannique.

« Gardez votre calme, je vais vous expliquer ce qui est arrivé », lance le consul Monck-Mason. Mais à peine sort-il sur le balcon qu'une pioche lui défonce le visage.

Les obsèques du roi disparu se déroulent dans une ambiance épaisse. La foule est dense, exaltée. Des cris s'élèvent :

« Tu répondras de la mort de Ghazi, ô Nouri ! »

L'héritier du trône, le prince Fayçal, n'a que trois ans. Le Pacha réunit d'urgence le Conseil des ministres. Un message de la reine Aliya lui parvient en cours de séance.

« Mon mari, dit en substance la jeune veuve, m'a confié qu'en cas de malheur, il voulait que le prince Abdulillah, et nul autre, se charge de la régence. »

Le fait que le candidat à la régence, cousin du défunt, soit aussi le frère cadet de la reine (fils et fille d'Ali, l'aîné des quatre Hachémites, Abdulillah et Aliya descendent, comme Ghazi, du chérif Hussein de La Mecque) compte sans doute pour beaucoup dans cette révélation posthume. Mais c'est plausible après tout.

Ghazi et Abdulillah avaient à peu près le même âge, et tout les rapprochait, y compris le goût des beaux uniformes, des cérémonies à grand spectacle et, de façon paradoxale dans le cas de Ghazi, la fascination pour le mode de vie britannique.

L'Angleterre, Abdulillah rêve d'y finir ses jours. Il devient un de ces personnages que l'histoire propulse aux avant-postes alors même qu'ils ne possèdent aucune des capacités requises.

En toutes choses, le prince subit l'influence de sa mère, Nefissa Khanoum. Fille de l'ancien émir de La Mecque, cette Circassienne a vécu ses jeunes années dans le palais du dernier sultan ottoman, Abdulhamid II. De cette époque ancienne, elle a tiré un goût pour l'intrigue, moyen selon elle d'assurer l'avenir de son seul fils.

Mariée à Ali en 1906, Nefissa s'est empressée d'inculquer sa manière de penser au garçon. Né en octobre 1913, Abdulillah n'a quitté la demeure familiale de La Mecque qu'à l'âge de quatorze ans. C'était pour l'Égypte, où il a effectué non pas de bonnes, mais d'exécrables études, au Victoria College d'Alexandrie.

Milite malgré tout en sa faveur une allure empreinte de dignité. Sans oublier le soutien de Nouri Pacha. Le Premier ministre ne l'aime guère, mais, comme les Britanniques, il privilégie toujours les solutions internes à la famille hachémite.

Le 6 avril, on convoque le Parlement, dissous pourtant en décembre.

« La désignation d'un régent exige l'accord préalable des assemblées », déclare le président du Sénat sous l'œil du Pacha, grand maître des cérémonies.

Bien entendu, la réponse est oui. Abdulillah s'avance et, d'une voix ferme, prononce le serment :

« Par Dieu tout-puissant, je jure de respecter la Constitution du pays et de rester fidèle à la nation et au pays. »

Si la crise de succession est réglée, la crise politique internationale, elle, ne fait qu'empirer. À l'horizon : la Seconde Guerre mondiale...

Le 30 septembre 1937, le commandement militaire britannique en Palestine, à bout de ressources face au développement de la révolte, ordonnait l'arrestation des dix membres du Haut comité arabe. Sept d'entre eux étaient déportés aux îles Seychelles. Mais, averti du coup de force en préparation, le grand mufti de Jérusalem parvenait à se réfugier dans la mosquée d'Omar.

Depuis ce sanctuaire, Hadj Amine continuait à diriger les opérations. Les Britanniques, murmurait-on toutefois, s'apprêtaient à faire venir d'Inde des militaires musulmans pour se saisir de sa personne.

Déguisé en Bédouin, le grand mufti parvenait à s'enfuir le 13 octobre et à gagner le Liban par bateau. Trop contents d'apparaître comme des amis du monde arabe, les Français, refusaient de l'extrader.

En Palestine, le mouvement, privé de ses chefs, s'étiolait. Il finit même par s'éteindre.

Paradoxalement, c'est de Grande-Bretagne que vint alors l'espoir. Dans l'optique d'un conflit avec l'Allemagne, les Britanniques avaient besoin des ressources de leur vaste empire. Sur le front palestinien, ils jouaient la carte arabe, facteur supposé d'accalmie.

Le 17 mai 1939, Londres publie le Livre blanc, qui limite l'immigration juive et freine les achats de terres.

Sans satisfaire la partie arabe, ce changement de cap déclenche la colère des mouvements sionistes. Celle, mesurée, de l'Agence juive et de la Haganah, qui s'emploient à développer l'immigration illégale. Et celle, violente, de l'Irgoun Zvai Leumi. De tendance « révisionniste », cette organisation clandestine multiplie les attentats contre les civils arabes.

Le 3 septembre, la France et la Grande-Bretagne entrent en guerre contre l'Allemagne. La Transjordanie et l'Irak se déclarent aussitôt solidaires de la Grande-Bretagne. Si le déclenchement des hostilités affecte peu le Moyen-Orient, il commence déjà à y brouiller les cartes.

« Soutenez les Alliés contre Hitler, et vous continuerez à couler des jours tranquilles en Syrie, proposent les Français au grand mufti.

— Impossible à cause de la question palestinienne », répond Husseini.

Craignant d'être arrêté, il quitte le Liban pour l'Irak, où il parvient le 16 octobre.

Cet ennemi juré d'Abdallah de Transjordanie va-t-il être inquiété par le gouvernement, que dirige toujours Nouri Pacha ? Non, car Bagdad, siège de la plus puissante des deux monarchies hachémites, reste en proie à son complexe de supériorité envers Amman. Sautant sur l'occasion d'améliorer à peu de frais son image au sein du monde arabe, le Pacha va jusqu'à accorder le droit d'asile au grand mufti.

Calcul politicien, erreur politique. Une fois à Bagdad, le grand mufti montre l'étendue de son savoir-faire. Transformant sa demeure de la rue Zaouia en quartier général oppositionnel, le Palestinien va nouer des liens tant avec les colonels du Carré d'or, ses meilleurs alliés irakiens, qu'avec Franz von Papen, prédécesseur de Hitler à la chancellerie et ambassadeur allemand en Turquie.

Un diplomate hongrois, Zoltán de Márriássy, a servi d'intermédiaire. En juillet 1940, Nadji el-Chaoukat, ministre irakien de la Justice proche du mufti, profite d'une visite officielle à Ankara pour remettre une lettre de la main d'Hadj Amine à von Papen. Le même mois, Nouri organise le face-à-face de la dernière chance entre Husseini et Skinface Newcombe. L'ancien compagnon d'armes de Lawrence est devenu un itinérant semi-officiel du Foreign Office mais, comme c'était prévisible, il ne parvient pas à trouver un terrain d'entente avec le mufti.

Ce sera donc l'Allemagne qu'Othman Kemal Haddad, le secrétaire de Hadj Amine, visite en septembre, arrachant à la Wilhelmstrasse le principe d'une déclaration de soutien aux Arabes. Signée par Hitler et par Mussolini, elle est rendue officielle le 23 octobre, mais ne prévoit pas de mesure concrète. Berlin n'a aucune intention de s'engager massivement au Moyen-Orient, tout au plus d'y créer toutes les difficultés possibles à Londres.

Jusqu'au jour où...

39

La guerre des trois semaines

Dans la politique irakienne, pas de plus grands rivaux que Nouri Saïd, infatigable militant de la cause hachémite et de la sienne propre, et Rachid Ali el-Kailani.

Kailani que le prestige de l'ancien de la thawra a toujours contraint aux seconds rôles. Descendant d'une des plus illustres familles bagdadis, l'ancien ministre de l'Intérieur piaffe d'impatience.

Moins favorable aux Britanniques que Nouri Saïd, Kailani ne leur est pas hostile pour autant. Mais l'idée lui est venue qu'épouser le sentiment populaire antianglais, toujours aussi vif depuis vingt ans, constituait le meilleur moyen d'atteindre son rival.

À quoi tient le pouvoir de Nouri ? Outre à son prestige et son entregent personnels, au lien étroit qu'il entretient avec le Carré d'or. Mais le destin semble s'acharner sur les Hachémites et leurs amis. À Bagdad, c'est Roustoum Haïdar, ancien secrétaire de Fayçal à Paris et ministre des Finances irakien, qui tombe sous les balles, le 18 janvier 1940. Un ancien policier limogé du ministère de la Défense, Hussein Faouzi Taoufik, l'aurait tué par ressentiment personnel. Mais que dire des proches du bloc nationaliste syrien qui, le 6 juillet de la même année, assassinent à Damas le Dr Chabandar, lié de longue date à Abdallah de Transjordanie ?

Le premier de ces deux crimes aura d'importantes conséquences politiques. Privé d'un de ses principaux soutiens, Nouri Saïd démissionne le 18 février.

« Le général Taha el-Hachemi et moi-même resterons à la Défense et aux Affaires étrangères », souligne-t-il devant Fehmi Saïd, qui proteste contre cette « désertion » au nom du Carré d'or.

Dans l'intervalle, Kailani a évolué. Pour affaiblir Nouri, il veut mettre les quatre colonels dans son jeu.

Son premier cabinet est remercié le 30 janvier 1941. C'est à cette époque que l'alliance entre le grand mufti, le Carré d'or et Kailani se cristallise. Dans la ligne de mire des conjurés : le régent Abdulillah et Nouri. Tous prêtent serment d'aller jusqu'au bout, sur le Coran. Comme pseudonyme, ils prendront les noms de leurs grands-pères respectifs.

« Méfions-nous de l'improvisation, elle a trop coûté à la cause arabe dans le passé », souligne le mufti. Les colonels approuvent : spécialistes des armes techniques comme les chars, l'aviation et du travail d'état-major, ils savent qu'une planification rigoureuse s'impose. L'armée irakienne ne disposant pas d'un matériel suffisant pour affronter son homologue britannique, le Carré d'or compte avant tout sur l'aide allemande.

Dans la nuit du 1ᵉʳ avril 1941, des militaires encerclent le palais d'Abdulillah. Se jugeant perdu, le régent plonge dans la prostration. Mais la maison Hachem a de la ressource, et quand les hommes se montrent incapables de réagir, les femmes savent le faire à leur place. La sœur cadette d'Abdulillah, la princesse Badia, et leur tante, la princesse Salha, issue du deuxième mariage du chérif Hussein, exfiltrent le jeune homme dans la nuit avec la complicité très agissante du médecin de famille des Hachémites d'Irak, l'inévitable « Sinbad » Sinderson.

Caché dans la malle arrière d'une voiture de l'ambassade américaine, dont c'est la première irruption dans la politique irakienne, le régent gagne la grande base de la RAF à Habbaniyah.

Le lendemain matin, alors que Kailani, le général Zaki, chef de l'état-major, et le colonel Sabbagh, représentant du Carré d'or, se présentent au domicile du Premier ministre, l'oiseau s'est envolé à bord d'un avion britannique.

Il faut sauver le régent Abdulillah. Dans un premier temps, un bâtiment de guerre anglais l'évacue sur Bassorah. Le 1ᵉʳ mai, il sera en Transjordanie, où son oncle, le roi Abdallah, pas mécontent de jouer les grands seigneurs envers ces personnages qui, hier encore, le « snobaient » de manière si hautaine, abrite déjà Nouri Saïd, Djamel Medfaï et Ali Djaoudat.

Le 3 avril, le général Zaki forme un gouvernement militaire provisoire qui dépose le régent. Parent éloigné du jeune roi Fayçal II, lien familial qui explique la résurgence de ce vétéran de la thawra, le chérif Charef prend sa place. Et bien entendu, il désigne Kailani comme Premier ministre.

« Dépêchez des renforts à Bassorah », câble Winston Churchill.

En privé, le Vieux Lion, dont on connaît l'attachement au royaume d'Irak, ne décolère pas contre le général Wavell, commandant en chef britannique au Moyen-Orient, qu'il accuse de mollesse.

La 10ᵉ division et la 20ᵉ brigade indiennes embarquent pour Bassorah. Le 16, Ken Cornwallis, qui vient justement d'être nommé ambassadeur à Bagdad, rencontre Kailani.

« Vos militaires empêchent nos hommes de débarquer. C'est contraire au traité d'alliance anglo-irakien. Mais tout peut s'arranger. Réaffirmez les dispositions du traité, et nous, nous reconnaîtrons votre gouvernement. »

Alléché par cette perspective, Kailani se prête au jeu. Mais pas le Carré d'or, qui l'oblige à durcir ses positions.

Le 29 avril, tandis que la division indienne commence à débarquer, les colonels font encercler la base de la RAF d'Habbaniyah.

Deux cent trente enfants anglais viennent d'y être transportés par air depuis Bagdad. Trois cents fantassins du King's Royal Rifle Corps, le prestigieux King's Own, mille aviateurs et mille deux cents auxiliaires irakiens et assyriens défendent désormais neuf mille civils.

Leur position est difficile, mais pas désespérée. Même avec ses quatre-vingt-seize appareils périmés et ses dix-huit automitrailleuses brinquebalantes, Habbaniyah reste une véritable ville-forteresse. Courts de tennis, piscine, terrain de golf et de cricket, des dizaines de bungalows, des hectares de pelouse sous des ombrages d'arbres d'espèces variées, une école d'aéronautique, un dépôt de matériel aérien, des magasins de fournitures.

On n'aura peut-être pas d'eau pour entretenir les platesbandes de ce morceau de vieille Angleterre sur le sol irakien, mais, pour abreuver ses hôtes, les réserves sont largement suffisantes.

Massés sur le plateau qui domine la base, les Irakiens sont bien supérieurs en nombre à la petite garnison : huit mille hommes, répartis entre la 1re division de Salah ed-Din es-Sabbagh, du Carré d'or, et deux régiments d'artillerie. Un autre membre du Carré d'or, Fehmi Saïd, commande l'ensemble.

Va-t-il ordonner l'assaut ? Il hésite encore le 2 mai à l'aube, jour du sixième anniversaire du roi Fayçal II, quand, jaillissant de ses retranchements d'Habbaniyah sur ordre de l'ambassadeur Cornwallis, le général de division aérienne Smart frappe le premier, par terre et par air.

Les combats se prolongent jusqu'au 5, puis les Irakiens, démoralisés par les tirs de mitrailleuse des appareils anglais, des Gloster Gladiator, le dernier chasseur biplan de la RAF, se retirent des hauteurs.

À Bagdad, au contraire, l'euphorie est partout. Tandis que les radios se déchaînent contre les Britanniques, la déclaration du grand mufti enflamme, le 9, les quartiers populaires, chiites comme sunnites :

« Ô, Irak héroïque, Dieu est avec toi, la nation arabe et tout le monde musulman sont derrière toi comme un seul homme dans ta sainte lutte. »

Dans l'ambassade anglaise, trois cent soixante-six hommes et une poignée de femmes, dont l'exploratrice et orientaliste Freya Stark, vivent en état de siège. Des latrines et des installations sommaires de douche ont été creusées dans le jardin. Sur la pelouse, un grand V de feuilles de papier blanc signale le lieu aux aviateurs de la RAF.

« On se croirait revenu au temps des Cipayes », remarque Miss Stark, allusion à la grande révolte des soldats indigènes qui, au milieu du XIXe siècle, fit trembler l'Empire britannique des Indes.

Imperturbable, Ken Cornwallis a ouvert le piano du grand salon, révélant un magasin de fusils Lee-Enfield, aussitôt distribués. Voilà qui rappelle une autre révolte, la thawra. Mais, à l'époque, les assiégés étaient turcs, voire allemands...

À Berlin, Fritz Grobba exulte. Cette insurrection irakienne, c'est son chef-d'œuvre. Un plan de soutien est élaboré dans l'urgence. Transitant par la Syrie, où l'armée du Levant du général Dentz, fidèle à Vichy, est bien en place, des appareils de la Luftwaffe achemineront armes et matériel aux Irakiens.

« Une occasion unique de chasser les Britanniques du Moyen-Orient, répète inlassablement Grobba. La révolte irakienne déchaîne l'enthousiasme dans le monde arabe. Si Bagdad bascule, tout bascule avec... »

L'arabisant pense aux parachutistes du général Student, dont le lâcher immédiat en Irak bouleverserait la donne. Mais Hitler prépare l'assaut par surprise contre l'Union soviétique, l'opération Barbarossa, et il n'a nulle envie qu'on détourne son attention sur d'autres sujets.

Nécessité fait quand même loi. À Bagdad comme à Habbaniyah, Kailani et le Carré d'or commencent à s'épuiser ; sans aide allemande, ils sont perdus.

Des discussions s'engagent donc avec François Darlan, le chef du gouvernement de Vichy. Le 6 mai, l'amiral donne aux aviateurs allemands l'autorisation écrite d'atterrir en Syrie. Le 11, il monte dans les Alpes bavaroises rencontrer Hitler en son « nid d'aigle » de l'Obersalzberg.

Depuis trois semaines, le général de Gaulle envisage de faire pénétrer une division française libre en Syrie. La capitulation prévisible du couple Pétain-Darlan ne fait que confirmer ses certitudes.

Elle ne surprend guère plus Churchill. Le 7 mai, conscient de l'importance vitale du Moyen-Orient dans la stratégie britannique, le Vieux Lion donnait à Wavell l'ordre de constituer une unité d'assaut :

« Dès maintenant, une action audacieuse contre l'Irak doit écraser la révolte avant l'arrivée des Allemands... Nous devons détruire d'avance l'effet moral de leur arrivée par un coup qui les assomme. Je présume que, si nous parvenons à débarrasser Routbah et Habbaniyah de l'ennemi, nos colonnes pourront prendre possession de Bagdad et s'arranger pour exploiter au maximum leur succès. »

Sans enthousiasme, Wavell racle ses fonds de tiroir pour constituer de bric et de broc la Habforce (Hab pour Habbaniyah) : deux mille hommes, cinq cents véhicules dépareillés, quelques mortiers de 80 ou de 60, quelques blindés. En face, l'armée irakienne compte tout de même soixante mille hommes...

Commandée par le major-général Clarck, la Habforce partira de Haïfa, en Palestine. Neuf cents kilomètres à franchir dans des conditions éprouvantes la séparent de Bagdad. La Grande-Bretagne semble au bout du rouleau...

C'est dans les ennuis qu'on reconnaît ses vrais amis. Le 7 mai, tandis que Churchill exigeait la création de la Habforce, le roi de Transjordanie écrivait au général Wilson, dit « Jumbo », le nouveau commandant en chef des troupes anglaises en Palestine.

« Il est de toute première nécessité d'écraser sans délai l'insurrection en Irak. Le manque d'activité manifesté par les forces britanniques entre Routbah, Falloudjah et Abesrah donne encore plus de portée à la propagande ennemie. »

La coïncidence des préoccupations d'Abdallah avec celles du Vieux Lion est frappante. Joignant le geste à la parole, le souverain donne l'ordre d'envoyer le régiment mécanisé de la Légion arabe à l'assaut du poste de police irakien de Routbah.

« Est-ce que vos hommes sont en mesure de se battre ? » demande-t-il à Glubb Pacha, le successeur de Peake à la tête de la Légion arabe depuis deux ans.

Entre le roi et son chef de guerre anglais, les liens sont à la mesure de leur considération mutuelle. En 1939, quand son épouse, Muriel Rosemary, a accouché à Jérusalem d'un fils, Godfrey, Glubb a été convoqué en toute amitié par le roi :

« Godfrey, c'est un beau prénom, mais l'enfant doit aussi avoir un prénom arabe. Je lui en ai choisi un : "Farès" ».

Rougissant, l'Anglais s'est incliné. En arabe, Farès signifie « Chevalier ». Et son surnom à lui aussi a changé. Les légionnaires l'appelaient « Abou Houneik », le « père de la petite joue », allusion à la cicatrice qui ornait son visage. Désormais, il sera « le père de Farès ».

Autant de rapports personnels qui induisent un haut degré de confiance entre le roi et son chef de guerre.

« Tous quels qu'ils soient », confirme Glubb.

Convoqué à l'hôtel King David de Jérusalem, le quartier général de Jumbo, il tombe en pleins préparatifs de riposte en Irak.

« Est-ce que la Légion arabe se battra ? » s'enquiert à son tour Wilson dans un large sourire.

D'un ton ferme, le père de Farès affirme :

« La légion combattra n'importe quel ennemi. »

Un peu plus tard, Nouri Saïd et Abdulillah, présents à Jérusalem eux aussi, lui font part de leur inquiétude : pourquoi les Britanniques sont-ils si lents à réagir ?

Parce qu'ils n'ont guère les moyens d'aller plus vite. Pour qu'une riposte se dessine, il a fallu toute l'insistance de Churchill. Les Américains croient peut-être le Moyen-Orient perdu pour la Grande-Bretagne, pas lui. Mais cette foi dans l'avenir, peu la partagent.

De retour à Amman, Glubb rencontre une nouvelle fois le roi Abdallah. Son adjoint, le commandant Lash, a préparé hommes et machines pour un départ immédiat.

« Fini le travail de police, mon vieux Norman. Nous redevenons des soldats. »

Et les voilà en route, deux cent cinquante combattants triés sur le volet à bord de camions Ford démodés et de blindés hors d'âge, sous le commandement du père de Farès et de Lash Bey.

Deux cent cinquante hommes qui le 8, s'emparent de H3, une station de pompage de l'Iraq Petroleum Company, et attaquent une première fois Routbah, butant sur la résistance de policiers et d'irréguliers de tribus nomades.

Dans la nuit du 10, un second assaut est lancé avec l'appui de voitures blindées de la compagnie RAF n° 2. Il ne rencontre que le vide : Routbah, dont le devenir inquiétait tant le Vieux Lion, vient d'être évacué en catimini.

Trente-six heures plus tard, la Kingforce, avant-garde de la Habforce aux ordres du général Kingstone, retrouve les hommes de Glubb à Routbah.

Une véritable fraternité d'armes commence à naître entre les Britanniques du Household Cavalry Regiment ou de l'Essex Regiment et les hommes de la Légion arabe, ces éclaireurs sans égaux.

Heureux de pouvoir concilier sa double allégeance à deux couronnes, le père de Farès se frotte les mains. Mais, au sortir de Routbah, trois Messerschmitt 110 mitraillent la colonne de la Légion arabe.

Le cas de figure ayant été prévu à l'entraînement, les conducteurs zigzaguent à toute vitesse. Hypnotisé par les chasseurs ennemis, l'un d'eux oublie de regarder devant lui. Le camion se retourne : un mort, un blessé grave. La Légion arabe vient d'essuyer ses premières pertes face à l'Allemagne nazie.

La guerre est en train d'embraser le Moyen-Orient...

Le 7, Dentz a reçu un message de Vichy l'informant de l'arrivée des avions allemands et lui enjoignant de leur donner « toute facilité pour reprendre leur route ». Le 10, l'officier recevait Grobba, maître d'œuvre de l'opération irakienne avec un autre diplomate allemand, Rudolf Rahn.

« Que voulez-vous ? leur a demandé Dentz après avoir rappelé que, Alsacien, il n'était guère enclin à aider les Allemands.

— Des armes pour l'armée irakienne : 21 000 fusils, 200 pièces d'artillerie lourde, 400 d'artillerie légère, 5 millions de cartouches, 100 000 grenades à main, enfin de quoi armer deux divisions irakiennes. Le tout livrable à la frontière turque... »

Le général a protesté mais, dix-sept heures plus tard, une partie des armes se trouvait déjà entre les mains allemandes, tandis que Grobba installait son petit état-major de crise à Bagdad, en liaison avec le Carré d'or, le grand mufti et Kailani auxquels il versait d'importantes sommes d'argent.

Les avions allemands commencent à se poser en petits paquets pour ravitaillement sur les terrains militaires français de Syrie avant de reprendre l'air pour Mossoul.

Le 16 mai, quatre Messerschmitt 110 mitraillent une deuxième fois la Légion arabe, qui vient de franchir un canal de dégagement de l'Euphrate vers El Moudjarrah. Deux Bédouins tentent de riposter avec leur antique mitrailleuse Lewis modèle 1915.

Au troisième passage des chasseurs allemands, un des légionnaires, Foukaan, tombe mort, le doigt sur la détente de son arme.

La légion démontre aussi son savoir-faire en retrouvant un convoi de deux cents camions de trois tonnes perdus sur le chemin de Habbaniyah.

« Ils avaient besoin de nous pour leur montrer le chemin, rigole le soldat Ghassad Eid. Un Arabe (dans son esprit, un Bédouin) voit tout de suite la différence entre le sable mou et le gravier dur... »

Glubb se fait un plaisir de le démontrer le lendemain au général Kingstone. Ses éclaireurs, et notamment Ahmed Salem, familier des rezzous en son temps, rabattent sans encombre les camions jusqu'à la base de la RAF.

Le 18 mai, les Britanniques et leurs alliés légionnaires forcent le passage. Habbaniyah est dégagé.

Le major-général Clarck s'y pose peu après.

Prochain objectif : Bagdad...

« Le Mouvement de libération arabe est, au Moyen-Orient, notre allié naturel contre l'Angleterre. À cet égard, il est particulièrement important que nous provoquions une rébellion en Irak. Cette rébellion s'étendra au-delà des frontières irakiennes et aura pour effet de galvaniser les forces hostiles à l'Angleterre au Moyen-Orient, de couper les lignes de communication britanniques et d'immobiliser à la fois troupes et tonnages britanniques au détriment des autres théâtres d'opérations. »

Dixit Hitler. Sa directive n° 30 du 23 mai 1941 a tout d'une copie carbone des thèses de Grobba. Sauf qu'elle arrive un peu tard : guidée par les éclaireurs de la Légion arabe, la Habforce fonce à marche forcée sur Bagdad sous une température qui avoisine les cinquante degrés centigrades, et il devient chaque jour plus difficile de l'arrêter. Protégée par la RAF, la colonne encaisse de mieux en mieux les raids des Messerschmitt.

Stopper la Habforce, qui le pourrait ? Pas les troupes allemandes qui occupent Athènes, pas les paras de Student, largués sur la Crète le 20 mai.

La Luftwaffe ? Elle est à pied d'œuvre depuis le 16 mai quand le colonel Junck, son chef des opérations en Irak, a gagné Bagdad pour y rencontrer Kailani, Mahmoud Salmane, l'aviateur du Carré d'or, et le général Zaki. Mais avec des moyens réduits : une petite centaine d'appareils, chasseurs Messerschmitt 110, bombardiers Heinkel 111 et avions de transport Junker 52 ou 90. Et bien mal à l'aise car, passant outre aux réticences de Wavell, Churchill a donné à la RAF l'ordre de bombarder les terrains d'aviation de Syrie.

« Faites bien attention à ne pas causer de victimes françaises », a-t-il averti.

Jusqu'au 24, les pilotes britanniques se déchaînent. Quelques avions français au sol font bien les frais de leur ardeur guerrière, mais aucun soldat. Dès qu'un Hurricane de la RAF croise un Dewoitine D 520, le chasseur le plus moderne de l'aviation tricolore, il s'écarte en battant des ailes. Message sans ambiguïté : vous, Français, n'êtes pas nos ennemis.

Pour Berlin, la connivence tacite entre les pilotes des deux pays devient intolérable. Il faut porter le fer. Le 27 mai, les négociateurs allemands obtiennent de Darlan tout ce qu'ils exigeaient.

Oui, mais le lendemain, la Habforce, gonflée à bloc, n'est plus qu'à vingt kilomètres de Bagdad...

Rendez-vous à Ankara ou à Téhéran. Kailani, le grand mufti, le chérif Chaker et les colonels du Carré d'or ont pris la fuite. Pour eux, pour Grobba, c'est l'heure du bilan. Un double malentendu : tandis que Berlin s'illusionnait sur les capacités militaires des Irakiens, les conjurés surestimaient l'ampleur de l'aide allemande. Parachevant le désastre, personne n'avait imaginé l'exceptionnelle ténacité de Churchill...

Le 29, Archad el-Oumari, le maire de Bagdad, et le lieutenant-colonel Noureddine Mahmoud, nouveau chef d'état-major de l'armée irakienne promu à la hâte à la place de Zaki, entament des négociations avec Ken Cornwallis.

« Sachez qu'il convient de respecter les aspirations légitimes du peuple d'Irak », lance un colonel à l'ambassadeur britannique.

Déployant sa haute taille, Cornwallis réplique dans son arabe parfait :

« Sachez que j'ai eu l'honneur d'accompagner Sa Majesté Fayçal Ier à Bagdad et de l'assister pour rédiger avec lui la première Constitution de l'État irakien. »

Arrogance britannique contre nationalisme à fleur de peau, le ton est donné : avec l'insurrection du Carré d'or, quelque chose a changé ici, et Londres ferait bien d'en tenir compte...

Le 31 mai, le texte officiel de l'armistice est paraphé.

Le 1er juin, Abdulillah, Nouri Saïd et Djamel Medfaï font leur entrée dans la capitale sous bonne escorte. À leurs côtés, Fayçal II. Assigné à résidence à Arbil, près de Mossoul, par Kailani, le jeune souverain n'a jamais été menacé par les insurgés, preuve d'un prestige hachémite toujours fort.

Le 2, Medfaï redevient Premier ministre mais nul ne s'y trompe : le vrai pilier du régime, c'est Nouri.

Pour autant, le calme est loin d'être revenu. Les partisans du coup d'État sont exécutés sommairement. Pendant ce temps, accusés d'avoir joué un rôle de « cinquième colonne », les Juifs bagdadis, très nombreux encore, connaissent de nombreuses vexations et même l'horreur d'un pogrom que les troupes britanniques ne parviennent pas à empêcher : cent quatre-vingt-dix morts, des centaines de magasins et une synagogue saccagés...

La tragique réaction en chaîne moyen-orientale continue.

Prochain objectif allié : la Syrie. Abdallah, dont la Légion arabe a fait forte impression, donne son accord pour qu'elle entre à nouveau en lice. Contre Vichy cette fois.

À Mafrek, le roi en robe bédouine, une canne à la main, passe en revue les trois cent cinquante hommes du régiment mécanisé.

« Vous allez affronter les forces de Vichy, qui ont trahi leur propre pays, la France, après que celle-ci a été envahie par l'Allemagne, clame-t-il. Votre combat sera donc un combat contre l'Allemagne. Sachez en outre que la Grande-Bretagne et la France libre ont promis de donner leur indépendance à la Syrie et au Liban. »

Un frémissement joyeux parcourt les légionnaires impeccablement alignés. Mal à l'aise d'avoir combattu d'autres Arabes en Irak aux côtés de l'armée britannique, ces hommes ne boudent pas leur plaisir de lutter désormais contre un autre colonisateur.

La Légion va hâter la libération de frères arabes, leur enthousiasme s'en trouve démultiplié.

Le 8 juin, Australiens et Indiens des troupes britanniques et Français libres pénètrent en Syrie.

Les légionnaires guident les colonnes alliées vers l'oasis de Palmyre, où les Romains capturèrent la reine d'Orient, Zénobie, pour l'envoyer enchaînée au triomphe de l'empereur Aurélien.

Parfois, les Britanniques préfèrent mobiliser des militants arabophones de la Haganah. Dans le secteur d'Alexandrette, Moshé Dayan va perdre son œil gauche lors d'une escarmouche avec les vichystes.

Faouzi el-Kaukji, le Mouron rouge de la révolte palestinienne des années 1930, combat, lui, aux côtés des vichystes. Les Allemands ont exigé de Dentz qu'il lui confie le commandement d'une unité arabe avec le grade de lieutenant-colonel. Gravement blessé le 23 juin, il sera évacué sur Berlin.

Du 22 juin au 6 juillet, les soldats de Glubb affrontent, autour de Palmyre, d'autres légionnaires, ceux du 6ᵉ régiment étranger d'infanterie, une des composantes de l'armée du Levant. Et récoltent, sous le commandement de Lash Bey, quelques beaux lauriers quand, soumis à une contre-attaque de l'armée du Levant, ils tuent onze hommes, détruisent six véhicules ennemis et font quatre-vingts prisonniers.

Le siège de Palmyre marque le grand retour des Haoueitats. Accompagnant Zaal ibn Mouklat, un vétéran aux cheveux gris des expéditions d'Aouda Abou Taya, deux camions bourrés à craquer se présentent devant la place.

« Nous avons entendu dire qu'il y a de l'honneur à venir combattre les Français. »

Et du butin à gagner, espèrent-ils. Hélas pour eux, la guerre ne s'apparente plus à un vaste rezzou. Les vichystes tirent quelques obus en direction des assiégeants.

« Viens avec nous, Zaal », crient les légionnaires, qui ont pris la précaution de creuser des trous individuels.

Se terrer, pas question. À chaque raid des bombardiers de Dentz, il restera debout, le fusil à l'épaule, tirant en vain sur l'ennemi jailli du ciel.

Surviennent des chasseurs. Droit comme un « i », Zaal échappe par miracle aux balles qui encadrent son petit monticule. Le mitraillage achevé, il redescend, se sert une tasse de café froid et, las, laisse échapper :

« Il n'y a pas de joie dans les guerres d'aujourd'hui. »

Pas de joie, en effet. Trente-quatre jours de guerre civile franco-française vont laisser des traces profondes : entre mille et deux mille cinq cents morts côté armée du Levant ; cent cinquante à deux cents côté gaulliste.

Le 21 juin, Dentz donne l'ordre d'évacuer Damas. Comme vingt-trois ans plus tôt, les Australiens pénètrent dans la capitale syrienne. Mais l'ambiance est bien différente. Pas de démonstrations d'amitié, pas de manifestations du tout. Rien qu'un grand silence : les Damascènes sont restés chez eux.

Par courtoisie militaire, les Britanniques ont laissé les Français libres passer en premier. Une compagnie de la 13e demi-brigade de la Légion étrangère ouvre le défilé dans Damas. Son chef, le capitaine Messmer, sera plus tard ministre de la Défense du général de Gaulle puis Premier ministre.

Le lendemain vers midi, un de ses camarades, un Russe blanc, Svatkovski, court lui apprendre l'extraordinaire nouvelle :

« Hitler vient d'attaquer l'Union soviétique ! »

Le Führer a eu les yeux plus gros que le ventre...

Dans la hiérarchie des Forces françaises libres, Messmer est beaucoup moins important que Georges Catroux, seul général cinq étoiles à s'être rallié à de Gaulle.

L'homme du 18 Juin, qui apprécie sa connaissance du monde arabe, vient d'en faire son délégué général au Moyen-Orient. À lui, l'ancien homme de confiance de Gouraud à Damas, de réconcilier les Français libres et les vichystes et de garder à distance la Grande-Bretagne dont l'appétit, déjà ancien, pour la Syrie vient de se ranimer. À lui, enfin, de faire admettre aux Damascènes que la fin du mandat oui, l'indépendance d'accord, mais plus tard...

Abdallah de Transjordanie peut se féliciter de la tournure des événements. Sa fidélité des heures noires à l'alliance britannique trouvera certainement sa récompense. Ayant reconnu la valeur militaire de la Légion arabe, l'état-major britannique décide d'ailleurs… de transformer ses soldats en gardiens d'installations sensibles dans tout le Moyen-Orient.

Le père de Farès s'étonne un peu : en bon professionnel, il aurait mieux vu ses légionnaires, guerriers d'exception, en zone désertique, éclatés en patrouilles de reconnaissance sur de longues distances, comme le Long Range Desert Group, ou en commandos.

« Voyez le bon côté des choses », sourit Abdallah.

Sans doute songe-t-il à l'occasion inespérée d'étendre l'influence transjordanienne que lui offrent les militaires anglais. Abdulillah et Nouri ont grand tort de parader : en Irak, le régime, révélant sa dépendance envers la Grande-Bretagne, vient d'encaisser un coup terrible…

De fait, beaucoup de leurs compatriotes considèrent le régent et le Pacha comme des « traîtres ». Inconscients de cette impopularité, les deux hommes orchestrent une répression impitoyable.

Le 6 janvier 1942, Rachid Ali el-Kailani est condamné à mort par une cour martiale. Le 4 mai, c'est le tour des colonels du Carré d'or.

La sentence n'a guère de conséquences pour Kailani qui, admis à séjourner en Turquie, finit par gagner Berlin où il retrouvera le grand mufti. Ni, dans l'immédiat, pour le colonel Salah ed-Din es-Sabbagh, réfugié en Iran puis en Turquie. Mais, capturés par les Britanniques, internés en Rhodésie puis livrés aux autorités irakiennes, ses camarades du Carré d'or Fehmi Saïd et Mahmoud Salmane sont pendus près de la grille du ministère de la Défense le 5 mai 1942, au petit matin.

Face à la mort, Saïd, l'homme des blindés, est resté calme et silencieux. Aussi courageux mais plus loquace, Salmane l'aviateur a prononcé quelques mots en guise de testament politique :

« La naissance d'une nation se fait toujours sur le corps de ses martyrs, et la naissance de la nation irakienne se fera sur nos corps. »

« Ils sont morts en héros », confirme aussitôt la rumeur bagdadi. Abdulillah et Nouri, ces deux lâches, ont assisté, déguisés, à leur exécution…

Kamel Chahib ne sera remis aux Irakiens qu'en avril 1944. Moins inflexible que ses deux camarades, l'ancien commandant de la 3ᵉ division esquisse une défense juridique pour obtenir sa grâce. Non, disent le régent et Nouri. Le 17 août, il est pendu à son tour.

Reste Sabbagh. Réfugié en Iran puis, dès avril 1942, en Turquie, le colonel y est interné à titre politique. La guerre finie et son vainqueur connu, Ankara le remet aux troupes britanniques de Syrie en septembre 1945. Il parvient à échapper quelques jours à ses gardiens mais, repris, regagne Bagdad sous bonne escorte. Le 16 octobre, le dernier rebelle du Carré d'or connaît le supplice de la potence.

Lui aussi rentre dans la légende nationaliste irakienne. Dans l'ombre, des générations de militaires affûtent déjà les couteaux. Un jour ou l'autre, le sang des quatre colonels retombera sur leurs bourreaux.

Le sang...

40

La Palestine s'embrase

« Pourquoi Ben Gourion m'envoie-t-il cette femme qui ne parle pas l'arabe ? Discuter avec Shertok, avec Danine, avec Sassoun, c'est agréable. Mais où sont-ils aujourd'hui ? Danine face à moi... Shertok à New York... Sassoun... va savoir !

« Ben Gourion ne sait pas ce qu'est la souplesse, voilà le drame. Comment négocier avec un homme qui ignore tout de nos mœurs ? Un Juif d'Europe, un Occidental, rien à voir avec nos Juifs à nous.

« Golda Meir : un bloc de pierre. De glace, plutôt. Sa rigidité et celle de Ben Gourion rendent la paix impossible. »

Soupir. Abdallah de Transjordanie a beau se trouver à la tête d'un royaume indépendant depuis mars 1946 et disposer d'une Légion arabe de six mille hommes, seule armée du Moyen-Orient supérieure à la Haganah, il est des interlocuteurs plus faciles à émouvoir que celle d'aujourd'hui.

Le parcours de cette « dame de fer » du sionisme l'a rendue peu sensible aux états d'âme. Née Mabovitch en 1898 à Kiev, Golda émigre aux États-Unis avec sa famille neuf ans plus tard. Militante du Poalei-Zion, le parti travailliste sioniste, elle épouse Morris Meyerson, un Lituanien d'origine. Quand ils s'installent en Palestine en 1921, la jeune femme hébraïse son nom en Meir.

Ben Gourion la choisit pour devenir l'adjointe de Moshé Shertok au département politique de l'Agence juive. Avec elle, aucun risque de faiblesse envers les Arabes.

Car l'heure n'est pas au compromis. Six des sept pays de la toute nouvelle Ligue arabe : Arabie Séoudite, Égypte, Irak, Yémen plus le Liban et la Syrie, suivent déjà la logique de guerre tandis que les « faucons » du camp sioniste affûtent leurs sabres. Seule inconnue, la Transjordanie. Ben Gourion, qui craint la Légion arabe, voudrait la maintenir hors du conflit. Tout est en effet prêt pour que le leader sioniste proclame la naissance officielle de l'État d'Israël.

Abdallah se ronge les sangs. Ça va mal. Si mal que, cette nuit du 10 au 11 mai 1948, la Haganah s'apprête à donner le coup de grâce à Safed, un centre urbain de quatorze mille habitants, dont mille cinq cents Juifs, tout près de la frontière syrienne, qu'elle assiégeait depuis le 6 mai. Si mal que le souverain de Transjordanie, à la merci d'une indiscrétion, ne dispose que de la demeure personnelle du Kurde irakien Mohammed Zoubati, son homme de confiance et ami personnel, pour rencontrer les émissaires sionistes.

Négociation secrète, celle de la dernière chance.

Face à lui, Ezra Danine, chef de la section arabe de la Haganah, qui n'intervient aujourd'hui qu'à titre de guide et de traducteur de Golda Meir. Par l'entremise de Zoubati, les deux émissaires de Ben Gourion ont voyagé clandestinement à travers les lignes de la Légion arabe dans trois voitures différentes aux fenêtres barrées de rideaux noirs. Dieu sait ce qu'il serait advenu d'eux, et peut-être même du trône de Transjordanie, s'ils avaient été découverts.

Comme les conditions semblaient meilleures lors de la rencontre précédente du roi avec Meir, la première ! C'était au soir du 17 novembre à Naharayim, dans la demeure du directeur adjoint juif de la Palestine Electric Corporation.

« Entre les Arabes et vous, il n'y a pas de conflit, avait lancé le souverain. Le conflit est entre les Arabes et les Britanniques qui vous ont amenés ici ; et entre vous et les Britanniques qui n'ont pas tenu les promesses qu'ils vous ont faites. Maintenant, je suis convaincu qu'ils vont partir, et qu'ils vont nous laisser face à face. N'importe quelle confrontation brutale entre nous se ferait à notre désavantage commun. Dans le passé, nous avons parlé de partition de la Palestine. Je suis d'accord pour une partition qui ne me couvrirait pas de honte devant le monde arabe quand j'en viendrais à la défendre. »

À sa énième proposition d'une république juive autonome au sein d'un grand royaume hachémite, Meir a répondu que le futur statut de la Palestine était en discussion à l'ONU. Les sionistes espéraient une résolution internationale créant deux États, l'un juif et l'autre arabe...

Si lui, Abdallah, s'emparait de la partie arabe de la Palestine, quelle serait leur attitude ? s'est-il enquis.

Favorable, à condition qu'il ne se mêle pas de la mise en place de leur propre État et évite tout conflit armé entre la Légion arabe et la Haganah. Et bien sûr, il fallait aussi qu'il proclame que son seul objectif était de maintenir la loi et l'ordre jusqu'à ce que l'ONU établisse un gouvernement dans cette zone.

Pressé de prendre position, le roi s'est exclamé :

« Mais je veux cette zone pour l'annexer à mon royaume, pas pour créer un nouvel État arabe qui contrarierait mes projets et conduirait les Arabes à monter en selle sur mon dos. Je veux monter le cheval, pas que ce soit lui qui me monte... »

Jurant qu'il ne se prêterait à aucun projet militaire arabe dont il ne serait pas le commandant en chef, le souverain a insisté sur le grand mufti : Hadj Amine était en train de monter diverses provocations, il fallait l'éloigner.

C'était jouer finement. Si le Hachémite avait des motifs de redouter le grand mufti, les Juifs en possédaient encore plus. Seul avec Abdallah à prendre la mesure du conflit à venir, Hadj Amine créait des comités locaux dans les villes et les villages de Palestine afin de préparer leur défense contre la Haganah. Près de trois cents de ces comités étaient déjà en place, un embryon d'État...

Sassoun a rendu compte à ses supérieurs : le roi, estimait-il en accord avec Golda, ne coopérerait avec aucune force hostile au futur État d'Israël.

Pour s'être rallié au camp de l'indépendance arabe quand il vivait à Damas, au temps du royaume de Fayçal, Elias Sassoun jouissait, comme Danine, de la confiance du souverain. Confiance bien placée dans son cas car, « colombe », Sassoun tentait à toute force d'éviter un conflit armé avec les Palestiniens. Moins dans le cas de Danine, Syrien d'origine comme lui, mais, à son contraire, « faucon » habilement camouflé...

Depuis l'entrevue du 17 novembre, l'eau du Jourdain a beaucoup coulé. Le 27, l'Assemblée générale de l'ONU vote le plan de partage de la Palestine par trente-trois voix pour, treize contre et dix abstentions. Les délégués de la Ligue arabe claquent la porte, jurant que, cette fois, la guerre est inévitable. En nommant quelques jours plus tôt le général Ismaïl Safouat, ancien chef d'état-major de l'armée irakienne, à la tête d'un comité militaire commun, elle a d'ailleurs anticipé.

Grande idée de Nouri, la Ligue subit d'emblée une forte influence britannique. Beaucoup la présentent comme le nouveau cache-sexe moyen-oriental de Londres. Or, elle vient de démontrer son inefficacité sur la scène internationale, dominée par les vainqueurs de la Seconde Guerre mondiale, dont deux des plus fervents partisans de la création d'un État hébreu : l'URSS et les États-Unis.

À force de diviser les uns, les autres, et les troisièmes, la Grande-Bretagne a maintenant tout le monde contre elle. Seuls les Hachémites d'Irak et de Transjordanie lui restent fidèles. Encore Abdallah joue-t-il un jeu très personnel qui exclut toute familiarité trop ostensible avec Londres : le rôle de Glubb Pacha, de Lash Bey et des autres officiers anglais au sein de la Légion arabe fait déjà assez jaser le monde arabe comme ça...

Si les Juifs pavoisent, les Palestiniens prennent le deuil. Le deuil et les armes.

Le mandat anglais sur la Palestine s'achève sans gloire. Tandis que les soldats de Sa Majesté commencent à préparer leurs bagages, Juifs et Arabes se lancent dans une course de vitesse effrénée. C'est à qui occupera les anciennes positions de l'armée britannique avant l'autre.

Le terrorisme redouble dans les villes. Aux attentats de la Société de la guerre sainte d'Abd el-Kader el-Husseini, le neveu du grand mufti de retour d'un long exil en Arabie Séoudite, répondent, à moins qu'ils ne les précèdent, ceux, aussi aveugles et aussi atroces, de l'Irgoun Zvai Leumi de Menahem Begin et d'un mouvement plus extrémiste encore, le LEHI ou « groupe Stern » d'un autre Juif d'origine polonaise, Nathan Yelin Mor.

Quant à la Haganah, elle joue un jeu de bascule et souffle, selon la configuration politique, le froid, en se montrant conciliante avec les autorités britanniques, ou le chaud, en s'alliant, mais en toute discrétion, avec l'Irgoun et le LEHI pour les frapper ou pour s'en prendre aux Palestiniens.

Janvier 1948 voit réapparaître Faouzi el-Kaukji, qui transite par Amman. Cette fois, le Mouron rouge détient un mandat en bonne et due forme du général Safouat, chef du comité militaire de la Ligue : le commandement de l'Armée de libération arabe.

Forte de plusieurs milliers de combattants irréguliers, palestiniens ou non, cette troupe a été créée par le comité militaire. On lui a attribué des armes légères, de vieux canons de 75 de l'armée française, quelques munitions, pas trop. Passant par le nord du lac de Tibériade, ses membres se sont ensuite infiltrés par petits paquets dans les régions de Nazareth et de Safed...

L'initiative n'a pas plu du tout au grand mufti. Car Hadj Amine est de retour. Réfugié en Italie puis en Allemagne après sa fuite d'Irak, le leader palestinien a joué à fond la carte allemande pendant la Seconde Guerre mondiale. Assez pour rencontrer Hitler, le 28 novembre 1941, à la chancellerie du Reich.

« Il a des yeux bleus, cela traduit une hérédité aryenne évidente ! » s'est extasié le dictateur.

Quelques spécialistes maison se sont ensuite chargés d'apporter la note « scientifique » : d'ascendance circassienne, Hadj Amine ne pouvait être considéré comme un Arabe, « race inférieure ».

Apprenant qu'une brigade juive allait être constituée dans l'armée britannique, le grand mufti a multiplié les offres de services aux dirigeants du IIIᵉ Reich. La France rentrée dans la guerre après le débarquement américain en Afrique du Nord, il s'est fait fort de lever cent mille musulmans maghrébins pour l'attaquer sur ses arrières.

Pure vantardise, ont jugé non sans raison ses « traitants » nazis. Hadj Amine a la main plus heureuse dans les Balkans. En avril 1943, il effectue un déplacement en Croatie pour donner le coup d'envoi de la première grande unité nazie en partie musulmane, la 13e division SS, dite Handshar – en français, Yatagan.

Hitler lui-même a admis cette entorse au dogme raciste du IIIe Reich. Formée de Bosniaques de religion islamique et de Croates de confession catholique, Yatagan va compter jusqu'à dix-neuf mille hommes. On la lance contre les partisans yougoslaves de Tito, chrétiens orthodoxes serbes en majorité. Non sans difficultés d'ailleurs, car, lors de sa période d'instruction en France, à Villefranche-de-Rouergue, un bataillon de pionniers se mutine en septembre 1943, exécutant ses officiers allemands.

Coupable d'innombrables atrocités, Yatagan perd une partie de ses effectifs quand les Allemands l'allègent de ses Albanais pour créer une autre division, la 21e SS, dite Skanderberg, du nom d'un héros de la lutte antiturque pour l'indépendance de l'Albanie. Et comme prévisible, l'« épopée » des SS du grand mufti finit par tourner court.

Par haine aveugle de ses adversaires juifs, Hadj Amine s'est compromis avec le pire régime raciste du XXe siècle. Plus grave encore, il a compromis du même coup le Mouvement national palestinien, dont il est le fondateur et dont il reste alors le représentant le plus éminent[1].

---

1. Le sujet est sensible. Une fois n'est pas coutume, je me permettrai de renvoyer à mon article concernant le grand mufti dans Historia n° 216 de novembre 2006. Il n'a fait l'objet d'aucune polémique. En voici la conclusion : « Et de fait, rouvrir le dossier Husseini, c'est comme rouvrir une plaie mal refermée qui renvoie au drame de la Seconde Guerre mondiale. "Nous ne sommes pas responsables de la destruction des Juifs par Hitler ; le problème concerne les Européens", disent les Palestiniens d'aujourd'hui. Et c'est parfaitement exact. "Les Israéliens, ajoutent-ils, se servent d'Amine el-Husseini pour nous discréditer." Ça aussi, c'est incontestable. Mais quel meilleur moyen pour aller de l'avant que de tirer au clair cet épisode scabreux, sans non-dit et complexe ? Les historiens palestiniens n'en ont pas les moyens matériels, objectera-t-on. C'est exact, mais ces moyens, l'Europe pourrait parfaitement les leur donner. Qui fait progresser la cause de la vérité historique ne fait-il pas progresser du même coup celle de la paix ? »

Ce choix terrible aurait pu mettre fin à sa carrière politique, mais non. Quand le Reich s'effondre, en mai 1945, le grand mufti passe à Berne à bord d'un avion militaire allemand. La Suisse lui refusant l'asile, il regagne la frontière allemande. Jolie ville sur le bord du lac du même nom, Constance est déjà aux mains de l'armée française.

Que faire de ce prisonnier encombrant ? Après quelques jours de pénitence derrière les barreaux de la prison du Cherche-Midi, le voilà sous bonne garde, en résidence forcée dans une villa de la région parisienne.

Les autorités traitent plutôt bien cet hôte forcé. La Grande-Bretagne et les États-Unis demandent certes son extradition comme criminel de guerre, mais Paris n'y tient guère. Jamais le leader palestinien n'a nui directement aux intérêts français, estiment les diplomates du Quai.

Qu'on le livre aux Britanniques, ajoutent les spécialistes des affaires coloniales, et les répercussions de ce geste risquent de se faire sentir. Nous avons assez d'ennuis comme ça en Afrique du Nord.

Comment dit-on realpolitik en français ? Realpolitik, tout simplement. Pas fâchés de jouer un tour aux Britanniques, qu'ils accusent d'avoir voulu profiter de la guerre pour mettre la main sur la Syrie, les Français laissent la bride sur le cou du mufti. Assigné à résidence, le leader palestinien ne peut pas sortir, mais il a le droit de recevoir qui il veut.

Celui de prendre la poudre d'escampette aussi ? En pratique, oui. Début juin 1946, la rumeur se répand dans tout le Moyen-Orient : Hadj Amine serait parvenu à quitter la France en empruntant le passeport de Marouf Daoualibi, un des membres de l'ambassade syrienne.

Hadj Amine a déjà gagné Le Caire par avion via Rome et Athènes. Le roi Farouk d'Égypte lui accorde l'asile et, bientôt, la Ligue arabe trouve en lui un interlocuteur plutôt difficile. Le mufti veut être reconnu comme une sorte de chef d'État palestinien en exil. Une exigence qui dérange les grandes capitales arabes, pas très enthousiastes à l'idée d'un tel État autonome, et déclenche l'ire du roi de Transjordanie, furieux du retour sur scène de son pire ennemi. Comment Farouk peut-il abriter un homme qui jouait la carte de l'Allemagne nazie quand lui, Abdallah, lançait sa Légion arabe aux côtés des Alliés ?

L'attitude du roi d'Égypte doit beaucoup à l'état d'esprit de ses sujets, très hostiles à la présence britannique. Quand l'Afrika Korps marchait sur Le Caire, la rue débordait de manifestations de sympathie pour Rommel et, dans l'ombre, de jeunes officiers nationalistes comme Anouar el-Sadate conspiraient contre les Britanniques avec l'Abwehr, le renseignement militaire allemand.

Pour soutenir la révolte irakienne du Carré d'or, Berlin envisageait à cette époque d'exfiltrer vers Bagdad le chef d'état-major égyptien, récemment limogé sous pression anglaise. L'homme était d'accord. Cheville ouvrière de l'opération, Sadate vit toutefois ses espoirs tomber en quenouille quand l'avion allemand prévu à cet effet fut victime d'une panne d'essence. Le chef d'état-major qu'il devait convoyer au secours des quatre colonels n'était autre qu'Ali l'Égyptien, l'ancien cofondateur du Pacte et ministre de la Défense hachémite des débuts de la thawra, chassé par le prince Ali pour complot...

Logé par Farouk dans les grands hôtels de la capitale puis installé à nouveau au Liban, le grand mufti reconstitue un Haut comité arabe à sa main. Pour les affaires militaires, il compte sur son neveu Abd el-Kader, de retour d'Arabie Séoudite où il avait dû s'exiler après l'échec du Carré d'or. L'assistera un autre vétéran de la révolte palestinienne des années 1930, Hassan Salameh...

Né en 1912 à Kulleh, un petit village très pauvre de la région de Lydda (rebaptisée aujourd'hui Lod par les Israéliens), ce fils d'ouvrier agricole devient, en 1936, chef d'un petit groupe de jeunes rebelles de son espèce. À leur tête, il se jette dans la révolte, ne reculant devant aucune violence car l'homme est dur, très dur. Tellement que le cheik Hassan devient rapidement un des principaux dirigeants militaires palestiniens.

Début 1939, il passe en Syrie avec sa jeune épouse et un petit noyau de fidèles, participe à la révolte du Carré d'or et retrouve le grand mufti à Berlin pendant la guerre.

« Seriez-vous prêt à reprendre la lutte contre les Juifs ? » demande Hadj Amine au jeune homme.

Aux bons soins de la division Brandebourg, le service Action de l'Abwehr, Cheik Hassan subit un entraînement très poussé. Le 5 novembre 1944, le voilà parachuté avec quatre autres compagnons près de Jéricho. Mais, très hasardeuse, l'opération tourne au vinaigre. Lancée aux trousses du petit commando, la police découvre dans une grotte un émetteur-récepteur de fabrication allemande, des rations de la Wehrmacht spéciales pour musulmans, et une boîte de poudre empoisonnée qui, placée dans une adduction d'eau, aurait coûté la vie à des milliers de personnes.

Seul des cinq fugitifs, Salameh, identifié par les Britanniques, parvient à quitter la Palestine. Échappant à toutes les recherches, il ne réapparaît qu'au début 1947, pour une nouvelle rencontre avec le grand mufti.

« La Ligue arabe veut empêcher les Palestiniens de se doter de leur propre armée, lance Hadj Amine. Mais nous ne la laisserons pas faire. Je vais nommer mon neveu Abd el-Kader commandant en chef, et je compte sur vous pour devenir son adjoint. Vous commanderez nos forces dans toute la partie centrale du pays. »

Avec l'entrée en lice prochaine de l'Armée de libération concurrente du Mouron rouge, Faouzi el-Kaukji, la tâche devient d'autant plus urgente. Fin 1947, Salameh déclenche ses premières attaques – très violentes, c'est toujours son style. Le 8 décembre, il lance en vain des centaines d'irréguliers à l'assaut du quartier Hatikvah de Tel-Aviv.

Pour les sionistes, il devient une cible privilégiée.

« Nous avons localisé son poste de commandement à Yazoor. Liquide-le ! » C'est l'ordre que reçoit Yitzhak Rabin, un des principaux chefs du Palmach, groupe armé juif de choc, gauchisant, qui recrute ses cadres dans les fermes collectives, les kibboutzim, et entretient des rapports compliqués avec la Haganah.

Rabin lance un commando à l'assaut. L'objectif est atteint dans un crépitement de balles. Les palmachniks dynamitent trois maisons, tuant une quinzaine d'Arabes. Mais le cheik Hassan a la baraka : ce soir-là, il était ailleurs. Il vengera les morts de Yazoor en assassinant des Juifs pris au hasard.

En Palestine, personne n'épargne plus personne...

Volontaires arabes internationaux du Mouron rouge ou Société de la guerre sainte d'Abd el-Kader el-Husseini, Hassan Salameh et Kamel Arekat, les guérillas palestiniennes visent à couper les lignes de communication adverses.

Des jeunes gens venus de tout le Moyen-Orient les rejoignent.

Parmi les recrues de la Société de la guerre sainte, Mohammed Abd-ur Rahman Abd-er-Raouf Arafat el-Koudouah el-Husseini. Plus connu sous le nom de Yasser Arafat, cet étudiant, né en août 1929 au Caire, appartient par son père comme par sa mère à une branche cadette du clan du grand mufti, les Husseini de Gaza. C'est un propagandiste des Frères musulmans, les fondamentalistes égyptiens, qui l'a persuadé, comme beaucoup d'autres, de retourner se battre pour la terre de ses ancêtres.

De manière assez naturelle, Yasser Arafat s'est retrouvé sous le prestigieux drapeau de son parent éloigné, Abd el-Kader el-Husseini. Officier de renseignements, dira plus tard le chef de l'OLP. Mais le renseignement, justement, c'est ce qui pêche le plus dans le camp palestinien. Là où les sionistes excellent à recouper des informations, à les analyser, à les traduire en actions concrètes sur le terrain, leurs adversaires se contentent volontiers de rumeurs et d'approximations. La tâche d'Arafat n'a pas dû être facile...

Que cherchent les guérillas ? En isolant les unes des autres les agglomérations tenues par la Haganah, à « balkaniser » le territoire juif.

Cette stratégie d'étranglement doit beaucoup à l'échec des assauts frontaux dans les grandes agglomérations, comme l'attaque manquée du cheikh Hassan sur Tel-Aviv. Elle est aussi le fruit de moyens humains et matériels insuffisants : en dépit des discours enflammés de leurs leaders, les guérilleros arabes n'ont ni encadrement militaire efficace, ni armement suffisant. Leur discipline est rudimentaire, leur esprit de suite quasi inexistant.

Un autre élément intervient. Pour eux, les Juifs n'ont aucune valeur guerrière, ils n'ont compris ni la détermination de leurs adversaires ni la sombre résolution qu'ils ont pris après l'holocauste. Pied de nez posthume d'Orde Wingate, le Lawrence de Judée : c'est lui qui a initié les chefs du Palmach et de la Haganah à l'action rapide et brutale et désormais, les Moshé Dayan, Yitzhak Sadeh, Yitzhak Rabin, Yigaël Yadin et autres Yigal Allon mettent ses leçons en pratique.

Hétéroclite, leur armement n'est pas tellement supérieur à celui des guérillas arabes. En revanche, ils disposent d'officiers et de soldats formés pendant la guerre – par l'armée britannique le plus souvent, mais d'autres ont servi chez les Américains, les Soviétiques et même les Français.

Autre facteur de supériorité des sionistes, l'unité relative de commandement[1]. Entre le Palmach et la Haganah et plus encore entre la Haganah, l'Irgoun et le groupe Stern, les dissensions ne manquent certes pas. Mais l'état-major de la Haganah, que dirige Yigaël Yadin, reste la seule instance où s'élabore la stratégie globale.

Il faut aussi, et surtout, compter sur la direction politique. Celle-ci a pour nom David Ben Gourion. Au contraire des leaders arabes, lui sait exactement ce qu'il veut : un État hébreu sur une portion de territoire plus étendue que celle du plan de partage onusien.

C'est autour de lui et sous sa coupe directe qu'a été conçu, à cette double fin, le plan Dalet.

Attention, sujet sensible. L'historiographie classique israélienne a donné de ce plan D une vision purement défensive : dès que des coups de feu partaient d'un village palestinien, la Haganah, soucieuse de protéger ses arrières, était bien contrainte de le vider de ses habitants voire de le détruire. Un sale boulot qu'elle accomplissait de façon parfois excessive.

Pour quelques « nouveaux historiens » de 2009, influencés par les événements tragiques des Balkans, Dalet s'apparenterait

---

1. Dépassionnons encore une fois le débat. L'auteur utilise cette dénomination de « sionistes » sans la moindre intention polémique : à cette date, l'État d'Israël n'a pas encore été proclamé, il n'y a donc pas encore d'Israéliens au sens juridique du terme.

plutôt à une entreprise programmée de « nettoyage ethnique de la Palestine ».

Sans jouer les Ponce Pilate, figure romaine peu reluisante de l'histoire de la Palestine, on évitera ce débat. Pas par peur de se « mouiller » : nous avons bien ouvert le dossier du grand mufti et de ses relations avec les nazis, toujours brûlant malgré les années. Mais ce livre, qui veut retracer le parcours des quatre frères hachémites et de leurs successeurs, n'est ni l'histoire du conflit israélo-palestinien, presque aussi vieux que la thawra, ni l'histoire de la première guerre israélo-arabe.

Contentons-nous de remarquer, points sur lesquels tout le monde est d'accord, que les avancées successives de la Haganah et de ses alliés vont s'accompagner de déplacements massifs de populations arabes, les futurs « réfugiés palestiniens ». Et qu'elles n'ont pas seulement été le fruit de considérations militaires, mais aussi d'une pensée géostratégique : celle de Ben Gourion.

Dans le camp arabe, la dissonance semble au contraire de rigueur. Chacun joue sa carte : le Mouron rouge pour le compte de la Ligue arabe ; Abd el-Kader el-Husseini et ses adjoints pour le grand mufti ; les Nachachibi en liaison avec leur vieil allié, Abdallah de Transjordanie.

« Il faut une volonté, une », disait Robespierre. Ce n'est pas faire preuve de sympathie à son égard que de constater que, centralisée et unie, fût-ce au prix de la guillotine, la révolution jacobine l'a emporté sur ses adversaires extérieurs et intérieurs, trop divisés...

À partir d'avril 1948, la « bataille des routes » se traduit par de véritables opérations militaires où l'héroïsme et la brutalité des uns fait pendant à l'héroïsme et la brutalité des autres. La Haganah s'y distingue d'autant plus qu'elle commence à réceptionner une première grosse livraison d'armes venant de Tchécoslovaquie, où les communistes viennent de prendre le pouvoir (l'URSS, qui considère la Ligue arabe comme un « instrument de l'impérialisme britannique », joue à cette époque la carte du futur État d'Israël).

Fin mars, la Haganah a essuyé trois graves échecs près de Jérusalem : convois interceptés, véhicules détruits, soldats abattus, civils tués sur place. Mais cette fois, le vent tourne.

À Michmar Haemek, entre le 4 et le 10, l'armée de Ben Gourion déploie pour la première fois deux unités de la taille d'un bataillon. C'est suffisant pour stopper un violent assaut de l'Armée de libération arabe. Comme en début d'année à Beisan, et avec le même résultat catastrophique, le Mouron rouge a attaqué de front, sans esquisser la moindre manœuvre de débordement. Surtout, Kaukji n'est pas parvenu à convaincre ses combattants irréguliers de la nécessité d'un effort militaire prolongé. Les hommes sont courageux, ils prennent des risques, mais se découragent trop vite.

Rassérénée, la Haganah profite de cet échec palestinien pour lancer une contre-offensive générale. Elle avance dans toutes les directions : de Tel-Aviv à Haïfa, de Jérusalem à Tel-Aviv, de Tibériade à Safed.

Clé de la route de Jérusalem, le village arabe de Kastal sera le point névralgique de l'« opération Nachon ». Le 2 avril, le Palmach s'en empare de vive force.

« Il faut reprendre le village à tout prix ! ordonne Abd el-Kader el-Husseini à son adjoint Kamel Arekat. Rassemblez des hommes pour donner l'assaut. »

Le neveu du grand mufti se trouve alors avec son oncle à Damas, où il tente de convaincre l'armée syrienne de fournir des équipements modernes à sa Société de la guerre sainte. En vrai chef de guerre, il décide de regagner le front dare-dare, même si Kamel Arekat a pu rameuter des centaines d'irréguliers et lancer un premier assaut infructueux. La situation est maintenant dramatique pour le camp palestinien et, blessé par une grenade à l'œil, il faut l'évacuer.

De passage à Ramallah, en Cisjordanie, où il étudie les itinéraires possibles de la Légion arabe vers l'intérieur de la Palestine, Glubb Pacha est témoin d'une scène ahurissante. Un combattant déboule en taxi, il en saute, se met à crier :

« Les hommes qui combattent à Kastal n'ont plus de munitions. Quelqu'un a-t-il des munitions de fusil à vendre ? Je paie comptant... »

L'inconnu parcourt ainsi les rues jusqu'à ce qu'il ait récolté deux cents cartouches disparates de fabrication anglaise, allemande, française ou turque. Mendier des balles pour se battre...

Persuadés que le village ne leur échappera plus, les chefs de la Haganah, économes de leurs troupes de choc, remplacent les palmachniks par une unité de seconde ligne.

Pour Abd el-Kader el-Husseini, est-ce l'occasion ? Il ordonne que les quatre mortiers servis par des mercenaires anglais commencent à pilonner le village.

Flanqué de trois ou quatre hommes, le neveu du grand mufti décide de grimper sur la colline pour se rendre compte de la situation par lui-même. Mais une sentinelle juive repère le petit groupe. Elle ouvre le feu. Abd el-Kader tombe à quelques dizaines de mètres de ses ennemis.

Le lendemain, apprenant la nouvelle de sa disparition, deux mille irréguliers surgis de nulle part lancent un assaut furieux sur Kastal. Ses défenseurs juifs plient. On fouille les ruines. Un jeune Palestinien découvre le cadavre de son chef de guerre. Alors, abandonnant le village si chèrement conquis, les combattants redescendent à Jérusalem pour enterrer Abd el-Kader à Jérusalem aux côtés de son père Moussa Kassem el-Husseini.

Le grand mufti, de passage lui aussi à Damas, convoque Hassan Salameh, qui, avec sa baraka coutumière, vient d'échapper à l'assaut furieux de la Haganah qui a détruit son quartier général.

« Abd el-Kader est mort en martyr. C'était la volonté d'Allah. Nous devons le remplacer. Je vous nomme commandant en chef. Rejoignez aussitôt la Palestine... »

Le 9, les combattants juifs reprennent sans coup férir Kastal, vidé de ses défenseurs arabes. Le même jour, cent trente sionistes lancent l'assaut contre le village arabe de Deir Yacine. Ces jeunes gens appartiennent soit à l'Irgoun, soit au LEHI, mais ils agissent dans le cadre d'un plan concerté avec la Haganah, qui leur fournit d'ailleurs une escouade de protection.

Si l'état-major a ainsi eu recours aux deux groupes extrémistes, c'est que le Palmach est absorbé par la reprise de Kastal. Mais ici, à Deir Yacine, l'assaut va tourner à l'hécatombe : plus de cent habitants, hommes mais aussi femmes et enfants assassinés à l'arme automatique, et même au poignard.

Le massacre a-t-il été prémédité ? En partie au moins, l'Irgoun et le groupe Stern n'ayant jamais caché leur intention de faire un exemple. Les deux organisations brûlaient de prouver leur efficacité. Des Adultes arabes de sexe masculin survivants ont d'ailleurs été exhibés comme des trophées dans le quartier juif de Jérusalem avant d'être assassinés, alourdissant d'autant le bilan meurtrier.

D'autres facteurs ont pu jouer : résistance inattendue des défenseurs de Deir Yacine, qui ont tué cinq des assaillants et en ont blessé trente ; inaptitude militaire des membres de l'Irgoun ou des sternistes formés au terrorisme urbain, pas à la guerre conventionnelle ; accident du véhicule haut-parleur de l'Irgoun chargé d'exhorter les habitants à quitter leur village avant qu'il ne soit trop tard et dont les appels sont restés inaudibles…

Quoi qu'il en soit, Deir Yacine marque un tournant. Le crime éclabousse la cause sioniste en même temps qu'il pousse de nombreux villageois arabes à quitter leurs maisons. La vengeance ne tarde d'ailleurs pas : le 13 avril, soixante-dix scientifiques, médecins, infirmières et hommes d'escorte juifs périssent dans leurs véhicules incendiés.

L'exécutif sioniste et la Haganah ont condamné le massacre, dont ils font porter la responsabilité sur les seuls militants de l'Irgoun ou du LEHI. Ces organismes officiels peinent toutefois à convaincre car chacun le sait : l'entente tactique sous le manteau entre tendances en principe opposées n'est pas exceptionnelle…

L'avantage collatéral du massacre pour la mise en œuvre du plan Dalet semble en tout cas évident. Les soldats juifs utilisent son souvenir pour terroriser les habitants des villages palestiniens à grand renfort d'avertissements répercutés par haut-parleur :

« Rappelez-vous Deir Yacine, partez avant qu'il ne soit trop tard… »

Affolés, les malheureux s'enfuient, abandonnant leurs maisons. Et s'ils ne le font pas d'eux-mêmes, on peut toujours les chasser à la pointe du fusil. Résultat : la zone juive s'étend, comme le souhaitait Ben Gourion.

« Deir Yacine ! Deir Yacine ! » scandent de leur côté les irréguliers arabes quand ils montent à l'assaut d'un village juif ou qu'ils attaquent un convoi. La traduction de ce cri de ralliement se passe de commentaire : « Pas de quartier... ! »

Tout cela, Abdallah le sait. Comme il sait qu'avec les pressions de la Ligue arabe sur son royaume de Transjordanie, sa marge de manœuvre ne cesse de diminuer. Les Britanniques doivent évacuer Jérusalem le 14 mai. Que se passera-t-il après cette date fatidique ?

Sans prendre le temps des préliminaires rituels qui serrent en général à détendre l'atmosphère, Golda Meir avise le souverain. Son attaque frontale gêne Danine, qui la traduit quand même de son mieux.

« Au final, avez-vous rompu la promesse que vous m'aviez faite ? »

L'envoyée de Ben Gourion fait allusion à leur rencontre du 17 novembre à Naharayim, quand Abdallah s'était gardé de considérer les Juifs comme des ennemis.

« Quand j'ai fait cette promesse, je me croyais maître de ma destinée, libre de faire ce que je jugeais bon. Dans l'intervalle, j'ai appris qu'il en allait tout autrement. Il y a eu le drame de Deir Yacine. À l'époque, j'étais seul mais maintenant, nous sommes cinq. »

Cinq États arabes en mesure d'intervenir, les quatre autres étant l'Irak, la Syrie, le Liban et l'Égypte. Voilà qui change tout, même si, d'après le roi, la paix semble encore possible.

« Pourquoi les Juifs sont-ils si pressés d'avoir un État ?

— Nous avons attendu deux mille ans. Telle n'est pas ma définition du mot "pressé" ! »

Le face-à-face risque de virer au duel. La « dame de fer », qui s'en rend compte, enfile son gant de velours tout en laissant planer la menace. La Haganah est beaucoup plus forte aujourd'hui, insiste-t-elle. Les sionistes ne cherchent pas la guerre, mais s'il faut la faire, ils la feront.

Abdallah la regarde droit dans les yeux.

« Vous battre, c'est votre devoir.

« — Comprenez-vous au moins que nous sommes vos seuls alliés dans la région ?

— Que puis-je faire ? Cela ne dépend pas de moi seul. »

La discussion finie, le souverain se lève, et invite ses hôtes à s'asseoir avec lui à table pour déguster quelques mets fins. Meir, décidément très nerveuse, est sur le point de refuser quand Danine lui explique que dédaigner les vieilles coutumes bédouines avec autant d'ostentation, c'est alourdir un climat déjà assez épais. Au moins faut-il remplir son assiette et grignoter en débitant quelques compliments.

« Ezra, cette fois tu ne m'as pas aidé, déplore Abdallah.

— Comment voulez-vous que je vous aide ?

— Tu es d'ici, tu es comme nous. Tu dois t'arranger pour leur faire comprendre. »

Danine, gêné, tente d'abréger la conversation. L'interprète de Golda Meir est d'ici, c'est vrai... tellement qu'il appartient à la petite équipe qui, pour le compte de Ben Gourion, a conçu le plan Dalet.

« Sire, je voudrais vous demander quelque chose. Après la guerre, est-ce que je pourrai venir vous voir ? »

Abdallah sourit.

« Bien sûr. Viens me voir... »

On sort. Le petit groupe se dirige vers la voiture de Zoubati.

Au dernier moment, Danine lance un avertissement qui traduit l'inquiétude de Ben Gourion. Le principe d'une guerre limitée avec la Légion arabe vient d'être acquis, mais il ne faudrait pas qu'un fanatique, en assassinant Abdallah, ruine cet accord tacite.

« Vous allez prier à la mosquée, Sire, et vos sujets peuvent embrasser le bas de votre robe. À ce moment-là, vous êtes vulnérable. Quelque extrémiste pourrait en profiter. Renoncez à cette coutume. »

Le roi se cabre. Un bon musulman comme lui, rescapé de la thawra, n'a pas peur de la mort.

« Jamais je ne deviendrai prisonnier de ma propre garde ! Je suis né bédouin, homme libre. Si quelqu'un veut me tuer, qu'il le fasse... »

41

Dent pour dent

Peu avant minuit, le 14 mai 1948, le roi Abdallah et ses principaux conseillers guettent, tendus comme des cordes, à l'extrémité est du pont Allenby. L'édifice porte le nom de l'ancien commandant en chef britannique au Moyen-Orient ; il permet de passer d'une rive du Jourdain à l'autre, de Transjordanie en Cisjordanie.

Les nerfs sont à vif et le souffle, court. En début d'après-midi, David Ben Gourion a proclamé la naissance de l'État d'Israël. C'est dire que désormais, nul, Arabe ou Juif, ne peut revenir en arrière.

« Maudit soit cet homme ! peste Abdallah. Les Juifs ne m'ont pas écouté, il va falloir se battre. Personne ne pourra dire qu'un descendant du Prophète, un Béni Hachem, n'a pas lutté jusqu'au bout pour préserver la terre arabe... »

En attendant le moment fatidique, le monarque a voulu s'adresser à ses troupes, leur dire qu'ils allaient se battre pour l'honneur du monde musulman tout entier. Mais, comme un avertissement du destin, le vent de sable a étouffé le son de sa voix.

Dans quelques minutes, le mandat anglais sur la Palestine va expirer. Minuit sera le signal d'une fantastique course de vitesse entre Juifs et Arabes. Et, à l'intérieur du camp arabe, d'un sprint entre armées des « pays frères ».

À zéro heure précise, Abdallah extrait son revolver de l'étui. Il l'arme, tire une balle en l'air.

« En avant ! »

Voici trente ans, son père, le chérif de La Mecque avait eu un geste comparable quand, d'un coup de fusil, il avait donné, devant son palais, le signal de la thawra. Il s'agissait alors d'embraser tout le monde arabe sous l'étendard des Hachémites, de chasser les Turcs et d'instaurer un royaume chérifien unifié.

L'objectif d'aujourd'hui est plus modeste : s'emparer de la partie occidentale du Jourdain, la Cisjordanie, que le plan de partage de l'ONU attribue aux Arabes et qu'Abdallah a décidé de rattacher à son royaume. Zone internationale selon le plan de partage de l'ONU, Jérusalem devrait en principe rester en dehors des combats. Mais les sionistes s'en tiendront-ils à ce plan ? Respecteront-ils leur accord tacite avec le roi ?

En guise d'avertissement, des soldats de la Légion arabe commandés par le major Abdallah el-Tell ont donné, le 12 mai, le coup de grâce aux quatre colonies juives de Goush Etzion, au nord d'Hébron. Après les combats, la population des villages arabes voisins a achevé ses derniers défenseurs encore en vie au cri de : « Deir Yacine ! Deir Yacine ! »

Tout à sa tâche de doter la Légion arabe du véritable état-major qui lui fait défaut, Glubb Pacha n'était pas sur place. Abdallah, lui, n'a pas cherché à en savoir plus.

Commandée par le major-général Lash, la 1re division jordanienne traverse le pont. Le sort en est jeté...

Au nord, entre le fleuve Yarmouk et le lac de Tibériade, la brigade motorisée syrienne attaque Samakh.

Au centre, les Irakiens franchissent le Jourdain et prennent Djénine.

Un peu plus bas, le 4e régiment de la Légion arabe, aux ordres du colonel Habis el-Madjali, s'empare de Ramallah, où il installe son quartier général. Trois compagnies poussent jusqu'à Latroun, agglomération fortifiée qui domine et verrouille la route stratégique qui va de Tel-Aviv à Jérusalem.

Remontant du sud, comme autrefois les armées d'Allenby, les Égyptiens progressent en deux colonnes, l'une le long de la côte par Gaza et Madjal, l'autre, menaçant Jérusalem, par Birsheba et Hébron.

D'apparence, le destin d'Israël est scellé : à peine né, l'État juif va disparaître. Mais il ne faut jamais se fier aux apparences. Si les six cent mille Juifs ne pèsent que d'un poids dérisoire au regard des trente millions d'Arabes, le rapport des forces militaires est tout différent : soixante mille Israéliens en armes contre soixante-dix à quatre-vingt mille réguliers arabes aux motivations très variables, répartis entre cinq armées rivales.

Cinq armées, voire six si on compte les deux mille soldats séoudiens. Six qui se coordonnent le moins possible, là où leur adversaire fait preuve d'une cohésion supérieure, d'une qualité de renseignement excellente, d'un commandement de trois cents officiers expérimentés et prêts à toutes les solutions non conventionnelles.

En face, un classicisme absolu règne, comme si les militaires ex-colonisés ne parvenaient pas à s'affranchir des normes héritées de l'ex-colonisateur. L'armée syrienne combat selon les procédures d'engagement françaises tandis que son homologue irakienne, mal remise de la répression qui a suivi la révolte des colonels du Carré d'or, se plie, comme l'armée égyptienne, aux procédures britanniques.

Si le Liban joue plus le rôle de base arrière – ses aérodromes notamment – que de pays belligérant, les états-majors arabes ne parviennent même pas à combiner leurs opérations avec celles des guérillas, elles-mêmes divisée entre partisans du Mouron rouge et husseinistes.

Dans ces conditions, rien d'étonnant si les Israéliens font mieux que se défendre.

Leur adversaire le plus sérieux reste la Légion arabe d'Abdallah. De plus en plus arabe, de moins en moins anglaise, elle accroît son caractère national transjordanien sans perdre de son efficacité.

Bien commandée, elle tient le verrou de Latroun.

« Pas question de laisser la route entre Tel-Aviv et Jérusalem coupée, ordonne Ben Gourion à ses officiers. Latroun doit être reprise immédiatement. »

Les chefs de la Haganah multiplient les objections, mais rien n'y fait.

Du 25 au 30 mai, les Israéliens lancent trois assauts frontaux successifs sur Latroun. Face aux trois compagnies et à l'unique canon de montagne de la Légion arabe, ils sacrifieront en vain plusieurs centaines de recrues inexpérimentées.

En face, on fait preuve de plus de maîtrise. Certain que ses hommes et les deux cent cinquante Bédouins de Transjordanie qui les appuient allaient tenir, le chef de la 3e brigade, le colonel Teal Ashton, a jugé superflu de leur dépêcher des renforts. Pari réussi : à Latroun, les Israéliens piétinent, ce qui permet d'engager des légionnaires dans d'autres secteurs.

Incapable de faire sauter le verrou de Latroun, la Haganah devra se résigner à aménager une piste qui le contourne par le sud. En souvenir de la « route aux dix mille virages » construite par des milliers de coolies chinois au temps de la guerre sino-japonaise pour relier la Birmanie et la Chine, elle va baptiser cette artère tout aussi vitale la « route de Birmanie ».

Mais, avant même l'installation du 4e régiment à Latroun, le regard d'Abdallah s'est porté vers Jérusalem...

Glubb Pacha n'en peut mais : un coup de téléphone chasse l'autre. À chaque fois, c'est un cri d'angoisse :

« Aidez-nous, aidez-nous ! Les Juifs sont déjà à la porte de Jaffa ! Ils occupent Cheikh Djerrah ! Ils escaladent les murailles ! Aidez-nous, sauvez-nous ! »

Au palais royal aussi, le téléphone ne laisse aucun répit. Abdallah s'est promis de respecter l'accord tacite avec les Israéliens, mais pas à n'importe quel prix ! En lançant son offensive sur Jérusalem, dont il veut faire sa capitale, on dirait que Ben Gourion exige du monarque un véritable reniement.

Or l'honneur se défend. La ville sainte, internationalisée selon le plan de l'ONU, un Hachémite pouvait à la rigueur l'accepter. Mais la ville sainte judaïsée, la mosquée d'Omar, la tombe du chérif Hussein sous le contrôle d'infidèles, jamais !

Glubb Pacha continue de prêcher la sagesse :

« Avec nos six mille hommes, nous ne pouvons pas lutter sur tous les fronts. Vos légionnaires, Sire, ne craignent personne en rase campagne. Même le Palmach, même la Haganah ! Mais en ville, ils perdraient la majeure partie de leur efficacité. Ils ne seraient plus que des combattants de rue parmi d'autres. Nous ne les avons pas formés pour cela...

— Je comprends vos arguments, père de Farès, mais la défense de Jérusalem ne peut tout de même pas être abandonnée à un Ghoury... »

C'est tout juste si le roi ne crache pas par terre. Chrétien palestinien, membre de l'état-major du grand mufti depuis la révolte des années 1930, Émile Ghoury a remplacé au pied levé Abd el-Kader el-Husseini pour la région de Palestine centrale. Mais ce n'est pas un combattant. Et puis une créature du mufti pour défendre la ville sainte...

Anglais, Glubb Pacha se trouve contraint à une certaine réserve politique. Mais le Premier ministre, Toufik Abou el-Houda, un fonctionnaire méthodique, scrupuleux, qu'un rien effarouche, penche lui aussi pour la prudence. Officier de l'armée ottomane jusqu'en 1918, ce Palestinien n'abhorre rien tant que le risque. Sauf qu'au fur et à mesure des appels de la ville sainte, la tension s'accroît.

Au bout du fil, cette fois, c'est Ahmed Hilmi Abd el-Baki, un des rescapés du Haut comité arabe encore sur place :

« Au nom de Dieu, qu'Abdallah vienne à notre aide, sinon les habitants de Jérusalem vont être massacrés ! »

Que ce féal du grand mufti supplie à genoux le pire ennemi de son chef donne une idée de la situation. Elle est dramatique. Partis de la ville juive nouvelle à l'ouest, les Israéliens s'enfoncent dans la Jérusalem arabe, défendue par quelques centaines d'irréguliers palestiniens ou irakiens. Soldat expérimenté, en sa qualité d'ancien de la Légion étrangère française, le commandant local de la Haganah, David Shaltiel, espère que les deux mille habitants et défenseurs du vieux quartier israélite, petite enclave en zone arabe, tiendront le temps que ses troupes viennent les dégager. Mais comment le pourraient-ils, quand les Juifs traditionnels, rien moins que sionistes, n'ont aucune intention de se battre ? Seuls cent cinquante hommes et femmes armés freinent les assauts arabes.

Lancer la Légion arabe sur Jérusalem, c'est courir le risque d'une guerre générale entre la Transjordanie et Israël. Mais affronter victorieusement la Haganah et ses alliés de l'Irgoun ou du LEHI, ce serait apparaître face au monde musulman comme le sauveur, et bientôt le maître, de la ville sainte.

Le 17 mai vers onze heures et demie, Glubb Pacha reçoit un premier message : « Sa Majesté le roi ordonne une avance vers Jérusalem à partir de Ramallah. Par cette action, elle entend menacer les Juifs, de sorte qu'ils puissent accepter une trêve. »

Une heure et demie plus tard, un second télégramme du ministère de la Défense lui parvient :

« Sa Majesté le roi est extrêmement inquiète et insiste pour qu'une force partant de Ramallah et, pourvue d'artillerie, soit envoyée afin d'attaquer les quartiers juifs de Jérusalem. Les Juifs sont en train d'attaquer les portes de la vieille ville pour en forcer l'entrée. Une contre-attaque serait de nature à diminuer la pression sur les Arabes et pourrait inciter les Juifs à accepter une trêve à Jérusalem. Le consul de Belgique est venu ici, et Sa Majesté a tiré de leur entretien le sentiment qu'une action de notre part pourrait effrayer les Juifs et les rendre moins obstinés. Sa Majesté attend une action rapide. Rendez compte rapidement dès que l'opération aura commencé. »

Glubb, qui, depuis quarante-huit heures, freinait des quatre fers dans l'espoir d'une trêve avec les Israéliens, ne peut que s'incliner. Sans attendre, il se rend auprès de ses légionnaires à Naplouse et à Beitan, près de Ramallah. Deux jeunes officiers, Maan Abou Nowar et Salih el-Charaah, lui donnent un aperçu du moral des troupes :

« Les hommes ne font que demander : que faisons-nous ici, à Naplouse, alors que la bataille est à Jérusalem ?

— Et vous ?

— Nous partageons cet avis. »

En apprenant leur nouvel objectif, les légionnaires sautent de joie. Ils se sentent à la fois libérés et investis d'une tâche sacrée.

Peu avant minuit, Abdallah charge personnellement Abdallah el-Tell, chef du 6e régiment, de lancer les opérations sur le front de Jérusalem.

À l'aube, le temps est clair quand les deux sections de quarante hommes des lieutenants Nouaf el-Djaber el-Houmoud et Mustapha Ibrahim défilent à travers les sentiers qui descendent du mont des Oliviers en direction de la vieille ville, traversent les jardins de Gethsémani et, suivant la petite vallée du Cédron, passent près de la tombe de la Vierge Marie.

« Indiquez-nous les positions les plus exposées à défendre d'urgence, demande Houmoud à Fadel Abdallah el-Rachid, qui commande le contingent de l'Armée de libération arabe à Jérusalem.

— C'est sans espoir, soupire Rachid, exténué. Les Juifs sont partout.

— Nous aussi, nous sommes là ! »

C'est le prélude à des combats plus terribles encore que ceux des jours précédents. La Légion arabe va s'y distinguer à trois titres. Son ardeur au combat d'abord. Son efficacité ensuite, qui permettra aux Arabes de conserver toute la vieille ville, et surtout les Lieux saints. Son respect des lois de la guerre enfin, quand elle traitera de manière humaine les vaincus du vieux quartier juif. Vieillards, femmes et enfants sont raccompagnés du côté israélien à travers les lignes sous le contrôle de la Croix-Rouge ; on internera les hommes en âge de porter les armes dans un camp de prisonniers en Transjordanie.

Juifs et Arabes rivalisant de courage, les combats vont rester indécis jusqu'à la trêve générale imposée par l'ONU, le 11 juin. Loin du front, Abdallah passe par toutes les phases qui vont de l'espoir à l'abattement. Un matin, n'y tenant plus, il convoque Glubb au palais royal.

« Au nom du ciel, je vous conjure de me dire la vérité. Pouvons-nous tenir Jérusalem, ou les Juifs vont-ils s'en emparer ?

— Si Dieu le veut, sire, ils ne s'en empareront jamais ! »

Le roi contemple l'officier d'un regard chargé d'anxiété. Le masque hâve et creusé des mauvais jours recouvre son visage.

« Si jamais vous jugez que les Juifs vont prendre Jérusalem, promettez-moi de me le dire. Je ne veux pas les voir occuper les Lieux saints. J'irai là-bas, et je mourrai sur les remparts de la ville.

— Si c'est la volonté de Dieu, cela n'arrivera jamais », répond le général chrétien à son souverain musulman.

Pas avant la trêve de l'ONU en tout cas...

Chaque camp tente de tirer le plus grand parti possible d'un cessez-le-feu plus ou moins respecté. À ce jeu, les Israéliens, mieux organisés et pourvus d'armes tchèques modernes qui leur donnent la supériorité matérielle, vont l'emporter.

Dès la reprise des hostilités, le 9 juillet, ils lancent l'« offensive des dix jours ».

Au centre, dégageant la région Haïfa-Acre, ils s'emparent de Nazareth. La prise de Lyddah puis de Ramallah leur ouvre la route Tel-Aviv-Jérusalem. Mais, dans la capitale où on se tue de maison en maison, la bataille redouble d'intensité.

Au nord, la Haganah ne parvient pas à refouler les Syriens. Des combats violents mais indécis opposent les deux armées pour le contrôle de la position de Hachmar Hayarden, sur le Jourdain, au sud du lac Houleh.

Au sud enfin, les colonies juives du désert du Néguev continuent à résister. Quant aux troupes égyptiennes qui ont tenté de reprendre leur progression, leur attaque sur Negba échoue.

Le 15 juillet, le Conseil de sécurité de l'ONU, excédé, ordonne l'arrêt des hostilités, menaçant les deux camps d'une intervention armée. Sous la pression, un deuxième cessez-le-feu intervient le 16 juillet à Jérusalem. Le 18, on l'étend à tous les secteurs du front.

Descendant d'un ancien maréchal de Napoléon, le comte suédois Folke Bernadotte est dépêché par les Nations unies, flanqué d'un adjoint, le Noir américain Ralph Bunche, et d'une équipe d'officiers observateurs, dont plusieurs Français.

Bernadotte débarque dans un climat irrespirable. Pour les extrémistes du camp juif, furieux de cette nouvelle trêve, le Suédois travaillerait pour les Arabes. Le fait que le comte ait sauvé de nombreux Juifs au moment de l'effondrement du nazisme ne compte pas à leurs yeux.

Le 17 septembre, le négociateur suédois de l'ONU revient de Syrie. Il a rendez-vous avec le gouvernement. Dans une rue de

Jérusalem, une Jeep bloque son convoi. Des hommes en uniforme israélien s'approchent.

« C'est Bernadotte ! » crie l'officier de liaison, israélien lui aussi.

Par la fenêtre de la voiture, un des inconnus passe le canon de son pistolet-mitrailleur. Il tire. Le comte et André Sérot, le colonel français qui commande les observateurs de l'ONU, s'écroulent en sang, morts.

L'assassinat a été décidé par la direction clandestine du LEHI, et notamment par son chef des opérations Yitzhak Shamir, futur Premier ministre...

Le 3 octobre, les hostilités reprennent. Leur centre de gravité a glissé vers le sud, où quinze mille Israéliens lancent l'« offensive des dix plaies » qui bouscule l'armée égyptienne. Un jeune officier, Gamal Abd el-Nasser, commande en second la brigade encerclée dans le Néguev par la Haganah. La poche de Falloudjah tient, mais dans des conditions de plus en plus précaires.

« Le roi Farouk et ses conseillers nous ont conduits droit au désastre, déclare le futur président égyptien. Il va falloir débarrasser le pays de cette bande de corrompus. »

En attendant, la Haganah avance partout. L'Armée de libération arabe du Mouron rouge tente une diversion ; deux colonnes israéliennes l'écrasent à Sasa, les 28 et 30 octobre. Poursuivant les Arabes, les soldats de Ben Gourion pénètrent en territoire libanais.

Par contraste, la Légion arabe, toujours efficace, repousse à Bet Djebrin un assaut israélien contre Hébron. Abdallah voulait la Cisjordanie ; quand ses « frères arabes » reculent, il est en train de la conquérir. Le Conseil de sécurité de l'ONU impose un troisième cessez-le-feu le 30 octobre. Le 1er décembre, le roi proclame, dans l'indignation générale, l'annexion de la Cisjordanie et la création officielle du royaume hachémite de Jordanie...

Vingt-deux jours plus tard, la guerre reprend. Au sud, les Égyptiens sont taillés en pièces. Le 10, Falloudjah capitule. La Haganah avance sur El Arish, sauvée in extremis par la menace d'intervention britannique. Les Israéliens n'en occupent pas moins la majeure partie du Néguev méridional, obligeant leurs adversaires à signer un armistice.

Le 8 janvier, la Grande-Bretagne manifeste à nouveau son inquiétude. Pour faire respecter les droits de l'allié jordanien, ses troupes viennent occuper Akaba.

La première guerre avec Israël est perdue. Après Khan Meissaloun et le départ de Fayçal de Damas, après l'Irak, le monde arabe vit une nouvelle humiliation face à l'Occident, dont il considère l'État hébreu comme une émanation directe. Pour les Palestiniens, transformés en peuple de réfugiés, c'est la Nakba, la Catastrophe.

Les hostilités s'achèvent par une série d'armistices, comme celui signé avec le royaume de Transjordanie, le 3 avril 1949, et qui consacre le statu quo à Jérusalem.

Un demi-succès qui va lui valoir un surcroît de haine. Le souverain hachémite est devenu l'homme à abattre...

42

Meurtre à la grande mosquée

Il fait chaud, ce vendredi 20 juillet 1951. Et qui se souvient encore que, l'avant-veille, l'ambassadeur des États-Unis à Amman a demandé une audience à Abdallah ? Gerald Drew semblait inquiet :

« Votre Majesté, puis-je vous prier de ne pas aller à Jérusalem ? J'ai entendu dire qu'un attentat se préparait contre vous. Je vous en supplie, modifiez vos projets.

— Merci pour cet avertissement, monsieur l'ambassadeur, a répondu le monarque. Mais quand bien même cela serait exact, je me rendrais quand même à Jérusalem. Ma vie appartient à mon peuple, ma place est au milieu de lui. Je mourrai à l'instant fixé par ma destinée... »

Abdallah n'avait pas du tout l'air inquiet. Au contraire de Glubb Pacha. Riad es-Sohl, le président libanais, hôte officiel d'Abdallah, ne venait-il pas d'être assassiné à Amman ?

Une première dans la capitale jordanienne, épargnée jusque-là par le crime politique au sommet : le 16 juillet, sur le chemin de l'aéroport, une voiture dépasse celle de Sohl... des hommes ouvrent le feu.

Les assassins, des Libanais, sont venus à Amman régler au pistolet-mitrailleur une affaire intérieure à leur pays. Qu'importe, l'émotion est forte. Avec ces coups de feu, un quart de siècle de paix civile à Amman semble s'achever.

Le 19, Abdallah demande à son petit-fils Hussein de revêtir un uniforme militaire pour l'accompagner à Jérusalem.

« Un uniforme ? Mais je n'en ai qu'un seul, objecte Hussein. Comme il avait besoin d'un coup de fer, je viens de le renvoyer au palais...

— Il faut que vous le mettiez », insiste le roi.

On stoppe la voiture, on envoie chercher l'uniforme. Du coup, Hussein et son grand-père partent en retard.

Avant d'aller prier chaque vendredi à la mosquée el-Aksa de Jérusalem, Abdallah a l'habitude de passer la nuit à Naplouse, où il accorde quelques audiences dans un petit appartement prévu à cet effet. Parmi les visiteurs de ce 19 juillet, Sam Cooke, successeur de Lash Bey à la tête de la 1re division de la Légion arabe. Le brigadier-général arrive de son poste de commandement de Ramallah.

« Je suis très fier d'Hussein, lui lance le roi ; je vais lui remettre le cordon d'aide de camp dès demain. »

Demain... Prenant un café au matin avec son vieil ami le maire Souleiman Beg Togan, Abdallah s'entend dire :

« Il est tard pour aller à Jérusalem, Sire. Pourquoi n'iriez-vous pas prier aujourd'hui dans notre mosquée de Naplouse ? »

Une fois encore, le monarque décline l'offre. Dieu décide de tout, la mort ne lui fait pas peur.

Chef du 10e régiment d'infanterie, le « régiment hachémite », qui fait un peu fonction de garde prétorienne, le lieutenant-colonel Habis el-Madjali n'ose intervenir. Abdallah, il le sait, exige que ses sujets puissent l'approcher sans contrainte. À Jérusalem tout particulièrement : sans lui, la cité sacrée ne vivrait-elle pas tout entière sous la domination juive ?

Hussein marche quelques pas derrière son grand-père. Sur leur passage, la moindre ruelle est garnie de soldats. Énervé, le jeune homme s'en prend à un officier :

« Qu'est-ce que c'est ? Un cortège funèbre ? »

Il est presque midi. Devant la mosquée el-Aksa, Abdallah s'attarde à nouveau à saluer quelques personnes de connaissance. La garde d'honneur présente les armes. Une foule très dense a envahi le Haram, la vaste cour de l'édifice religieux.

Madjali et les hommes du régiment hachémite tentent bien de la repousser mais le roi, mécontent, crie :

« Ne m'emprisonne pas, ô Habis ! »

Tandis qu'il s'apprête à franchir le portail de la mosquée, Madjali et les gardes l'entourent derechef pour le protéger. Excédé, Abdallah fait volte-face et répète :

« Ne m'emprisonne pas, Habis ! »

Il se retourne, fait trois pas seul vers l'entrée. Beau vieillard à barbe blanche, le cheik de la mosquée vient le saluer. Soudain, un inconnu jaillit de derrière le battant massif du portail de l'édifice. Dans sa main, un Webley à barillet.

À un mètre, l'homme ouvre le feu. Atteint à la tête, le monarque s'effondre. La balle de 9 mm a pénétré par l'oreille avant de ressortir par l'orbite. Son turban blanc roule sur le dallage de marbre.

Tandis que l'entourage royal, paniqué, s'éparpille, le tueur tente de fuir par l'intérieur de la mosquée. Hussein s'élance vers lui. Désorienté, l'inconnu part dans un sens, puis dans l'autre, tout en continuant à tirer. Les hommes de la garde le prennent pour cible. Sentant le jeune prince sur ses talons, il pointe son arme.

Le coup de feu claque. Est-ce cela la mort ? s'interroge l'adolescent, qui n'a senti qu'un léger choc sur la poitrine. Pas encore : la balle a ricoché sur l'Étoile jordanienne de première classe, accrochée à la poche de son uniforme. S'il avait été en civil, Hussein ne serait déjà plus de ce monde.

Criblé de projectiles, l'assassin cesse enfin son manège pour s'écrouler, mort...

Pendant que le colonel Madjali transporte le corps d'Abdallah à l'hôpital dans le vain espoir d'un miracle, Jérusalem va connaître des instants de folie. Déboussolés, les légionnaires ouvrent le feu au hasard dans les rues. Il y a des morts, des blessés.

Qui pourrait ramener le calme et, le cas échéant, faire face à une attaque surprise israélienne ?

Pas Talal, en traitement dans une clinique psychiatrique suisse.

Pas Nayef, dont on craint les manœuvres souterraines pour accéder au trône.

Comble de malchance, Kirkbride est en déplacement à Londres. Choqué par la disparition du roi qu'il sert depuis plus de vingt ans, Glubb Pacha doit prendre seul toutes les décisions.

L'idée lui vient de nommer le brigadier-général Cooke gouverneur militaire de Jérusalem. Pour avoir combattu la Haganah sous ses ordres, les Arabes apprécient sa loyauté.

« Je vais prendre les dispositions nécessaires », répond Cooke, imperturbable, à Glubb.

De fait, les choses sont menées rondement : le régiment hachémite, encore sous le coup de l'émotion, relevé par des troupes fraîches ; un couvre-feu ; des patrouilles de légionnaires dans les rues.

Madjali s'incline, tout en remâchant son amertume. À l'instant crucial, c'est donc un Britannique qu'on a choisi au détriment d'un Arabe...

Par sa brutalité même, la disparition d'Abdallah laisse un vide politique énorme. Monarque autoritaire à la légitimité historique et personnelle, le roi s'entendait aussi mal que possible avec ses deux fils. Rien n'a été déterminé de façon claire pour sa succession.

Né en 1909, au Hedjaz, de la première épouse d'Abdallah, Mousbah, l'héritier du trône, le prince Talal ibn Abdallah, souffre de troubles psychologiques à la nature imprécise. Quelle que soit la cause exacte de ces dérèglements, exagérés à dessein par Abdallah lui-même de son vivant, l'incompatibilité entre le père et le fils ne pouvait que les aggraver.

Jeune, Talal était beau, vif d'esprit, plein de charme. Abdallah ne supportait pas cette ressemblance qu'il considérait comme imméritée pour son fils et dévalorisante pour lui-même. Par jalousie, le souverain ne cessait de brimer son aîné, le privant de toute fonction officielle.

Quoi de plus destructeur qu'un fils rabaissé à plaisir par son propre père ? Pendant plusieurs années, Talal a failli sombrer dans l'alcoolisme, détériorant encore un peu plus sa santé psychique.

Le désamour entre père et fils se doublait d'un désaccord politique. Pour Abdallah, l'alliance britannique restait la clé de la survie du royaume. À ce titre, le roi s'accommodait de la présence de Glubb Pacha à la tête de son armée, comme il s'accommodait du rôle de l'indestructible Alec Kirkbride, résident britannique à Amman et, depuis 1946, ambassadeur.

Le monarque et le diplomate s'étaient faits l'un à l'autre. Certes, il ne restait plus grand-chose du jeune officier des Royal Engineers qui, engagé volontaire à dix-huit ans et demi, avait demandé sa mutation auprès de d'armée chérifienne du Nord après sa rencontre avec Lawrence d'Arabie. Plus grand-chose, sinon une foule de souvenirs communs, de périls courus côte à côte. Quant à Abdallah, il avait soixante-neuf ans, un âge où on se sépare difficilement des familiers.

Talal, lui, détestait Kirkbride. Pas l'individu, plutôt plaisant et amical, mais le représentant de la Grande-Bretagne aux exigences d'autant plus insupportables que présentées dans des raffinements de courtoisie très arabes. Cette tutelle, il ne l'acceptait pas et, comme autrefois son cousin Ghazi Ier d'Irak, brûlait de s'en défaire.

À la toute fin des années 1930, les Britanniques avaient encouragé Abdallah à placer Talal en second rang pour la succession paternelle, derrière son demi-frère Nayef.

Le vent tourna ensuite, malgré les déclarations de sympathie de l'aîné à l'égard de la révolte irakienne du Carré d'or. Tandis que les Britanniques, se rendant compte des insuffisances du cadet, cessaient d'en faire leur candidat au trône, le roi esquissait un rapprochement avec Talal.

Fils de la deuxième femme du roi, Suzdil Hanoum, princesse ottomane épousée en 1913, Nayef ibn Abdallah est né l'année suivante. Malgré ses études dans une école de Jérusalem puis au Victoria College d'Alexandrie et à l'Académie militaire d'Ankara, ce prince-là apparaît comme l'antithèse de son aîné. De brio, peu, et de charme, encore moins. Beaucoup de paresse, au contraire, à en croire les rapports à Londres de Kirkbride, qui n'aime pas Talal mais le respecte plus que Nayef.

Au milieu des années 1940, l'ordre naturel de succession est rétabli aussi secrètement qu'il avait été bouleversé. Les appétits des nouveaux dirigeants syriens sont pour beaucoup dans ce renversement de tendance. Leur pays à peine délivré de la tutelle française, les nouveaux maîtres de Damas songent déjà à imposer la leur au voisinage et, arguant de rumeurs persistantes sur la mise à l'écart de Talal, envisagent d'annexer la Jordanie après la mort d'Abdallah. Des visées suffisamment pressantes pour que le roi s'avise enfin de préparer un peu mieux l'avenir.

Talal redevient l'héritier désigné. Kirkbride donne son accord. Mais à titre d'expédient seulement, tant il est certain que le royaume de Jordanie ne pourra survivre à la disparition de son fondateur.

Ce qui inquiète le diplomate, c'est la tendance à l'instabilité du prince. Talal, d'ordinaire, n'est que gentillesse. Mais il se laisse emporter par de soudains accès de violence, et alors, chacun craint le pire, à commencer par le ministre de la Santé, le Dr Djamel el-Toutoundji, ou par son médecin traitant, le Dr Ford Robertson.

Par la volonté de son père, la vie de famille du prince héritier reste frappée au coin de la modestie – Talal vit avec les siens dans une maison de cinq pièces sur le djebel Amman, une des sept collines sur lesquelles est bâtie la capitale jordanienne.

Depuis la guerre israélo-arabe, Amman s'est développé. C'est qu'en passant de la Transjordanie à la Jordanie, le royaume d'Abdallah a vu sa population multipliée par trois : un petit tiers de sujets d'origine, un gros tiers de Palestiniens de Cisjordanie annexée, et un dernier tiers de réfugiés en provenance des territoires. C'est dire à quel point la Nakba, qui vient de ruiner matériellement et moralement une grande partie des Palestiniens, bouleverse la démographie jordanienne.

En intégrant au gouvernement des personnalités politiques venues de Palestine, le roi a tenu compte de ce séisme. Il s'est toutefois bien gardé d'en faire de même au sein de la Légion arabe, pilier du royaume. Reconstituée après la saignée de la guerre contre Israël – presque un cinquième de ses effectifs perdu au combat –, la Légion arabe reste principalement composée de Bédouins fidèles aux Hachémites.

Que ferait Talal sans son épouse ? Zaïen n'est pas seulement sa cousine. C'est aussi, et surtout, une femme d'exception. Vive, cultivée, elle affirme sans éclats inutiles une forte personnalité qui impressionne jusqu'à Abdallah lui-même, peu porté d'ordinaire à reconnaître au sexe féminin d'autres vertus que conjugales ou domestiques.

Zaïen vit de plain-pied dans son siècle ; elle brûle d'aider le royaume à basculer enfin dans la modernité. Mais par quel moyen, quand Talal semble incapable d'affronter sans aide les responsabilités gouvernementales qui l'attendent ? Il pourra régner si Dieu le veut, mais pas longtemps.

La princesse va reporter ses espoirs sur son fils Hussein. Du vivant d'Abdallah, la jeune femme s'est trouvée en concurrence avec ce beau-père si autoritaire. Le monarque venait de comprendre que Talal ne serait jamais à la hauteur de ses ambitions, au contraire d'Hussein. D'où son insistance à faire de ce petit-fils un authentique chef militaire, l'héritier de demain.

Hussein : un peu jeune tout de même pour assurer l'avenir de la dynastie. Né le 14 novembre 1935, le jeune homme doit atteindre sa majorité à la fin 1953, quelques mois après son cousin Fayçal II d'Irak.

L'héritier est toujours dans son hôpital psychiatrique suisse, où les médecins lui cachent la mort de son père. Voilà qui laisse du champ à Nayef. Le fils de Suzdil Hanoum n'a jamais renoncé à son ambition. Maniant l'arme de la flatterie, il va attirer dans son camp le chef du régiment hachémite, le colonel Madjali.

Toujours régent d'Irak, Abdulillah lorgne lui aussi sur le trône jordanien. En principe, le régent agit pour le compte de son neveu, le jeune roi Fayçal II, encore sous tutelle. Son argument choc : les projets d'Abdallah avant sa mort. En cas d'inexistence d'héritiers dignes de ce nom dans l'un ou l'autre des royaumes d'Irak ou de Jordanie, le roi disparu proposait que la maison Hachem prenne en charge la partie défaillante.

Une tutelle familiale au-delà des frontières qui s'apparenterait à un acte d'union potentiel entre les deux États. Elle atteste du manque de confiance d'Abdallah en Talal et en Nayef, mais aussi de sa foi dans l'avenir du clan.

Une solution provisoire jordanienne prévaut. En attendant que Talal domine sa maladie mentale pour exercer son droit d'aînesse, décision est prise de confier la régence à Nayef.

L'urgence dicte sa loi, en effet. Sous peine de semer le trouble dans tout le pays, il faut identifier et, si possible, punir les responsables de l'assassinat d'Abdallah...

Le tueur, on le connaît. Il s'agit d'un modeste tailleur palestinien de vingt et un ans, Mustapha Choukri Achour.

A-t-il agi seul ? Personne n'y croit, à commencer par sa propre mère, qui donne à la police les premières indications sur l'identité des complices du crime. Rondement menée, l'enquête aboutit à l'arrestation d'Abid Oukay. Ce petit chef de clan un peu mafieux aurait appartenu autrefois à la Société de la guerre sainte, l'organisation d'Abd el-Kader el-Husseini.

Hadj Amine représente, c'est vrai, le commanditaire idéal. En annexant la Cisjordanie, Abdallah ne venait-il pas de ruiner ses espoirs d'une Palestine indépendante husseiniste ?

L'ombre du grand mufti plane donc. D'autant que l'arrestation et l'interrogatoire – sans doute musclé – d'Oukay et d'un de ses complices, Mahmoud Antabli, conduisent à la mise en cause de deux parents éloignés de Hadj Amine, Daoud et Taoufik el-Husseini.

Une autre figure du clan Husseini est mise à son tour sur la sellette. Cousin du grand mufti, Moussa était avec lui à Berlin pendant la guerre. Mais à cette époque, les deux hommes étaient déjà brouillés. Sa chance viendra après guerre d'une rencontre avec le gouverneur de Jérusalem, Abdullah el-Tell, qui le désigne comme son représentant personnel auprès du corps consulaire.

Tell, nous l'avons vu défendre la ville sainte bec et ongles. Mais qui est-il au juste ? Né en 1918 à Irbid, cet ancien lycéen entre d'abord aux douanes puis, la guerre mondiale venue, dans la Légion arabe. Major en mars 1948, il est propulsé au grade de lieutenant-colonel par Abdallah. Auréolé de gloire par les combats pour Jérusalem, Tell participe aux négociations d'armistice avec les Israéliens. Puis, considérant le roi de Jordanie comme un traître à la cause arabe, il se met à comploter contre lui avant de s'exiler au Caire.

A-t-il trempé dans le meurtre du souverain ?

« Si Glubb Pacha avait été assassiné, j'aurais été le meurtrier, concède-t-il lors d'une conférence de presse. Mais le roi Abdallah, non ! »

Le magistrat instructeur de la cour spéciale retient quand même sa culpabilité. Le 10 août, l'arrêt de renvoi est bouclé. Le lendemain, le Premier ministre en rend publiques les conclusions. Huit personnes, dont les trois Husseini, sont accusées à titre principal, et trois autres, dont le colonel Tell, à titre secondaire.

La cour se réunit pour la première fois le 18 au mess des officiers d'une caserne d'Amman. Elle se compose de trois officiers. La préside le lieutenant-général Abd el-Kader el-Djoundi, adjoint de Glubb Pacha à l'état-major général et plus haut gradé arabe de la Légion. À ses côtés, le colonel Madjali, témoin direct du crime, et son camarade Ali el-Hiyari.

Plus coutumiers des champs de bataille que des prétoires, ces hauts gradés subissent l'influence du procureur, Walid Salah, qui cumule bizarrement ses fonctions avec celles de conseiller juridique du tribunal.

Au final, quatre des accusés présents, dont Moussa el-Husseini, sont condamnés à mort par pendaison. Deux autres, Tell et Moussa Ahmed el-Ayoubi, écopent de la même peine mais par contumace.

Par souci d'équilibre, le tribunal spécial n'a rien retenu contre Daoud el-Husseini, dont l'hostilité au monarque assassiné était pourtant connue de tous. De même pour son parent Taoufik el-Husseini.

Contre le grand mufti, que beaucoup continuent à pointer du doigt, rien de tangible n'a pu être établi. Le soupçon demeure néanmoins. Et, de toute façon, une femme va venir contrarier les plans des extrémistes du nationalisme palestinien...

Dans cette saga marquée par l'histoire au coin du machisme, nous avons croisé beaucoup de héros, mais une poignée d'héroïnes seulement : Gertrude Bell, bien sûr, la « mère de l'Irak » ; les exploratrices Rosita Forbes ou Freya Stark ; la sioniste de choc Golda Meir.

En voici pourtant une qui va peser d'un poids très lourd sur l'avenir de la maison Hachem comme sur le destin de la Jordanie.

Zaïen el-Charef bint Djamel est née en Égypte le 2 août 1916, deux mois à peine après le déclenchement de la thawra. Mariée à son cousin Talal, mère du prince Hussein, de ses frères cadets Mohammed et Hassan puis de leur sœur Basmah, elle s'apprêtait à fêter ses trente-cinq ans quand le roi de Jordanie a succombé à la balle du tailleur de Jérusalem.

Doublement hachémite, par naissance et par alliance, Zaïen se range parmi les figures les plus éminentes de la maison Hachem. Elle est de la même race que ses parentes Salha et Badia qui, en 1941, exfiltraient du palais royal leur neveu et frère Abdulillah, préservant du même coup le trône d'Irak menacé.

Frappée de plein fouet par la maladie mentale de son époux, Zaïen a donc reporté ses espoirs politiques sur leur aîné, Hussein. Et Dieu sait s'ils sont grands. Cultivée, polyglotte, la princesse veut défendre la cause jordanienne avec toute la volonté d'une femme attachée au devenir des Bédouines prisonnières du carcan des traditions comme des Palestiniennes chassées de leur terre natale.

Hussein impressionne moins. Aussi attachant soit-il, l'adolescent timide ne semble pas fait pour le trône. Une taille bien prise, mais des épaules trop faibles, croit-on, pour supporter le lourd fardeau de l'héritage hachémite.

Pour cause de dignité princière, tout travail salarié était interdit à Talal. Ses parents étant sans fortune personnelle et dotés d'une bourse calculée au dinar près, Hussein aura connu, enfant, non la misère, mais la parcimonie.

Une absence va le marquer à jamais : celle de sa première petite sœur, morte de pneumonie un hiver à Amman parce qu'il n'y avait pas assez de bois pour chauffer la maison.

Un souvenir plus gai, mais presque aussi frappant : la première visite à Bagdad. Fayçal II a le même âge que lui, mais pas les mêmes jouets. Qu'il est beau, l'ours en peluche du cousin d'Irak...

« Je veux le même, c'est trop injuste », sanglote l'enfant.

De retour à Amman, Zaïen vend un de ses derniers bijoux pour en offrir un à son fils.

Mais comment rivaliser de richesse avec la branche irakienne de la famille ? À dix ans, Hussein retourne à Bagdad. Plein d'attention, Fayçal lui offre une bicyclette made in England.

« Jamais je ne posséderai quelque chose d'aussi beau », s'émerveille l'enfant. Chaque matin avant l'école, il bichonne l'engin, fourbit jusqu'au dernier rayon de sa roue.

Un jour, sa mère se penche vers lui avec douceur :

« Je sais que cela te fera du chagrin, mais nos finances sont au plus bas. Nous devons nous défaire de certaines choses. Auras-tu du chagrin, mon fils, si nous vendons ta bicyclette ? »

Poings serrés, Hussein refoule ses larmes. Un Hachémite ne pleure pas.

Comme tant d'autres membres du clan, Hussein va suivre des études secondaires pendant deux ans au Victoria College d'Alexandrie. Pantalon de flanelle grise et blazer marine : c'est Abdallah qui règle la scolarité. Mais que la veste soit un peu déchirée et le prince doit la recoudre lui-même.

Quand le bulletin trimestriel parvient à Amman, Abdallah ne chausse pas seulement ses lunettes pour éplucher les appréciations d'arabe, d'anglais, d'histoire-géographie, de mathématiques ou de religion. Il scrute aussi les notes en tir, bonnes, et en escrime, excellentes.

« Bien, bien », marmonne le monarque. Et s'il fait beau, le voilà qui sort dans le jardin de son palais, fait quelques pas, rêveur, avant de s'asseoir en regardant le ciel.

« Ma seule faute, confiait-il à Glubb quelques mois avant son assassinat, a été d'avoir échoué dans l'éducation de Talal. »

Hussein en héritier politique, Zaïen n'a que cette idée en tête. Non pas que, épouse indigne, la princesse veuille écarter son mari à toute force, mais elle connaît ses limites. Talal fut un jeune homme brillant, un mari aimant, un merveilleux père toujours prêt à narrer des contes à ses enfants, mais son instabilité le rend inapte à l'exercice du pouvoir.

Sur le long terme du moins, car la princesse s'est défini un calendrier bien à elle. Un an et demi de régence de Talal d'abord, où elle aidera ce mari déficient à affronter les réalités, l'accession au trône d'Hussein ensuite.

Pour cela, il faut écarter bien des ambitions. Du vivant du roi de Jordanie, le régent Abdulillah ne prêtait qu'une oreille distraite au projet d'union hachémite entre l'Irak et la Jordanie.

Depuis, son intérêt s'est éveillé mais, après avoir esquissé une tentative, il a fini par renoncer.

Le Premier ministre jordanien en exercice, Samir el-Rifaï, n'était pas du tout favorable à l'union des deux royaumes. Nayef non plus, mais pour des raisons diamétralement opposées. Il veut la régence et, plus tard, le trône peut-être. Que craindre en effet d'Hussein, ce gamin sans expérience ?

Le 25 juillet, quand Rifaï vient lui présenter la démission du cabinet en sa qualité de régent à titre temporaire, Nayef se penche vers lui.

« Mais Rifaï Pacha, pourquoi démissionner ? Nous pourrions faire alliance, tous les deux. Vous resteriez Premier ministre et, en échange, vous m'aideriez à faire valoir mes droits au trône... »

Rifaï ne goûte guère ce pain-là. Calmement, il l'explique à son interlocuteur princier :

« Modifier l'ordre de succession ne peut être une décision gouvernementale, Votre Altesse. Une telle mesure exigerait au préalable un amendement constitutionnel. »

Le démissionnaire croit deviner de la surprise, et même de la douleur, dans les yeux de Nayef. Le régent temporaire n'insiste pas. Sans enthousiasme, il désigne Abou el-Houda comme nouveau Premier ministre.

Mauvaise pioche : Houda n'a aucune sympathie particulière pour lui. Ce qu'il veut, c'est que les choses suivent leur cours constitutionnel normal.

Zaïen donne alors toute sa mesure. La princesse refuse toute issue qui spolierait Talal au profit de son demi-frère. Du coup, elle mène le jeu, court de Kirkbride à Glubb Pacha, de Glubb Pacha à Houda et, infatigable, désamorce la bombe irakienne tout en évitant les chausse-trapes de Nayef.

Le 29 juillet, neuf jours après l'assassinat du roi, le Dr Robertson, de retour d'Europe, vient informer le régent Nayef, le Premier ministre Houda, le ministre de la Santé Toutoundji, la reine Zaïen et, pour finir, Alec Kirkbride, de l'état mental de Talal.

« Il n'est pas impossible que le prince recouvre bientôt ses facultés. »

Début août, le malade apprend enfin la mort de son père. Loin de s'effondrer sous le choc, il demande qu'un émissaire vienne lui exposer la situation politique en Jordanie. Un ancien Premier ministre, Saïd el-Mufti, se tire avec doigté de cette mission délicate.

« Talal m'est apparu très sain d'esprit », rapporte-t-il.

Plus bas, il ajoute que le prince, averti des manœuvres de son demi-frère par les lettres de Zaïen, s'en méfie comme de la peste.

Déçu par des nouvelles aussi contrariantes, Nayef décide de se lancer à nouveau. Il rencontre Kirkbride.

« Ma position comme régent est fausse, attaque-t-il. Par conséquent, je ne voudrais en aucun cas porter la responsabilité de confirmer les peines de mort contre les assassins de mon père. »

Au final, le régent provisoire porte sa botte secrète : plutôt que d'assumer cette responsabilité, il préférerait démissionner, plongeant le royaume dans une crise constitutionnelle...

Quand on brandit l'arme du chantage, autant qu'elle ne soit pas émoussée. En l'occurrence, c'est le cas, car ni Kirkbride ni Houda ne bronchent. Si le régent ne veut plus être régent, libre à lui.

Zaïen jubile. De ses conciliabules avec le Premier ministre, l'ambassadeur et les médecins, émerge un plan de campagne. Le 21 août, Toutoundji et Robertson partent pour la Suisse. Quatre jours plus tard, ils en rapportent un certificat contresigné par trois psychiatres helvètes : le « cas extraordinaire de dépression mentale profonde » dont souffre Talal ne serait pas d'origine mentale, mais physique. Depuis le dernier examen par le Dr Toutoundji, l'état de santé du prince s'est d'ailleurs bien amélioré. Bref, le voilà bon pour le service...

À l'annonce de ce coup de théâtre, Nayef laisse éclater sa colère. Mais sur qui s'appuyer, désormais ? Le prince se tourne vers le colonel Madjali, écarté après l'assassinat au profit du général Cooke et qui en a conçu beaucoup de rancœur. Son régiment hachémite jouit d'une grande autonomie par rapport à Glubb Pacha. Il dispose de moyens matériels important : canons antitanks et voitures blindées.

Un putsch constitutionnel ? N'allons pas jusque-là puisque ses protagonistes, Nayef, Madjali, Ferhan el-Choubeilat, l'ancien chef du diwan royal, et l'ex-ministre Mohammed el-Choureiki ne passeront jamais à l'acte.

Le 1ᵉʳ septembre, trente-six heures avant l'opération factieuse envisagée, Glubb Pacha, qui a des yeux et des oreilles partout, la désamorce. Tandis que le 10ᵉ d'infanterie est expédié d'office en manœuvres, loin de la capitale, deux régiments mécanisés sont placés en état d'alerte, et une compagnie de fidèles Bédouins se met en position devant le Parlement.

Le 6 septembre, Talal revient de Suisse pour prendre officiellement des fonctions de régent qu'il va assurer avec des hauts et des bas sous l'affectueuse surveillance de son épouse et de l'ambassadeur Kirkbride.

Hussein, lui, part pour l'Angleterre apprendre son métier de roi, à Harrow d'abord, puis à Sandhurst.

Le 2 juillet 1953 marque un jour glorieux pour la maison Hachem.

Celle-ci compte simultanément deux nouveaux rois, puisque Fayçal II monte sur le trône à Bagdad, et Hussein Iᵉʳ à Amman...

43

Carnage au palais royal

Les colonels du Carré d'or étaient quatre. Ceux-là ne sont que deux, mais ils s'appuient sur une organisation clandestine solide qui quadrille l'armée irakienne, celle des Officiers libres.

Fils d'un menuisier né le 2 novembre 1914, le général Abd el-Karim Kassem vient du bas de l'échelle sociale. Bachelier, le jeune homme exerce d'abord comme instituteur. Mais, reçu fin 1932 au concours de l'Académie militaire, il se tourne vers le métier des armes.

Breveté de l'École de guerre en décembre 1941, Kassem trempe dans l'odyssée du Carré d'or. Sa belle conduite en Palestine pendant la guerre israélo-arabe de 1948 lui vaudra toutefois l'indulgence de ses chefs. Et, parmi ses camarades, un prestige que renforcent sa sobriété – il ne boit pas – et la modestie de son train de vie.

En 1938, Kassem fut l'instructeur d'Abd es-Salam Aref, son cadet de quatre ans et demi. Malgré la différence d'âge, les deux hommes ont commencé à se lier. Leurs origines sociales les rapprochent.

Fils d'un mercier bagdadi, Aref sort de l'Académie militaire en 1941. Mais, engagé aux côtés du Carré d'or, le sous-lieutenant frais émoulu en subit les conséquences sous la forme d'une mutation à Bassorah.

La guerre avec Israël sera l'occasion d'un renforcement de ses liens avec Kassem. Les deux camarades se retrouvent une première fois au Centre de manœuvres militaires. Puis Aref est nommé à la tête d'un bataillon de la 19e brigade, Kassem devenant son supérieur hiérarchique direct.

Au plan personnel, que de contrastes ! Aref est dur, agressif, dénué de diplomatie. Kassem, c'est le contraire : chaleureux, courtois. Mais leur amitié se nourrit d'un même dégoût envers le régime hachémite qui, inféodé à la Grande-Bretagne, n'a pas su éviter la débâcle de la guerre de Palestine.

Kassem, pourtant, est un protégé de Nouri Saïd qui, prenant sa participation à la révolte du Carré d'or pour un simple péché de jeunesse, n'a cessé de favoriser la carrière de celui qu'il surnomme affectueusement « Karroumi ».

Le Pacha se flatte de savoir tout ce qui se passe dans le pays. Mais s'il connaît par ses indicateurs l'existence des Officiers libres, organisation créée en 1952-1953 à l'imitation de leurs homologues égyptiens, il reste loin d'en pénétrer les arcanes.

Nouri sait-il, par exemple, que Kassem et Aref, Officiers libres mais tardifs, puisque leur adhésion ne date que de 1957, ont été prompts à se tailler une place de choix : le premier comme président, et le second, comme un des onze membres du comité suprême ? On peut penser qu'il a eu quelques échos de leur engagement, mais sans le prendre au sérieux...

La création des Officiers libres prend sa source dans l'ébullition d'un monde arabe mortifié par le maintien de la présence française en Algérie, et de l'influence anglaise en Irak ou en Jordanie. Et, par-dessus tout, humilié par l'échec retentissant face à Israël.

La parole y est aux militaires. En commençant par Damas, qui va connaître coup sur coup, dès 1949, trois putschs militaires.

Plus important encore, l'Égypte. Les 22 et 23 juillet 1952, les Officiers libres, dont le chef est Gamal Abd-el Nasser, l'ancien vaincu de la poche de Falloudjah, et ses camarades Abd el-Hakim Amer, Khaled Mohieddine ou Anouar el-Sadate, s'emparent du pouvoir. Ils laissent partir Farouk sur son yacht pour le remplacer par un général intègre, Mohammed Néguib.

Derrière ce paravent, Nasser émerge comme un homme d'action doué d'un charisme impressionnant. Ce formidable orateur parachève sa prise de pouvoir en évinçant Néguib sans violence, puis en se propulsant à la présidence égyptienne le 17 novembre 1954.

En Occident, les ennemis du nassérisme naissant sont la France et la Grande-Bretagne, qui exercent encore leur mainmise sur le canal de Suez. Et ici, au Moyen-Orient, Israël mais aussi les deux régimes hachémites.

L'armée égyptienne est trop faible pour affronter celle de l'État hébreu, mais elle peut toujours la harceler. Depuis la bande de Gaza, les services secrets militaires du nouveau régime lancent les premiers raids de fedayin. Dirigés contre des civils, les attentats de ces Palestiniens sous contrôle entraînent des représailles musclées de Tsahal. Assez pour faire de cette zone frontalière le siège d'une guerre larvée mais meurtrière, où l'unité 101, commandée par un jeune officier, Ariel Sharon, se met en évidence...

Même si le royaume d'Hussein se montre beaucoup moins agressif que l'Égypte, un schéma analogue se reproduit à ses frontières cisjordaniennes. C'est qu'à la faiblesse politique du « petit roi » s'ajoute l'intransigeance israélienne.

L'État hébreu, dont les services de renseignements sont efficaces, sait pourtant que, à certaines exceptions près, la Légion arabe fait ce qu'elle peut avec ses effectifs limités à dix-sept mille hommes pour plusieurs centaines de kilomètres de frontière. Quant à Hussein, peut-on lui demander de sévir contre les Palestiniens – deux tiers de ses sujets ?

Le drame de Kibiyah va témoigner de la dangereuse complexité de cette situation.

Tout commence dans la nuit du 12 au 13 octobre 1953, trois mois après l'accession au trône d'Hussein, quand un groupe d'infiltrés arabes traverse la frontière entre la Jordanie et l'État hébreu. À l'est de Tel-Aviv, une grenade est lancée à l'intérieur d'une maison juive de Yehoud. Une mère israélienne et ses deux enfants de dix-huit mois et quatre ans sont tués.

Les infiltrés venaient de Rantis, un village voisin du bourg de Kibiyah, à deux kilomètres et demi de la frontière. Le 14, la commission d'armistice jordano-israélienne condamne l'attentat, les Jordaniens votant le texte, contrairement à leur habitude. Mieux, Glubb Pacha promet que la Légion arabe arrêtera ses auteurs, et qu'ils seront déférés devant les tribunaux.

Trop tard, puisque quelques dirigeants israéliens, dont Ben Gourion, ont déjà décidé d'une riposte impitoyable. Les représailles sont confiées à « Arik » Sharon, connu pour sa brutalité.

Outre son unité 101, l'officier se voit adjoindre soixante parachutistes du bataillon 890. Dans la nuit du 14 au 15 octobre, il frappe. Tandis que les commandos chassent sans difficulté les quarante gardes nationaux mal armés qui défendaient Kibiyah, d'autres tendent une embuscade à une patrouille de la Légion arabe, alertée par les tirs, et la contraignent à se retirer.

Au matin, le bilan est facile à dresser. Pertes israéliennes, zéro. Par contraste, plus de soixante civils jordaniens, femmes et enfants en majorité, ont trouvé la mort.

« Quand nos soldats ont fait sauter les maisons, ils ignoraient que leurs habitants étaient cachés dans les caves », prétend le porte-parole israélien. Mais la plupart des victimes ont été tuées par balle ou éclats de grenade, et le drame rappelle trop celui de Deir Yacine pour laisser de marbre la rue arabe, l'opinion internationale, et même l'opinion israélienne.

La Grande-Bretagne, alliée de la Jordanie, s'émeut. Principal soutien de l'État hébreu, les États-Unis font de même.

Tandis que les dirigeants israéliens dénoncent la « duplicité des grandes puissances », de violentes manifestations éclatent en Jordanie.

« Mort à la Grande-Bretagne ! Mort aux États-Unis ! » hurle-t-on dans les rues d'Amman. Jusque sous les fenêtres de Glubb Pacha, où la foule reprend des slogans vengeurs contre ses hommes, accusés de passivité.

« À bas la Légion arabe !

— Ses chefs anglais sont complices des Juifs ! Ils se sont arrangés pour les laisser passer... »

Hussein, dont la confiance en Glubb Pacha vient d'être ébranlée, ne va pas jusqu'à offrir à la foule la tête du chef de la

Légion arabe. Mais il limoge tout de même un de ses adjoints, le général Ashton, ainsi que le commandant jordanien du secteur.

D'attentats en représailles, de représailles en embuscades, le Moyen-Orient s'achemine vers 1956, l'année terrible...

En Algérie, la guerre fait rage. Un combat qui dépasse les frontières du pays et du Maghreb pour enflammer tout le monde arabe. L'armée française se heurte aux rebelles du Front de libération nationale.

Par l'asile politique accordé au Caire à certains de ses dirigeants, comme Ahmed Ben Bella, par l'argent qu'il leur verse ou les émissions de propagande de la radio du Caire, *La Voix des Arabes*, Nasser soutient le FLN. Et, plus discrètement, par des fournitures d'armes aux bons soins de son homme de confiance en charge des missions spéciales, le major Fathi el-Dib.

Le premier bénéficiaire de la popularité du FLN, c'est le « raïs » égyptien. Mais, en la personne de Nouri Saïd, Nasser s'est trouvé un adversaire à sa mesure.

Pas d'hommes aussi différents que le Pacha et le raïs. Nasser joue la carte des pays non-alignés. En devenant une des personnalités phares de la conférence de Bandoeng le 17 avril 1955 (où, par parenthèse, on a vu resurgir le grand mufti Hadj Amine el-Husseini à la tête d'une délégation palestinienne semi-officielle), il a pris une envergure nouvelle.

Nouri, au contraire, reste plus que jamais fidèle à l'alliance britannique élargie, guerre froide oblige, aux Américains. Avec son homologue turc Menderes, l'Irakien est à l'origine du pacte de Bagdad, traité conçu contre les rebelles kurdes transformé en plan de stabilisation régionale par l'entrée du Pakistan et de l'Iran.

Signataire du pacte, la Grande-Bretagne lui apporte une touche à la fois coloniale et occidentale qui heurte de front le monde arabe.

« Nouri est un traître ! Les Hachémites sont des couards ! » clame *La Voix des Arabes* à tous les échos.

Pourtant, la montée de l'opposition en Irak, parlementaire ou autre, n'inquiète guère le Pacha. Et la Syrie voisine moins que jamais, depuis le coup d'État de février 1954 à Damas, qui a vu des militaires modérés renverser le très nationaliste colonel Adib Chichakli.

De son côté, le roi Fayçal d'Arabie, couronné après la disparition de son père le 9 novembre 1953, s'inquiète de la montée du nassérisme. Au point que Riyad accentue le rapprochement avec Bagdad et Amman, déjà esquissé du vivant d'Ibn Séoud. Le temps est loin où les wahhabites chassaient le chérif Hussein et son fils Ali du Hedjaz.

En Jordanie, l'éventualité de la signature du pacte par le roi Hussein déchaîne les passions nationalistes. Le « petit roi » veut bien adhérer à condition que Londres lui donne les moyens matériels et militaires nécessaires à la survie du régime. Mais il doit aussi compter avec son peuple.

Le 13 décembre 1955, les quatre ministres palestiniens de Cisjordanie démissionnent en bloc. Le 16, des émeutes secouent Amman pour la première fois depuis un quart de siècle.

Le 8 janvier, c'est pire. La foule tente de mettre le feu au ministère de l'Agriculture ; des hôtels, des magasins sont pillés. Désormais, il ne suffit pas que la Légion arabe se présente pour raisonner les manifestants, les soldats doivent lâcher des gaz lacrymogènes, mettre la baïonnette au canon.

Fin février 1956, Glubb Pacha, inquiet, commence à dresser une liste d'officiers nationalistes à rayer des cadres. Le roi, de son côté, médite l'arabisation totale de l'état-major de la Légion, dont il a averti ses interlocuteurs britanniques lors d'un passage à Londres.

« Sois prudent, mon fils, l'adjure la reine Zaïen. Sans les Anglais, tu seras seul face aux Juifs et à Nasser. »

Mais l'influence maternelle, prépondérante au début du règne, décroît désormais au profit de celles du cousin du roi, Zaïed ibn Chaker, et de son aide de camp, Ali Abou Nowar, plus jeunes.

Sa décision prise, Hussein agit avec promptitude. Nom de code : « opération Dunlop ». Convoqué le 1er mars par le Premier ministre Rifaï, Glubb s'entend dire :

« Sa Majesté est venue me voir ce matin et a dit qu'elle pense que le moment est venu pour vous de vous reposer.

— Qu'est-il arrivé ? Pourquoi ? s'étrangle l'officier.

— Je n'en sais rien. Le roi m'avait chargé de convoquer le cabinet ce matin. Quand les ministres ont été réunis, il est entré dans la pièce et a dit que vous deviez être révoqué. "Ce sont mes ordres, et je désire qu'ils soient immédiatement suivis" », a-t-il ajouté.

Glubb a du mal à encaisser le coup qui le frappe.

« Pouvez-vous partir dans les deux heures ? » s'enquiert le Premier ministre.

L'officier réprime un haut-le-cœur.

« Non, monsieur ! J'ai vécu ici trente-six ans. Presque tout ce que je possède sur la terre s'y trouve, à commencer par ma femme et mes enfants. »

Il arrache un délai : le lendemain, sept heures. Au matin, pendant le trajet vers l'aéroport, le chambellan lui remet une photo dédicacée d'Hussein le remerciant de ses bons et loyaux services.

Le ciel d'Amman est encore parsemé de nuages, le sol est couvert de flaques d'eau. Avant de monter dans l'avion derrière sa femme et ses enfants, Glubb serre la main du ministre de la Défense et de Charles Duke, l'ambassadeur anglais.

Les Lawrence d'Arabie et consorts, c'est bien fini. Un Moyen-Orient nouveau est en train de naître...

Le 26 juillet 1956, le président Nasser nationalise le canal de Suez.

Comme prévu par ce maître de la communication, la rue arabe approuve, tandis que la Grande-Bretagne et la France s'insurgent.

Pour la presse d'outre-Manche, Nasser devient le « Hitler du Nil ». Cette analyse simpliste, les dirigeants anglais ne sont pas loin de la partager. Ils commencent à envisager une expédition militaire pour reconquérir le canal.

Qu'en disent leurs homologues français ? Eux aussi sont pour. Leur postulat : le FLN ne tiendrait que grâce à Nasser ; une offensive déterminée peut renverser son régime, donc faire gagner en quelques jours la guerre d'Algérie !

Le président du Conseil Guy Mollet et son gouvernement éprouvent par ailleurs une telle fascination pour Israël qu'un émissaire de Ben Gourion, le futur Président de l'État hébreu Shimon Peres, peut se déplacer à sa guise dans les ministères parisiens, celui de la Défense nationale inclus.

Tel-Aviv, qui préparait pour son propre compte une offensive contre l'Égypte, voit tout de suite l'intérêt de se greffer sur le plan d'attaque français. Le hic, c'est que la Grande-Bretagne, alliée de l'Irak et de la Jordanie, ne saurait devenir en même temps celle d'Israël. Puisque Britanniques et Israéliens ne peuvent se parler, il revient donc aux Français de jouer les intermédiaires. Mais ce qui inquiète Paris, c'est la lenteur opérationnelle du plan britannique. Londres, en effet, ne conçoit l'expédition d'Égypte que comme un retour en majesté, avec navires de fort tonnage, canons de marine et fanfares militaires. Israéliens et Français, eux, misent tout sur la vitesse.

On perd beaucoup de temps à faire des compromis militaires, moins à se préoccuper de l'environnement international. Or les Américains sont tout à fait contre l'opération. Et les Soviétiques, qui soutiennent de Nasser, n'en parlons pas.

Pour faire diversion et contraindre Hussein à la prudence pendant qu'Israël attaquera l'Égypte, Tsahal lance une série de raids de représailles en Jordanie. Le 10 octobre, Sharon mène l'attaque contre le poste de police de Kalkilyah. La Légion arabe riposte. Elle perd quatre-vingt-huit hommes, mais inflige des pertes sérieuses à l'adversaire : vingt-sept tués.

Pendant ce temps, on peaufine les plans d'attaques combinées contre l'Égypte. Le 29 octobre, des F-84 français atterrissent à Lod, aussitôt maquillés en « appareils de l'armée israélienne ». Les pilotes aussi « changent » de nationalité. Dans la nuit, des paras israéliens, authentiques ceux-là, sont largués près de la passe de Mitla. L'assaut terrestre sur le Sinaï commence le lendemain.

Le même jour, Paris et Londres lancent un ultimatum à Nasser, lui enjoignant de retirer ses troupes à dix kilomètres du canal, faute de quoi leurs armées occuperont la voie d'eau. Bien entendu, le raïs refuse.

Dans la nuit du 31 octobre, la flotte aérienne embarquée sur trois porte-avions britanniques ou partant des bases de la RAF à Chypre commencent à pilonner l'Égypte. Le 1ᵉʳ novembre au soir, l'aviation nassérienne est complètement détruite.

Pour Israël, la guerre de cent heures s'achève sur une victoire éclatante. Toutefois, soucieuse de ne pas faire apparaître l'alliance franco-anglaise comme un complice de l'État hébreu, la diplomatie britannique impose un « intervalle décent » avant de porter l'attaque. Or les chancelleries sont déjà en alerte, l'œil fixé sur l'Égypte.

« Pressons », supplient en vain les Français. On leur rétorque que le plan établi une fois pour toutes, la Grande-Bretagne n'a pas l'intention de revenir en Égypte comme une force militaire fébrile, mais comme une puissance sûre d'elle. Question d'image...

Le 5, vers sept heures du matin, les premiers paras sont largués sur Port-Saïd. Ils ne rencontrent aucune résistance sérieuse. Moscou et Washington nouent alors une alliance de circonstance pour faire cesser les combats.

La guerre franco-anglaise d'Égypte est en passe de devenir la plus courte de l'histoire. Les Français ont beau insister, Londres craque et Paris suit, bien obligé.

Quarante-huit heures après leur victoire sans surprise sur le terrain, les militaires des deux pays rembarquent, la rage au cœur. Pour la Grande-Bretagne, l'opération se mue en crépuscule sans gloire des dieux coloniaux. Pour les Français, c'est encore pire : les voilà enfermés dans le bourbier algérien.

Nasser a gagné. Transformant son effondrement militaire en succès politique, le magicien du verbe parvient à convaincre le monde arabe que c'est lui, et lui seul, le raïs, qui a contraint les agresseurs à repartir la queue entre les jambes. Il renaît de ses cendres, plus menaçant que jamais pour les régimes pro-occidentaux...

Même s'il doit parfois composer avec le roi Fayçal II, personnalité sans grand relief, ou avec l'ex-régent Abdulillah, Nouri Saïd est devenu le véritable maître de l'Irak.

De sa maison du bord du Tigre, cet homme de presque soixante-dix ans, de plus en plus replet, dirige le pays d'une poigne de fer. Le gant, lui, est de velours. Souriant, amical, d'une ponctualité toute militaire, le Pacha ouvre lui-même la porte à ses visiteurs.

Cette extrême courtoisie cache un fond de cynisme alimenté par quatre décennies d'expérience. Le Pacha en a vu, des trahisons, des retournements, des capitulations. De quoi tuer en lui toute indulgence envers l'espèce humaine.

Croit-il encore au grand rêve hachémite ? Non, sans doute, même s'il reste, à sa manière, un nationaliste arabe modéré, convaincu que l'alliance avec l'Occident constitue la seule voie raisonnable.

Nouri Saïd entretient les meilleures relations du monde avec l'ambassadeur des États-Unis. Mais, bien entendu, Waldemar Gallman n'a rien à connaître des méthodes qui permettent au régime de durer. Pendant que les dames de la bonne société bagdadi papotent dans les grands magasins, qu'elles dansent avec leurs compagnons dans les restaurants de luxe, qu'elles s'extasient à l'École des beaux-arts devant les peintures du roi Fayçal, le peuple des campagnes et des villes, pauvre, se sent méconnu, humilié. Les intellectuels grognent, les militaires conspirent, à l'image de ces Officiers libres puisant leur inspiration, mais aussi leurs finances et force conseils en technique insurrectionnelle, au Caire.

Seul moyen de protéger le régime de cette contestation multiforme : les polices secrètes. Nouri Saïd en dirige personnellement plusieurs. La nuit, tel ou tel opposant, tel ou tel syndicaliste disparaît. Nul ne sait ce qu'il advient de lui, sauf quand il regagne son foyer, brisé et muet.

Les communistes, atrocement torturés, et les nationalistes du parti Baas, à peine moins, constituent des cibles privilégiées. Une répression massive qui ne suffit pas à masquer la réalité : le régime hachémite de Bagdad n'a jamais réussi à plonger ses racines dans les profondeurs du peuple.

Nouri ne peut ignorer que plusieurs coups militaires sont en préparation. Mais, en cette année 1958, il n'a décidé aucune purge. L'armée, c'est « sa » chose, et, malgré le contre-exemple du Carré d'or, impossible d'imaginer qu'elle puisse prendre le chemin de la rébellion.

Nous sommes à Bagdad, allons ! En Égypte, oui. En Jordanie, d'accord. Le 13 avril 1957, plein d'ingratitude, le jeune général Ali Abou Nowar, chef d'état-major après l'éviction de Glubb, a bien tenté de renverser le « petit roi », se heurtant à la fidélité d'acier des Bédouins de la Légion arabe.

Mais ici, à Bagdad, pas de danger, heureusement. Les têtes qu'il fallait trancher, le Pacha les a coupées, et les comploteurs ne sont qu'une bande de velléitaires. Comme ce pauvre Kassem, à qui il a lancé, superbe, voici quelques jours : « Alors Karroumi, il paraît que tu conspires contre moi ? »

Décontenancé, le commandant de la 19e brigade n'a pas pipé mot. Encore un qui restera tranquille.

Comment Nouri pourrait-il deviner que le propre chef de sa garde personnelle, Wasfi Taher, fait désormais allégeance aux Officiers libres ? Et pourquoi ne remarque-t-il pas à quel point le contexte international est favorable à un coup de force de son armée ?

Le 1er février 1958, l'Égypte et la Syrie claironnent leur fusion sous le nom de République arabe unie, la RAU. Le 14, les deux régimes hachémites ripostent par la création de l'Union arabe, qui lie leurs destins et dont Nouri Saïd sera nommé Premier ministre le 13 mai. Au Liban, la décision du président Chamoun d'accepter la main tendue par son homologue américain Eisenhower déclenche la colère du Front d'union nationale, soutenu par Nasser, et la guerre civile embryonnaire qui ensanglante les rues de Beyrouth.

Les services nassériens tentent alors de coordonner les conjurés militaires des deux capitales en vue du basculement simultané d'Amman et de Bagdad, avec adhésion à la RAU.

Dirigés par un organe exécutif de douze officiers, dont le colonel Radi Abdallah, un habitué du palais royal, les putschistes d'Amman ont l'intention d'assassiner Hussein. Prévu pour le 14 juillet, leur coup de force est reporté au 17.

De leur côté, se souvenant de leurs prédécesseurs du Carré d'or qui avaient laissé filer le régent Abdulillah et le Pacha, Kassem et Aref, réunis le 11 juillet avec un troisième comploteur, le colonel Abd el-Latif el-Daragi, ont décidé de trancher d'un seul coup les trois têtes de la monarchie : le roi, l'ex-régent et Nouri Saïd.

Mais à Amman, la sécurité veille. Un cadet du 4ᵉ régiment blindé, Ahmed Youssef el-Hirayi, avoue qu'il devait lancer des grenades sur la tribune officielle lors d'une cérémonie.

« Un coup d'État impliquant des officiers irakiens et la RAU est programmé le 14 à Bagdad », complète-t-il.

Hussein décroche son téléphone pour prévenir Fayçal. L'information précipite divers mouvements de troupes irakiennes vers le Liban et la Jordanie prévus par l'état-major dans le contexte international tendu. Et, du même coup, favorise les projets des factieux. Acquise au coup de force, la 20ᵉ brigade doit, en particulier, traverser Bagdad, dans le cadre de son affectation à la frontière du royaume hachémite voisin.

Quant à Nouri Saïd, en déplacement à Londres, on sait que, le 14 au matin, il doit quitter Bagdad en avion avec Abdulillah et Fayçal pour Istanbul.

« Ils seront là tous les trois, nous les tenons ! » jubilent Kassem et Aref.

Le 14 juillet, au petit matin, le 1ᵉʳ bataillon, celui de Daragi, occupe sans coup férir le ministère de la Défense. Simultanément, le 2ᵉ bataillon prend position face à El Bilat, où est installée l'administration royale.

Renforcée par un petit convoi de camions militaires, une simple compagnie bloque le palais royal d'El Rihab.

Pendant ce temps-là, la 19ᵉ brigade de Kassem fait, comme prévu, mouvement vers la capitale pour en achever la prise de contrôle.

Seul accroc au programme mais de taille : chargé de s'assurer de la personne de Nouri Saïd, le 3ᵉ bataillon, celui d'Aref, échoue. Le chef de la garde du Premier ministre, Wasfi Taher, qui devait guider une compagnie entière vers l'objectif a-t-il eu peur d'aller jusqu'au bout de sa trahison ? La boulangère du Pacha a-t-elle prévenu son client des mouvements de troupes en cours, comme on le dira ? Seule certitude : quand les soldats se présentent à cinq heures trente, le Premier ministre a déjà filé en pyjama, armé de son pistolet d'ordonnance.

Personne ne dira qu'un homme comme lui, un des vainqueurs de Damas en 1918, se rendra sans lutter. Après avoir traversé le Tigre à bord d'une navette, tenté en vain d'atteindre l'ambassade de Grande-Bretagne, le Pacha vient trouver refuge tout près de chez lui, dans la maison de son ami le Dr Bassam.

Devant le palais royal, la situation est confuse. Une percée immédiate de la garde royale, supérieure en nombre, aurait toutes les chances d'aboutir, mais personne n'ose en donner l'ordre. En pyjama, l'ex-régent et le roi arpentent les couloirs. Leur obsession, rassurer les femmes du clan : Nefissa, la mère d'Abdulillah, Abdia, sa sœur, et Hiyam, son épouse. Ils les installent au rez-de-chaussée, dans l'appartement de Nefissa.

Dehors, on s'impatiente. Trois rafales de mitrailleuse sont tirées, des balles détruisent la fenêtre de la chambre du régent. Mais le barrage des putschistes, loin d'être hermétique, ne parvient pas à empêcher Taha el-Barmani, le commandant de la garde royale, de s'engouffrer dans le bâtiment. Il rend compte au régent :

« Dès que vous m'avez averti, j'ai tenté de contacter le ministère de la Défense, ainsi que Nouri Pacha. Rien, leurs lignes téléphoniques sont coupées. Les mutins à l'extérieur ne sont pas nombreux. On pourrait les bousculer...

— Pas question, nous devons éviter l'effusion de sang. Allez parlementer... »

Avec des mutins ! Barmani roule de grande yeux mais, discipliné, s'exécute.

Abdulillah mise à l'évidence sur une solution à l'égyptienne, quand Nasser et ses camarades ont laissé partir indemne le roi Farouk.

« La radio ! » crie quelqu'un.

Aref vient d'y lire la proclamation numéro un de la junte. Il est question de fin de la monarchie, de naissance d'une république, de soulèvement du peuple.

« Ils disent que la famille royale a été tuée. Qu'est-ce que ça signifie ? s'inquiète-t-on.

— Une mauvaise plaisanterie... »

Le roi Fayçal en est tellement persuadé qu'il décroche le téléphone pour appeler sa tante, la princesse Badia, qui vit dans un autre quartier de la ville avec son mari et ses enfants.

« Sois prudent, Fayçal, je ne crois pas qu'il s'agisse d'une blague. »

L'ambassade de Grande-Bretagne a failli brûler et la statue du général Maude, conquérant de Bagdad face aux Turcs en 1917, vient d'être déboulonnée. La radio commence à diffuser des communiqués militaires. De temps à autre, on passe *La Marseillaise*, chant révolutionnaire par excellence à l'époque. C'est vrai que nous sommes le 14 juillet...

Le téléphone sonne. Au bout du fil, Naïma, la femme de Nouri Pacha.

« Fuyez, ils vont vous massacrer ! »

Dehors, les putschistes, de plus en plus nombreux, ne sont plus seuls. Ameutée par la radio et par les militants baassistes et communistes, avertis du coup de force depuis quelques heures, la foule ne cesse de grossir. On hurle des insultes, on brandit le poing en direction du palais. Et quand ce n'est pas le poing, ce sont des couteaux, des pierres, des marteaux, des ciseaux, des masses.

« Gardez votre sang-froid et préparez-vous à passer à l'action », ordonne Barmani, qui vient de rentrer bredouille de sa tentative de négociation, à la garde royale. Bien que les insurgés exigent une capitulation totale, il désigne à tout hasard un de ses adjoints, le capitaine Saleh, pour continuer les pourparlers.

Fayçal en plein désarroi, c'est Abdulillah qui mène les opérations – ou plutôt le manque d'opérations puisque l'ancien régent s'obstine à refuser toute riposte aux tirs rebelles.

« L'encerclement du palais n'est pas complet ; on peut encore prendre la fuite en voiture, propose un chauffeur.

— Ne faisons pas n'importe quoi, bredouille Abdulillah. Les dames sont bien réfugiées dans les caves ? Il ne faudrait surtout pas que l'une d'entre elles soit blessée... »

Rallié au coup de force avec ses hommes, le capitaine Abd el-Star el-Obousi, qui dirigeait un stage d'instruction au tir pour jeunes recrues au camp militaire voisin de Wasas, offre son appui aux assiégeants. On l'accepte avec enthousiasme.

« Sortez les armes et les munitions du dépôt », ordonne le nouveau venu.

Lui-même se munit d'un bazooka.

« Qu'est-ce qu'on attend ? Il faut passer à l'attaque. »

S'abritant de leur mieux derrière les arbres, des officiers, des soldats le suivent à travers le jardin du palais.

Obousi vise, tire un premier projectile, un deuxième, un troisième. La porte principale et la salle de garde sont atteintes. Un incendie se déclare. Nul n'esquisse le moindre geste pour l'éteindre : c'est comme si l'apathie d'Abdulillah et la prostration de Fayçal avaient gagné toute la garde.

« Saleh n'est toujours pas revenu ? » s'enquiert Barmani.

Non. Le régent grimpe dans sa chambre, brave les flammes, ouvre son coffre-fort, prend quelques objets de valeur et redescend au rez-de-chaussée.

« J'ai besoin de volontaires pour inspecter les alentours, demande-t-il. Discutez avec les rebelles mais pas un coup de feu. »

Le capitaine Tabet Younès lève la main. Il sort dans le jardin, marche au-devant des putschistes.

« Le roi et le régent ne sont pas au palais, ment-il. Il n'y a que des femmes et des enfants. Que l'un d'entre vous m'accompagne, nous pourrons discuter à l'intérieur.

— Les Officiers libres n'obéissent qu'à leurs chefs. Et leurs chefs disent : capitulation sans condition. »

Un dialogue de sourds. Pendant ce temps, Fayçal rédige le texte de son abdication, qu'Abdulillah plie avec soin dans sa poche.

Dehors, la foule hurle de plus belle. Un grand portrait de Nasser apparaît. Des tanks aussi, c'est effrayant.

Younès est revenu. La famille royale quitte la cave et se réfugie dans la cuisine.

« Annonçons publiquement que Sa Majesté abdique, décide le régent. La famille royale obtiendra un sauf-conduit. Dites aux militaires que nous sommes prêts à signer un document interdisant tout retour au pays... »

Le syndrome Farouk, encore. Mais l'ombre des colonels du Carré d'or plane sur Bagdad : Kassem, Aref et Daragi ont déjà voté la mort.

« Vous n'avez rien à craindre, assure le régent aux autres membres de la famille royale. Si quelqu'un doit payer les pots cassés, ce sera seulement moi. »

Sans doute a-t-il enfin compris. Se tournant vers Fayçal.

« Voilà pourquoi j'ai sollicité votre abdication, Sire. Vous devez absolument sauver votre vie… »

Barmani fait déposer toutes les armes de la garde dans une pièce. Younès sort une nouvelle fois parlementer avec les révolutionnaires.

« Nous allons sortir. Je vous en prie, épargnez les femmes et les enfants. »

Quelques minutes avant huit heures, Fayçal et Abduillah sortent les premiers, brandissant leurs mouchoirs en signe de reddition. La mère du régent tente de couvrir son fils d'un exemplaire du Coran. Viennent ensuite les princesses Abidiya et Hiyam, et leurs serviteurs. Younès ferme la marche.

Mains en l'air, le petit groupe traverse le jardin. Le capitaine Obousi, qui est entré dans le palais par l'arrière, prend position dans leur dos, un pistolet-mitrailleur à la main.

Les jambes écartées, il ouvre le feu. Vingt-huit balles pour faucher la famille royale. Fayçal, la reine Nefissa, Abdulillah et la princesse Abidiya meurent sur le coup. Blessée à l'épaule, Hiyam, l'épouse du régent, se traîne jusqu'à la salle de garde, aidée par un soldat. Transportée à l'hôpital, elle survivra. Pas le capitaine Younès, atteint au poumon et qui crache déjà un sang rosâtre…

Le drame consommé, un camion militaire pénètre dans le jardin où la foule danse de joie. Un cordon de soldats protège les officiers qui trient les cadavres. Ceux du roi et du régent sont juchés sur une Jeep.

Le convoi s'ébranle, mais, dans les rues noires de monde, il doit rouler au ralenti.

« C'est Fayçal, c'est Abdulillah ! » crie-t-on. La foule bloque la Jeep.

« Donnez-les-nous ! » hurlent les plus excités. Craignant pour leur peau, les deux officiers livrent en pâture le cadavre du régent. Il est jeté au sol, couvert de crachats, de coups de pied, de coups de bâton.

La Jeep redémarre avec le cadavre de Fayçal sans demander son reste. L'hystérie s'empare de la rue. On dénude le régent. Une corde est attachée autour de son cou, une autre autour de sa poitrine. Des anonymes le traînent ainsi jusqu'à l'hôtel Karh. On l'attache à un balcon. Les couteaux jaillissent. On le larde de coups, on lui crève les yeux, on lui coupe le sexe qui passe de l'un à l'autre en signe de « victoire », les mains, les bras, les jambes.

« Au ministère de la Défense, c'est là que ce porc a fait pendre les colonels ! crie un inconnu.

— À la Défense ! » reprend la foule.

Vingt minutes plus tard, elle s'arrête devant le ministère, qu'occupent les soldats putschistes.

« Vous voulez une corde ? La voici ! » clame une vieille femme.

Le tronc sanglant est hissé, pendu à nouveau sous les huées. Quelques minutes plus tard, on le décroche, mais l'horreur continue. Toute la journée, les restes d'Abdulillah seront promenés dans les rues. Le soir, on les arrose d'essence et on les brûle, avant de les jeter dans le Tigre.

Arrivé dans la capitale vers midi à la tête de sa brigade, Kassem n'a pas fait un geste pour mettre fin à la sinistre procession. Sans doute la désapprouve-t-il, mais pas au point de prendre le risque d'un geste impopulaire.

En quelques heures, les conjurés ont détruit le pan le plus important de la maison Hachem. Seul rescapé des quatre fils du chérif Hussein, le prince Zaïed ne doit sa survie qu'à ses fonctions d'ambassadeur d'Irak en Grande-Bretagne. Au moment du massacre, le dernier des quatre frères de la thawra se trouvait à Londres avec son épouse, la princesse Fahrenissa...

Nouri Saïd court toujours. Et si ce diable d'homme parvenait une fois encore à retourner la situation ? Le Premier ministre a passé la matinée chez son ami le Dr Bassam, penché sur la radio. La lutte n'est plus pour le pouvoir, il l'a compris, mais pour la survie.

D'abord, quitter ce quartier trop proche de son domicile, et cette maison qui risque d'avoir été signalée aux putschistes. Kazimain reste un sanctuaire chiite ou, par tradition, les policiers trouvent toujours bouche cousue. Prenant son courage à deux mains, le Pacha se rend à la demeure des Isterabadi dont il connaît bien Mahmoud, le chef de famille, et son épouse.

Jusqu'au 15 juillet à midi, la famille abrite le dirigeant déchu, dont la tête est mise à prix dix mille dinars. Mais craint-il de les compromettre ? Voit-il enfin une issue ? le Pacha décide de traverser la ville pour se rendre chez Mohammed Ouraïbi, un des cheiks d'Amara, qui habite vers la porte de l'Est. De là, il pourrait sortir de Bagdad, gagner l'Iran, reprendre le combat…

Mme Isterabadi et une servante l'accompagnent. Le fugitif porte une longue robe de femme, il abrite son visage derrière un voile. Le trajet en taxi se passe bien. Nouri commet alors sa première erreur, frappant à la porte d'un autre proche.

« Hassam Gafar est-il là ? »

Non, mais son fils, apeuré, téléphone au ministère de la Défense pour signaler le passage du Premier ministre.

« Vous étiez son garde du corps, vous le connaissez bien. Prenez une escouade et partez immédiatement pour Bab el-Chargui », ordonne Kassem à Wasfi Taher.

Le Pacha, qui connaît mal sa propre capitale, a du mal à retrouver son chemin.

« Par ici ! Par là ! » répondent les femmes du quartier à Mme Isterabadi. Perdu, le trio tourne en rond. Les passants commencent à lui trouver une allure bizarre.

« Pressons le pas », souffle Nouri Saïd.

Du même coup, il se trahit. Marchant trop vite, les mouvements de la robe dévoilent ses chaussures d'homme.

« Il est déguisé ! » s'amusent les gamins du quartier. Des adultes s'alarment. L'un d'eux stoppe une Jeep de la police qui passait.

« Il y a un drôle de type… »

Tuant net Mme Isterabadi, le sous-officier tire au pistolet-mitrailleur sur le trio qui décampe. Nouri Saïd, blessé par la rafale, sort son pistolet, le retourne contre lui et presse la détente. Attiré par les détonations, Wasfi Taher achève son ancien chef d'une courte rafale qui lui déchiquette le visage.

Une heure de l'après-midi : on charge le cadavre sur une Jeep, direction le ministère de la Défense, où Kassem et Aref pourront constater la mort de leur ennemi.

Inquiet, l'Occident réagit. Cinq mille marines américains débarquent au Liban ; deux bataillons de « diables rouges », les paras anglais, à Amman.

Une monarchie hachémite, celle d'Irak, est tombée. Les jours de celle de Jordanie, ultime vestige de la saga des Béni Hachem, semblent comptés…

ÉPILOGUE

Voici quatre-vingts ans, le 6 février 1919, son arrière-grand-oncle, le prince Fayçal, se préparait à exposer les revendications arabes à la conférence de la paix de Paris. Et aujourd'hui, à l'aube du XXIᵉ siècle, Hussein Iᵉʳ se meurt d'un cancer.

Alors qu'on avait fini par le croire éternel, avec son sourire juvénile et sa détermination sans faille, le peuple de Jordanie l'aura vu plier non sous le poids des ans mais sous celui de la maladie, yeux épuisés, cheveux ras, silhouette amaigrie.

Se sachant condamné, le monarque, en traitement à la clinique Mayo de New York, a voulu rentrer mourir parmi les siens. Maintenant, au centre médical d'Amman, il agonise, tandis qu'à l'extérieur, des milliers de Jordaniens attendent sous un ciel lourd d'averses.

À quoi pense-t-il alors que la vie s'enfuit peu à peu ? Aux trois villes saintes perdues par la maison Hachem, sans doute, descente aux enfers après les rêves immenses de la thawra. À lui qui va rejoindre ses ancêtres, l'âme en paix, après avoir écarté finalement du trône son frère Hassan et désigné son fils, Abdallah.

Hussein aura vécu chaque instant sur le fil du rasoir. Et jusqu'au bout des ongles, il sera resté un Hachémite, courage physique et orgueil de la lignée familiale inclus. Un témoin au sens où la géographie parle de buttes-témoins, un survivant, un revenant.

En 1958, on le croyait promis au même destin que son infortuné cousin, Fayçal II. Mais sa trempe était tout autre. Hussein apprend-il par un officier loyal qu'un complot se trame contre lui, le voilà qui fonce à Zarka, quartier général de la rébellion. Sur la route, des officiers l'arrêtent, pistolets-mitrailleurs braqués. Le jeune monarque saute du véhicule et, pour se faire reconnaître, crie :

« Je suis Hussein, je suis sain et sauf, ma vie est à vous, tout va bien. »

On peut éprouver de la compassion pour le roi d'Irak assassiné, mais seule la crânerie d'Hussein inspire le respect.

Fou de sports mécaniques, le jeune roi aime piloter le vieux De Havilland à hélices qui appartenait à son grand-père. Un jour d'octobre 1958, deux MiG syriens supersoniques le prennent en chasse. Loin de perdre son sang-froid – pensez à Fayçal errant, désemparés, dans les couloirs de son palais –, il manœuvre, essuie des tirs, parvient à s'échapper.

L'attentat était signé par la République arabe unie, donc Nasser. Trois ans plus tard, la RAU éclate sur l'écueil prévisible des antagonismes nationaux, pas la Jordanie…

Hussein, lui, ose ce qu'Abdallah avait à peine esquissé : l'intégration des Palestiniens au sommet de son armée. Ce n'est plus la Légion arabe, redoutable en son temps mais marquée au sceau du tribalisme, c'est un embryon d'armée nationale.

Elle n'empêche pas les manifestations d'avril 1963, encouragées par la campagne antihachémite de l'Égypte et de la Syrie. Mais, en novembre 1966, quand le chef d'état-major de Tsahal, Yitzhak Rabin, lance une expédition punitive contre Samoa, village jordanien de quatre mille âmes, l'armée du « petit roi » se bat, au prix de vingt et un blessés et de trente-sept tués.

Cette résistance acharnée n'empêche pas les organisations palestiniennes de Cisjordanie, les baassistes, et les communistes, de se lancer dans de violentes manifestations contre le régime avec la bruyante approbation de *La Voix des Arabes*. L'ordre est rétabli dès le 27 novembre. Une fois encore, Hussein semble en sursis.

En mars 1967, l'État hébreu et la Syrie sont au bord du conflit armé.

« Lançons une attaque préventive », propose l'état-major de Tsahal, toujours dirigé par Rabin.

Le 16 mai, Nasser demande au secrétaire général de l'ONU, U Thant, de retirer les Casques bleus postés en Égypte depuis la guerre de 1956. Un bluff qui tourne mal quand U Thant s'exécute sans délai.

Sauf à perdre la face, le raïs doit réoccuper les emplacements des soldats de l'ONU. Y compris Charm el-Cheikh, qui ferme le détroit de Tiran, seul accès à la mer Rouge de la Jordanie, par Akaba et d'Israël, par Eilat.

De peur d'être dénoncé comme conciliateur, le crime suprême, Nasser proclame, dans la nuit du 22 au 23 mai, qu'il va bloquer toute circulation maritime israélienne dans le golfe.

Quoi qu'en pense le raïs, la guerre devient inévitable. Hussein commet alors la plus grave erreur de son règne. Au lieu de se tenir à l'écart du conflit, comme en 1956, il revêt son uniforme, prend les commandes de sa Caravelle personnelle et, le 30 mai, gagne la base aérienne d'El Maza, près du Caire. Là, Nasser et lui signent un traité d'alliance calqué, au mot près, sur celui de l'Égypte avec la Syrie.

Le 5 juin, Israël lance ses forces aériennes à l'assaut de leurs homologues égyptiennes. La surprise est totale, les appareils détruits au sol.

Hussein pourrait encore se retirer mais, intoxiqué par les mensonges des Égyptiens, qui prétendaient avoir abattu les trois quarts de l'aviation israélienne, il a déjà lancé ses hommes à l'assaut du mont Scopus, enclave juive dans la partie arabe de Jérusalem depuis les combats de 1948.

N'ayant plus de raison de temporiser, Tsahal attaque la Cisjordanie. L'armée royale résiste. Elle va compter six mille morts au combat, presque le dixième de ses effectifs. Et, pour la première fois, les Israéliens tenteront de tuer Hussein, par un raid aérien sur le palais royal. Deux chasseurs Mystère se détachent d'une escadrille portant les couleurs de l'État hébreu. L'un est abattu par la DCA, l'autre lance des roquettes, puis mitraille avec une précision hallucinante le bureau du roi. Hussein s'en sort indemne. Il était à son poste loin de là, au quartier général...

La Cisjordanie tombe tout entière entre les mains israéliennes – les fameux « territoires occupés » qui vont faire la une de l'actualité pendant les décennies suivantes. Et si le royaume perd la moitié de sa population, l'État hébreu, lui, récupère la totalité de Jérusalem. Les soldats juifs se ruent pour embrasser le mur des Lamentations.

Dieu l'a voulu ainsi. D'autres s'effondreraient, pas Hussein. Et pas Nasser qui, devant les manifestations de sympathie de ses compatriotes, reprend sa démission.

Écœurés par l'inefficacité des États arabes, les jeunes Palestiniens, eux, commencent à se tourner vers les mouvements nationalistes armés, dont le plus important n'est autre que le Fatah de Yasser Arafat.

L'ancien officier de renseignements de la Société de la guerre sainte, pendant la guerre de 1948, est en train de gagner en épaisseur politique. Mais ses relations avec le trône de Jordanie ne sont pas des meilleures. S'il les juge légitimes, Hussein désapprouve les actions des commandos palestiniens, qui n'aboutissent qu'à des représailles israéliennes.

À trente-deux ans, et malgré le revers de la guerre des Six Jours, le monarque a conservé toute sa pugnacité. Le 21 mars 1968, les Israéliens lancent une opération d'envergure sur le village de Karameh qui, proche de la frontière côté jordanien, sert de base aux commandos d'Arafat. Loin de faire le gros dos, Hussein jette son armée dans la bataille. Jordaniens et Palestiniens combattent alors l'ennemi coude à coude et, sans le défaire, accélèrent son repli.

Tsahal compte vingt et un tués dans l'affrontement, contre quatre-vingt douze fedayin et soixante et un soldats hachémites. Mais c'est Arafat qui tire les marrons du feu meurtrier. Proclamant urbi et orbi que les commandos du Fatah, seuls, auraient battu l'agresseur israélien, il gagne haut la main la bataille psychologique...

Les groupes armés palestiniens sont devenus un État dans l'État. Plusieurs États, même, puisque de surenchère gauchiste en surenchère marxiste, le Fatah se voit concurrencé par le

Front populaire pour la libération de la Palestine, le FPLP* de Georges Habache, et par le Front démocratique de Nayef Hawatmeh, le FDPLP*.

Président de l'OLP depuis février 1969, Arafat s'est fait diplomate, sa vraie nature plus que celle de combattant. Ses partisans eux-mêmes s'en émeuvent. Là où le chef de l'OLP ne cherchait qu'une guerre à fleurets mouchetés avec le trône, ceux des deux fronts veulent renverser Hussein.

Fin août, des combats opposent l'armée aux fedayin, qui contrôlent une grande partie d'Amman. Le 6 septembre 1970, le chef des « opérations spéciales » du FPLP, Waddi Haddad, détourne trois appareils qu'il fait atterrir sur un aéroport désaffecté près de Zarka, en Jordanie. Leurs passagers de sexe masculin sont gardés en otages. Débordant le Fatah, toujours conciliant, les frères ennemis FPLP et FDPLP lancent alors une grève générale et appellent à la constitution d'un « pouvoir national ».

Pour le roi, c'est un camouflet venant après tant d'autres. En février, les Palestiniens l'ont contraint à changer de Premier ministre et, en juin, à limoger Nasser Ben Djamel, le chef d'état-major de l'armée, et Zaïed Ben Chaker, son propre cousin, commandant de la 3ᵉ division. Et puis, il y a eu ces attentats contre sa personne, deux en trois mois, le dernier en date du 1ᵉʳ septembre, près d'un barrage routier tenu par des membres du FDPLP.

Ce jour-là, il a senti le vent du boulet. Et cet autre aussi, quand un escadron défile, des soutiens-gorge accrochés aux antennes des blindés. Message sans ambiguïté : si le roi veut que nous agissions en femmes, autant s'habiller comme elles. Pour les Bédouins, la pire des insultes…

Le roi rassemble ses fidèles, à commencer par le cousin Chaker et le confident de prédilection, Wasfi el-Tell. Le 16 septembre, il désigne le général de brigade Mohammed Daoud pour présider un gouvernement militaire. Derrière ce paravent qui présente l'avantage de ses origines palestiniennes, le roi, Chaker et Tell mènent le jeu.

Le 17, une brigade blindée pénètre dans Amman. Elle commence à bombarder les camps de réfugiés, fiefs des fedayin.

D'autres troupes affluent, les combats s'intensifient. Le Fatah n'est pas épargné et les populations civiles, encore moins. On se tue de maison en maison.

Semaine rouge pour le royaume, septembre noir pour les Palestiniens : l'armée d'Hussein l'emporte au prix de trois mille morts…

Quelques jours plus tard, le 18 octobre, son arrière-grand-oncle Zaïed, dernier rescapé des quatre frères de la thawra, meurt à Paris. Une page se tourne.

Mise au piquet par le monde arabe, qui, sauf la Syrie, n'a pas bougé le petit doigt pour aider l'OLP, la Jordanie semble plus isolée que jamais. À Damas, la direction du Fatah décide la création d'une aile terroriste secrète baptisée Septembre noir, en souvenir du désastre subi face à l'armée jordanienne.

Comme si l'on n'en finissait jamais avec les séquelles de la guerre de 1948, son chef, Hassan Salameh, est le fils d'Ali Hassan Salameh, successeur en son temps du neveu du grand mufti à la tête de la Société de la guerre sainte.

Le 28 novembre 1971, Septembre noir passe pour la première fois à l'action. Deux clandestins abattent Wasfi el-Tell, le Premier ministre du roi Hussein, devant l'entrée de l'hôtel Sheraton du Caire. Beaucoup d'attentats suivront. La route mène aux jeux Olympiques de Munich…

Hussein n'a jamais coupé les ponts avec Israël. En 1973, il rencontre secrètement Golda Meir, l'interlocutrice de son grand-père, devenue Premier ministre.

« Sadate et les Syriens s'apprêtent à vous attaquer », révèle-t-il. La dame de fer croit à de l'intox. Elle a tort : la guerre du Kippour met Israël au bord du gouffre…

Le 4 juillet 1974, le grand mufti de Jérusalem meurt d'une attaque cardiaque à Beyrouth. La création, dix ans plus tôt, de l'OLP l'avait marginalisé et quand, en février, le vieux leader palestinien apparut une dernière fois au sommet des pays musulmans de Lahore, ce n'est pas lui qu'on regarda, mais son parent éloigné Arafat.

En octobre, le sommet arabe de Rabat voit Hussein s'affronter au chef de l'OLP. L'organisation devient le « seul et unique représentant du peuple palestinien », reconnaissance officielle qui abolit de droit toute revendication de la monarchie hachémite sur la Cisjordanie.

Le 22 novembre, l'Assemblée générale de l'ONU vote en faveur du droit à l'autodétermination des Palestiniens.

Quatre ans plus tard, Sadate signe la paix avec Israël. Hussein refuse de s'associer à l'initiative : il en sera récompensé par un milliard de dollars d'aide annuelle à son royaume, versée par l'Arabie Séoudite.

Sadate n'a plus pour longtemps à vivre. Le 6 octobre 1981, huit ans après la guerre du Kippour où son armée et celle des Syriens ont fait vaciller Israël, le nouveau raïs égyptien est assassiné au Caire.

Les adversaires d'Hussein, c'est-à-dire tout le monde arabe à un moment ou à un autre, dépeignent l'objet de leur vindicte comme une « créature des Américains ». Surprise donc, en 1990, quand la Jordanie se range du côté de Saddam Hussein, envahisseur du Koweït. Une initiative qui vaut à son monarque une popularité sans égale auprès de la rue arabe, mais pas des chancelleries. Riyad, en particulier, prend très mal la chose.

Alors, le passé renaît de ses cendres. Le moindre des propos d'Hussein est passé au crible wahhabite. Les Séoudiens jouent à se faire peur, évoquant un plan hachémite secret pour reconquérir la terre sainte de l'islam. Hussein déclare-t-il qu'en vertu de ses origines familiales, les Jordaniens peuvent indifféremment l'appeler « roi » ou « chérif » ? C'est qu'il cherche à s'attribuer une légitimité religieuse. Se laisse-t-il pousser la barbe, ressemblant un peu à son grand-père, un peu à un imam ? L'affaire se précise…

Malgré l'hostilité temporaire américaine, Hussein poursuit la voie tracée par son ancêtre. Il est de ceux qui tentent toujours d'explorer les voies d'un règlement pacifique avec Israël.

À partir de 1992, son principal partenaire devient Yitzhak Rabin, l'homme de Samoa et de la guerre des Six Jours, devenu Premier ministre. C'est un grand avantage : pour s'être rencontrés dans le désert, à l'oued Araba, en août 1974, puis lors de cinq autres entrevues secrètes israélo-jordaniennes, Hussein et Rabin ont eu l'occasion de se jauger.

Israël reconnaît l'OLP et, en septembre 1993, Rabin signe avec les Palestiniens l'accord « Gaza-Jéricho ». Le 26 octobre 1994, le traité de paix israélo-jordanien est paraphé. On croit s'acheminer vers la pacification générale du Moyen-Orient quand, le 4 novembre 1995, le Premier ministre tombe sous les balles d'un extrémiste juif.

Assassiné par ceux de son camp : Hussein a frôlé si souvent ce destin tragique. Chaque fois, les balles l'ont manqué, chaque fois, il est ressorti plus fort. En 1995 encore, le monarque se déclare disposé à jouer un rôle en Irak, qui fut, rappelle-t-il, le pays jumeau de la Jordanie au sein de l'Union arabe.

Plus qu'une revendication, c'est une proclamation de principe. Le temps n'a pas tué les rêves d'Hussein, arrière-petit-fils d'Hussein qui régna autrefois sur La Mecque et voulut régner sur tout le monde arabe. Il les a seulement pliés à la dure loi du réalisme.

Le 7 février 1999, il fait gris à Amman. Entouré de sa famille, Hussein rend son dernier soupir pendant la prière du milieu de journée.

« Le roi est mort, vive le roi », dit la reine Noor au prince héritier Abdallah.

Et avec lui, la folle illusion d'un monde arabe régi par un même sceptre, ce songe démesuré qui a façonné pour une bonne part le Moyen-Orient d'aujourd'hui...

FIN

GLOSSAIRE

Abbassides : Deuxième dynastie califienne de l'islam après les Omeyades, entre le milieu du VIIIe siècle après Jésus-Christ et le début du XVIe siècle.

Abou Taya (ou Taoueihas) : Branche minoritaire de la tribu des Haoueitats.

Ageyls : Originaires des confins du Nedjd, ce sont des soldats de fortune vendant leurs services au plus offrant.

Ahad (la société du Pacte) : Société secrète panarabe, surtout formée de militaires irakiens, créée en 1913.

Aneizés : Grande confédération bédouine nomadisant entre le grand désert syrien, à l'ouest de l'Euphrate, et le territoire des Chammars. Minoritaires, les Aneizés Amarat sont présents en Irak. Également minoritaires, les Aneizés du Hedjaz soutiennent la cause hachémite.

Aneizés Rouallah : Rameau principal de la confédération des Aneizés, présents dans le sud de la Syrie et en Transjordanie.

Anzac : Australian and New-Zealand Army Corps : les soldats australiens et néo-zélandais de l'armée britannique pendant la Grande Guerre. Ils ont combattu les Turcs aux Dardanelles, et participé très largement à la libération de Damas en novembre 1918.

Assyriens : Chrétiens de rite nestorien, archimarginal. Ils parlent le syriaque, langue dérivée de l'araméen. Avant 1914-1918, les

545

assyriens vivaient en territoire ottoman, certains dans les collines kurdes, d'autres aux confins montagneux de l'Irak et de l'Iran. Fuyant les persécutions jeunes-turques, ils se sont installés en Irak, parfois employés comme « levies » (auxiliaires) par l'armée britannique.

Ateibas : Confédération bédouine du centre et de l'est de la péninsule Arabique, dont certaines tribus, celles du centre du Hedjaz, sont ralliées aux Hachémites, et d'autres, voisines du Nedjd, aux Séoudiens.

Bédouins : Ceux qui vivent dans le désert, les vrais nomades.

Béni Hilal : Tribu originaire d'Arabie installée au Maghreb dès le XIᵉ siècle après Jésus-Christ.

Béni Sakr : Nomades de Transjordanie très tôt ralliés à la cause hachémite.

Béni Salem : Branche de la tribu des Harbs.

Bint : Fille de.

Bisha : Soldat noir de la garde personnelle du chérif Hussein à La Mecque, généralement originaire de l'oued Bisha.

Cadi : Juge religieux musulman.

Calife : Successeur du Prophète en tant que chef et guide de la communauté des croyants. Les Ottomans s'étant en quelque sorte annexé le califat après la fin du califat abbasside, le chérif Hussein, chef du clan hachémite, caresse le rêve de se faire nommer calife.

Chammars : Puissante confédération tribale présente au centre et au nord de la péninsule Arabique, jusqu'en Irak. Ennemis héréditaires des Aneizés du Hedjaz, les Chammars du Nedjd et du Hail soutiennent majoritairement la dynastie des Rachidi.

Cheik : Homme âgé ayant acquis la sagesse et/ou chef de clan ou de tribu et/ou supérieur d'une confrérie. Par extension, personnalité influente d'une tribu.

Chérif : En principe, descendant du Prophète, mais le titre est souvent galvaudé.

Chiite : « Partisan d'Ali ». Né peu après la mort de Mahomet, le chiisme, courant religieux et politique musulman particulièrement présent aujourd'hui en Irak (où se trouvent plusieurs de ses lieux saints), en Iran et au Liban refuse d'admettre la légitimité des Omeyades et des Abbassides, privilégiant celle d'Ali, gendre et cousin du Prophète. Minoritaire mais très organisé, porté sur la théologie et très actif, le chiisme a su résister au courant majoritaire sunnite.

Dardanelles : Détroit qui sépare la Turquie d'Europe de la Turquie d'Asie (c'est l'Hellespont des Grecs de l'Antiquité). En 1915, les Français et surtout les Britanniques tentent en vain d'y forcer le passage. Côté turc, Mustapha Kemal se révèle aux Dardanelles un remarquable chef de guerre et, côté britannique, Churchill, fier partisan de l'expédition ratée et très coûteuse en hommes, perd à cette occasion son portefeuille de la Marine.

Diwan : Équivalent moyen-oriental du cabinet personnel d'un chef d'État.

Druze : Adepte d'une doctrine extrémiste issue du chiisme mais qui s'en est beaucoup éloignée, et dont le contenu exact reste mystérieux au profane. Implantées en Syrie et au Liban, les communautés druzes se caractérisent par leur endogamie (on naît et on meurt druze, on se marie entre Druzes), leur quasi-absence de prosélytisme et leur propension guerrière.

Émir : Commandant. Parfois pris dans le sens de prince.

Fétah : La Société de la jeune nation arabe, créée en 1909, à Paris, par des intellectuels syriens.

FPLP : Front populaire pour la libération de la Palestine, organisation marxiste-gauchiste créée fin 1967 par Georges Habache.

FDPLP : Front démocratique et populaire pour la libération de la Palestine : scission du FPLP impulsée fin 1968 par Nayef Hawatmeh.

Hadj : Le pèlerinage à La Mecque, une des cinq obligations de l'islam.

Haganah : Milice juive clandestine à l'époque du mandat anglais sur la Palestine, matrice de l'armée israélienne.

Haoueitats : Confédération tribale surtout présente dans le sud de la Transjordanie.

Harbs : Plus puissante confédération bédouine du centre du Hedjaz, ralliée à la cause hachémite.

Hasa : Partie côtière de l'extrême est de la péninsule Arabique, conquise par Ibn Séoud.

Hedjaz : Longue bande côtière puis montagneuse à l'ouest de la péninsule Arabique, fief des Hachémites.

Houteims : Tribu du nord de la péninsule Arabique.

Ibn ou ben : Fils de.

Ikwans : Les « frères du Croissant », une fraternité religieuse et militaire wahhabite créée par Ibn Séoud en 1912. Habitant dans des colonies agricoles situées dans les oasis d'Arabie, ce sont des moines soldats.

Imam : Celui qui conduit la prière. Les chiites donnent à ce terme un sens beaucoup plus fort, pouvant aller jusqu'à désigner un des successeurs de Mahomet selon leur version de l'islam.

Jeunes-Turcs : Opposants à la suspension de la Constitution ottomane par le sultan Abdulhamid II. En 1889, ils commencent à s'organiser au sein d'une société clandestine, l'Union des Ottomans, rebaptisée comité Union et Progrès en 1895. Modernistes autoritaires et centralisateurs, leurs leaders, Enver Pacha, Djemal Pacha et Talaat Pacha s'emparent des leviers de commande de l'Empire ottoman en 1908-1913. Prenant fait et cause pour l'Allemagne contre la Grande-Bretagne et la France, ils se rendront, entre autres, coupables du génocide arménien, et devront affronter la révolte arabe.

Moujtahid : Théologien chiite du rang le plus élevé.

Mouteïrs : Tribu du Nedjd et du Hasa ralliée à Ibn Séoud.

Mufti : Personnalité religieuse experte en droit musulman et susceptible de délivrer des avis, les fatwas.

Nedjd : Partie orientale de la péninsule Arabique, fief des Séoudiens après qu'Ibn Séoud a conquis Riyad en 1902.

Omeyades : Première dynastie califienne de l'islam, entre le milieu des années 600 après Jésus-Christ et le milieu des années 700.

Oulémas : Docteurs de la loi musulmane, théologiens (les chiites les appellent plus volontiers des mollahs).

Rachidi : Dynastie rivale tant des Hachémites que des Séoudiens, implantée dans le Hail, la partie centre-nord de la péninsule Arabique. Liée aux Ottomans, elle sera chassée par Ibn Séoud après la Première Guerre mondiale.

Raj : Le British Raj désigne à la fois la zone géographique contrôlée par l'empire britannique de l'Inde et le gouvernement anglais qui l'administre.

Rouhallahs : Branche syrienne des Aneizés.

Sassanides : Dynastie perse qui régna, entre autres, sur la Mésopotamie, entre le début du IIIᵉ siècle après Jésus-Christ et le milieu du VIIᵉ siècle.

Société des nations (SDN) : Ébauche de l'ONU. Organisation internationale fondée en 1920 suite au traité de Versailles et siégeant à Genève. Créée à la demande du président américain Woodrow Wilson, elle n'a jamais joué son rôle théorique de gardienne de la paix mondiale du fait, entre autres, du refus des Américains et des Soviétiques d'y participer.

Thawra : Le soulèvement, la révolte, la révolution.

Taoueihas : voir **Abou Taya.**

Vali : Gouverneur turc.

Wahhabite : Fidèle d'une obédience ultrarigoriste de l'islam sunnite prêchée dès le XVIIIᵉ siècle après Jésus-Christ par Mohammed ibn Abd el-Wahab. À la même époque, les wahhabites nouent une alliance politico-religieuse avec la dynastie des Séoud qui fera la fortune d'Ibn Séoud et dure encore aujourd'hui, en Arabie Séoudite.

BIBLIOGRAPHIE

Abdallah ibn el-Hussein, *Memoirs of King Abdullah of Transjordan*, édité par Philip P. Graves, avec une introduction de R. J. C. Broadhurst, Londres, Jonathan Cape, 1950

Abdallah ibn el-Hussein, *My Memoirs Completed* (traduction de *Al-Takmilah*, mémoires du roi publiés par un comité de publication anonyme en 1951 à Amman), avant-propos d'Hussein de Jordanie, Londres, Longman, 1978

Abdul Sahib, Saïd, *La Société tribale du Sud-Irak et le processus de formation de l'État moderne en Irak, 1831-1931*, thèse de doctorat d'État en sciences politiques soutenue le 22 février 1968 à l'Institut d'études politiques de Paris, directeur de thèse, Jean Leca

Abidi, Aqil Hyder Hasan, *Jordan : A Political Study, 1948-1957*, New York, Asia Publishing House, 1965

Abitbol, Michel, *Les Amnésiques, Juifs et Arabes à l'ombre du conflit du Proche-Orient*, Paris, Perrin, 2005

Abu-Odeh, Adnan, *Jordanians, Palestinians et the Hashemite Kingdom in the Middle East Peace Process*, Washington DC, Institute of Peace Press, 1999

Aburish, Said K., *Nasser : The Last Arab*, Londres, Duckworth, 2005

Aldington, Richard, *Lawrence l'imposteur*, Paris, Amiot-Dumont, 1954

Allard, Paul, *Les Espions de la paix*, Paris, Baudinière, 1937

Ammoun, Denise, *Histoire du Liban contemporain*, t. 1, *1860-1943*, Paris, Fayard, 1997 ; t. 2, *1943-1990*, Paris, Fayard, 2004

Amnesty International, *Syrie, les violations des droits de l'homme par les services de sécurité sous l'état d'urgence*, Paris, Éditions francophones d'Amnesty International, 1983

Anderson, Betty S., *Nationalist Voices in Jordan : The Street and the State*, Austin, Texas University Press, 2005

Andrea, général, *La Révolte druze et l'insurrection de Damas*, Paris, Payot, 1937

Andrew, Christopher et Mitrokhin, Vasili, *The KGB and the World, the Mitrokhin Archive II*, Londres, Penguin Books, 2006. Traduction française, *Le KGB à l'assaut du tiers-monde, agression-corruption-subversion, 1945-1991*, Paris, Fayard, 2008

Antonius, George, *The Arab Awakening*, Norwich, Jarrold and Sons, 1938

Arafat, Yasser, *La Question palestinienne*, entretiens avec Nadia Benjelloun-Ollivier, Paris, Fayard, 1991

Archambeaud, E., « Avec la division navale de Syrie, situation et observations autour de 1920 », *Revue historique des armées*, n° 138, 1980

Armitage, F., *Lawrence d'Arabie, le désert et les Arabes*, Paris, Payot, 1957

Asher, Michael, *Lawrence, the Uncrowned King of Arabia*, New York, The Overlook Press, 1998

Ashton, Nigel, *King Hussein of Jordan : A Political Life*, New Haven, Yale University Press, 2008

Aubenas, Sylvie et Lacarrière, Jacques, *Voyage en Orient*, Paris, Hazan, 2001

Aziz, Philippe, *Entebbe, le début de la riposte*, Genève, Famot, 1978

Baer, Robert, *Or noir et Maison-Blanche, comment l'Amérique a vendu son âme pour le pétrole saoudien*, Paris, J.-C. Lattès, 2003

Baron, Xavier, *Les Palestiniens, naissance d'une nation*, Paris, Seuil, 2003

Bar-Josef, Uri, *The Best of Enemies : Israel and Transjordan in the War of 1948*, Londres, Frank Cass, 1987

Bar-Zohar, Michel, *J'ai risqué ma vie*, Paris, Fayard, 1971

Bar-Zohar, Michel et Haber, Eitan, *Le Prince rouge*, Paris, Fayard, 1984

Bar-Zohar, Michel, *Shimon Peres : The Biography*, New York, Random House, 2007

Barr, James, *Setting the Desert on Fire : T. E. Lawrence and Britain's Secret War in Arabia 1916-1918*, Londres, Bloomsbury, 2006

Batatu, Hanna, *The Old Social Classes and the Revolutionary Movements of Iraq*, Princeton, Princeton University Press, 1978

Baylet, Clinton, *Jordan's Palestinian Challenge, 1948-1983 : A Political History*, Boulder, Londres, Westview Press, 1984.

Begin, Menahem, *La Révolte d'Israël*, Paris, Plon, 1953

Bell, Gertrude, *Arab War Lords and Iraqi Star Gazers, Gertrude Bell's The Arab of Mesopotamia*, préface de Paul Rich, iUniverse.com, Inc., Lincoln, 2001

Bellakhdar, « Des Arabes chez les nazis », *Le Temps du non, Psychanalyse et idéologie*, n° 1, 1989

Benaudis, Jacques, *Tsahal, les légions d'Israël, des milices paysannes à la puissance nucléaire*, préface du général Buis, Paris, Ramsay, 1984

Ben Elissar, Eliahu, *La Diplomatie du IIIe Reich et les Juifs*, Paris, Julliard, 1969

Ben Elissar, Eliahu et Schiff, Zeev, *La Guerre israélo-arabe, 5-10 juin 1967*, Paris, Julliard, 1967

Ben Gourion, David, *Israël, années de lutte*, Paris, Flammarion, 1964

Benningsen, Alexandre et Lemercier-Quelquejay, Chantal, *Les Musulmans oubliés, l'islam en Union soviétique*, Paris, Maspero, 1981

Benoist-Méchin, Jacques, *Fayçal roi d'Arabie*, Paris, Albin Michel, 1975

Benoist-Méchin, Jacques, *Le Loup et le Léopard, Ibn-Séoud ou la naissance d'un royaume*, Paris, Albin Michel, 1955

Benoist-Méchin, Jacques, *Le Loup et le Léopard, Mustapha Kemal ou la fin d'un empire*, Paris, Albin Michel, 1954

Benoist-Méchin, Jacques, *Lawrence d'Arabie ou le rêve fracassé*, Lausanne, Clairefontaine, 1961

Benoist-Méchin, Jacques, *Le Roi Saud ou l'Orient à l'heure des relèves*, Paris, Albin Michel, 1960

Benoist-Méchin, Jacques, *Un printemps arabe*, Paris, Albin Michel, 1959

Bérard, Victor, *La Politique du sultan : les massacres des Arméniens 1894-1896*, préface de Martin Melkonian, Paris, Le Félin, 2005

Bergot, Erwan, *L'Afrika Korps*, Paris, Balland, 1972

Bernachot, Jean, *Les Armées françaises en Orient*, t. 3, *Le Corps d'occupation de Constantinople, 6 novembre 1920-2 octobre 1923*, Paris, Service historique de l'armée de terre/Imprimerie nationale, 1972

Bertrand-Cadi, Jean-Yves, *Le Colonel Chérif Cadi, serviteur de l'islam et de la République*, Paris, Maisonneuve et Larose, 2005

Birdwood, lord, *Nuri as-Said : A Study in Arab Leadership*, Londres, Cassell, 1960

Bitterlin, Lucien, *Alexandrette, le Munich de l'Orient ou quand la France capitulait*, Paris, Jean Picollec, 1999

Black, Ian et Morris, Benny, *Israel's Secret Wars*, Londres, Hamish Hamilton, 1991

Bligh, Alexander, *The Political Legacy of King Hussein*, Brighton, Sussex Academic Press, 2002

Bokova, Lenka, *La Confrontation franco-syrienne à l'époque du mandat 1925-1927*, préface de Jacques Couland, Paris, L'Harmattan, 1991

Bonardi, Pierre, *L'Imbroglio syrien*, Paris, Rieder, 1928

Boussard, Léon, *Le Secret du colonel Lawrence*, Paris, AM, 1946

Boutros-Ghali, Boutros et Peres, Shimon, *60 ans de conflit israélo-arabe : témoignages pour l'Histoire*, Bruxelles, Complexe, 2006

Bowyer Bell, J., *Terror out of Zion, Irgun Zvai Leumi, LEHI, and the Palestine Underground, 1929-1949*, New York, St. Martin's Press, 1977

Bozarslan, Hamit, *Une histoire de la violence au Moyen-Orient, de la fin de l'Empire ottoman à Al-Qaida*, Paris, La Découverte, 2008

Brémond, Édouard, *La Cilicie en 1919-1920*, Paris, Imprimerie nationale, 1921 (extrait de la *Revue des études arméniennes*)

Brémond, Édouard, *Berbères et Arabes*, Paris, Payot, 1942

Brémond, Édouard, *Le Hedjaz dans la guerre mondiale*, préface du maréchal Franchet d'Esperey, Paris, Payot, 1931

Bromberger, Merry et Serge, *Les Secrets de l'expédition d'Égypte*, Paris, Éditions des 4 Fils Aymon, 1957

Bullard, Reader, *Two Kings in Arabia : Sir Reader Bullard's Letters from Jeddah, 1923-25 and 1936-39*, édité par E. C. Hodgkin, avant-propos de sir Michael Weir, Reading, Ithaca Press, 1994

Burckett, Elinor, *The Iron Lady of the Middle East Golda Meir*, Londres, Gibson Square, 2008

Bush, Briton Cooper, *Britain, India and the Arabs 1914-1921*, Berkeley, Londres, University of California Press, 1971

Caroz, Yaacov, *Moukhabarat, les services secrets arabes*, Paris, Stanké, 1978

Carré, Olivier, *Le Mouvement national palestinien*, Paris, Gallimard/Julliard, 1977

Carré, Olivier, *Le Nationalisme arabe*, Paris, Fayard, 1993

Carré, Olivier, *Septembre noir, refus arabe de la résistance palestinienne*, Bruxelles, Complexe, 1980

Catroux, Georges, *Deux missions au Moyen-Orient, 1919-1922*, Paris, Plon, 1952

Cave Brown, Anthony, *Philby père et fils, la trahison dans le sang*, Paris, Pygmalion/Gérard Watelet, 1997

Centre d'études et de recherches sur le Moyen-Orient contemporain, *The Resilience of the Hashemite Rule : Politics and the State in Jordan, 1946-67*, Beyrouth, Amman, Tariq Tell, 2001

Centre d'études et de recherches sur l'Orient arabe contemporain et Raymond, André (dir.), *La Syrie aujourd'hui*, Paris, Éditions du Centre national de la recherche scientifique, 1980

Chamoun, Camille, *Crise au Moyen-Orient*, Paris, Gallimard, 1963

Charles, Raymond, *Le Droit musulman*, Paris, PUF, coll. « Que sais-je ? », 1956

Charlier, Jean-Michel et Delaunay, Jacques, *Histoire secrète du pétrole*, Paris, Presses de la Cité, 1985

Charnay, Jean-Paul, *L'Islam et la guerre, de la guerre sainte à la révolution sainte*, Paris, Fayard, 1986

Christie, Agatha, *Come, Tell Me How You Live : An Archaeological Memoir*, New York, Harper et Collins, 1999

Churchill, Winston, *Mémoires sur la Deuxième Guerre mondiale*, t. 3, *La Grande Alliance*, 1re partie, « La Russie envahie, 1er janvier-21 juin 1941 », Paris, Plon, 1950

Churchill, Winston, *The World Crisis, the Aftermath*, Londres, Thornton Butterworth, 1929

Cloarec, Vincent, *La France et la question de Syrie, 1914-1918*, préface de Henry Laurens, Paris, CNRS Éditions, 2002

Costello, John, et Tsarev, Oleg, *Deadly Illusions*, Londres, Century, 1993

Crutians, Léon, *La Mésopotamie et la lutte pour les pétroles de Mossoul*, Paris, Éditions A. Pedone, 1927

Dallas, Roland, *King Hussein, a Life on the Edge*, Londres, Profile Books, 1998

Dan, Ben, *L'espion qui venait d'Israël*, Paris, Fayard, 1967

Dann, Uriel, *King Hussein and the Challenge of Arab Radicalism, Jordan, 1955-1967*, New York, Oxford University Press, 1989

Dann, Uriel, *Studies in the History of Transjordan, 1920-1949 : The Making of a State*, Boulder, Londres, Westiview Press, 1984

Daoud, Abou et Jonchay, Gilles du, *Palestine, de Jérusalem à Munich*, Paris, Anne Carrière, 1999

Davet, Michel-Christian, *La Double Affaire de Syrie*, Paris, Fayard, 1967

Dayan, Moshe, *Histoire de ma vie*, Paris, Fayard, 1976

Dayan, Moshe, *Journal de la campagne du Sinaï*, Paris, Fayard, 1966

De Gaury, Gerald, *Three Kings in Baghdad : The Tragedy of Iraq's Monarchy*, Londres, Hutchinson of London, 1961 ; réédition Londres, IB Tauris, 2008

Delannoy, Christian, *Savak*, Paris, Stock, 1990

Derogy, Jacques et Carmel, Hesi, *Israël ultra-secret*, Paris, Robert Laffont, 1989

Derogy, Jacques et Carmel, Hesi, *Le Siècle d'Israël, les secrets d'une épopée, 1895-1995*, Paris, Fayard, 1994

Desjardins, Thierry, *Sadate, pharaon d'Égypte*, Paris, Marcel Valtat, 1981

Desjardins, Thierry, Honorin, Michel, Lacaze, Marie-Thérèse et Séguillon, Pierre-Luc, « La semaine rouge de Jordanie », *Cahiers du Témoignage chrétien*, n° 53, 1971

Destremau, Christian et Moncelon, Jean, *Massignon*, Paris, Plon, 1994

Deuxième Bureau, *Armées étrangères, Turquie*, septembre-décembre 1938

Dib, Fathi al, *Abdel Nasser et la révolution algérienne*, Paris, L'Harmattan, 1986

Dieckhoff, Alain (dir.), *L'État d'Israël*, Paris, Fayard, 2008

Doughty, Charles Montagu, *Arabia Deserta*, préface de T. E. Lawrence, Paris, Payot, 1949

Duguet, Dr, *Le Pèlerinage de La Mecque*, Paris, Rieder, 1932

Du Hays, général (CR), *Les Armées françaises au Levant, 1919-1939*, t. 1. *L'Occupation française en Syrie et en Cilicie sous le commandement britannique (novembre 1918-novembre 1919)*, Vincennes, Service historique de l'armée de terre, 1978 ; t. 2, *Le Temps des combats (1920-1921)*, Vincennes, Service historique de l'armée de terre, 1978

Duroselle, Jean-Baptiste, *Clemenceau*, Paris, Fayard, 1988

Eisenberg, Dennis, Dan, Uri et Landau, Eli, *Mossad, Israeli's Secret Intelligence Service*, Londres, Gorgi Books, 1980

Elpeleg, Zvi, *The Grand Mufti, Hadj Amin al-Hussaini, Founder of the National Palestinian Movement*, Londres, Frank Cass, 1993

Encel, Frédéric et Thual, François, *Géopolitique d'Israël, dictionnaire pour sortir des fantasmes*, Paris, Seuil, 2004

Enderlin, Charles, *Par le fer et par le feu, le combat clandestin pour l'indépendance d'Israël, 1936-1948*, Paris, Albin Michel, 2008

Enderlin, Charles, *Paix ou guerres, les secrets des négociations israélo-arabes, 1917-1995*, Paris, Fayard, 2004

Enderlin, Charles, *Shamir*, Paris, Olivier Orban, 1991

Eppler, John W., *L'Espion de Rommel*, Paris, Presses de la Cité, 1960

Esclaibes, lieutenant-colonel, « La troisième bataille de Gaza » et « La victoire de Palestine », *Le Plan de déception*, Paris, École supérieure de guerre, Section de recherches et d'études, année 1949-1950

État-major de l'armée, ministère de la Guerre, Service historique de l'armée de terre, *Les Armées françaises dans la Grande Guerre*, t. 9, vol. 1, Paris, Imprimerie nationale, 1935

Eytan, Freddy, *Sharon, le bras de fer*, Paris, Jean Picollec, 2006

Faligot, Roger et Kauffer, Rémi, *Le Croissant et la croix gammée*, Paris, Albin Michel, 1989

Faligot, Roger et Kauffer, Rémi, *Les Maîtres espions : histoire mondiale du renseignement, 1870-1939*, t. 1, Paris, Robert Laffont, 1993

Faligot, Roger et Kauffer, Rémi, *Les Maîtres espions : histoire mondiale du renseignement, de la guerre froide à nos jours*, t. 2, Paris, Robert Laffont, 1994

Fisk, Robert, *The Great War for Civilization, The Conquest of the Middle East*, New York, Forth Estate (Harper et Collins), 2005

Fisk, Robert, *Liban, nation martyre*, Paris, A & R-Éditions du Panama, 2007

Florence, Ronald, *Lawrence and Aaronsohn, T. E. Lawrence, Aaron Aaronsohn and the Seeds of the Arab-Israeli Conflict*, Londres, Viking/Penguin Books, 2007

Fontaine, Pierre, *L'Aventure du pétrole français*, Paris, Les Sept Couleurs, 1967

Fouquet, Lucien, *Historique sommaire du char de combat, le maître du champ de bataille*, Beyrouth, Service de propagande des Forces françaises combattantes au Moyen-Orient, 1943

Fournié, Pierre et Riccioli, Jean-Louis, *La France et le Proche-Orient, 1914-1946, une chronique photographique de la présence française en Syrie, en Palestine, au Hedjaz et en Cilicie*, Paris, Casterman, 1996

Fromkin, David, *A Peace to End All Peace : The Fall of the Ottoman Empire and the Creation of the Modern Middle East*, New York, Henry Holt LLC, 1989

Gallman, Waldemar J., *Iraq under General Nuri : My Recollections of Nuri al-Said 1954-1958*, Baltimore, The Johns Hopkins University Press, 1964

Gaulle, Charles de, « Histoire des troupes du Levant » (en collaboration avec le commandant Yvon, de l'état-major des troupes du

Levant), in *Le Fil de l'épée et autres écrits*, Paris, Omnibus/Plon, 1990

Gautherot, Gustave, *La France en Syrie et en Cilicie*, Courbevoie, Librairie indépendante, 1920

Geniesse, Jane Fletcher, *Passionate Nomad : the Life of Freya Stark*, New York, Modern Library Paperback Editions, 2001

Georges-Gaulis, Berthe, *La Question arabe, de l'Arabie du roi Ibn Sa'oud à l'indépendance syrienne*, Paris, Berger-Levrault, 1930

Georges-Picot, Jacques, *La Véritable Crise de Suez*, Paris, Éditions de la Revue politique et parlementaire, 1975

Gilbert, Martin, *The Routledge Atlas of the Arab-Israeli Conflict*, New York, Londres, Routledge, Abingdon, 2005

Giniewski, Paul, *Le Bouclier de David*, Paris, Berger-Levrault, 1960

Glubb, John, *Arabian Adventures : Ten Years of Joyful Service*, Londres, Cassell, 1978

Glubb, John, *The Changing Scenes of Life, an Autobiography*, Londres, Melbourne, New York, Quarter Books, 1983

Glubb, John, *Soldat avec les Arabes*, Paris, Plon, 1985

Glubb, John, *Syria Lebanon Jordan*, Londres, Thames and Hudson, 1967

Glubb, John, *The Story of the Arab Legion*, Londres, Hodder et Stoughton, 1948

Goichon, Amélie-Marie, *L'Histoire de la Jordanie de la Première Guerre mondiale à 1950*, conférence donnée sous l'égide de l'Association de solidarité franco-arabe le 20 novembre 1970, Paris, France-Pays Arabes, 1970

Goichon, Amélie-Marie, *Jordanie réelle*, Paris, Desclée de Brouwer, t. 1, 1967 ; t. 2, 1972

Gontaut-Biron, Roger de, *Comment la France s'est installée en Syrie, 1918-1919*, Paris, Plon, 1923

Gouraud, Henri, « La France en Syrie », *La Revue de France*, 1er avril 1922

Gouraud, Henri, *Mauritanie Adrar, souvenirs d'un Africain*, Paris, Plon, 1945

Gouraud, Henri, *Au Maroc, 1911-1914, souvenirs d'un Africain*, Paris, Plon, 1949

Gouraud, Philippe, *Le Général Gouraud au Liban et en Syrie 1919-1923*, Paris, L'Harmattan, 1993

Gowers, Andrew et Walker, Tony, *Behind the myth : Yasser Arafat and the Palestinian Revolution*, Londres, Gorgi Books, 1991

Graves, Robert, *Lawrence et les Arabes*, Paris, Gallimard, 1962

Greaves, Adrian, *Lawrence of Arabia : Mirage of a Desert War*, Londres, Phoenix, 2008

Greilsammer, Alain, *Les Communistes israéliens*, Presses de la Fondation nationale des sciences politiques, Paris, 1978

Greilsammer, Ilan, *La Nouvelle Histoire d'Israël*, Paris, Gallimard, 1998

Gresh, Alain et Vidal, Dominique, *Les 100 Clés du Proche-Orient*, Paris, Hachette Littératures, 2006

Grobba, Fritz, *Männer und Mächte im Orient*, Göttingen, Musterschmidt Verlag, 1967

Grousset, René, *L'Empire du Levant*, Paris, Payot, 1946

Guillaume, André, *Lawrence d'Arabie*, Paris, Fayard, 2000

Guillemot, Pierre, *Les Guerres israélo-arabes*, t. 1, *1948, la guerre d'indépendance*, Genève, Famot, 1975 ; Guillemot, Pierre, Honorin, Michel et Nouaille, Pierre, t. 2, *1956, l'affaire Suez*, Genève, Famot, 1975 ; Guillemot, Pierre, Bergheaud, Edmond et Cuau, Yves, t. 3, *1973, la guerre du Kippour*, Genève, Famot, 1975, présentation de Bernard Michal.

Gulbenkian, Nubar, *Nous, les Gulbenkian, les aventures dorées du pétrole*, Paris, Stock, 1965

Habache, Georges, *Les révolutionnaires ne meurent jamais*, conversations avec Georges Malbrunot, Paris, Fayard, 2008

Haber, Eytan, *Begin*, Paris, Stock, 1978

Habib, Randa, *Hussein père et fils, trente années qui ont changé le Moyen-Orient*, Paris, L'Archipel, 2007

Haddad, George M., *Revolutions and Military Rules in Middle East : The Arab States*, t.1, *Iraq, Syria, Lebanon and Jordan*, New York, Robert Speller et Sons, 1971

Hadhri, Mohieddine, *L'URSS et le Maghreb, de la révolution d'Octobre à l'indépendance de l'Algérie*, Paris, L'Harmattan, 1985

Haïk, Daniel, *Sharon, un destin inachevé*, Paris, L'Archipel, 2006

Halévy, Éphraïm, *Mémoires d'un homme de l'ombre, les coulisses de la politique internationale au Moyen-Orient par l'ex-directeur du Mossad*, Paris, Albin Michel, 2006

Halliday, Fred, *L'URSS et le Monde arabe*, Paris, Le Sycomore, 1982

Heller, Joseph, *The Stern Gang, Ideology, Politics and Terror, 1940-1949*, Londres, Frank Cass, 1995

Hirszowicz, Lukasz, *The Third Reich and the Arab East*, Londres, Routledge et Kegan Paul, 1966

Hitti, Philip K., *Précis d'histoire des Arabes*, Paris, Payot, 1950

Hoesli, Éric, *À la conquête du Caucase, épopée géopolitique et guerres d'influence*, Paris, Éditions des Syrtes, 2007

Holden, David et Johns, Richard, *The House of Saoud*, Londres, Sidgwick et Jackson, 1982

Holt, Thaddeus, *The Deceivers*, Londres, Weidenfeld et Nicolson, 2004

Honingmann, Barbara, *L'Agent recruteur*, Paris, Denoël, 2008

Hourani, Albert, *Histoire des peuples arabes*, Paris, Seuil, 1993

Howard, Harry N., *An American Inquiry in the Middle East, the King-Crane Commission*, Beyrouth, Khayats, 1963

Howell, Georgina, *Daughter of the Desert : The Remarquable Life of Gertrude Bell*, Londres, Macmillan, 2006

Hussein de Jordanie, *Il est difficile d'être roi*, Paris, Buchet-Chastel, 1962

International Bank for Reconstruction and Development, *The Economic Development of Jordan*, Baltimore, The Johns Hopkins University Press, 1961

Ionides, Michael, *Divide and Loss : The Arab Revolt of 1955-1956*, Londres, Geoffrey Bles, 1960

Jarvis, C. S., *Three Deserts*, Londres, John Murray, 1936

Jouin, Yves, « Les compagnons français de Lawrence », *Revue historique de l'armée*, n° 4, 1967

Jung, Eugène, *Les Puissances mondiales devant la révolte arabe, la crise mondiale de demain*, Paris, Hachette, 1906

Kadduri, Majid, *Arab Contemporaries : The Role of Personalities in Politics*, Baltimore, The Johns Hopkins University Press, 1973

Kadduri, Majid, *Independent Iraq : A Study in Iraqi Politics since 1932*, Londres, Oxford University Press, 1951

Kapeliouk, Amnon, *Arafat l'irréductible*, préface de Nelson Mandela, Paris, Fayard, 2004

Karpin, Michael, *The Bomb and the Basement : How Israel Went Nuclear and What that Means for the World*, New York, Simon et Schuster Paperback, 2007

Karsh, Efraim et Inari, *Empires of Sand, the Struggle for Mastery in the Middle East 1789-1923*, Cambridge, Harvard University Press, 2001

Kedourie, Elie, *Arabic Political Memoirs*, Londres, Frank Cass, 1974

Kedourie, Elie, *The Chatham House Version and others Middle Eastern Studies*, Londres, Weidenfeld and Nicolson, 1970 (réédition avec une introduction de David Pryce-Jones, Chicago, Ivan R. Dee, 2004)

Keller, Pierre, *La Question arabe*, Paris, PUF, coll. « Que sais-je ? », 1948

Kepel, Gilles, *Jihad, expansion et déclin de l'islamisme*, Paris, Gallimard, 2000

Khalil, Samir, *Republic of Fear, the Inside Story of Saddam Hussein' Iraq*, Londres, Hutchinson Radius, 1989

Khoury, Gérard D., *La France et l'Orient arabe, naissance du Liban moderne, 1914-1920*, Paris, Armand Colin, 1993

Khoury, Gérard D., *Une tutelle coloniale, le mandat français en Syrie et au Liban*, Paris, Belin, 2006

Khoury, Philip S., *Urban Notables and Arab Nationalism, The Politics of Damascus 1860-1920*, Cambridge, Cambridge University Press, 1983

Kirkbridge, sir Alec, *From the Wings, Amman Memoirs 1947-1951*, Londres, Frank Cass, 1976

Klieman, Aaron S., *Israel, Jordan, Palestine, The Search for a Durable Peace, (The Washington Papers/9)*, Washington DC, Center for Strategic and International Studies, Georgetown University, Londres, Sage Publications, 1981

Knightley, Phillip et Simpson, Colin, *Les Vies secrètes de Lawrence d'Arabie*, Paris, Robert Laffont, 1970

Koulakssis, Ahmed et Meynier, Gilbert, *L'Émir Khaled, premier Za'im ? Identité algérienne et colonialisme français*, Paris, L'Harmattan, 1987

Kutschera, Chris (dir.), *Le Livre noir de Saddam Hussein*, préface de Bernard Kouchner, Paris, XO Éditions, 2005

Laffin, John et Chappell, Mike, *The Israeli Army in the Middle East Wars 1948-1973*, Londres, Osprey, 1982

Lapierre, Dominique et Collins, Larry, *Ô Jérusalem*, Paris, Robert Laffont, 1971

Laske, Karl, *Le Banquier noir, François Genoud*, Paris, Seuil, 1996

Laurens, Henry, *Le Retour des exilés, la lutte pour la Palestine de 1869 à 1997*, Paris, Robert Laffont, coll. « Bouquins », 1998

Laurens, Henry, *La Question de Palestine*, t. 1, *L'Invention de la Terre sainte*, Paris, Fayard, 1999 ; t. 2, *Une mission sacrée de civilisation*, Paris, Fayard, 2002 ; t. 3, *L'Accomplissement des prophéties*, Paris, Fayard, 2007

Lavergne, Marc, *La Jordanie*, Paris, Karthala, 1996

Lawrence, Thomas Edward, *Dépêches secrètes d'Arabie*, Paris, Robert Laffont, coll. « Bouquins », 1992

Lawrence, Thomas Edward, *Les Sept Piliers de la sagesse*, Paris, Robert Laffont, coll. « Bouquins », 1993

Leclerc, Christophe, *Avec T. E. Lawrence en Arabie, la mission militaire française au Hedjaz 1916-1920*, préface de Maurice Larès et Malcolm Brown, Paris, L'Harmattan, 1998

Le Mire, Henri, *Tsahal, histoire de l'armée d'Israël*, Paris, Plon, 1986

Lerner, Henri, *Catroux*, préface de Jean Lacouture, Paris, Albin Michel, 1990

Leslie, Shane, *Mark Sykes, His Life and Letters*, Londres, Cassell, 1923

Lévêque, Maurice, *Le Pétrole et la guerre*, Paris, Nouvelles Éditions Debresse, 1954

Lewis, Bernard, *Les Assassins, terrorisme et politique dans l'islam médiéval*, présentation de Maxime Rodinson, Paris, Berger-Levrault, 1982

Lewis, Bernard, *Islam*, Paris, Gallimard, 2006

Lewis, Bernard, *Sémites et antisémites*, Paris, Fayard, 1987

L'Huillier, Fernand, *Le Moyen-Orient contemporain (1945-1958)*, Paris, Sirey, 1959

Lias, Godfrey, *Légionnaires de Glubb Pacha*, Paris, Hachette, 1956

Liddell-Hart, Basil, *La Vie du colonel Lawrence*, Paris, Éditions de la Nouvelle Revue critique, 1935

Longrigg, Stephen Hemsley, *Oil in the Middle East, its Discovery and its Development*, Londres, Oxford University Press, 1968

Longrigg, Stephen Hemsley, *Syria and Lebanon under French Mandate*, New York, Octagon Books, 1972

Lowther, William, *Iraq and the Supergun, Gerald Bull: The True Story of Saddam Hussein's Dr Doom*, Londres, Pan Books, 1992

Luizard, Pierre-Jean, *Comment est né l'Irak*, Paris, CNRS Éditions, 2009

Luizard, Pierre-Jean, *Le Rôle politique des ulémas chiites en Irak, à la fin de la domination ottomane et au moment de la construction de l'État arabe local sous mandat*, thèse de doctorat, Université de Paris-Sorbonne, 1989, directeur de thèse Dominique Chevallier

Luizard, Pierre-Jean (dir.), *Le Choc colonial et l'islam, les politiques religieuses des puissances coloniales en terre d'islam*, Paris, La Découverte, 2006

Lyautey, Pierre, *Le Drame oriental et le rôle de la France*, préface de Maurice Barrès, Paris, Société d'éditions géographiques maritimes et coloniales, 1923

Lyautey, Pierre, *Gouraud*, Paris, Julliard, 1949

Ma'an Abu Nowar, *The Development of Transjordan, 1929-1939*, Reading, Ithaca Press, 2006

Ma'an Abu Nowar, *The History of the Hashemite Kingdom of Jordan*, t. 1, *The Creation and the Development of Transjordan 1920-1929*, Oxford, Ithaca Press Oxford/The Middle East Centre St Anthony's College, 1989

Ma'an Abu Nowar, *The Jordanian-Israeli War, 1948-1951 : A History of the Hashemite Kingdom of Jordan*, Reading, Ithaca Press, 2002

Ma'an Abu Nowar, *The Struggle for Independence 1939-1947 : A History of the Hashemite Kingdom of Jordan*, Reading, Ithaca Press, 2001

MacMillan, Margaret, *Peacemakers, The Paris Conference of 1919 and its Attempt to End War*, Londres, John Murray, 2001

Malraux André, *Le Démon de l'absolu* in *Œuvres complètes*, t. 2, Paris, Gallimard, coll. « Bibliothèque de la Pléiade », 1996

Mango, Andrew, *Atatürk*, Londres, John Murray, 1999

Mansel, Philip, *Sultans in Splendour, Monarchs of the Middle East 1869-1945*, Londres, Parkway, 1988

Marchand, Stéphane, *Arabie Saoudite, la menace*, Paris, Fayard, 2003

Marleod, Roderick et Kelly, Denis, *The Ironside Diaries 1937-1940*, Londres, Constable, 1962

Marriott, Rex, *A Short History of Enemy Subversive Activity in Iraq – 1935-1941*, Defence Security Office, CICI, Iraq-Bagdad, S.410/1, 11 avril 1945

Massad, Joseph A., *Colonial Effects : The Making of National Identity in Jordan*, New York, Columbia University Press, 2001

Massignon, Louis, *Opera minora*, t. 3, textes recueillis, classés et présentés avec une bibliographie par Y. Mourabac, sous le patronage du Centre d'études de Dar es-Saalam, Paris, PUF, 1969

Mateleko, Ivan, *Les Dessous du terrorisme international*, Paris, Julliard, 1973

Mattar, Philip, *The Mufti of Jerusalem, Al-Hajj Amine al-Husayni and the Palestinian National Movement*, New York, Columbia University Press, 1988

McLoughin, Leslie, *Ibn Saud, Founder of a Kingdom*, New York, St. Martin's Press, 1993

Meir, Golda, *Ma vie*, Paris, Robert Laffont, 1975

Meir-Glitzenstein, Esther, *Zionism in an Arab Country : Jews in Iraq in the 1940s*, Londres, Routledge, 2004

Mélia, Jean, *Visages royaux d'Orient*, Paris, Fasquelle, 1930

Melman, Yossi, *The Master Terrorist : The True Story of Abu Nidal*, New York, Adama Books, 1986

Ménassa, Béchara, *Dimitrov et les roses d'Arabie, idéologies, religions et pouvoir dans le Moyen-Orient arabe*, Paris, Galilée, 1980

Méouchy, Nadine et Slugett, Peter, *The Bristish and French Mandates in Comparative Perspectives/Les Mandats anglais et français dans une perspective comparative*, Leiden, Brill, 2004

Meynier, Gilbert, *L'Algérie révélée, la guerre de 1914 et le premier quart du XXᵉ siècle*, Genève, Librairie Droz, 1981

Michal, Bernard, Vieville, Lucien et Delamotte, Jean, *Montgomery*, Genève, Éditions de Crémille, coll. « Les Grands Chefs militaires », 1972

Milton-Edwards, Beverley et Hinchcliffe, Peter, *Jordan : A Hashemite Legacy*, Londres, Routledge, 2001

Monroe, Elizabeth et Farrar Hockley, A. H., *The Arab-Israel War, october 1973 Backgrounds and Events*, Londres, The International Institute for Strategic Studies, 1975

Monroe, Elizabeth, *Britain's Moment in the Middle East 1914-1956*, Londres, Chatto et Windus, 1963

Monroe, Elizabeth, *Philby of Arabia*, avant-propos de sir James Craig, Reading, Garnet, 1998

Monteil, Vincent, *Les Arabes*, Paris, PUF, coll. « Que sais-je ? », 1956

Monteil, Vincent-Mansour, *Lawrence d'Arabie, le lévrier fatal 1888-1935*, Paris, Hachette Littératures, 1987

Monteil, Vincent-Mansour, *Louis Massignon, le linceul de feu*, Paris, Vegapress, 1987

Morris, Benny, *Israel's Border Wars 1949-1956, Arab Infiltration, Israeli Retaliation, and the Countdown to the Suez War*, Oxford, Clarenton Press, 1993

Morris, Benny, « Le massacre de Qibya », in *Le Général Sharon, éléments pour une biographie*, Washington DC, Revue d'études palestiniennes, 2001

Morris, James, *The Hashemite Kings*, New York, Pantheon Books, 1959

Morris, Benny, *Victimes, histoire revisitée du conflit israélo-sioniste*, Bruxelles, Complexe, 2003

Mosley, Leonard, *La Guerre du pétrole*, Paris, Presses de la Cité, 1974

Moussa, Suleiman, *Songe et mensonge de Lawrence*, précédé par *Lawrence vu par les Arabes* par Vincent Monteil, Paris, Sinbad, 1973

Mutawi, Samir A., *Jordan in the 1967 War*, Cambridge, Cambridge University Press, 2002

Nakash, Yitzhak, *Reaching the Power : The Shi'a in the Modern Arab World*, Princeton, Princeton University Press, 2006

Nevo, Joseph, *King Abdallah and Palestine : A Territorial Ambition*, Londres, Macmillan Press, 1996

Nicosia, Francis R., *The Third Reich and the Palestine Question*, Austin, University of Texas Press, 1985

Nolde, *L'Irak, origines historiques et situation internationale*, Paris, Librairie générale de droit et de jurisprudence, 1934

Noor, Reine, *Souvenirs d'une vie inattendue*, Paris, Buchet-Chastel, 2004

Nouschi, André, *La France et le pétrole*, Paris, Picard, 2001

Nutting, Anthony, *Lawrence of Arabia*, New York, The New American Library of World Litterature, 1962

Oppenheim, Max von, *Tell Halaf*, Paris, Payot, 1939

Ostrouski, Victor et Hoy, Claire, *By Way of Deception, the Making and unmaking of a Mossad Officer*, New York, St. Martin's Press, 1990

Paillat, Claude, *Vingt ans qui déchirèrent la France*, t. 1, *Le Guépier*, Paris, Robert Laffont, 1969 ; t. 2, *La Liquidation*, Paris, Robert Laffont, 1972

Palmowski, Jan, *Oxford Dictionary of Contemporary World History*, Oxford, Oxford University Press, 2004

Pappé, Ilan, *Le Nettoyage ethnique de la Palestine*, Paris, Fayard, 2008

Paris, Timothy J., *Britain, the Hashemites and Arab Rule 1920-1925*, avant-propos de sir Roger Tomkys, Londres, Frank Cass, 2003

Péan, Pierre, *L'Extrémiste : François Genoud, de Hitler à Carlos*, Paris, Fayard, 1996

Péan, Pierre, *La Menace*, Paris, Fayard, 1987

Pearlman, Maurice, *Mufti of Jerusalem : The Story of Haj Amin el Husseini*, Londres, Victor Gollancz, 1947

Philby, Harry St. John, *Forty Years in the Wilderness*, Londres, Robert Hale, 1957

Pichon, Jean, *Les Origines orientales de la guerre mondiale*, préface du général Édouard Brémond, Paris, Charles-Lavauzelle et Cie, 1937

Planhol, Xavier de, *Les Nations du Prophète*, Paris, Fayard, 1993

Poivre d'Arvor, Olivier et Patrick, *Lawrence d'Arabie, la quête du désert*, Paris, Place des Victoires Éditions, 2006

Quil, Lawrence, *Invisible Nation*, New York, Walker, 2008

Rachet, Guy et Vincent, Claudia, *La Jordanie*, Paris, Place des Victoires Éditions, 2006

Rajsfus, Maurice, *Retour de Jordanie, les réfugiés palestiniens dans le royaume hachémite*, Paris, La Brèche, 1990

Randal, Jonathan, *Oussama*, Albin Michel, 2004

Rasheed, Mohamed el, *A History of Saudi Arabia*, Cambridge, Cambridge University Press, 2002

Rathmell, Andrew, *Secret War in the Middle East : The Covert Struggle for Syria, 1949-1961*, Londres, IB Tauris, 1995

Raufer, Xavier, *La Nébuleuse : le terrorisme au Moyen-Orient*, Paris, Fayard, 1987

Rawnsley, Gary D., *Radio Diplomacy and Propaganda, the BBC and the VOA in International Politics, 1956-1964*, New York, St. Martin's Press, 1996

Razoux, Pierre, *La Guerre israélo-arabe de 1973, une nouvelle donne militaire au Proche-Orient*, Paris, Economica, 1999

Ricks, Thomas E., *Fiasco : The American Military Adventure in Iraq*, Londres, Penguin Books, 2006

Robins, Philip, *A History of Transjordan*, Cambridge, Cambridge University Press, 2004

Rondot, Philippe, *La Jordanie*, Paris, PUF, coll. « Que sais-je ? », 1980

Rondot, Pierre, *Le Proche-Orient et la défense nationale*, brochure à l'usage des officiers instructeurs et élèves de l'École supérieure de guerre, Paris, Centre d'études asiatiques et africaines, section de documentation de l'Union française, 1955

Rossi, Pierre, *L'Irak des révoltes*, Paris, Seuil, 1962

Rozenblum, Serge-Allain, *Theodor Herzl*, Paris, Kiron/Éditions du Félin, 2001

Rucker, Laurent, *Staline, Israël et les Juifs*, Paris, PUF, 2001

Ryan, Curtis, *Jordan in Transition, from Hussein to Abdallah*, Boulder, Lynne Rienner, 2002

Sayigh, Yezid, *Armed Struggle and the Search for State : The Palestinian National Movement, 1949-1993*, Oxford, Clarenton Press, 1997

Schechtman, Joseph B., *The Mufti and the Fuehrer*, New York, Thomas Yoseloff, 1965

Seabrook, William B., *Aventures en Arabie*, Paris, Gallimard, 1933

Seale, Patrick et McConville, Maureen, *Asad, the Struggle for the Middle East*, Londres, IB Tauris, 1988

Seale, Patrick, *The Struggle for Syria, a study of Post-War Arab Politics, 1945-1958*, Londres, IB Tauris, 1965

Seale, Patrick, *Abu Nidal, A Gun for Hire, the Secret Life of the World's Most Notorious Arab Terrorist*, New York, Random House, 1992

Sédillot, René, *Histoire du pétrole*, Paris, Fayard, 1974

Seguev, Tom, 1967, *Six jours qui ont fait changer le monde*, Paris, Denoël, 2007

Shamir, Yitzhak, *Ma vie pour Israël, mémoires de combat*, Paris, NM7/Ramsay, 2000

Sharbi, Hisham B., *Nationalism and Revolution in the Arab World*, Princeton, Van Nostrand, 1966

Sharon, Ariel et Chanoff, David, *Warrior*, New York, Simon et Schuster, 1989

Sheean, Vincent, *Faisal, the King and his Kingdom*, Tavistock, University Press of Arabia, 1975

Shlaim, Avy, *Collusion Across the Jordan : King Abdullah, the Zionist Movement, and the Partition of Palestine*, Oxford, Clarendon Press, 1988

Shlaim, Avy, *Lion of Jordan : The Life of King Hussein in War and Peace*, Londres, Allen Lane, 2007

Shlaim, Avy, *Le Mur de fer, Israël et le monde arabe*, Paris, Buchet-Chastel, 2008

Shreiber, Thomas, Velly, Noëlle et Porte, Jean-Luc, *Mogadiscio, tournant du terrorisme*, Genève, Frémot, 1978

Stark, Freya, *The Southern Gates of Arabia*, Leipzig, The Albatross Library, 1937

Shwadran, Benjamin, *The Middle East, Oil and The Great Powers*, New York, John Wiley et Sons, 1974

Shwadran, Benjamin, *The Power Struggle in Iraq*, New York, Council for Middle Eastern Affairs Press, 1960

Sinai, Anne et Pollack, Allen, *The Hashemite Kingdom of Jordan and the West Bank, a Handbook*, New York, American Academic Association for Peace in the Middle East, 1977

Sluglett, Peter, *Britain in Iraq, Contriving King and Country*, Londres, IB Tauris, 2007

Snow, Peter, *Hussein, a Biography*, Londres, Barrie et Jenkins, 1972

Soliman, Loftallah, *Pour une histoire profane de la Palestine*, Paris, La Découverte, 1989

Soudel, Janine et Dominique, *Dictionnaire historique de l'islam*, PUF, 2004

Spillmann, Georges, *Du protectorat à l'indépendance, Maroc 1912-1955*, Paris, Plon, 1967

Susser, Asher, *On Both Banks of the Jordan : A Political Biography of Wasfi Al-Tall*, Portland, Frank Cass, 1994

Taheri, Amir et Wajsman, Patrick, *Irak, le dessous des cartes*, Bruxelles, Complexe/Politique internationale, 2002

Tahir, Alaa, *Irak, aux origines du régime militaire*, préface de Jean-Paul Charnay, Paris, L'Harmattan, 1989

Tariq Ali, *Bush in Babylon, The Recolonisation of Iraq*, New York, Londres, Verso, 2003

Tauber, Eliezer, *The Arab Movements in World War I*, Londres, Frank Cass, 1993

Tauber, Eliezer, *The Emergence of the Arab Movements*, Londres, Frank Cass, 1993

Tauber, Eliezer, *The Formation of Modern Syria and Iraq*, Londres, Frank Cass, 1995

Teitelbaum, Joshua, *The Rise and Fall of the Hashemite Kingdom of Arabia*, Londres, Hurst, 2001

Ter Minassian, Taline, *Colporteurs du Komintern, l'Union soviétique et les minorités au Proche-Orient*, Paris, Presses de la Fondation nationale des sciences politiques, 1997

Tharaud, Jérôme et Jean, *Alerte en Syrie !*, Paris, Plon, 1937

Tharaud, Jérôme et Jean, *L'An prochain à Jérusalem*, Paris, Plon, 1924

Tharaud, Jérôme et Jean, *Les Cavaliers d'Allah*, Paris, Plon, 1935

Tharaud, Jérôme et Jean, *Le Chemin de Damas*, Paris, Plon, 1923

Thomas, Gordon, *Histoire secrète du Mossad*, Paris, Nouveau Monde, 2006

Thomas, Lowell, *With Lawrence in Arabia*, Londres, Hutchinson, onzième édition, date de parution non précisée

Tibawi, Abdul Latif, *A Modern History of Syria*, New York, Londres, St. Martin's Press, Macmillan, 1969

Tobji, Mahjoub, *Les Officiers de Sa Majesté, les dérives des généraux marocains, 1956-2006*, Paris, Fayard, 2006

Townshend, sir Charles V. F., *Ma campagne de Mésopotamie (1915-1916)*, Paris, Éditions de la Nouvelle revue critique, coll. « Bibliothèque d'histoire politique, militaire et navale », date non précisée

Trimaille, Ch., *Principes généraux de la guerre coloniale et de la guerre de montagne*, t. 1, texte ; t. 2, croquis, Paris, École militaire de l'artillerie, mars 1913

Trimbur, Dominique et Aaronsohn, Ran, *De Balfour à Ben Gourion, les puissances européennes et la Palestine*, Paris, CNRS Éditions, 2008

Tripp, Charles, *A History of Iraq*, Cambridge, Cambridge University Press, 2000, nouvelle édition en 2008

Troeller, Gary, *The Birth of Saudi Arabia, Britain and the Rise of the House of Sa'ud*, Londres, Frank Cass, 1976

Vaïsse, Maurice (dir.), *La France et l'opération de Suez en 1956*, Paris, Association pour le développement et la diffusion de l'information militaire, Centre d'études d'histoire de la défense, 1997

Vaksberg, Arcadi, *Staline et les Juifs*, Paris, Robert Laffont, 2003

Vance, Vic et Lauer, Pierre, *Hussein de Jordanie : ma « guerre » avec Israël*, Paris, Albin Michel, 1968

Vatikiotis, Panayiotis Jerasimof, *Politics and the Military in Jordan : A Study of the Arab Legion, 1921-1957*, Londres, Frank Cass, 1967

Vaucelles, Pierre de, *La Vie en Irak il y a un siècle vue par nos consuls*, Paris, Éditions A. Pedone, 1963

Vernier, Bernard, *L'Irak d'aujourd'hui*, préface de Pierre Rondot, Paris, Armand Colin, 1963

Vernier, Bernard, *La Politique islamique de l'Allemagne*, Paris, Paul Hartmann, 1939

Vincent, Jean-Noël, « Documents : journaux de marche du French Squadron SAS en Libye, 1942-1943 », *Revue historique de l'armée*, n° 1, 1978

Violet, Bernard, *Carlos, les réseaux secrets du terrorisme international*, Paris, Seuil, 1996

Wailly, Henri de, *Syrie 1941, la guerre occultée*, Paris, Perrin, 2006

Wallach Janet, *Desert Queen : The Extraordinary Life of Gertrude Bell*, Londres, Phoenix, 2005

Walter, Henriette et Baraké, Bassam, *Arabesques, les aventures de la langue arabe en Occident*, Paris, Robert Laffont/Éditions du temps, 2006

War and Navy Departments, *Guide for US Forces Serving in Iraq, 1943*, Washington DC, War and Navy Departments, réédition Londres, Dark Horses Publications, 2007

Wegener, Hans Ludwig, *Der britische Geheimdienst im Orient : Theorie und Intrige als Mittel englischer Politik*, Berlin, Junker und Dünnhaupt Verlag, 1942

Weisgal, Meyer W. et Carmichael, Joel (éds), *Chaim Weizmann : A biography par several Hands*, Londres, Weidenfeld and Nicholson, 1962

Weinstock, Nathan, *Le Mouvement révolutionnaire arabe*, Paris, Maspero, 1970

Weizmann Chaim, *Trial and Error*, Londres, Hamish Hamilton, 1949

Wilson, Arnold, *Mesopotamia, 1917-1920 : A Clash of Loyalties, A Personnal and Historical Record*, Londres, Oxford University Press/ Humphrey Milford, 1931

Wilson, Jeremy, *Lawrence of Arabia*, Londres, William Heinemann, 1989 ; version française *Lawrence d'Arabie*, Paris, Denoël, 1994

Wilson, Mary C., *King Abdullah, Britain and the Making of Jordan*, Cambridge, Cambridge University Press, 1987

Yergin, Daniel, *Les Hommes du pétrole*, t. 1 *Les Fondateurs, 1859-1945*, Paris, Stock, 1991 ; t. 2, *Les Maîtres du monde 1946-1991*, Paris, Stock, 1992

Yisraeli, David, « The Third Reich et Palestine », *Middle Eastern Studies*, n° 7, octobre 1971

Zeine, Noureddine Zeine, *The Struggle for Arab Independance, Western Diplomacy the Rise and Fall of Faisal's Kingdom in Syria*, Beyrouth, Khayats, 1960

Zischka, Antoine, *Ibn Séoud, roi de l'Arabie*, préface du général Édouard Brémond, Paris, Payot, 1934

ARCHIVES

Service historique de la défense, Vincennes,
Cartons n° 4 H 1, 4 H 2, 4 H 13, 4 H 43, 4 H 44, 6 N 193, 6 N 76, 7 N 2138, 7 N 2139, 7 N 2139, 7 N 2140, 7 N 2141, 7 N 2142, 7 N 2143. Dossier personnel 19 YD 1328.

INDEX

Aaronsohn, Aaron, 188, 194-196

Abd el-Hadi, Aouni, 277, 282, 284-286, 426-428, 445

Abd el-Kader, 345, 425, 485-486

Abd el-Wahhab, Mohammed ibn, 294

Abd Saad, 295

Abdallah (Pacha), 305, 307

Abdallah ibn Hussein, 15-20, 37, 43-44, 50-51, 57-61, 63-64, 68, 77, 79, 83, 91-92, 95-99, 105-114, 116-117, 123-128, 130, 133, 140, 142-143, 146, 150, 152, 157-160, 197-198, 211, 215-216, 218, 262, 265, 289-290, 298-308, 331-332, 336, 338-340, 354, 358-359, 361, 365, 367, 369-370, 372-373, 381, 383, 385-391, 400-402, 404, 415, 419, 426-434, 444, 446-447, 451, 462-463, 465, 468-469, 473, 475-476, 478-481, 485, 489, 493-501, 503, 505-513, 515, 537-538, 544

Abdallah, Nayef ibn, 507, 509, 511, 516-518

Abdia bint Ali, 531

Abdulhamid II, 24-25, 28, 30-31, 37-38, 119, 460

Abdulillah ibn Ali, 19, 455, 459-460, 464-465, 469, 473, 476, 511, 514-515, 527, 529-535

Abd-ur Rahman, Sélim, 293, 321

Abidiya bint Nasser, 37, 534

Abou Droubi, Zaal, 165

Abou Taya, Aouda,, 152, 161-165, 167-168, 170-171, 182, 214, 232, 234, 237, 243, 251-252, 386, 413, 474

About-Timman, Djefar, 405

Achraf (Bey), 143, 146

Ahim (Bey), 130

Ahmed (Bey), 58-59, 336

Ahmed, (chérif), 152, 218

Aissa, (Dr), 305

Leimbacher (ss-lt), 236, 238, 245
Liman von Sanders, Otto (gén.), 144, 212, 247
Lloyd George, David, 135, 179, 184, 193, 197, 276-277, 279, 285-286, 328, 340, 359, 368, 389
Longrigg, Stephen Hemsley, 423
Longuemare, Mlle de, 383
Loomis, Francis, 422
Loueyi, Khaled ibn Mansour ibn, 300, 302-303, 306, 332, 400, 404
Louftallah, Michel, 321
Loufti (lt), 386
Lyautey, Hubert (gal.), 27, 84, 280-281, 330, 336
Lybyer, Albert (Pr), 322

Macandrew, H.J.M. (gén.), 239, 247
Macdonogh, George (gén.), 265
Madjali, Habis el- (col.), 496, 506-508, 511, 513, 517-518
Mahmoud, dit Le Bagdadi, 305
Mahsen, Mahmoud, 344
Makino (baron), 276
Malik, Abd-ul, 354
Malik, Fouad Abd el-, 344
Mallowan, Max, 419
Mansour Mohsen (émir), 44, 61-62, 76, 88-90, 378
Mardam, Djamel, 321
Marshall (cne), 357
Massignon, Louis, 179-181, 199, 329, 332, 334, 420
Mathieu (sgt), 238
Matte, Marcel, 232-234, 236, 238

Maude, Stanley (gén.) dit Systematic Joe, 156-157, 181-182, 184, 198, 357, 375, 532
Maugras, Gaston, 179
McMahon, Henry, 16, 51, 72, 97, 101, 136, 155, 159, 204, 208
Mebarek, Saad Reguieg ben, 84-85, 124, 128, 135
Medfaï, Djamel, 318, 416, 454-455, 465, 473
Medfaï, Rachid el-, 129, 145, 318
Mehed Moudjem Bey ben Turky (Bey), 324
Mehmet V, 28, 31, 38
Meinertzhagen, Richard (major), 188, 190, 194, 199, 369
Meir, Golda, 20, 478-480, 493-494, 513, 542
Meissner, Heinrich August, 101
Menderes, Adnan, 523
Mercier (Pr), 261
Méroued, Ahmed, 337, 382-383, 385
Méru, de (col.), 310
Mesnil (cdt), 342
Messmer, Pierre (cne), 475
Mestour (chérif), 185
Millerand, Alexandre, 339-340, 343, 345
Millet (lt), 175-177
Mithghal (cheik), 394
Mohalib, Abd el- (émir), 304
Mohammed, Abdullah ibn, 302
Mohieddine, Khaled (gén.), 520
Mollet, Guy, 525
Montagu, Edwin, 196, 266, 271-272, 277, 366

TABLE

Cet ouvrage a été composé
par Nord Compo à Villeneuve-d'Ascq

Impression réalisée par
CPI BRODARD ET TAUPIN
La Flèche (Sarthe)

pour le compte des Éditions Stock
31, rue de Fleurus, 75006 Paris
en avril 2009

Imprimé en France
Dépôt légal : avril 2009
N° d'édition : 01 – N° d'impression : 52393
54-07-5978/9